Opowiadania letnie a nawet gorące

Opowiadania letnie
a nawet gorące

JANUSZ L. WIŚNIEWSKI
MAŁGORZATA WARDA
BARTEK ŚWIDERSKI
MONIKA SZWAJA
DOMINIKA STEC
MACIEJ PRZEPIERA
EWA OSTROWSKA
FILIP ONICHIMOWSKI
MONIKA MOSTOWIK
ZOFIA MOSSAKOWSKA
IWONA MENZEL
IRENA MATUSZKIEWICZ
BARTOSZ ŁAPIŃSKI
KATARZYNA LEŻEŃSKA
MAGDALENA KORDEL
JAROSŁAW KLEJNOCKI
MANULA KALICKA
MAREK HARNY
MAŁGORZATA DOMAGALIK
GRAŻYNA BĄKIEWICZ

Prószyński i S-ka

Projekt okładki: Maciej Sadowski

Redakcja: Jan Koźbiel

Redakcja techniczna: Elżbieta Urbańska

Korekta: Grażyna Nawrocka

Łamanie: Aneta Osipiak

ISBN 83-7469-328-2

Wydawca:
Prószyński i S-ka SA
ul. Garażowa 7, 02-651 Warszawa
www.proszynski.pl

Druk i oprawa:
Drukarnia Naukowo-Techniczna
Oddział Polskiej Agencji Prasowej SA
ul. Mińska 65, 03-828 Warszawa

Janusz Leon Wiśniewski

NIEWIERNOŚĆ

Przesunęła się w łóżku na drugą stronę i już po kilku minutach zauważyła, że ta też jest zła. Nadal nie mogła zasnąć.

Kolejna taka noc. Najpierw winiła upał i zepsutą klimatyzację, której naprawy nie mogła się doprosić od dwóch tygodni. Personel hotelu miał tutaj tylko obowiązki, praw – oprócz zagwarantowanej umową ośmiogodzinnej przerwy na sen – nie miał żadnych. Gdy po tygodniu poskarżyła się dyrektorowi hotelu, usłyszała, że jeśli chce, to on może do niej przychodzić nocą i chłodzić ją kostkami lodu z drinków, które razem wypiją. „Obłożę cię lodem, podniosę ci sutki, zamrożę ci uda tak, że zaczniesz drżeć z zimna i prosić, abym cię ogrzał....". Nie dała mu skończyć. Odwróciła się i wyszła z jego biura bez słowa.

Gdyby tylko chciała, z hukiem wyleciałby z tego gabinetu już jutro. Mały, wstrętny, łysy, gruby, obśliniony erotoman w wyświechtanym garniturze i kiczowato-patriotycznie chorwackim krawacie w biało-czerwoną szachownicę. Nie zdejmował tego krawatu chyba nigdy. Gdy zaczynał się nowy turnus, chodził między leżakami turystów wzdłuż basenu i przeszkadzając im, opowiadał, jak ważne jest dla niego, „aby czuli się jak u siebie w domu". Zaraz potem się przedstawiał, ale tylko imieniem. Bożydar. Powtarzał swoje imię dwa razy i zaczynał snuć zmyśloną opowieść o tym, że urodził się dwudziestego piątego grudnia i był „gift of God", czyli darem Boga. „Wszyscy synowie urodzeni w ten dzień dostają takie imię w Chorwacji" – dodawał z miną ministranta przed komunią. Oczywista nieprawda, na dodatek wcale nie urodził się w Chorwacji. Od Mileny pracującej w księgowości wiedziała, że nie ma na imię Bożydar, tylko Goran. I że urodził się we Frankfurcie nad Menem. Jego ojciec był muzułmaninem z Bośni, przyjechał do Niemiec za pieniędzmi. Nie zmarł śmiercią naturalną – znaleziono go z przestrzeloną głową w kradzionym samochodzie. Matka jest Niemką, pochodzi z byłej NRD i ciągle mieszka w Hanowerze. Zaraz potem z miną mędrca zmieniał temat i opowiadał o tym, że krawat wymyślili Chorwaci – co jest prawdą – i zapewniał – co wszyscy i tak już wiedzą – że jeśli na Hvar będzie padał deszcz, to za „każdy deszczowy dzień dostaną państwo pełny zwrot opłaty za koszty noclegu". Oczywiście nie dodawał, że koszty noclegu to nie więcej niż dwadzieścia procent kosztów pobytu. Grube i biedne turystki z Anglii były wniebowzięte, dla nich dzień bez deszczu jest niemal nie do wyobrażenia, więc wydawało im się, że na tym urlopie jeszcze zarobią. Niemki i Austriaczki go nie rozumiały, bo jego niemiecki był nie do zrozumienia. Włoszki ze strachu przed mężami udawały, że go nie zauważają, i odwracały się do niego swoimi ogromnymi pośladkami, a racjonalni Polacy dopytywali się, „ile godzin musi padać, żeby dostać zwrot i czy trzeba mieć na to jakieś zaświadczenie".

Czasami, obserwując go, zastanawiała się, co powiedziałby Freud, gdyby wysłuchał go na swojej kanapie we Wiedniu. Miałby z pewnością doskonały materiał do kolejnego artykułu o skutkach kompleksu Edypa, fantazjach seksualnych w dzieciństwie i transferze negatywnych emocji pacjenta na otaczający go świat. Bożydar-Goran, chorwacki krawatowy patriota z niemieckim obywatelstwem był bowiem klasycznym przykładem pacjenta, który wypychał swoją podświadomość na zewnątrz. I to wcale nie w snach. Robił to w samo południe, w garniturze i krawacie, w czterdziestostopniowym upale przechadzając się między leżakami, molestując Bogu ducha winnych turystów ze zjednoczonej Europy. Freud musiałby być zachwycony...

Postanowiła przyzwyczaić się do upałów. Nawet do tych w nocy. To było pewniejsze, niż liczyć na to, że naprawią jej klimatyzację. Otwierała na oścież okno, skrapiała wodą meble w pokoju – tak doradziły jej dziewczyny pracujące z nią w recepcji – kładła się spać po północy, piła czerwone wino i brała gorący prysznic. Czerwone wino po prysznicu zawsze ją usypiało. Zrzucała kołdrę i naga kładła się pod prześcieradłem. Nie pomagało. Gdy po raz kolejny przekonywała się, że żadna strona łóżka nie jest dobra, wstawała i siedząc nago przy małym okrągłym stoliku, robiła notatki do pracy. Sięgała po najnudniejsze książki o Freudzie. Czytała nawet tego wymoczka Adlera. Nikt nie pisał tak nudnie o Freudzie jak Adler. Chciała go szczególnie dokładnie przestudiować, aby nikt nie mógł się podczas obrony przyczepić, że „nie zna Adlera". Wielu znanych jej profesorów psychologii uwielbia Adlera. Jest momentami tak cholernie do nich podobny. Wylękniony facet z tytułami próbujący wydostać się z cienia rzucanego przez rozłożyste drzewo autorytetu mistrza, który ma zbyt mało czasu, aby przytulać i klepać po plecach wszystkich swoich apostołów. W odruchu desperacji i żałosnej zazdrości – tak jej się wydaje – trzeba było ten autorytet zdradzić. Gdy mistrz jest zbyt wielki, ma się bardzo mało do stracenia. Zawsze znajdzie się cała armia zazdrosnych i zakompleksionych popleczników, którzy przygarną zdrajcę. Ostatnia szansa, aby mieć swoje pięć minut i przez śmierdzącą oparami kuchnię wejść do historii. Alfred Adler swoich pięciu minut, jej zdaniem, nie wykorzystał. Był zbyt nudny w swoim uzasadnieniu zdrady. Może być, że zdrajcy, ze wstydu lub lęku przed zemstą własnego sumienia, nie potrafią interesująco krytykować zdradzonych. Najpierw wysiadywał cierpliwie jaja Freuda, aby potem sprzymierzyć się z chytrymi lisami czyhającymi na te jaja. Ale był dla nich zbyt uczciwy. I na dodatek nie dość, że był Żydem, to jeszcze marksistą. Na wiedeńskich salonach w tamtych czasach uchodziło to za poważną psychiczną przypadłość. Ani razu nie zdobył się na to, aby napisać, że Freud to wierutny kłamca, manipulator i hedonistyczny narcyz, pozujący do zdjęć najczęściej z cygarem. Zawsze pisał tak... dookoła. Nudnie i bełkotliwie o nerwicach wynikających z kompensacji braku uczucia bezpieczeństwa zamiast z nadmiaru „seksualnego libida". Nigdy nie odważył się, na przykład, na napisanie tego, co często i chętnie powtarzał wśród swoich przyjaciół, że Freud cygar nie palił. Tylko je zapalał. I potem ostentacyjnie ssał. Demonstrując – jego, Adlera zdaniem – w ten sposób ukryte pragnienia kobiet. Jeszcze lepiej byłoby, gdyby napisał, że ssąc cygaro, Freud demonstrował homoseksualną część swojej osobowości. Wszystko to oczywiście bzdura. Freud wypalał swoją dzienną rację – dwadzieścia! – cygar, najczęściej w odosobnieniu gabinetu.

Jednak nawet zanudzając się Adlerem, nie mogła zasnąć. Czasami przerywała czytanie i nie zdejmując okularów wstawał od stolika i podchodziła do okna. Niektórych nocy udawało się jej poczuć na skórze delikatnie chłodniejszy dotyk bryzy. Zakrywała wtedy dłońmi piersi i spoglądała na ścianę okien po drugiej stronie prostokąta zamykającego teren hotelu. W jednym z nich, na drugim piętrze, nad bramą, za którą zaczynał się ogród oddzielający budynek od ruchliwej ulicy prowadzącej na plażę, nigdy nie gasło światło. To było okno jego pokoju. Wpatrywała się intensywnie w nieregularną plamę żółtawej poświaty przedostającej się przez nieszczelnie zsunięte zasłony, próbując dojrzeć jakiś ruch lub cień. Nigdy nic takiego się nie zdarzyło. Któregoś razu, stojąc naga przy otwartym oknie, zdała sobie sprawę, że z wypatrywania znaków jego obecności o trzeciej nad ranem i rozczarowania którego doznaje przy tym za każdym razem, zrobiła sobie jakiś nocny masochistyczny ceremoniał. Że ta utrzymująca się bezsenność to nie żadne termiczne nieprzystosowanie do upałów na wyspie Hvar. Że to coś znacznie poważniejszego.

Jeszcze nigdy nie zdarzyło się jej, żeby nie mogła spać z powodu mężczyzny, który nie był w tym czasie obok niej w łóżku. Paweł zasypiał po niej. Niezależnie od tego, czy mieli seks, czy nie. Jeśli to prawda – nie wie dlaczego, ale nie może tak do końca uwierzyć w tę chemię – z tymi narkotycznymi endorfinami zwiększającymi swoją koncentrację podczas pożądania, to w jej krwi najbardziej koncentrowała się hypnotyna. Kolejny peptyd „od czegoś". Tym razem od spania. Czytała we Wiedniu, tuż przed przyjazdem na Hvar, jakiś mądry artykuł o hypnotynie. Wynikało z niego, że ejakulacji samca towarzyszy, z niewielkim opóźnieniem, fluktuacja stężenia hypnotyny. U niektórych badanych szczurów jej koncentracja w płynach ustrojowych wzrastała o ponad trzysta procent. Rzadko kiedy wyniki eksperymentów na szczurach różnią się od badań na ludziach. Jednym słowem, facet zasypia w łóżku zaraz po seksie nie ze swojej winy. Po prostu kobieta go zah(y)pnotyzowała. Analogia do jej zachowań była uderzająca. Najpierw z rozkoszy odpływała w krótkotrwałą nirwanę, potem przytulała się do Pawła, który ciągle jeszcze drżał z podniecenia, aby natychmiast zasnąć, nie czekając nawet, aż skończy szeptać jej do ucha te wszystkie słodkości, których inne kobiety w całym swoim życiu pewnie nie miały okazji wysłuchać. W jej wypadku spełnione pożądanie kończyło się zawsze zasypianiem. I to takim „psychoanalitycznie bezproduktywnym", ponieważ rano, po przebudzeniu, rzadko kiedy pamiętała swoje sny. Gdy zaczęła pisać doktorat z Freuda, natychmiast założyła także swój sennik. Chciała wiedzieć, czy na sobie samej może potwierdzić jego interpretacje. Nic z tego nie wyszło. Nie śniła o niczym symbolicznym. Ani o złamanych świecach, których nie można wsunąć do otworów w świeczniku (impotencja mężczyzny), ani o przelewających się w nieskończoność wannach (ktoś jest zbędny w otoczeniu), ani nawet o tradycyjnie śnionej nagości (niespełnienie seksualne). Ze wszystkich snów pamiętała tylko te, w których pojawiała się Agnieszka. Ale snów o Agnieszce nie zinterpretowałby nawet Freud. Była zbyt skomplikowana.

Agnieszka...

Znały się od zawsze. Ich rodzice byli połączeni jakąś nierozerwalną mistyczną więzią przyjaźni. Byli świadkami na swoich ślubach, rodzicami chrzestnymi dzieci, razem płakali na pogrzebach, razem spędzali urlopy i nawzajem żyrowali sobie kredyty, aby zbudować sobie domy. I razem je budowali. Jeden obok drugiego na przedmieściach Poznania. Jej matka i matka Agnieszki dołączyły wiernie i bezwarunkowo do przyjaźni ich ojców. Czwórka jedynaków, połączona dwoma oddzielnymi ślubami, czterema powinowactwami dusz i brakiem płotu między ogródkami ich szeregowców. Nigdy tego nie sprawdzała, ale była prawie pewna, że wszyscy czworo mają tę samą grupę krwi. Nie pamięta Wigilii, na której nie byłoby „cioci Wandy i wujka Mirka". Jeśli Freud – ojciec szóstki dzieci – ma rację i jedynactwo jest pierwotnym źródłem osamotnienia, to ich rodzice zrobili wszystko, aby się przed tym obronić, stawiając, z braku więzów krwi, na więzy przyjaźni. Sam Freud nieustannie poszukiwał przyjaźni, chociaż znany był z tego, nie potrafił ich dochowywać. Uważał, paradoksalnie, że przyjaźń to jeden z symptomów narcyzmu. Wybierając przyjaciół, stawiamy na ich najbardziej możliwe do nas podobieństwo, aby przeglądać się w ich oczach jak mitologiczny Narcyz w zwierciadle, z którym nie potrafił się rozstać. Akurat w wypadku jej i rodziców Agnieszki zupełnie się to nie zgadzało.

Agnieszka urodziła się prawie dokładnie rok po niej. Chodziły do tych samych szkół, ubierały się podobnie ekstrawagancko, słuchały tej samej muzyki, czytały te same książki i zakochiwały się w identycznie durnowatych chłopakach. Na szczęście nie w tych samych. Gdy przed maturą ogłosiła, że chce studiować psychologię w Warszawie, to pierwsze, co usłyszała od swojej matki, było: „Jak możesz to zrobić Agnieszce?!". Po okresie swoistej żałoby, która zapanowała w obu domach, Agnieszka powoli przyzwyczaiła się do myśli, że Warszawa wcale nie jest tak daleko. Ona została w Poznaniu i zaczęła studia na Akademii Ekonomicznej. Na początku spotykały się bardzo często. Potem, zajęte swoimi sprawami, oddaliły się od siebie. Mimo to, gdy wracała na weekendy lub ferie do Poznania, większość czasu spędzała z Agnieszką. I jej mężczyznami. Prawie za każdym razem był to inny mężczyzna. Musiała się koncentrować, aby nie mylić ich imion.

Agnieszka jest bardzo atrakcyjna. Ma wszystko, co przyciąga i pociąga. I na dodatek wzmacnia to w ostentacyjny sposób. Wyjątkowo głębokie dekolty i wypchnięte do góry piersi, rozpuszczone długie włosy, tatuaż, wyglądający spod opuszczonych na pośladki krótkich spódnic lub obcisłych spodni. I do tego twarz lolitki z wilgotnymi, obrzmiałymi wargami i ciągle zdziwionymi ogromnymi oczami. Klasyczny przykład kobiety-samicy ze snów pacjentów Freuda nękanych seksualnymi obsesjami. Gdyby zastosować do Agnieszki to, co Freud nazywał „wolną asocjacją", bez wątpienia byłaby ona związana z seksem i wyuzdanym pożądaniem. Gdy rozmawiały o mężczyznach, to z jej strony zawsze był wokół tego tematu nastrój smutku, rozczarowania i dziwnej, nigdy niespełnionej tęsknoty wymieszanej z cynizmem. „Zastanawiam się, dlaczego mężczyźni wolą mnie wspominać, niż być ze mną – powiedziała kiedyś, gdy spotkały się w pokoju jej akademika w Warszawie. – Tak mało od nich chcę, płacę swoje rachunki, rozmawiam z nimi, często udaję, że jestem od nich głupsza, interesuję się dla nich elektroniką, żużlem, malarstwem, giełdą, Internetem lub piłką nożną, uczę się dla nich gotować, nigdy nie rozmawiam z nimi o małżeństwie, nigdy nie pytam, skąd tak późno wracają, jak najczęściej wydobywam z siebie podziw dla nich, robię im kosmiczne laski, godzę się na przedwczesne wytryski, a i tak po dwóch, góra trzech miesiącach przechodzę wyłącznie do ich wspomnień i czasami używanych jak numer do seksualnego pogotowia ratunkowego wpisów w ich telefonach komórkowych; no powiedz, ty przyszła pani psycholog, co ja robię źle, na czym polegają moje kłopoty ze szczęściem?!". Nic jej wtedy nie odpowiedziała. Agnieszka i tak sama wiedziała, że wszystko robi źle, goniąc za pragnieniami innych, wierząc naiwnie, iż w ten sposób zaspokoi swoje własne.

Potem na długi czas całkowicie zaniedbała Agnieszkę. Resztę świata zresztą też. Czasami, gdy telefonowała do domu, mama pytała ją, czy jeszcze wie, gdzie jest Poznań. Pojawił się Paweł i wszystko inne zeszło na odległy plan. Była zajęta pielęgnowaniem swojego zakochania. To było jak neuroza lękowa. Lęk, że go utraci, lęk, że nie spełni jego oczekiwań, lęk, że traci czas dla niego, lęk, że poświęca mu zbyt dużo czasu, lęk, że robi dla niego zbyt wiele, lęk, że robi dla niego zbyt mało. Lęk, że jest zbyt gruba, lęk, że nie jest dziewicą, lęk, że pozwoli mu rozebrać się za wcześnie – albo jeszcze gorszy lęk przed tym, że w ogóle nie będzie chciał jej rozebrać. Prawie cały czas się czegoś bała. Gdy spóźniał się na spotkanie pięć minut, wydawało się jej, że mija pięć lat. C. G. Jung, ten niewdzięczny, niepoprawnie zbuntowany i wielokrotnie wymieniany jako spadkobierca mistrza, pieszczoszek Freuda, miał znowu rację: prawdziwa miłość w swojej wczesnej fazie namiętności objawia się głównie neurotycznym lękiem. Sprawdziła to na sobie. Ale Paweł – naprawdę przez długi czas tak uważała – był warty tej neurozy. Powiedział, że ją kocha na dwa dni przed tym, zanim pierwszy raz obudzili się w jednym łóżku. Nie wie, na co bardziej czekała. Czy na to wyznanie, czy na tę noc.

Wprowadziła się do jego kawalerki na Mokotowie dzień po obronie swojej pracy magisterskiej. Rodzicom oczywiście nie powiedziała o tym. Dumni z córki, wyjechali z Warszawy przekonani, że na czas studiów doktoranckich ich „najmądrzejsza na świecie" córeczka zamieszka w hotelu asystenckim. Ojciec nawet przyrzekł, że sam wyremontuje jej pokój. Nigdy nie zaakceptowaliby czegokolwiek zbliżonego do „nieusankcjonowanego pożycia". Chociaż Pawła od pierwszej chwili polubili. Szczególnie ojciec.

Agnieszka oczywiście była w Le Madam w Warszawie podczas przyjęcia, które zorganizowała z okazji magisterki. Chciała koniecznie poznać Pawła. „ Pamiętaj, przyjeżdżam tylko dla niego. Chcę powąchać i dotknąć mężczyznę, który według mnie nie powinien istnieć. Tylko dla niego. Opowiesz mi, jak całuje? I pamiętaj, tak jak zawsze, zgodnie z naszą umową, zrobię wszystko, aby ci go odebrać!" – oznajmiła jej podczas ostatniej rozmowy telefonicznej.

Oczywiście, że pamiętała. Kiedyś, dawno temu, jeszcze w ogólniaku, podpisały taką perfidną umowę. Agnieszka była wtedy zakochana w Patryku, koledze z jej klasy. W Patryku oprócz minimum czterech klas licealistek były wtedy zakochane chyba również wszystkie młodsze nauczycielki, a także nauczyciel historii, o którym plotkowano, że woli chłopców.

Patryk był ładny, jeśli można tak powiedzieć o mężczyźnie. Milczący, trochę nierozgarnięty – Agnieszka twierdziła, że to jedynie skromność i nieśmiałość – chłopak o długich czarnych włosach zakrywających czoło i zamglonych smutkiem ogromnych błękitnych oczach homoseksualnych modeli z reklam firmy Joop. Miał dwa metry wzrostu, grał wyczynowo w siatkówkę, przyjeżdżał do szkoły zielonym cooperem, w którym ledwie się mieścił, z braku czasu nie należał do żadnej kliki i nie można było z nim praktycznie o niczym oprócz sportu porozmawiać. Powiedziała jej o tym. „Nie znosisz go, ponieważ cię ignoruje i jesteś poza jego orbitą" – skomentowała jej uwagę Agnieszka ze złością w głosie. Po jej zgryźliwej odpowiedzi – „Nigdy nie spadam na tak niskie orbity" – pogniewały się na całe dwa dni. Agnieszka robiła wszystko, aby Patryk zwrócił na nią uwagę. Nieustannie była w jego pobliżu. Kiedyś, na zwolnieniu lekarskim, pojechała za nim na jakieś zgrupowanie do Mikołajek. Wrócili stamtąd już jako para. Triumfalnie demonstrowała to całemu haremowi wielbicielek Patryka, trzymając go za rękę podczas przerw. Któregoś wieczoru przyszła do niej i powiedziała: „Jest cały mój, na zawsze, nikt mi go nie odbierze, nawet ty. Chcesz spróbować?". I wtedy, tego wieczoru, podpisały tę szczenięcą umowę. To był pomysł Agnieszki. Wyciągnęła fotografię Patryka z torebki i na odwrocie spisała postanowienie „o nieograniczonym prawie do wymiany". Do dzisiaj nie wie dlaczego, ale poczuła się wtedy bardzo dotknięta. Może dlatego, że histerycznie nie znosiła, gdy okazywano jej wyższość. Miała to po ojcu. Tak czy inaczej, postanowiła „przystąpić do wymiany". To było idiotyczne, okrutne i egoistyczne. Bo Agnieszka, chyba po raz pierwszy w życiu, naprawdę była zakochana.

Nie pamięta, aby kiedykolwiek aż tak prymitywnie zabiegała o mężczyznę. Postawiła na wygląd, na siatkówkę i na nieustanny podziw. Trzy tygodnie później, podczas studniówki wyższej klasy, Patryk wielokrotnie zostawiał Agnieszkę przy stoliku, aby z nią tańczyć. Gdy udała, że czuje się źle i chce wrócić do domu, zaproponował, że ją odwiezie. W samochodzie udała wdzięczność i dotknęła, tylko raz, jego twarzy. Natychmiast zatrzymał samochód na parkingu przy ulicy i zaczął ją całować i obmacywać. Nie musiała wcale opowiadać tego Agnieszce. Patryk sam przeszedł do historii po kilku tygodniach jej smutku, kilku wybuchach agresywnej rozpaczy, dwóch dietach odchudzających na granicy anoreksji, dwóch postanowieniach pójścia do zakonu i po dwóch długowłosych studentach z ASP, na których Agnieszka postanowiła „zemścić się za siatkówkę".

Od tego czasu nigdy nie rozmawiały ani o umowie, ani tym bardziej o Patryku, który po wakacjach przeniósł się do lepszego klubu w Częstochowie. Patryk, tak jej się wydawało, pozostawił tylko puste miejsce na parkingu po swoim mini. To było jedyne, co podobało się jej w Patryku. Jego samochód. Agnieszka jednakże cierpiała z powodu tego pustego miejsca. Przez bardzo długi czas. Potem rozmyło się to wszystko, zdarzyli się inni zdradzający ją mężczyźni i Patryk zniknął ostatecznie.

Agnieszka pojawiła się w Le Madame dopiero około północy. Przytuliły się do siebie. „Tak ci zazdroszczę. Wszystkiego. Jestem dumna z ciebie, siostrzyczko" – wyszeptała jej do ucha przy powitaniu. Agnieszka była bardziej rozebrana niż ubrana. Miała na sobie coś, co przypominało jedwabną czarną halkę, a miało być sukienką. Gdy nachylała się, było widać jej ogromne piersi. Gdy stała wyprostowana, było widać opaleniznę ud nad koronką czarnych pończoch. Miała włosy spięte w kok i przeciwsłoneczne okulary na włosach nad czołem. Gdy przedstawiała ją swoim gościom, chodząc od stolika do stolika, mężczyźni sprawiali wrażenie nagle przebudzonych, a kobiety stawały się nagle wyjątkowo czujne. Na samym końcu podeszły do baru, gdzie Paweł rozmawiał z jej ojcem.

– Pawełku, poznaj moją Agnieszkę. Ona zna wszystkie moje tajemnice... No, prawie wszystkie – powiedziała, tuląc się do niego.

Paweł jakby od niechcenia wyciągnął rękę z kieszeni na powitanie, uśmiechnął się jednym z tych jego wyuczonych fałszywych grymasów, które opanował w czasie ćwiczeń z marketingu, i zamilkł. Odczekał cierpliwie, aż jej ojciec wycałuje Agnieszkę, którą widział trzy dni wcześniej w Poznaniu, i natychmiast wrócił do wątku przerwanej rozmowy, zupełnie je ignorując. Pierwszy raz, odkąd znała Pawła, poczuła rozczarowanie i zawód. Opowiadała mu wielokrotnie, kim dla niej jest Agnieszka. Chciała nim Agnieszkę oczarować od pierwszej chwili, a on zachował się jak gburowaty, niewychowany egocentryk. Podczas gdy ona zamarła ze wstydu przy barze, Agnieszka zdążyła zniknąć w ciemności sali. Usiadła przy pierwszym wolnym stoliku i zapaliła papierosa. Po chwili przysiadł się do niej jakiś mężczyzna z tatuażem na szyi. Wtedy zbliżyła się do stolika, nie wiedząc, co zrobić. Agnieszka zauważyła ją i powiedziała:

– Czy mógłby pan teraz wstać, pójść do baru i przynieść nam dwie dobrze schłodzone duże wódki? Proszę! Potem dobrze się panem zajmę, ale najpierw chcę porozmawiać z moją przyjaciółką. Potrzebujemy na to minimum półtorej godziny. Przyniesie pan?

Mężczyzna podniósł się z krzesła bez słowa, robiąc jej miejsce. Za chwilę wrócił z dwoma kieliszkami. Pod kieliszek, który postawił przed Agnieszką, wsunął swoją wizytówkę.

– Widziałaś go? – zapytała, gniotąc ze złością wizytówkę w dłoni. – To jest klasyczny przykład mężczyzny, którego trzeba się wystrzegać. Przed dwoma typami mężczyzn trzeba się strzec, siostrzyczko. Przed tymi, poza Japończykami oczywiście, którzy zawsze mają przygotowaną wizytówkę, i tymi, którzy mają więcej biżuterii na sobie niż ty. Ten warszawkowy artysta spełnia oba warunki. Gwarantuję ci, że będzie tutaj za półtorej godziny co do minuty. Zainwestował przecież ponad trzydzieści złotych w naszą wódkę. I gdy zechcę go wysłuchać, to mi powie, że go fascynuję, że jestem tajemnicza i że go twórczo inspiruję. I cały czas będzie przy tych kłamstwach myślał o tym, czy pojadę z nim do jego mieszkania. Ale ja nie chcę, żeby mnie dotykał w dzisiejszą sobotę ktoś obcy. Już mam dość obcych dotyków. Za dużo musiałam się ich nauczyć w ostatnim czasie. No, twoje zdrowie, pani magister...

Podniosła kieliszek i duszkiem wypiła całą zawartość. W tym momencie do ich stolik podszedł Paweł z jej ojcem. Wstała, i biorąc ojca za ramię, powiedziała:

– Chodź tatuś, poszukamy mamy. Pewnie się o nią martwisz...

Nie wyglądało na to, żeby jej ojciec o cokolwiek się martwił. Wypił już zbyt dużo wódki. Ale wstał posłusznie i zostawili Pawła samego z Agnieszką. Tylko o to jej chodziło. Chciała, żeby sam ją przeprosił za swoje zachowanie.

Po godzinie Paweł ciągle siedział w tym samym miejscu. Agnieszka zdjęła okulary z czoła i włożyła je do szklanki wypełnioną wodą mineralną, rozpuściła włosy. Było także o wiele więcej kieliszków na stole. Facet z tatuażem na szyi niecierpliwie kręcił się w pobliżu stolika, czekając, aż Paweł się oddali.

Nad ranem, gdy wracali taksówką do domu, zapytała Pawła o Agnieszkę.

– Dlaczego ją zignorowałeś? Było mi bardzo przykro... To moja jedyna przyjaciółka.

– Przesadzasz... – odpowiedział zniecierpliwionym głosem. – Przecież rozmawiałem z twoim tatą. On był priorytetem. Nie potrafię dzielić swojej uwagi. Potem podarowałem jej całą godzinę. Upijała się i opowiadała mi, jaka jesteś. Ona chyba jest w tobie zakochana. Snuła jakieś długie, dziwaczne opowieści o tym, jak to chodziłyście boso, trzymając się za ręce, po jakiejś łące w Bieszczadach czy Białowieży. Dokładnie nie pamiętam. Czy ona zawsze wszystkim pokazuje te swoje ogromne cycki? Nie mogłem momentami skupić się na tym, co mówi... – Zaśmiał się, wkładając prawą rękę w rozcięcie jej sukienki i ściskając palcami jej sutek.

Ani w Białowieży, ani w Bieszczadach. Chodziły na bosaka po rosie na łące w Zielonce w Borach Tucholskich. Powinien to pamiętać. Opowiadała mu to ze szczegółami kilka razy. Miała wtedy osiem lat i były to jej pierwsze kroki po ponadrocznym pobycie w klinice, gdzie składali, skręcali i znowu łamali jej zgruchotane biodro po wypadku samochodowym. Na tej zroszonej łące nauczyła się chodzić drugi raz w życiu. Ojciec Agnieszki niósł ją na barana, Agnieszka dreptała przy nim i mocno ściskała jej bosą piętę. W pewnym momencie stanęli na środku łąki i poczuła chłód rosy. Zamknęła oczy i zrobiła pierwszy krok. Potem drugi. Za chwilę Agnieszka podała jej rękę i zaczęła głośno się śmiać i krzyczeć z radości. Ona także. Mimo potwornego bólu. Przeszły tak całą łąkę.

Poza tym uwaga o piersiach Agnieszki była prostacka i wulgarna. Na dodatek ta dziwna koincydencja ruchu jego łapczywej ręki z jego ostatnim zdaniem... Nie była pewna, czyj sutek chciał ściskać Paweł. Jej, czy ten z cycków Agnieszki. Gwałtownie odepchnęła jego dłoń i odsunęła się na drugi brzeg siedzenia. Wtedy, w tej taksówce, pierwszy raz, odkąd znała Pawła, poczuła, że ten bezwarunkowy zachwyt, którym go szczelnie otuliła, zaczyna się zarysowywać.

Pierwsze wakacje po studiach spędziła w Warszawie. Paweł zmienił firmę i nie mógł wziąć urlopu. Od października miała rozpocząć studia doktoranckie. Dawno ustaliła z promotorem, że pracę będzie pisać z Freuda. W zwykłe dni chodziła do bibliotek, czytała, robiła notatki. Czasami jeździła do Krakowa, gdzie mieszkał jej profesor. Weekendy przeważnie spędzali z Pawłem w Poznaniu. Czasami miała wrażenie, że rodzice bardziej cieszą się z obecności jego niż jej. Szczególnie ojciec.

Agnieszka, gdy była akurat w Poznaniu, zachowywała się... schizofrenicznie. Tak by to nazwała. Z jednej strony bezpośrednio i demonstracyjnie unikała Pawła, z drugiej nie pozwalała, aby nie zauważał jej obecności. Gdy oni z rodzicami koło południa jedli na tarasie spóźnione sobotnie śniadanie, potrafiła pojawić się w ogrodzie i opalać się prawie nago – nie licząc kilku sznurków wokół bioder oraz mikroskopijnego trójkąta na podbrzuszu – dokładnie naprzeciwko ich stołu. Jej ojciec przesuwał stopniowo i najciszej jak się dało krzesło, aby lepiej widzieć, Paweł przestawał mówić, ona czuła się niezręcznie z budzącą się w niej nieznaną dotychczas zawiścią; matka, odwrócona do ogrodu plecami, nie wiedziała, o co chodzi.

Obnażona seksualność przy rodzinnym śniadaniu na tarasie szeregowca pod Poznaniem! Freud miał rację. Seksualne libido jest w ludziach zawsze i wszędzie. Krytykowano go za to, że ciągle mówi o płciowości, zarzucano mu, że ta myśl nim zawładnęła, że uczynił z niej *numinosum*, czyli świętość, którą trzeba otoczyć bastionem i uczynić z niej dogmat. Namiętnie i bez rezultatu przekonywał do tego Junga. A jednocześnie nie potrafił zdobyć się na to, aby nadać jej mistyczny, religijny sens. Ograniczał się wyłącznie do biologicznego. Uświęcając biologię, bliżej jest się Darwina niż Mojżesza. W Darwina nie można nawet wierzyć. Darwin nie potrzebuje dogmatów i kościołów, ponieważ sam się naukowo dowodzi. Darwinowi można więc co najwyżej uwierzyć. Co nie przeszkadza, aby pragnąć go ukrzyżować. Jak najbardziej. Tego chcieliby, o prawie dwa wieki za późno, co najwyżej niektórzy bardzo zacofani farmerzy z południowych stanów USA. Może dlatego Freud, podobnie jak Darwin, był tak zgorzkniały. Obydwaj poszukiwali prawdy, niszcząc po drodze iluzje, obydwaj postawili na biologię. A to był najgorszy z możliwych wyborów. Ludzie bowiem całą mocą będą wypierać się swojej zwierzęcości.

Paweł i jej ojciec nie wypierali się jej zbytnio, jedząc jogurt, popijając kawę i wpatrując się zwierzęco w sterczący biust Agnieszki. W pewnym momencie nie wytrzymała i zapytała:

– Tatuś, mam ci przynieść okulary?

– Nie, nie... Tak tylko patrzyłem na żywopłot. Chyba go przytnę dzisiaj... – odpowiedział zmieszany.

Wstała bez słowa od stołu i podeszła do Agnieszki. Klękając na trawie przed jej leżakiem, zasłoniła Freuda swoimi plecami. Mężczyźni natychmiast wrócili do rozmowy. Mama zaczęła zbierać naczynia ze stołu.

Wieczorami przeważnie wychodzili z Pawłem do jakiegoś klubu w Poznaniu albo jechali do kafejek nad Jezioro Maltańskie. Czasami pojawiała się tam Agnieszka. Nigdy sama. Za każdym razem z kimś innym. Poświęcała tym mężczyznom około piętnastu minut uwagi, tak mniej więcej na jednego drinka, po czym, zupełnie ich ignorując, zabierała ją od stolika i zaczynały rozmawiać. Paweł był wściekły. Czasami wyrażał to podniesionym głosem przy Agnieszce. Nie znosiła tego. Po trzech takich incydentach zaproponowała mu, że sama będzie odwiedzać Poznań. Najpierw się zgadzał, a potem i tak jechali razem.

Prawie pół roku później zdarzyło się w jej życiu coś niezwykłego. W lutym dowiedziała się, że następne wakacje ma spędzić w Austrii! Jej promotor jest bardzo dobrym znajomym rektora Uniwersytetu Medycznego we Wiedniu – z jego referencjami i oficjalnym zaproszeniem z Wiednia udało się jej otrzymać stypendium z europejskiego programu Sokrates. W czerwcu i lipcu badania we Wiedniu, a potem, od października, na sześć tygodni do Grazu, gdzie powstało pierwsze w świecie laboratorium psychologiczne i gdzie Freud ze swoim mentorem Breuerem publikowali nowatorskie prace dotyczące histerii. Wracała tamtego dnia do domu jak na skrzydłach. Najpierw chciała obwieścić to Pawłowi, potem zadzwonić do rodziców, a na samym końcu przegadać o tym godzinę lub dwie z Agnieszką.

Do rodziców nie zadzwoniła i wypłakać się Agnieszce także nie miała ochoty. Paweł zareagował na wiadomość z niespotykaną u niego agresją. Najbardziej dotknęły ją jego argumenty. Uważał, że jej doktorat „nie jest warty tego, aby odwoływali ich urlop w Norwegii". Tłumaczyła mu, że sierpień i wrzesień mogą spędzić razem, że przecież do Grazu ma wrócić dopiero na jesieni, że tak naprawdę chodzi tylko o zmianę terminu ich wyjazdu. Uparcie nie chciał tego zrozumieć. Któregoś wieczoru, przy kolejnej dyskusji, wykrzyczał:

– Mamy audit z Holandii w sierpniu, mój szef nigdy by mi tego nie wybaczył, gdybym chociaż na jeden dzień wyjechał wtedy z Warszawy. Moja praca to coś o wiele bardziej poważnego niż twój doktoracik o histerykach.

Pierwszy raz płakała z jego powodu. I pierwszy raz nie chciała zasypiać obok niego w łóżku. Następnego dnia rano zostawiła na stole w kuchni kartkę, osobiście zaniosła wszystkie dokumenty do ministerstwa i telefonicznie potwierdziła we Wiedniu swój przyjazd. Przez trzy kolejne miesiące Paweł robił wszystko, aby odczuła, że ją ignoruje. Spotykali się czasami w drodze do łazienki, zamykanej na klucz, schodzili sobie z drogi w kuchni, robili oddzielne zakupy, SMS-ami informowali o swoich wyjazdach, celowo nie pisząc, kiedy wrócą. Wieczorami, gdy dzwonił jego telefon, wstawał z fotela i zamykał się z nim w łazience. Słyszała jego śmiech, imiona kobiet i czasami dźwięk rozpryskiwanej wody z prysznica. Wracał pachnący jej ulubioną woda toaletową, ubierał się i wychodził bez słowa. Budziła się, gdy przekręcał klucz w zamku. Zrzucał ubranie i kładł się na materacu, który rozłożyła i pościeliła dla niego. Pachniał alkoholem, nikotyną i obcymi perfumami. Czasami spermą. Oficjalnie miała narzeczonego, dyplom w kieszeni i świetlaną przyszłość, a nieoficjalnie powiększającą się z dnia na dzień bliznę w sercu.

Cierpiała w samotności. Nie chciała martwić rodziców i nie mogła zdobyć się na rozmowę z Agnieszką. Nie chciała jej mówić o tym przez telefon i jednocześnie wiedziała, że w Poznaniu nie potrafi ukryć swojego smutku tak dobrze, by rodzice nie zaczęli zadawać jej pytań. Sama nie znała na nie odpowiedzi, a kłamać nie potrafiła. Cała ta psychologia, którą zajmowała się od rana do wieczora, także nie potrafiła jej pomóc. Wspomnienia z dzieciństwa, kłamstwa, neurozy, psychozy, modele komunikacji, awersje i preferencje, moralność, wyuczone lub odziedziczone lęki, kolejne wcielenia kompleksów Edypa lub Elektry, inteligencja, podświadomość, fantazje, popędy, instynkty, superego, uzależnienia, perwersje, oszustwa i natręctwa... To wszystko dotyczyło innych. Siebie i swoich przeżyć nie potrafiła na tej psychomapie odnaleźć. Może to faktycznie dotyczy tylko jakiś odosobnionych, wirtualnych histeryków, których Freud sobie wymyślił, zanalizował i opisał jako swoich pacjentów. Może wcale nie było żadnej „Anny O." alias Berthy Papenheim, która w rozpaczy po śmieci ojca miała podwójne Ja, halucynowała po angielsku i przestała po kilku rozmowach na kanapie, może rację mieli ci, którzy uważali, że freudowska teoria dziecięcej seksualności to nie temat na kongresy tylko sprawa dla policji? Może Freud to nie geniusz tylko fantasta i wszystko to wymyślił, aby dotrzeć do wnętrza swojej własnej paranoi, próbując uzasadnić i usprawiedliwić swoją impotencję? Przecież sam wielokrotnie i w wielu wariacjach pisał do Wilhelma Fliessa, laryngologa z Berlina i jedynego jego przyjaciela, że w wieku czterdziestu lat

„nie czuje żadnego seksualnego pożądania i jest impotentem". Może gdyby w aptekach Wiednia na przełomie dziewiętnastego i dwudziestego wieku można było kupić viagrę, to nie byłoby psychoanalizy? Może więcej prawdy o psychozach opowiedział magister polonistyki Marek Koterski w „Dniu świra" niż psychiatra, profesor doktor habilitowany Zygmunt Freud w swoich opasłych traktatach?

A może to Paweł ma rację? Może nie warto dla psychodelicznych bzdur kokainisty z Wiednia rezygnować z bliskości, spokoju, harmonii, dotyku, szeptów, obietnic i wystawiać ich miłości na próbę? A może właśnie i przede wszystkim miłość trzeba wystawiać na próby? Aby dotrzeć do jej niebiologicznego sensu? Jednego była pewna: to, co robi i to, w co uwierzyła, jest obecnie ważniejsze niż wakacje w Norwegii i jego nagły audit w sierpniu. Paweł powinien zdobyć się na ten kompromis. Jeśli mają mieć w przyszłości jakiekolwiek inne wspólne wakacje. Czekała na czerwiec jak na początek jakiegoś nowego życia. Chciała wyjechać, oddalić się, zniknąć, upewnić się, że mimo wszystko Paweł za nią zatęskni.

Pod koniec maja Agnieszka zaprosiła ich na „olewanie dyplomu" – dokładnie tak napisała w zaproszeniu – do... Berlina. Nie mogła w to uwierzyć. Zadzwoniła do niej.

– Zwariowałaś?! To więcej niż tysiąc kilometrów! – zaczęła.

– Ja zwariowałam, siostrzyczko, już dawno. Tak w okolicy Patryka. Pamiętasz go jeszcze? Jako pani psycholog powinnaś to wiedzieć na długo przede mną – odpowiedziała, śmiejąc się w słuchawkę. – Vincent mój nowy *boy.* Nie może przyjechać w maju do Poznania. Ma jakieś ważne sprawy w Berlinie. Powiedziałam mu, że jeśli tutaj nie przyjedzie, to może spadać do swojego Mediolanu. Maj albo nigdy z nim. Zrobiłam to dla ciebie. Przecież wyjeżdżasz do tego Wiednia, prawda? – zapytała, ściszając głos.

– Tak, jestem już prawie spakowana.

– No widzisz! Przestraszony Vincent wynajął jakiś klub na Kudamm w Berlinie i robi mi tam olewanie. Pomyślałam, że to świetny pomysł. Można by następnego ranka zrobić tam zakupy. Z Poznania to nie jest daleko. Prawie wszyscy z mojego roku potwierdzili, że przyjadą. Kazałam Wincentemu zarezerwować nam hotel tuż przy klubie. Nie będzie żadnych kosztów. On uwielbia wydawać na mnie pieniądze. Przyjedziesz... to znaczy przyjedziecie? – zapytała.

– Możesz zaczekać do jutra? Muszę ustalić to z Pawłem, nie znam jego planów – powiedziała.

– Jak to nie znasz? Mężczyźni mają tylko jeden plan. Ale ty przyjedziesz, prawda?

– Ja? Ja przyjadę na pewno – odpowiedziała bez wahania i z przekorą w głosie.

Tego także natychmiast pożałowała. Wiedziała, że Agnieszka rozszyfruje tę przekorę.

Zostawiła na stole w kuchni otwarte zaproszenie od Agnieszki i wysłała Pawłowi e-mail z informacjami o Berlinie. Potwierdził, że „zrobi to dla Agnieszki" i z nią pojedzie. W drodze do Berlina zamienili w samochodzie nie więcej niż cztery zdania. Gdy mijali Poznań, miała ochotę poprosić go, aby ją wysadził na najbliższym parkingu. Z otwartą książką na kolanach udawała, że czyta. Dopiero przed hotelem w Berlinie zdała sobie sprawę, że nie przewracała stron. Miała nadzieję, że Paweł tego nie zauważył.

Vincent – Wincenty zupełnie do niego nie pasował – był pierwszym Włochem, który ją oczarował. Absolutnie nie przypominał klasycznego macho. Nie wpatrywał się w jej dekolt, przysłuchiwał się uważnie temu, co do niego mówi i był niezwykłym erudytą. Miał około czterdziestu pięciu lat, długie, pofalowane, posrebrzone siwizną na skroniach włosy i obrączkę na palcu. Podczas przyjęcia robił wszystko, aby pozostać w cieniu i aby Agnieszka nie musiała spędzać z nim czasu. Gdy zauważył, że jako jedyny na sali jest w garniturze, zniknął na chwilę i wrócił w jeansach i sportowej marynarce. Był, jej zdaniem, najbardziej przystojnym i najbardziej dostojnym mężczyzną, jaki pojawił się tym klubie. Te nastroszone jak koguty młode samce z Poznania i okolic, łącznie z rejonem Warszawy, nie sięgały mu do pięt. Najwięcej wiedział, najwięcej widział, najwięcej przeczytał, zaparkował najdroższy samochód przed klubem, znał najwięcej języków obcych, najmniej mówił o sobie i na dodatek... najlepiej pachniał. Stał, gdy wstawała, siedział, gdy siadała. Przez cały wieczór był obok niej i rozmawiali. Próbowała na nim swój niemiecki, który szlifowała na Wiedeń. Zaczął ją poprawiać dopiero, gdy poprosiła go o to. Za każdym razem ją przepraszał. Bardzo ją to rozczulało. Natychmiast dyskretnie się oddalał, gdy tylko zbliżał się Paweł. Widać było, że jest przeraźliwie smutny. W dokładnym rezonansie z jej smutkiem. Był pierwszym mężczyzną, którego tak naprawdę chciałaby odebrać Agnieszce. Chociaż na tę jedną noc. Albo raczej wyłącznie na tę jedną.

Agnieszka bywała przy nich rzadziej niż Paweł. Podchodziła, siadała na kolanach Vincenta i kładła jego dłoń na swojej lewej lub prawej piersi. Gdy trafiała na tę z obrączką, to ją natychmiast zmieniała. Brała jego serdeczny palec do ust, przez kilka sekund ssała, aby za chwilę przycisnąć go do wypukłości na środ-

ku jej piersi. Posiedziała tak trochę i odchodziła. Patrzył za nią z nostalgią.

Agnieszka nigdy nie wyglądała tak wyzywająco jak tego wieczoru. Wiedziała doskonale, że będzie w centrum uwagi. To był przecież jej wieczór. Rozpuszczone długie włosy, długa obcisła suknia z czarnego cienkiego kaszmiru z wyciętą na plecach elipsą, kończącą się krawędzią na granicy pośladków. Spoglądając na nią, przypomniała sobie najbardziej wyuzdane kobiety z obrazów Klimta i Kokoschki. Klimt i Freud byli prawie sąsiadami we Wiedniu. Nie wiedząc nic o sobie, doskonale się uzupełniali. Wiedeń z przełomu wieków był bardziej perwersyjny – i przy tym mniej komercyjny – niż obecne czasy „Playboya", MTV i powszechnej nagości, która zwraca coraz mniej uwagi. Klimt malował i wystawiał dokładnie to, co Freud wyczytywał z opowieści o lubieżnych snach swoich pacjentów. Spoglądała czasami na zaciemniony parkiet oświetlany klaustrofobicznym światłem ultrafioletowych reflektorów, uruchamianych przez didżeja. Migające, zatrzymywane jak w kadrze, na ułamek sekundy, postacie tańczących na wpół rozebranych kobiet otoczonych szarą, postrzępioną poświatą papierosowego dymu doskonale oddawały nastrój obrazów Klimta. W pewnej chwili rozpoznała twarz Pawła. Tańczył z Agnieszką. Poczuła nagły ucisk w klatce piersiowej. Przy kolejnym rozbłysku zauważyła, że bierze do ust jej włosy, które przy tym świetle miały fioletowo-biały kolor. Wydawało się jej, że rozbłyski pojawiają się coraz częściej. Dokładnie w takt bicia jej serca. Nagle dostrzegła, jak dłoń Pawła znika za materiałem sukienki i przesuwa się coraz niżej. Widziała. Wyraźnie to widziała! Wypukłość nad linią rozdzielającą pośladki Agnieszki zwiększała się lub malała rytmicznie z każdym rozbłyskiem...

– Czy odprowadzi mnie pan do hotelu? – zapytała. – Nie czuję się najlepiej.

Natychmiast wstał, podając jej rękę. Był przerażony.

– Oczywiście... Czy mam zawołać lekarza? – zapytał, wyciągając z kieszeni swój telefon. – To mój dobry przyjaciel.

– Nie. Proszę mnie tylko odprowadzić. I na chwilę zostać ze mną...

Za późno powiedziała mu, że hotel znajduje się nie więcej niż sto metrów od klubu. I że to nie jest żaden zawał. Przynajmniej nie taki związany z martwicą komórek mięśniowych określonego obszaru serca. Że to tylko atak jakiegoś nieznanego jej dotychczas lęku. Gdy wyszli na ulicę, czekała na nią karetka pogotowia.

– Hotel jest tuż za rogiem... przepraszam cię, to znaczy, przepraszam pana. Nie chciałam robić kłopotu...

Skinął na ochroniarza i powiedział coś do niego po włosku. Po chwili karetka odjechała. Szedł obok niej w milczeniu. Wjechali windą na czwarte piętro. Weszli do pokoju. Otworzył szeroko okno. Odkręcił prysznic w łazience. Odsłonił pościel.

– Jeśli pani się poczuje lepiej, to proszę zadzwonić do recepcji. Będę tam czekał na pani wiadomość. Jeśli nie zadzwoni pani w ciągu piętnastu minut, to pozwolę sobie tutaj przyjść jeszcze raz. Wszystko będzie dobrze – powiedział, dotykając delikatnie jej policzka.

Nie zadzwoniła.

Po prysznicu wyszła okryta jedynie ręcznikiem. Zapaliła lampkę na nocnym stoliku. Uchyliła drzwi do pokoju, blokując je butem. Otworzyła lodówkę minibaru i wyciągnęła zmrożoną buteleczkę z ginem. Wypiła ją duszkiem, Znalazła marlboro w kieszeni marynarki Pawła. Zapaliła. Wróciła do łazienki. Z kosmetyczki Pawła wydobyła jego diora. Spryskała nim kawałek ściany między przedpokojem i biurkiem. Na wysokości ust i nosa. Z lodówki wyciągnęła buteleczkę z koniakiem. Wypiła ją w drodze do łazienki. Grubą warstwą malinowej wazeliny do warg posmarowała swój anus. Odrzuciła ręcznik na łóżko. Sprawdziła zegarek. Mijało właśnie piętnaście minut. Zapaliła drugiego papierosa. Podeszła do ściany. Stanęła, opierając czoło na ciągle wilgotnej plamie po diorze. Usłyszała trzask zatrzymującej się na piętrze windy. Podniosła ręce. Rozsunęła szeroko uda, wypięła pośladki. Słyszała zbliżające się kroki. Nagle światło z korytarza przedostało się do pokoju i zgasło. Usłyszała zgrzyt zamykanych drzwi. Zaciągnęła się głęboko papierosem. Nie zawiedziesz mnie teraz Freudzie, prawda?! – pomyślała zamykając oczy...

Obudziła się przytulona do Pawła. Zaczęła delikatnie lizać jego szyję, zmoczyła śliną palce, objęła jego penis. Odepchnął ją gwałtownie i przesunął się na drugą stronę łóżka, nie otwierając oczu. Opuściła stopy na ręcznik, który leżał przy łóżku. Na biurku na jej zmiętej sukience stały obok siebie puste butelki po ginie i koniaku. Dywan obok biurka zasypany był popiołem z papierosa. Podniosła głowę i spojrzała na ścianę. W środku między dwiema długimi liniami zdartej tapety na wysokości jej oczu znajdowały się rozmazane różowoczerwone plamy po szmince, poznaczone odciskami zębów. Przycisnęła nos do ściany w tym miejscu. Pachniało klejem do tapety pomieszanym z zapachem malin.

Nie pamiętała niczego. Nie mogła sobie nawet wyobrazić tego wspomnienia. Typowa freudowska represja. Niektóre pragnienia trzyma się, dla własnego bezpieczeństwa, bardzo daleko od świadomości. Nawet jeśli spełniły się przed ośmioma godzinami. Ale one gdzieś tam się w mózgu zapisują. Odezwą się, gdy tylko pojawi się jakiś konflikt, albo – niewyrażone – zamienią się w neurozę. Zobaczyła swój zgnieciony but na podłodze przed drzwiami łazienki. Na czarnych kafelkach przed wanną leżały jej majtki z szarym odciskiem podeszwy buta. Zaczęła myć zęby. Szorowała tak długo, aż na pianie z pasty pojawiła się krew. Przypomniała sobie w tym momencie dyskusję Junga z Freudem na temat interpretacji snu jednej z jego pacjentek. Obsesyjnie śniła ona o brutalnym seksie oralnym ze swoim szwagrem, który nie był jej obojętny. W swoich snach zgadzała się na ten seks, uważając, że tylko w taki sposób może zachować dziewictwo dla swojego męża. Każdy epizod jej snu kończył się dopiero wtedy, gdy poczuła smak krwi na wargach. Na dodatek kobieta przyznawała, że w tym momencie odczuwała satysfakcję seksualną. Jung twierdził, że dziewictwo, którego utrata jest zawsze traumatyczna i bezpowrotna, ma dla kobiet ogromne znaczenie i związane jest ze składaniem ofiary i znaczeniem krwią tego najważniejszego na całe życie. Według niego sen matki wielródki o krwi płynącej z jej ust tego dowodzi. Z ust krew może wypływać wielokrotnie i z wielu powodów, z rozerwanej błony dziewiczej tylko raz i tylko z jednego „uświęconego małżeństwem" powodu. Seks oralny pozwalał tej kobiecie bezpiecznie realizować swoje niezaspokojone fantazje seksualne i jednocześnie zachować wyłączność miłości do męża. Podobne znaczenie ma na przykład w islamie seks analny. Freud z kolei uważał, że w utracie dziewictwa najważniejsza jest krew, którą kobieta „przelewa w walce o swojego aktualnego samca". Krew na wargach to tylko *ersatz* krwi z hymenu. Kobieta, gdyby mogła, traciłaby swoje dziewictwo wielokrotnie. Głupi, tragiczny Freud! Wszystko redukował do zwykłej seksualności.

Weszła do wanny. Odkręciła kran. Schyliła się po wąż z prysznicem. Poczuła ból. Dokładnie w miejscu pod tatuażem Agnieszki. Uśmiechnęła się. Dokładnie jak na tej łące w Zielonce...

Wyjechali z Berlina dopiero po południu. Po śniadaniu. Na Kudamm podają śniadanie do dwudziestej trzeciej. Potem przez godzinę podają tylko kolację, a potem znowu śniadanie. To takie marketingowe dopasowanie do nowego trendu zagonionych ludzi. Vincent tymczasem zdążył wylecieć do Rzymu. Agnieszka zdążyła być już w wieczornym nastroju.

– Szukałam cię wczoraj w nocy. Co się stało, siostro? – zapytała, przysiadając się do niej z kieliszkiem szampana.

– Ja także siebie szukałam. Ale nie znalazłam. To boli. Czasami w dziwnych miejscach.

– I bardzo długo trwa. U mnie już tak siedem lat – powiedziała Agnieszka, ściskając ją za rękę. – Zadzwoń do mnie, jak już się urządzisz we Wiedniu. Natychmiast przyjadę...

Leciała z Warszawy we wtorek około południa. Spotkała się z rodzicami na lotnisku. Pawła na szczęście nie było. Miał jakiś ważny lunch w Gdańsku. Przez ostatnie miesiące, gdy chciała, żeby był, on musiał jeść obiady w jakiś odległych miastach w Polsce. Wolała im tłumaczyć, dlaczego go nie ma, niż pozostawić bez wytłumaczenia, gdyby zdarzyło się im być świadkami ich pożegnania.

Spotkali się przy śniadaniu w kuchni. Złożył gazetę, dopił kawę, poprawił krawat i podał jej rękę, życząc bezpiecznego lotu. Czekała tylko na to, że powie: „To się jakoś zdzwonimy...".

Objęła go. Nie rozsunął warg przy pocałunku, nie podniósł rąk. Popłakała się dopiero w samolocie.

– Siostrzyczko... – usłyszała nagle za sobą, kiedy czekała na taksówkę przed terminalem we Wiedniu.

Agnieszka przylatywała lub przyjeżdżała z Mediolanu samochodem do Wiednia w prawie każdy weekend. Paweł nie zatęsknił. Pisał czasami tylko lakoniczne emaile o tym, jak bardzo jest zapracowany. Nie miała uczucia, że jest ważniejsza niż jego audit z Holandii. I że kiedykolwiek będzie. Któregoś razu zadzwoniła Agnieszka.

– Mam super njusa – zaczęła podnieconym głosem. – Vincent... to znaczy jego firma kupiła hotel w Dubrowniku. Mogłybyśmy się tam opalać i w międzyczasie uważać, pracując w recepcji, jak idzie ten biznes. Połowa kasy pójdzie oficjalnie przez podatek, drugą połowę chcą przepuścić przez koszty PR. Bez podatku. Wszystko netto na nasze zadbane i opalone ręce! Chciałabyś?

Nie wiedziała dokładnie, czego chce. Wiedziała natomiast, czego z pewnością nie chce. Nie chciała wracać do Warszawy, a tym bardziej do Poznania. Poza tym chciała się wreszcie usamodzielnić. Od Pawła i od rodziców. Odpowiedziała, że chce.

Potem pojawiły się komplikacje. Okazało się, że w hotelu w Dubrowniku może być tylko jeden rezydent. Drugi mógłby osiąść w innym hotelu, który firma Vincenta przejęła na wyspie Hvar. Ale tylko na sierpień. Potem mogłaby wrócić do Agnieszki do Dubrownika.

– Powiedziałam Wincentemu, że jeżeli tak nie będzie, to może pakować książki i wracać do swojej grubej starej żony na Sycylię – skomentowało to Agnieszka.

Czasami zastanawiała się, skąd u niej tyle fałszywego cynizmu. Ona nie była przecież taka.

Na początku sierpnia pojechała z Wiednia pociągiem do Splitu, a potem promem popłynęła na Hvar. Osiemnastego sierpnia podczas jej nocnego dyżuru w recepcji obudził ją wysoki mężczyzna w czarnym podkoszulku.

– Mam na imię Jon. Zarezerwowałem tutaj dwa pokoje na dwanaście dni...

Położył przed nią wydruk e-mailu z kodem rezerwacji. Była przerażona. Hotel był pełny od pralni w piwnicy do komina na dachu. Nie było go na żadnej liście w komputerze. Poprosiła o jego paszport. Pochodził z Nowej Zelandii. Sprawdziła pod nazwiskiem Stevens. Był. Z imieniem John. Od jutra i tylko na jeden pokój. Zaczęła się tłumaczyć, ale przerwał jej w pół zdania:

– To się zdarza. Mogę przespać się na fotelu. Czy mogę zwolnić taksówkę?

Skinęła nerwowo głową, mówiąc:

– Proszę poprosić taksówkarza do recepcji. Przejmiemy koszty pana transportu.

Nie poprosił. Zaczął wnosić do hotelu metalowe walizki i sztalugi. Potem bez słowa usiadł na fotelu, przykrył się skórzaną kurtką i próbował zasnąć. Po godzinie podeszła do niego.

– Jeśli pan się zgodzi, to dam panu klucz od mojego pokoju. Nie ma teraz żadnej sprzątaczki, więc trudno mi zapewnić panu zmianę pościeli. Jutro rano to wszystko wyjaśnimy. Jeśli pan to zaakceptuje, to w ramach rekompensaty przejmiemy koszty następnych trzech dni pana pobytu. Bardzo pana za wszystko przepraszam...

Nagle przebudzony, spojrzał na nią przerażonym wzrokiem.

– Przepraszam panią. Ja nie chciałem przeszkadzać. Gdy jestem zmęczony, to czasami chrapię..

Uśmiechnęła się. Przepraszali się nawzajem. Pomyślała, że to dobry znak. Mr Stevens nie zrobi jutro żadnej awantury w dyrekcji. Wziął od niej klucz i poszedł do windy. Po dziesięciu minutach zadzwonił telefon.

– Czy wolno mi zdjąć z łóżka pani książki i notatki? Ja co prawda mogę spać na podłodze...

– Przepraszam. Oczywiście. Proszę położyć to wszystko na stoliku pod oknem. Niech pan nie śpi w żadnym wypadku na podłodze...

– Czy pani także ma na imię Agnieszka? – zapytał nagle, wypowiadając to imię bez akcentu.

– Nie! – odpowiedziała zmieszana. – Proszę odłożyć wszystko na stolik. Dobranoc...

Zastanawiała się, czy w łazience nie ma jej tamponów, czy golarka do nóg i podbrzusza jest opłukana, czy tabletki antykoncepcyjne są w jej kosmetyczce i czy na suszarce nad wanną nie wisi jej bielizna. Była prawie pewna, że wisi.

Gdy po dyżurze wróciła do swojego pokoju, łóżko zastała nienaruszone, książki i notatki leżały tam, gdzie je zostawiła, jej bielizna została ułożona w kostkę na ręcznikach w łazience, a na stoliku pod oknem dostrzegła plik kartek z reprodukcjami olejnych obrazów podpisanych nazwiskiem „Stevens". Na jednej z reprodukcji z wizerunkiem nagiej kobiety był napis po angielsku i w nawiasie – bezbłędnie – dopisek po polsku: *Klimta podziwiam, Schiele uwielbiam, a Freud to zwykły ćpun.*

Spotkała go następnego dnia na plaży. Siedział na ręczniku obok ogromnej butelki czerwonego wina i rzeźbił coś nożem w kawałku drzewa. Zapytała go po polsku, co to będzie. Odpowiedział po angielsku:

– Jeszcze nie wiem, jeszcze wino się nie skończyło...

Uśmiechnęła się do niego. W pewnej chwili wstał i zniknął bez słowa. Po chwili wrócił z kieliszkiem. Nalał do pełna wina i wkopał go w piasek tuż przed nią.

– Ma pani dobre serce pod piękną piersią.

Pomyślała, że powinna założyć stanik. To było dziwne, ale chyba typowe dla wszystkich kobiet: opalała się topless tylko na plażach bardzo odległych od hotelu. Jej piersi mieli prawo oglądać tylko zupełnie obcy. Po dziesięciu minutach zastanawiała się, czy on nadal jest na tyle obcy, aby mieć to prawo.

– Freud to mizogin, dyktator, onanista i tchórz. Niech pani to napisze. Chociaż... Może o tym onaniście jednak nie. To w Polsce zaprowadzi panią na szafot. Wyrzeźbię dzisiaj prącie Freuda i utopimy je razem w morzu. Chce pani?

Siedzieli na plaży i rozmawiali. Po angielsku. Czasami wtrącał pojedyncze polskie słowa. On rzeźbił, on piła wino, które nalewał. I mówił. Już dawno żaden mężczyzna nie zachwycił jej rozmową. W pewnym momencie odważyła się zapytać:

– Dlaczego Polska?

– Na pewno nie z powodu Matejki. Trochę z powodu Malczewskiego, ale najbardziej z powodu Agnieszki. Ale ona nie mieszka w Poznaniu. – Zaśmiał się, pokazując jej swoją rzeźbę.

Wiedziała, że przeczytał wszystko, co leżało na jej łóżku. Ucieszyła się z tego. Spojrzała na to, co postawił przed nią na piasku. Mikroskopijne, pomarszczone, zwisające prącie nad monstrualnymi opuchniętymi jądrami przypominającymi półkule mózgu.

– Freud był Żydem. Dlaczego pan go nie obrzezał?

– Bo on, gdyby mógł, przyszyłby sobie na powrót ten kawałek skóry i wyparł się swojego żydostwa. Zabraniał swojej żydowskiej żonie Marcie zapalać świece w czasie szabatu, nigdy nie jadł nic koszernego, a w Jungu zakochał się tylko dlatego, ze ten czystym Aryjczykiem. Uważał, że jeśli Aryjczyk będzie rozpowszechniał jego teorie, będzie to bardziej wiarygodne i nikt nie będzie mógł podnosić zarzutów, że „cała ta psychoanaliza to tylko syjonistyczne brednie". I miał rację. Naziści spalili książki Freuda, natomiast Junga nie. Ale pani to wszystko dokładnie wie, prawda?

Wszystko się zgadzało. Jedynie to o Jungu nie było wiedzą, a tylko niesamowitą dla niej interpretacją malarza Jona Stevensa z Nowej Zelandii na plaży na chorwackiej wyspie Hvar po butelce czerwonego wina wypitej w trzydziestostopniowym upale. Tym bardziej postanowiła to zapamiętać i przy najbliższej okazji sprawdzić. Artyści, często się tego wypierając, zawsze byli wiernymi dziećmi Freuda. Nawet ci, którzy żyli trzy wieki przed tym, zanim świat o Freudzie w ogóle usłyszał.

– Dlaczego Agnieszka nie mieszka w Poznaniu? – zapytała kokieteryjnie, biorąc drewniane prącie Freuda do ręki.

– To długa historia – odpowiedział, podnosząc butelkę z winem do ust. – Zaczyna się w Krakowie, a kończy w małym miasteczku na wschodnim wybrzeżu USA. Nie opowiem jej pani teraz. Jest pani zbyt smutna. Pani ma dość smutku na teraz, prawda?

Miała. To też wie – pomyślała.

– Zazdroszczę panu strasznie tej zagadki, którą ma pan w oczach – odpowiedziała.

Plaża zaczynała pustoszeć. Po godzinie zostali zupełnie sami. Przed zachodem słońca przyznał, że chciał ją tylko sprowokować tym Freudem. Inaczej nie zwróciłaby na niego uwagi, a bardzo chciał, aby zwróciła.

– Freud jest okej. Mylił się wprawdzie co do wielu rzeczy, ale mylił się w tak cholernie interesujący sposób

Gdy powiedziała mu, że trudno myśleć o Freudzie, drżąc z zimna, zapytał, czy ma przynieść kolejną butelkę wina. Pierwszy raz mężczyzna uwodził ją w tak inteligentny sposób. Zapytała go, czy alkohol to jedyna chemia, która rozgrzewa? Nie odpowiedział. Ukląkł za nią i zaczął ją masować. Najpierw plecy, potem głowę, potem delikatnie twarz, potem stopy, potem piersi i brzuch. Na końcu położył ją plecami do siebie na ręczniku, rozwiązał sznurki majtek jej bikini i masował pośladki. Na początku leżała z zaciśniętymi szczelnie nogami, gryząc z zawstydzenia ręcznik. Po chwili rozluźniła mięśnie. Wylał na jej uda resztkę wina z butelki i zaczął je zlizywać...

Przez cztery następne dni wracała do tego miejsca na plaży. Nie było go. Uspokajała się, widząc klucz w jego przegródce na ścianie recepcji. Teoretycznie nie powinno być go w hotelu. Teoretycznie. W piątek późnym wieczorem przełamała się i z recepcji zadzwoniła do jego pokoju. Nikt nie odebrał. W nocy podeszła po raz pierwszy naga do okna swojego pokoju i zadzwoniła drugi raz. Jego okno było ciemne i nikt nie odbierał. Uspokoiła się.

W sobotę wieczorem robili oficjalne powitanie nowych gości w hotelu. On wprawdzie przyjechał w poniedziałek, ale ciągle był według ich standardów nowy. Te same bzdury napuszonego dyrektora w chorwackim krawacie o tym, „jak ważne jest, aby wszyscy czuli się tutaj jak w domu, gdziekolwiek go pozostawili". Unikała jak ognia tych kiczowatych przyjęć, ale tym razem poszła. Wzięła prysznic, wysuszyła włosy, spinając je w kok, zrezygnowała z makijażu, na białą kretonową bluzkę z logo hotelu włożyła oficjalny, wstrętnie brzydki szaro-brązowy kostium, który kazali im nosić na dyżurach. Co ciekawe, dyrektor zadbał, aby spódniczki były bardzo krótkie. Przez chwilę zastanawiała się, czy ma spryskać się perfumami. Nie spryskała. Dzisiaj chciała wyglądać najgorzej, jak potrafi. Miała być dokładnie „nieozdobiona". Tak jak normalna żona rano po przebudzeniu, tyle że brzydziej, bo w tym kostiumie.

Znalazła go na kanapie tuż przy stole z alkoholami. Pił wino i czytał jakąś książkę. Przysiadła się. Młoda kelnerka stojąca za stołem tuż obok kanapy rzuciła jej nienawistne spojrzenie. Pocałował ją w policzek i zaczął czytać na głos, przekrzykując hałas rozwrzeszczanych ludzi i muzyki. Położyła głowę na jego piersi i wpatrywała się w zadrukowaną stronę książki, nie dostrzegając liter. Słuchała.

zawsze, gdy na światło dzienne wydobywał się obraz duchowości – czy to u człowieka, czy w dziele sztuki – Freud stawał się podejrzliwy, przypisując decydującą rolę „wypartej seksualności". Podnosiłem na to zarzut, że hipoteza ta domyślana logicznie do końca, prowadzi do druzgocącego osądu kultury, którą w takim razie należałoby postrzegać jako zwykłą farsę, chorobliwy wytwór wypar-

tej seksualności. „Tak – potwierdził – Freud. Tak właśnie jest. To przekleństwo losu, wobec którego jesteśmy bezsilni...

Czytał, delikatnie gładząc jej włosy. Pachniał plażą i jaśminem. W pewnym momencie wsunęła język w szczelinę między guzikami jego koszuli. Natychmiast odłożył książkę. Szeptał, całując jej ucho:

– Chciałbym ją zapomnieć. I zapamiętać ciebie. Zniszczę wszystkie jej obrazy. Namaluję ciebie. To przecież tylko przekleństwo losu...

Wstał i podał jej rękę. Wjechali windą na pierwsze piętro. Weszli do „tego drugiego pokoju", który wynajmował. Otworzył butelkę wina i postawił ją przy rozłożonej na podłodze kołdrze. Obok leżały płótna z aktami. Nogą przesunął je w kierunku okna. Podszedł do niej i zdjął jej marynarkę. Sama rozpięła guziki bluzki i zdjęła stanik. Rozsunął suwak jej spódnicy. Zapalił nocną lampkę, kierując światło na prostokąt kołdry na podłodze, po czym odszedł w ciemność pokoju. Rozebrała się i naga uklękła na kołdrze. Tyłem do niego. Tak jak wtedy na plaży...

Usłyszała jego kroki. Postawił lampkę tuż przed nią. Poprosił, aby usiadła przodem, po turecku, w najszerszym rozkroku i włożyła bluzkę, nie zapinając guzików. Położył na jej kolanach otwartą książkę o Freudzie i znowu zniknął w ciemności. Za chwilę wrócił i rozpuścił jej włosy.

– Czytaj mi ją cały czas na głos. Chcę namalować twój mózg...

Zadzwonił do niej dopiero w niedzielę wieczorem. Zapytał, czy popłynie z nim w poniedziałek do Splitu, a potem pojedzie do Dubrownika. Miał tam mieć swój wernisaż. Pierwszy w Chorwacji.

– Daj mi trochę czasu, muszę to wyjaśnić z hotelem...

Od pierwszej sekundy wiedziała, że pojedzie. Nawet gdyby mieli ją za to zwolnić. Nie chciała tylko, aby on to od początku wiedział. W pierwszej reakcji wykręciła numer telefonu Agnieszki, ale zrezygnowała. Pomyślała, że zrobi jej niespodziankę.

Popłynęli promem o czwartej rano. Pierwszy raz z jego powodu nie przespała całej nocy. O wpół do trzeciej byli w Splicie. Żaden mężczyzna jak dotychczas nie potrafił przez ponad dziesięć godzin karmić ją opowieściami, nie obrażając się, pozwalając jej przy nich zasypiać, smarować ją kremem, aby nie oparzyła się na słońcu i budzić pocałunkami, pytając słodko: „Na czym to ja skończyłem?".

W porcie w Splicie czekały na nich dwa samochody: ciężarówka z ministerstwa kultury i mercedes z galerii. Jon Stevens był pierwszym malarzem z Nowej Zelandii, który wystawiał w Chorwacji. Przez całą drogę do Splitu jej to z dumą w głosie powtarzał. Przestał, gdy powiedziała mu, że Chorwacja ma dopiero piętnaście lat.

– To trochę tak, jak przyjechać do aborygenów na początku historii Australii, dla nich też wszystko było wtedy pierwszy raz – zażartowała.

Ciężarówka pojechała prawie pusta. Z Jonem przypłynęło nie więcej niż piętnaście jego płócien i pudełko prospektów. Przed osiemnastą byli w Dubrowniku. Wernisaż miał rozpocząć się o wpół do dziesiątej. „Bo prawdziwi artyści bardzo późno wstają” – odpowiedział jej, gdy zapytała dlaczego o tak dziwnej porze. Chciała być z nim, ale także chciała mieć czas na Agnieszkę.

– Po wernisażu cię na kilka godzin zostawię. Dla kobiety. Ma na imię Agnieszka...

– To „ta”Agnieszka? – zapytał.

– Tak, to ta...

– Ale wrócisz, prawda?

– Mam wrócić z „tamtą” Agnieszką, czy tylko ja, sama? – zapytała, patrząc mu w oczy.

– Będę czekał... – odpowiedział, odwracając jednocześnie głowę do kierowcy. – Niech pan nas zawiezie na najpiękniejszą plażę Dubrownika. I aby nie było to daleko od miasta.

– Lapad, okej – odpowiedział tamten.

Znała tę nazwę! Hotel, w którym pracowała Agnieszka, był nad zatoką Lapad.

Wysiedli na otoczonym palmami parkingu wykwintnego secesyjnego budynku tuż nad plażą. W oddali było widać słynne mury starego miasta. Kierowca zaparkował w cieniu. Potwierdził, że zaczeka na nich. Mieli prawie dwie godziny. Zeszli wąską, stromą alejką na kamienistą plażę otoczoną półkolem stromych skał, tworzących małą zatokę. Przeszli nad brzeg morza. Ciągle, mimo późnej pory, było bardzo gorąco. Zdjęła bluzkę i stanik. Jon usiadł obok niej, zapalił papierosa. Po chwili wstał.

– Podejdę do samochodu i przyniosę nam coś do picia – powiedział, delikatnie całując jej szyję. – Zaraz wrócę. Przyniosę też krem. Twoje piersi są oparzone...

Zamknęła na chwilę oczy. Po chwili poczuła zimne krople wody na skórze. Otworzyła oczy. Mały chłopiec podnosił gumową piłkę, która wpadła do wody tuż przy jej stopach. Usiadła, rozglądając się jak wybudzona ze snu. Wstała i ruszyła powoli przed siebie plażą, brodząc w wodzie. Gdy dochodziła do skały zamykającej zatokę od wschodniej strony, zobaczyła Agnieszkę. Za jej leżakiem stał Paweł, wystawiając twarz do słońca.

Odwróciła gwałtownie głowę w kierunku morza. Zamknęła oczy i zrobiła pierwszy krok. Potem drugi. Wyciągnęła rękę. Zaczęła głośno się śmiać. Mimo potwornego bólu.

Przejdę tę łąkę... – pomyślała. – Przejdę całą… sama… bez jej pomocy...

kwiecień 2006, Frankfurt am Main

Małgorzata Warda

SEKRET

Mogę tak wiele, a jednocześnie nie mogę prawie nic. Mogę pisać do Ciebie listy. W listach będę pisać o Tobie, o sobie i o nas. Nie wypowiem ani jednego z tych słów na głos. Wszystko pozostanie w sekrecie. To będzie mój sekret. Mój i tylko mój.

Miłosne listy nie zostaną wysłane. Nigdy nie weźmiesz ich do ręki i nie przeczytasz.

Słowa mają wielką moc. Jeśli wypowiesz je, nie znikną, tylko zawisną w przestrzeni i staną się materialne, jak ja i Ty. Dlatego nie będę powtarzać ich nawet szeptem...

Na ulicach czuć jesień, widać ją w dywanach liści, które zaściełają chodniki, w nagich gałęziach drzew i w delikatnym pokapywaniu deszczu.

Do mojego mieszkania prowadzą kamienne schody, ciągnące się przez park, w którym jeszcze kilka tygodni temu widywałam zakochane pary. Teraz, kiedy zrobiło się tak dżdżysto i zimno, w parku można spotkać tylko stare kobiety karmiące gołębie, pijaków i pana, który zgarnia grabiami liście i zawsze wita mnie wesołym „dzień dobry".

– Dzień dobry – odpowiadam z uśmiechem, a potem skręcam w boczną i ciemną bramę, skąd widać już moją kamienicę.

Mieszkam w centrum i mam podobno bardzo ładne mieszkanie. Moje koleżanki z Trójmiasta, kiedy odwiedziły mnie tu kilka dni temu, wzdychały z zachwytem, mówiły, że oddałyby wszystko, by mieć takie piękne wnętrza, w dodatku tak nastrojowe, stare, duże. I miały rację, bo faktycznie jest tu bardzo pięknie.

Zawsze zostawiam zapalone światło, żeby po przyjściu do domu nie witał mnie półmrok obcego przedpokoju. Zostawiam też w koszach jabłka, które nadają klimat wnętrzu. Nie zmieniłam tu niemal niczego od chwili mojego przyjazdu: nie ruszałam zabytkowych książek, starych fotografii, suszonych kwiatów. Ścieram tylko kurz.

Siadam zawsze w tamtym kącie, na bujanym fotelu. Odpychając się stopą, kołyszę fotelem i przeglądam to, co tu dla mnie zostało: rodzinne pamiątki, albumy ze zdjęciami, książki. Czasami przeglądam listy.

Na mój balkon przychodzi duża biała kotka, która prawdopodobnie nie należy do nikogo.

– Chodź tutaj... – szepczę, ustawiając dla niej miskę z pokarmem.

Kupuję jej jedzenie, chociaż nigdy nie mam pewności, że wróci. Czasami boję się, że nie. Przygotowanie dla niej posiłku jest jednak dla mnie pomocne, ostatecznie dla siebie nie gotuję.

W moim rodzinnym domu zawsze to ja gotowałam. Gromadziłam wycięte z gazet różne dziwne przepisy, które normalnie wyrzuca się do śmieci, a potem przygotowywałam posiłki i pochłaniałyśmy je, śmiejąc się, narzekając i kłócąc.

Teraz więc rzadko gotuję – boję się, że cisza przy moim własnym stole mogłaby mnie złamać.

– No, jesteś... – Uśmiecham się, kiedy kocica wskakuje na mój balkon i niepewnie zmierza w kierunku miski. – Zobacz, co dla ciebie mam! Twoje ulubione jedzenie!

Mój telewizor jest czarno-biały i mam dziwne wrażenie, że poza mną nikt już nie ma czegoś tak zabytkowego. Zresztą, kto chciałby oglądać świat w odcieniach szarości, kiedy każda rzecz ma tyle odcieni i to tak wielu kolorów?

Więc nie oglądam telewizji. Rzadko też włączam radio. Odkąd znalazłam tamte listy, fascynuje mnie zgłębianie tego domu.

Dom wciąga mnie coraz bardziej. Uwielbiam znajdywać w nim nowe szczegóły. Uwielbiam przeglądać fotografie i czytać tamte zwierzenia, tak intymne, że zawstydzające mnie nawet teraz, niemal trzydzieści lat po tym, jak powstały.

Dotykam przelotnie zasuszonych kwiatów, włączam winylowe płyty, a potem szukam w książkach dedykacji, siadam w bujanym fotelu, owijam się w koc i sięgam do drewnianej skrzynki wypełnionej jej słowami.

To było w sobotę, pamiętam, bo zostawiłam sobie bilet na pamiątkę. Było tak duszno, że spacer nad rzekę ani do parku nie wchodził w rachubę. W domu też nie mogłam zostać, więc poszłam na pierwszy lepszy film, który akurat grali w kinie. Wybrałam tylny rząd, osunęłam się na siedzeniu nisko, żeby nikt nie zwracał na mnie uwagi.

To miał być film z Marilyn Monroe, wypełniony piosenkami i przesłodzonymi scenami, które przecież tak bardzo lubię.

W kinie gasły światła po kolei, od tylnych rzędów. Podłoga trzeszczała, siedzenie było niewygodne, ludzie szeleścili paczkami słodyczy. A Twoja ręka leżała blisko mnie i to właśnie na nią popatrzyłam, kiedy zaczynały gasnąć światła nad moją głową.

Ekran rozświetlił się reklamą wytwórni filmowej, ludzie próbowali szeleścić ciszej, ktoś głośno chrupał coś za moimi plecami, kobiecy głos szeptał z przejęciem: „Tutaj, chodź tutaj... trzymam ci miejsce!". A ja czułam, jak moja ręka ożywa, jak posuwa się w Twoim kierunku, i nie potrafiłam jej zatrzymać...

Czasami, kiedy leżę wieczorem bezsennie w łóżku, mam dziwne wrażenie, że ktoś porusza się po moim mieszkaniu: słyszę powolne kroki sunące od kuchni po schodach do pokoju, podłoga ugina się i trzeszczy, przedmioty wydają dziwne dźwięki, jakby ktoś je przesuwał lub odkładał na miejsce.

Zdarzają się chwile, gdy mam wrażenie, że ktoś obraca kluczem w zamku, a potem schodzi schodami.

A przecież jeśli sięgnę ręką do włącznika światła, zobaczę, że w mieszkaniu nikogo nie ma, wszystko leży na swoim miejscu i nie dzieje się kompletnie nic dziwnego.

Mam nadzieję, że to tylko złudzenia. Moja mama zawsze mówiła, że każdy dom pracuje i że to, co ludzie biorą za działanie duchów, tak naprawdę nie ma nic wspólnego z siłami nadprzyrodzonymi.

„W nocy przedmioty odpoczywają" – tłumaczyła z uśmiechem, kiedy byłam mała i bałam się gasić na noc światło w swoim pokoju, płakałam, jeśli obudziłam się w ciemności, i z uporem paliłam przy łóżku małą nocną lampkę. „Kiedy my idziemy spać, robi się cicho, dlatego wydaje ci się, że słyszysz różne dźwięki, które tak naprawdę słychać również za dnia. Nie ma w tym nic dziwnego. Drewno szafek i półek rozsycha się lub pęcznieje, dom delikatnie porusza się pod wpływem ruchów wewnątrz ziemi... Naprawdę tutaj nie ma się czego bać!".

Moja mama studiowała architekturę. Przez długi czas prowadziła nawet w periodyku architektonicznym cykl artykułów poświęconych domom, które idą do rozbiórki. Najczęściej walczyła w tych artykułach o to, by ich nie niszczono. Uważała, że każdy dom jest swojego rodzaju opowieścią, której należy słuchać, i że niszczenie tego, co jest stare, zakrawa na barbarzyństwo.

W swoich artykułach opowiadała historie domów. Do ich pisania przygotowywała się bardzo skrupulatnie: badała projekty architektoniczne, rozmawiała z właścicielami, przeglądała księgi i podania, szukała wzmianek w gazetach.

Kiedy byłam młodsza, zabierała mnie ze sobą. Szczególnie zapamiętałam jedną wyprawę. Odwiedziłyśmy wtedy starą willę pod Gdańskiem. Dom był przeznaczony do rozbiórki i ja faktycznie widziałam w nim tylko ruinę: porozbijane okna, trzeszczące schody, brud i liście zaściełające korytarz. Powiedziałam nawet ze strachem w głosie, że powinno się jak najszybciej rozebrać to coś, co pozostało z willi, gdyż w obecnym stanie może ona co najwyżej straszyć.

Mama nie zwróciła uwagi na moje słowa.

„Popatrz" – powiedziała, wskazując duże pomieszczenie, w którym wiatr miotał suchymi liśćmi. „Tu kiedyś był salon".

Spróbowałam popatrzeć na ten dom jej oczami. Ona mówiła, a ja patrzyłam. Im uważniej jej słuchałam, tym wyraźniej widziałam piękno zatrzymane w ruinie. Starałam się znaleźć tu opowieść. Dostrzegłam piękno rzeźbionych poręczy schodów, na ścianie znalazłam fragmenty dobrze zachowanej niemieckiej tapety w bardzo piękny wzór i po raz pierwszy przyszło mi do głowy, że mogłabym sobie wyobrazić, jak było tu kiedyś, zanim wszystko obróciło się w ruinę.

Nie umiem szukać tak dobrze, jak mama. Przesuwając palcami po ścianie, czuję tylko ścianę. Nie wiem, ile warstw tapety leżało tu kiedyś, nie znam wartości drewna i nie mam wciąż odwagi, by wejść do ciemnego pustostanu przylegającego do mieszkania, a należącego teraz do mnie.

Mnie bardziej interesują przedmioty.

Wyjmuję więc z szafy sukienki i oglądam je z uwagą. Niektóre są całkiem modne i podejrzewam, że muszą należeć do dziewczyny, która zajmowała się tym mieszkaniem przez ostatnie lata. Inne jednak mają staroświecki krój, więc może należały do mojej cioci?

Nie wiem, kto mieszkał tu przede mną. Na pewno ona, ta dziewczyna młodsza ode mnie. Chociaż twierdziła, że tylko wpadała tu, żeby zająć się domem, i że nigdy nie została na noc.

Kłamstwo – myślę, bo przecież natknęłam się już na męskie kosmetyki zapomniane w szafkach, na ślad szminki na poduszce, na skarpetki w rozmiarze 43, które na pewno nie należą do żadnej kobiety.

Nie mam do niej żalu, nawet się cieszę, że przez te wszystkie lata, podczas których moja ciotka mieszkała już w Stanach Zjednoczonych, a moja mama ze mną w Gdyni, w tym domu rozbrzmiewały ludzkie głosy, ktoś kochał kogoś na łóżku, a brzegów kieliszków dotykały czyjeś usta.

„Domy nie powinny stać puste”, mawiała moja mama i wierzę, że miała rację. Nie powinny, bo zaczynają się starzeć i pamięć o dawnych wydarzeniach staje się w nich zbyt silna. Potem mogą już tylko straszyć.

Więc jest lipiec i rozpoczyna się letnia akademia. Jest tak gorąco, że ledwie można oddychać, słońce wisi na niebie rozżarzone, gorętsze niż kiedykolwiek. Nie pamiętam takiego lata od czasów, gdy byłam małą dziewczynką.

Zostaję w Warszawie. Moje koleżanki wyjeżdżają nad morze i przysyłają mi kartki z pozdrowieniami z różnych słonecznych miejsc, opisują plażę i wieczory przy ognisku. „Szkoda, że musiałaś zostać” – piszą. Teraz żałuję, że nie mogłam pojechać z nimi na plenery malarskie w zeszłym roku i że muszę tkwić w Warszawie, chodzić cały lipiec na akademię i malować modela w dusznych pracowniach, zamiast wypoczywać na złocistym piasku i pluskać się w przejrzystej wodzie.

Na letniej akademii jest nas niewielu: pięciu chłopaków, trzy dziewczyny i ja. Malujemy w salach, które mają szeroko otwarte okna. Malujemy głównie modeli, a pozują nam starsze kobiety.

Ty przychodzisz zawsze spóźniony, z plecakiem przerzuconym przez ramię, z okularami przeciwsłonecznymi zsuniętymi na włosy, w bardzo kolorowych ubraniach.

Nie podobasz mi się. Właściwie nawet Cię nie zauważam.

Przychodzisz i pytasz mnie o różne rzeczy. Oglądasz moje prace, ale rzadko wypowiadasz się na ich temat. Jeszcze rzadziej mówisz coś konstruktywnego, co mogłoby mi pomóc.

Nie rozmawiamy po zajęciach ani w ich trakcie. Ja maluję, a Ty rozmawiasz z asystentką lub przechadzasz się między pracami, by w końcu dostrzec, jaka piękna pogoda jest za oknem, zarzucić na ramię plecak i wyjść.

Może właśnie dlatego Cię nie lubię. Za to, że wychodzisz, a ja muszę dalej tkwić w dusznej sali i czuć, jak przelatują mi przez palce moje zasłużone wakacje.

Raz spotykam Cię poza akademią. To dzieje się na mieście w jakiś duszny piątek, całkiem możliwe, że w piątek poprzedzający nasze sobotnie spotkanie w kinie.

Widzę Cię przelotnie w tłumie ludzi. Miga mi Twoja twarz, Ty dostrzegasz mnie pierwszy i uśmiechasz się do mnie. Nie zamieniamy ani jednego słowa, ja zresztą nawet nie zdążam odpowiedzieć na Twój uśmiech.

A potem, w kinie, kiedy uświadamiam sobie, że usiadłam obok Ciebie, czuję się jakoś niezręcznie i nie mam pojęcia w pierwszej chwili, dlaczego tak jest.

Siedzę w bezruchu, nawet boję się na Ciebie popatrzeć. Zaczynam się zastanawiać, czy przyszedłeś sam, czy powinnam Ci się ukłonić i czy będzie trzeba grzecznościowo zamienić z Tobą kilka słów.

Obok Ciebie siedzi młoda kobieta, która pogryza jakieś wafelki. Na chwilę odwraca twarz w moim kierunku i wtedy uświadamiam sobie, że nie przyszła tu z Tobą i że towarzyszy jej inny partner.

Zaczyna się film, a ja kompletnie nie wiem, co się ze mną dzieje. Chcę Cię dotknąć, chociaż nie ma powodu, dla którego mogłabym tak czuć. W Warszawie są tysiące ludzi samotnych w ten wieczór jak ja i Ty. Zresztą, po co komplikować sobie życie...

Biała kocica skrada się po balkonie w moim kierunku. Wołam ją szeptem, a potem rozchylam drzwi balkonu i czekam – może wejdzie.

Od podwórza ciągnie chłód jesiennego wieczoru, firanki poruszają się z delikatnym łopotem; kocica spogląda na mnie niepewna, czy może pozwolić sobie na taką poufałość i faktycznie wejść, a ja raptownie obracam się za siebie, nagle z bijącym mocno sercem, przekonana, że coś poruszyło się za moimi plecami.

– Lepiej chodź do mnie – zwracam się do kocicy, wciąż czujnie zerkając za siebie. – Chodź tu, bo może się zdarzyć, że umrę ze strachu i wtedy nikt już nie da ci nic do jedzenia, a przecież nadchodzi zima...

Zima nadchodzi w tym roku tak wcześnie. Dopiero kończy się październik, a już powietrze jest tak chłodne, wieczory stają się niemal mroźne i musiałam zastąpić moją dżinsową katanę ciepłą kurtką podszytą futrem. Jeśli tak szybko będzie postępować ochłodzenie, to za dwa tygodnie będę musiała zacząć nosić szalik i czapkę.

Myśl o zimie w Warszawie przeraża mnie. Tak niewielu znam tu ludzi, a samotność w tłocznym pubie czy w kawiarni wydaje się jeszcze cięższa niż samotność w pustym domu.

Nie potrafię wyobrazić sobie, jak ciężko mi tu będzie. Wyobrażam sobie te szerokie ulice przyozdobione kolorowymi świątecznymi gadżetami, zapchane klientami sklepy, oszronione szyby i zimowe piosenki puszczane w radiu. Ogarnia mnie strach, że kiedy faktycznie doświadczę tu zimy, pęknie mi serce.

Zima kojarzy mi się głównie z morzem. W Gdyni mieszkałam bardzo blisko plaży, wystarczyło zejść krętą białą drogą w dół i już byłam na nadmorskim bulwarze. Z okna mojego pokoju widziałam fragment portu i morza.

W lecie, kiedy mama nie pracowała, tylko pisała artykuły o domach, przesiadywałyśmy długie godziny na balkonie. Ona się opalała i próbowała pisać artykuł, a ja przez lornetkę podglądałam plażowiczów.

Czasami udawało mi się wyciągnąć ją na plażę. „Chodź, chodź" – marudziłam tak długo, aż wyrażała zgodę.

To działo się tak rzadko, że nawet dzisiaj pamiętam niemal każdą chwilę z takich wyjść. Pakowałyśmy się w plażowe torby: ona w niebieską, ja w czerwoną; ja wskakiwałam w kostium kąpielowy, a ona z westchnieniem zaczynała poszukiwania opalacza, w którym byłoby jej „do twarzy".

Paradoksalnie, przy swej niechęci do wychodzenia na dwór miała kilkanaście kostiumów do opalania oraz mnóstwo wieczorowych sukienek. Kiedy zaczynała je przeglądać, najczęściej siadałam na jej łóżku i obserwowałam ją z zapartym tchem.

Była bardzo piękna i mimo podeszłego już wieku miała świetną figurę. Jej suknie też były piękne i największą frajdę sprawiało mi ich oglądanie. Ona też je uwielbiała.

Sukienki i stroje kąpielowe były jej sposobami na chandrę. Gdy miała zły dzień, szłyśmy na zakupy i kupowała sobie coś nowego do kolekcji. Gdy coś jej poszło nie tak w wydawnictwie, wracała z nowym kapeluszem albo rękawiczkami.

Gdy miała już naprawdę fatalny dzień i nie mogła wstać z łóżka, ja przynosiłam jej którąś z sukienek i kładłam na niej, zmuszając, by pogłaskała futrzany kołnierz lub dotknęła satynowego materiału. Satyna działała najlepiej: przeciekała jej przez palce, chłodna i miękka – zawsze miało się ochotę ją na siebie włożyć.

Na plaży było cudownie, chociaż wiem, że mama nie lubiła hałasu i tłumu ludzi. Mówiła, że zbyt mocno czuć tu zapach olejków do opalania, że człowiek leży przy człowieku, że nie można rozmawiać i że nie ma tu żadnej prywatności.

A jednak, kiedy już udało mi się ją wyciągnąć, widziałam, jaka jest szczęśliwa, kładąc się na żółtym piachu, zagłębiając w nim ręce i słuchając cudzych rozmów.

„W podsłuchiwaniu ludzi jest coś przyjemnego", mówiła z żartobliwym uśmiechem, patrząc na mnie. „Ale najładniejsza plaża jest zimą".

Plaża zimą była wyludniona i może przez to miała zupełnie inny urok, bardziej odpowiadający charakterowi mojej matki. Śnieg leżał grubą warstwą na nabrzeżu, więc kiedy przez niego się przedzierałyśmy, za nami pozostawały głębokie ślady.

Cisza nad morzem zimą jest dla mnie jakoś ważniejsza niż nastrój świąt, niż plażowanie latem i wszystkie inne wspomnienia związane z moim życiem w Gdyni. Ostatecznie w Polsce zima trwa dłużej niż lato, więc przez większą część roku obserwowałam z mojego okna morze szare i zimne, nierzadko skute lodem. Nad takim morzem spacerowałam, po takim morzu – jeśli było pokryte dość grubym lodem – chodziłam z uczuciem, że pode mną kołyszą się metry lodowatej wody, i do takiego morza będę tęsknić w Warszawie, kiedy sypnie pierwszy śnieg.

Na początku miejsca naszych spotkań nie są wybierane zbyt uważnie. Ostatecznie nie dzieje się jeszcze nic, z czym mielibyśmy się ukrywać.

A jednak Ty odwracasz zawsze czujnie głowę i rozglądasz się uważnie na boki.

Później przejmę od Ciebie ten gest i ilekroć się na nim złapię, poczuję się jeszcze bardziej winna.

W kawiarniach rozmawiamy o wszystkim i o niczym. Głównie Ty opowiadasz, a ja słucham. Wciąż mi się nie podobasz i wciąż jeszcze nie do końca Cię lubię.

Nad stołem lustruję Cię z uwagą spojrzeniem i słucham Twoich opowieści z jakimś rodzajem irytacji.

Wśród studentów mojego roku cieszysz się bardzo złą sławą!

Mówią, że masz romanse ze studentkami, że skończyłeś się jako rzeźbiarz i że cała Twoja kariera opiera się na jednej dobrej pracy, którą udało Ci się stworzyć.

Dziewczyny z mojej pracowni na rozmowę z Tobą malują się mocniej i rozpinają trzy pierwsze guziki koszul – sądzą, że jak Ci się spodobają, to lepiej ocenisz ich pracę.

Teraz, kiedy przychodzę z Tobą do kawiarni, zaczynam coraz częściej wracać myślami w przeszłość i szukać momentów, w których pojawiała się między nami chociażby cienka nić intymności.

Przypominam sobie, jak robiłeś mi korektę rzeźby w maju, rok wcześniej. Staliśmy nad moją pracą: ja zirytowana, bo nienawidzę wszelkich korekt, Ty nieświadomy tego i nieświadomy mnie.

„W pani pracach pojawia się niepokojąca cisza", powiedziałeś, paląc papierosa i obserwując mnie zmrużonymi oczami, które już wtedy mnie peszyły. „Jest w niej coś niedobrego, skłania do myślenia".

Przesunąłeś dłonią po wypolerowanym kawałku rzeźby, a potem Twoje palce zawędrowały w chropowatą część pełną wystających drutów. Powiedziałeś coś, co teraz rozumiem i szanuję, ale wtedy wydawało mi się strasznie nadęte. Powiedziałeś:

„Może pani poczytać sobie za komplement to, że mam ochotę dotykać tej pracy. Rzeźba nie jest robiona tylko dla wzroku, rzeźba to w dużej mierze dotyk, więc jednym z najlepszych komplementów danych rzeźbiarzowi może być dotykanie jego dzieła".

Ludzie w kawiarni postrzegają nas jako ładną parę. Gdybyś wyglądał na swoje lata i nie ubierał się tak ekstrawagancko, pewnie sądziliby, że jesteś moim ojcem. A tak sądzą, że jesteśmy parą.

Ty w jakimś momencie zaczynasz zauważać, że tak nas postrzegają, i pierwszy raz ogarnia Cię niepokój, że ktoś mógłby posądzić nas o romans.

Oczywiście nie romansujemy ze sobą. Spotkania po letniej akademii nie pachną niczym niestosownym. Przecież jest początek lata, na dworzu wciąż świeci słońce, a my nawet nie pijemy drinków, tylko letnie napoje bezalkoholowe. Poza tym ja zachowuję się jak rozkapryszona gówniara i utrudniam wszystko.

„Co robisz dzisiaj po południu?" – pytasz, kiedy pracownia malarstwa dobiega końca i widzisz, że ostentacyjnie chowam swoje pędzle i farby do szafki.

Powinnam powiedzieć, że nic ciekawego, ale odpowiadam opryskliwie: „Mam umówione spotkanie" i poprawiam szminkę w małym lusterku, jakbym chciała zaznaczyć, że wychodzę z mężczyzną.

A przecież to dla Ciebie zaczynam ubierać się w bardziej wyszukany sposób. Łapię się na tym, że już wieczorem, przed snem, przeszukuję w myślach moją szafę i zastanawiam się, co mogłabym włożyć innego niż zazwyczaj i co mogłoby spodobać się Tobie.

Jeśli nie przyjdziesz na zajęcia, jestem zła jak osa, ale kryję sama przed sobą myśl, że jestem wściekła z Twojego powodu.

Jeśli nie przyjdziesz, mam wrażenie, że straciłam cały dzień. Malując, nie mogę się skupić i wciąż patrzę w stronę drzwi wejściowych. Gdy ktoś idzie, poprawiam włosy i przybieram pozę obojętnej artystki, bo myślę, że to Ty.

Jeśli przyjdę na spotkanie, patrzę na Ciebie obojętnie i ze wszystkich sił staram się nie okazać Ci, że cieszę się chociaż trochę z tego spotkania. Śmieję się jak smarkula ze spraw, do których powinnam podejść z powagą, obojętnie na Ciebie patrzę, robię kąśliwe uwagi.

Jednak kiedy już każde z nas odchodzi w swoją stronę, zaczynam czuć pustkę. I chcę wtedy biec za Tobą, zatrzymać Cię...

W sklepie ze starociami wybieram owalne lustro w dużej złocistej ramie.

Jest bardzo drogie, ale wiem, że tylko coś tak starego i drogiego będzie pasować do wnętrza mojego domu. Po sprzedaży mieszkania gdyńskiego pozostało mi dość pieniędzy, żeby rozporządzać nimi w tak kapryśny sposób.

– To będzie bardzo ładny prezent. – Sprzedawczyni uśmiecha się do mnie i woła pomocnika, żeby opakował lustro.

– Kupuję je dla siebie – mówię, wyjmując z portfela gotówkę.

Gotówka w tych sklepach nie jest na szczęście rzadkością i nikt tu się jej nie dziwi. Otoczona starymi przedmiotami wyglądałabym śmiesznie z nowoczesną kartą płatniczą.

– Pewnie pani mieszkanie utrzymane jest w stylu retro? – Sprzedawczyni opiera się łokciami o blat lady i patrzy na mnie z zaciekawieniem.

Uśmiecham się.

– Właściwie tak.

Nie tłumaczę jej, że w moim mieszkaniu nikt nie silił się na styl retro. Retro wynika z tego, że nikt nic nie zmienił w tym domu od tak wielu lat, że od podłogi do sufitu wszystko wygląda jak tu, w sklepie z antykami. Siostra mojej mamy nie miała nigdy głowy do zajmowania się wnętrzem, chyba że dostałoby się w jej posiadanie zupełnie nagie, bez mebli i dywanów, i zmusiło ją do zakupienia czegoś. Skoro jednak dostała to mieszkanie po mojej babci już wyposażone w sprzęty, nie widziała na pewno powodu, żeby kupić cokolwiek nowoczesnego. Ostatecznie zawsze powtarzała, że moja babcia miała świetny gust, że kupowała tylko wartościowe rzeczy, a moja mama podarowała jej najładniejsze swoje obrazy, tak że w domu niczego nie brakowało, a każda nowość mogła co najwyżej wprowadzić dysonans.

Powinnam zrobić tu remont, wiem o tym.

Zdejmując ze ściany w łazience poprzednie lustro, które musiało w ostatnim czasie komuś spaść albo zostało czymś trafione, gdyż przez jego środek przebiega pęknięcie, widzę, jak bardzo zniszczona jest pod nim ściana. Nie tylko tu zresztą, w całym mieszkaniu nie brakuje oznak postępującej degradacji.

Tynk tu i ówdzie odpada, pod wanną zaczyna tworzyć się grzyb, dach przecieka i instalacja nie jest tak sprawna, jak być powinna.

Zrobię tu remont – decyduję. Zrobię, ale jeszcze nie teraz.

Tamto pęknięte lustro wynoszę do przedpokoju z nadzieją na to, że jeszcze dzisiaj, idąc do sklepu lub gdziekolwiek indziej, wyrzucę je na śmietnik i pozbędę się go z zasięgu wzroku. Jakoś nie mogę patrzeć na pęknięcie przebiegające przez jego środek. Za bardzo przypomina mi popękane lustro w łazience w moim gdyńskim domu.

Z pęknięciami wiąże się zbyt wiele niedobrych przepowiedni i zabobonów.

Moja matka nie wierzyła nigdy w takie rzeczy. Uważała, że to kompletne bzdury, wymyślone przez ludzi, którzy szukają tanich podniet albo dopatrują się zbyt wielu rzeczy tam, gdzie nie ma na co patrzeć. We mnie jednak zawsze drzemała wiara, że jest inaczej, że pęknięcie to sygnał niemal taki sam, jak czerwone światło stopu.

Pamiętam, jak którejś wiosny przeciąg otworzył okno w moim pokoju i zrzucił fotografię stojącą na parapecie. Nie rozbił jej, utworzył tylko jedno grube pęknięcie akurat w miejscu, w którym znajdowała się twarz mojej matki.

Kiedy to zobaczyłam, schowałam fotografię do szuflady, a potem usiadłam na swoim łóżku i czułam, jak mocno bije mi serce. Bałam się, że przepowiednia ziści się już zaraz, więc zadzwoniłam do niej.

„Wszystko dobrze, a co miałoby nie być w porządku?" – zapytała zdumiona.

Teraz, poprawiając na ścianie nowe lustro, myślę z goryczą o tym, że jednak zbyt łatwo zapomniałam o tamtej zbitej szybce. Za szybko zastąpiłam ją nowym szkłem i wyrzuciłam z pamięci. Przecież, jeśli popatrzę wstecz, widzę, jak wiele było znaków, które powinnam była odczytać.

– Czy ona wiedziała? – pytam swoje lustrzane odbicie, które do złudzenia w tej chwili ją przypomina. – Czy wiedziała, jak bardzo boję się znaków? Czy dlatego rozbiła tamto lustro?

Dopracowała wszystko w najdrobniejszych szczegółach: rozbite w drobny mak lustro, ulubiona biała garsonka i czerwona szminka na ustach.

Do spania wybrałam sobie pokój, który w dawnych czasach należał do mojej mamy i jej siostry. Jest tu toaletka z owalnym lustrem i ściana pełna fotografii. Kiedy leżę z rana w łóżku, przyglądam się im i za każdym razem dostrzegam nowe szczegóły, zupełnie jakby zdjęcia zmieniały się nocą, podczas mojego snu.

Najbardziej lubię przyglądać się fotografii, na której moja matka stoi przy sztaludze w pracowni malarstwa. Ma na sobie śmieszną koszulę w kratę, włosy ścięte krótko jak chłopak i chociaż otaczają ją dużo ładniejsze dziewczyny, to ona skupia na sobie wzrok.

Kiedy byłam mała, przyjeżdżałyśmy z matką do tego mieszkania niemal na każde wakacje. Ciotka kazała mi zawsze spać w tym pokoju, a mama nocowała za ścianą. Wieczorami słyszałam, jak rozmawiają. Paliły papierosy, piły piwo i szeptały do siebie ściszonymi głosami. Wybuchały śmiechem: ciotka niskim i gardłowym, a mama wysokim.

Kiedy potem mama zaglądała do mnie do pokoju, miała wypieki na policzkach i błyszczały jej wesoło oczy.

Oczywiście udawałam, że śpię. Wtedy one, pewne, że faktycznie śpię, zaczynały głośniej rozmawiać. Mama głównie śmiała się i zadawała pytania. Nie pamiętam, by mówiła kiedyś o swoich miłościach, chociaż miewała różnych mężczyzn. Nie przyprowadzała ich do domu, ale wiedziałam, że są. Z łatwością dostrzegałam symptomy tego, że kogoś ma, i równie łatwo udawało mi się odgadnąć, kim on jest.

Najczęściej romansowała z mężczyznami z redakcji periodyku architektonicznego, później spotykała się z moim nauczycielem angielskiego i miała dość długi romans ze spadkobiercą pięknego domu pod Poznaniem, o którym pisała artykuł.

Kiedy miała romans, promieniała. Dni leżenia w łóżku mijały bezpowrotnie. Jeśli kupowała sobie coś nowego, wkładała to na siebie niemal od razu. Zabierała mnie na zakupy i zaczynała nagle interesować się moimi przyjaciółmi, moimi ocenami oraz rozważała, co mogłaby kupić dla mnie. Chodziłyśmy wtedy na spacery, ona w tych wysokich szpilkach i garsonce, która leżała na niej tak idealnie, że nie było kobiety, która nie patrzyłaby na nią zazdrośnie. Zabierała mnie do kawiarni na lody i wypytywała niemal o wszystko. Oczy jej błyszczały, na ustach utrzymywał się niegasnący uśmiech i zaczynała promieniować jakąś niesamowitą energią, która była bardzo zaraźliwa. Mrożone obiady odchodziły w kąt, mama zaczynała gotować, sprzątać mieszkanie, robić różne przemeblowania, wieczorami grywała ze mną w scrabble.

O tym, że jej romans dobiega końca, też wiedziałam.

Coraz częściej wtedy zostawiała ubrania na podłodze, jakby nie starczało jej sił, żeby odwiesić je do szafy, zanim położy się spać, zasypiała w pełnym makijażu, zapominała o wywiadówce w mojej szkole, o spotkaniu z klientem, złościła się na dźwięk telefonu.

Kiedy zaczynała w nocy sprzątać kuchnię lub piec niezliczone ilości ciastek w kształcie anioła, wiedziałam, że jest już bardzo źle.

Wtedy dni stawały się krótsze i krótsze, bo ona kładła się coraz wcześniej spać i coraz później wstawała. Ja odbierałam telefony z pracy i kłamałam jak z nut, że mama jest chora albo że ktoś ukradł nam samochód, albo że mieliśmy problem z rurami i zalało nam połowę mieszkania. Robiłam się wyśmienitą kłamczuchą, a moje tłumaczenia i opowieści przybierały coraz szerszy zasięg. Ona słuchała ich obojętnie, albo leżąc, albo chodząc od okna do okna i zaciągając szczelnie zasłony. Czasami mówiła z półuśmiechem: „Dobry Boże, kto nauczył cię tak kłamać?", ale tak naprawdę to nie miało dla niej żadnego znaczenia. Oddalała się coraz szybciej i coraz głębiej chowała w skorupę, poza którą nie potrafiłam jej dosięgnąć.

Pierwszy raz kochamy się w samochodzie, na tylnym siedzeniu.

Jest duszny wieczór lipcowy, za oknami zrobiło się ciemno, nasz samochód stoi na ciemnej dróżce biegnącej do lasu, sporo oddalonej od głównej ruchliwej drogi.

Trochę przeraża mnie ta cała sceneria, ten ciemny las i świadomość, że jest tak pusto wokół.

Moje dłonie szukają w popłochu Twoich rąk i na chwilę splatamy nasze palce. Zaczynam drżeć.

„Zimno ci?" – pytasz zaskoczony, a potem, ponieważ nie mamy ze sobą niczego, czym mógłbyś mnie okryć, przytulasz mnie do siebie.

Drżę coraz mocniej i kompletnie nie wiem, dlaczego tak się dzieje. Opieram twarz w zagięciu Twojej szyi i zamykam oczy. Ty gładzisz mnie po plecach, potem całujesz we włosy i czekasz, żebym się uspokoiła.

Nie wiem, co dzieje się ze mną. Powtarzam sobie, że nie ma niczego złego w tym, co robimy. Przynajmniej nie dla mnie. Tylko Ty możesz stracić na tym romansie.

Ale wciąż drżę, drżę tak bardzo, że ujmujesz w dłonie moją twarz i unosisz ją, żeby na mnie popatrzeć.

„Co się dzieje?" – pytasz szeptem.

Kręcę głową i chcę powiedzieć, że nic, ale wtedy na Twoje ramię spada coś mokrego i oboje na to patrzymy ze zdumieniem.

„Dlaczego płaczesz?".

Mrugam oczami, łez jest coraz więcej i nie potrafię ich powstrzymać. Ty nie wiesz, co robić, więc po prostu przyciągasz mnie do siebie. Nie umiem odpowiedzieć na żadne z pytań, które mi zadajesz. Nie wiem, co się dzieje, nie wiem, dlaczego płaczę, i kompletnie nie rozumiem tego wszystkiego. Nigdy jeszcze nic podobnego nie zdarzyło mi się z nikim. Wycieram nos wierzchem ręki i odsuwam się od Ciebie.

„Chcę wracać" – mówię. Tak mi głupio z powodu całej tej sytuacji, że nawet nie umiem na Ciebie popatrzeć. W ciemności samochodu znajduję swoje rzeczy. Kiedy sznuruję tenisówki, Ty też zaczynasz się ubierać.

Zaczyna się era hoteli i moteli, prywatnych kwater i pustych mieszkań.

Spotykamy się tak często, jak to tylko możliwe. Rodzicom kłamię, że wychodzę z koleżankami, siostrze tłumaczę, że kogoś mam, ale że to nic ważnego, przed studentami z mojej pracowni zasłaniam się niechęcią do imprez, rodziną oraz przyjaciółkami spoza akademii.

Na początku gra przeznaczona dla ludzi z letniej akademii jest zabawna. Udaję, że Cię nie zauważam, kiedy spacerujesz po sali w tych swoich okularach przeciwsłonecznych zsuniętych na włosy i z plecakiem przerzuconym przez plecy. Zwracamy się do siebie per „pan, pani", udajemy, że poza tą salą żadne z nas dla drugiego nie istnieje.

Potem jednak zaczynam zauważać, że znajdujesz przyjemność w ocenianiu mnie. Mówisz mi różne surowe słowa, które sprawiają, że na moich policzkach pojawiają się krwiste rumieńce, że patrzę na Ciebie niemal wrogo i najchętniej krzyknęłabym, żebyś przestał.

Studenci są zaskoczeni tym, że tak ostro mnie oceniasz.

„Nie rozumiem, przecież ty dobrze malujesz!" – mruczy Marzena z zakłopotaniem, kiedy odchodzisz od mojej sztalugi, by innym robić korekty. – „Czego on od ciebie chce?".

Ciebie mierzę wściekłym spojrzeniem.

„Co jest źle tym razem?" – pytam zimno. Ktoś odwraca się w naszym kierunku, zdumiony, ktoś coś szepcze z przejęciem.

Ty uśmiechasz się rozbrajająco, jakbyś nie rozumiał. „Po prostu mam wrażenie, że pani się wcale nie skupia na tej pracy. Malarstwo to nie tylko plamy i kontur. Przecież na obraz trzeba mieć pomysł, trzeba zbudować w nim nastrój. Nie wystarczy tylko odtworzyć to, co się widzi".

Szlag mnie trafia i dobrze o tym wiesz. Może jeszcze za mało Cię znam, by wiedzieć, że się wygłupiasz i że mówisz to wszystko specjalnie. Sądzę, że mnie karzesz w ten sposób, i chce mi się przez Ciebie krzyczeć ze złości.

Kiedy wpadam na Ciebie na schodach, w łazience lub w szatni i nikogo nie ma obok, przyciskasz mnie do ściany, całujesz i wsuwasz ręce pod moją bluzkę.

„Co ty ze mną robisz?" – szepczesz tuż nad moimi ustami.

Twoje ręce są spragnione mnie, silne, stanowcze. Szybko znajdują szczeliny między materiałami moich strojów i wsuwają się w nie, by poczuć pod palcami moją skórę.

Łączy nas już tak silna namiętność, że kiedy przypierasz mnie do tych wszystkich ścian, kiedy Twoje palce wsuwają się pod moje ubranie, kiedy przyciskasz się do mnie i całujesz głęboko, staję się bezwolna. Możesz robić ze mną, co chcesz. Potrzebuję Twojego dotyku, chcę Ciebie tak mocno, że nie mogę znieść chwil, gdy jesteś na wyciągnięcie ręki, a ja nie mogę Cię dotknąć. Tulę się do Ciebie, przymykam oczy i pozwalam na wszystko.

„To gdzie dzisiaj?" – pytam, ocierając twarz jak kot o Twój szorstki policzek. Moje dłonie w tym czasie penetrują Ciebie, bezwolnie wędrują po Tobie, centymetr po centymetrze.

Zaczynasz kupować mi różne drobne rzeczy; kupujesz mi perfumy, których używam tylko, kiedy spotykam się z Tobą. Flakon jest duży i musiał kosztować sporą sumę. Kpiąco mówię, że mi się należy, ale gdzieś w głębi duszy jestem na Ciebie zła, że robisz mi takie prezenty. Zresztą, przyjmując je, czuję się podle.

W sklepie z kosmetykami mówisz, żebym wybrała sobie jakąś szminkę.

„Lubię czerwone usta u kobiet" – dodajesz. Patrzę na Ciebie przez chwilę, a potem przenoszę spojrzenie na gamę kolorów, które poka-

zuje mi sprzedawczyni. Ona sądzi, że jesteśmy małżeństwem, bo zwraca się żartobliwie do mnie: „Mężczyźni lubią, kiedy ich żony wyglądają pięknie!". Zaraz też dodaje, że mam duże usta, więc powinnam zakupić szminkę w umiarkowanym kolorze, bo każda mocniejsza będzie za bardzo rzucać się w oczy.

„Co proponujesz?" – pytam sarkastycznie i przyciągam Cię za rękę do lady. „Która, kochanie, Ci się podoba?".

Ty nie orientujesz się, że jestem zła, albo udajesz, że tego nie dostrzegasz. Przesuwasz spojrzeniem po pomadkach jak prawdziwy znawca. Do głowy przychodzi mi wstrętna myśl, że pewnie wszystkim swoim kobietom kupujesz kosmetyki. Może pachniemy tymi samymi perfumami, może powinnam rozpoznawać je po kolorze ust?

„Zobacz tę" – mówisz, podając mi najbardziej czerwoną ze wszystkich. Kiedy próbuję jej na dłoni, pozostaje po niej błyszczący krwisty ślad. A więc takie lubisz. Chcesz, żebym wyglądała wulgarnie i wyzywająco? Sprzedawczyni nie odzywa się, urażona, że nie słuchamy jej rad. Jej spojrzenie mówi jasno, że to będzie zły zakup. Zauważam, że zerka na Twoją obrączkę ślubną i szuka podobnej na moim palcu.

„Tę poproszę" – mówię, oddając jej szminkę. Widzę, że jest zmieszana, bo już zorientowała się w naszych grach. W jej głosie pojawia się chłód, przygląda mi się niemal wrogo.

W hotelu siadam przed lustrem i powoli maluję usta. Moje wargi pod czerwienią nabierają życia, stają się nieomal pulsujące, zbyt wyzywające, by pokazać się tak na ulicy. Mój wizerunek zmienia się. Teraz nie przypominam siebie. Wyglądam, jakbym udawała. Za moimi plecami widzę obcy pokój, bezosobowy i drogi. Moje spojrzenie jest twarde, jakby stało się coś złego. Na policzkach mam róż, szminka zlepia delikatnie moje usta i muszę zwilżyć je końcem języka. Pochylam głowę i czuję Twoje ręce dotykające mojego karku. Potem czuję też usta na moich ramionach i wiem, że i tak zrobisz ze mną, co będziesz chciał.

Akademia Sztuk Pięknych w Warszawie okazuje się dużym budynkiem przypominającym dawne pałace. Chyba trafiłam na przerwę, ponieważ zarówno ogrody, jak i cały hol w środku wypełniony jest szczelnie studentami.

Szukam wystawy, o której czytałam w gazecie. Podobno zbliżają się urodziny akademii i z tej okazji wystawiono zdjęcia upamiętniające zarówno najzdolniejszych studentów poszczególnych wydziałów, jak i dawnych wykładowców.

Przeciskam się między ludźmi aż do schodów i pospiesznie wspinam na pierwsze piętro. Wystawa mieści się w holu i zajmuje niemal wszystkie ściany. Studenci, którzy pod nimi stoją, wydają się równie zaciekawieni zdjęciami jak ja. Przesuwają się powoli wzdłuż ścian, odczytują szeptem napisy, śmieją się i palcami wskazują różne osoby.

Nie bardzo wiem, czego szukam. Mama nigdy nie opowiadała mi zbyt wiele o uczelni, a z nazwisk znam głównie jej profesora, który prowadził ją do dyplomu. Jej opowieści ograniczały się raczej do zachwytu nad samym aktem tworzenia. Pracując w redakcji i malując na zamówienie obrazy, z biegiem lat zaczynała coraz bardziej gloryfikować zajęcia na uczelni oraz twórczość niepodszytą myślą, że musi spodobać się klientowi i że musi być ładna, tylko taką, która miała być dobra i mądra.

Przesuwam spojrzeniem po fotografiach. Ułożone są rocznikami, więc bardzo łatwo udaje mi się znaleźć rocznik mamy. Zwalniam kroku, wsuwam na nos okulary i lustruję z uwagą zdjęcia.

Studenci z tamtych lat, może przez drelichy i kraciaste koszule, wyglądają bardzo współcześnie. Moda w jakiś sposób omija ASP. Przyglądam się z zaciekawieniem ekstrawaganckim fryzurom, kolorowym ubraniom, niekiedy bardzo dziwacznym, które mieli na sobie artyści wiele lat temu. Moja mama na ich tle wydaje się bardzo zwyczajna. Krótkie włosy upodabniają ją do chłopaka, filigranowa figura sprawia, że wydaje się bardzo dziecinna przy swoich wystrojonych koleżankach o puszystych kształtach i farbowanych włosach.

Ona sama nigdy nie farbowała włosów. Uważała, że można ozdabiać siebie w inny sposób niż poprzez kolor. Zresztą kolor jej włosów był bardzo ładny i każdy pewnie sądził, że jest sztuczny. Były złociste, błyszczące, proste. Co dziwniejsze, mama była jedyną blondynką w rodzinie. Jej twarz, wkomponowana w wiele innych uśmiechniętych twarzy, wydaje mi się bardzo znajoma. Odwracam wzrok. Ostatecznie nie przyszłam tu po to, żeby odnaleźć ją.

Przyszłam, żeby znaleźć jego.

Mama niewiele opowiadała mi o moim ojcu. Kiedy byłam mała, wspominała enigmatycznie, że bardzo byli w sobie zakochani, ale on musiał wyjechać. Potem, w zależności od nastrojów nią targających, mówiła, że wcale jej na nim nie zależało i że to była zwykła wpadka. W nielicznych wspomnieniach z nim związanych pojawiał się najczęściej motyw jego wyjazdu, listów i miłości, którą do niej czuł.

Nigdy nie próbowałam go szukać. Wszystko, co o nim mówiła, ubierała w słowa odrealniające go albo zamykające dyskusję o nim. Przyzwyczaiłam się więc do myśli, że go nie ma i że niczego więcej na jego temat się nie dowiem.

Nie mogę twierdzić, że był mi jakoś specjalnie potrzebny. W rodzinie mojej mamy byli mężczyźni, którzy zastępowali go wyśmienicie na wszystkich moich urodzinach i przyjęciach ważnych dla mnie. Mama zresztą utwierdzała mnie zawsze w przekonaniu, że radzimy sobie świetnie bez niego, i chyba faktycznie tak było, przynajmniej do czasu.

Nie miała jego zdjęć, więc nie mogłam konkretnie go sobie wyobrazić. Na pewno nie tęskniłam do niego ani nie czułam się źle z powodu tego, że go nie ma. Nie znając go wcale, nie rozmawiając o nim i mając tak niewielką wiedzę na jego temat, nie odczuwałam z nim żadnej więzi i właściwie rzadko zdarzało mi się o nim myśleć.

Kiedyś, mając może ze trzynaście lat, zapytałam o niego ciocię.

„Kim był twój ojciec?" – powtórzyła ciotka i wyglądała na tak zdumioną moim pytaniem, że mnie samej wydało się ono niestosowne. Przyglądałam się jej jednak z zaciekawieniem, czekając, co powie. Byłam przekonana, że ciocia musiała go znać, roiłam sobie nawet w głowie, że była świadkiem na ślubie mojego taty z mamą i że pewnie wspólnie z mamą opłakiwała jego wyjazd.

Zszokowało mnie, gdy odpowiedziała:

„Ależ ja nigdy go nie widziałam!".

Przyglądam się długiemu rzędowi profesorów, którzy wykładali w czasach mojej mamy na uczelni. Nie wiem, kogo szukać, i ta niewiedza nagle zaczyna budzić we mnie gniew.

Jestem zła, że nic o nim nie wiem i że przez długie lata był tylko abstrakcyjnym pojęciem. Przecież powinna jednak mi o nim opowiedzieć. Nie było do końca tak, że go nie potrzebowałyśmy. Tak bardzo go potrzebowałam, kiedy ona leżała ciągle w łóżku, a jej rzeczy zaścielały podłogę jak kolorowy dywan, lub gdy całe noce wypiekała identyczną ciastkową formę.

Postawiłby cię na nogi – myślę, marszcząc brwi. Moje spojrzenie wciąż przesuwa się po wiszących na ścianie fotografiach.

Szukam oczu podobnych do moich, szukam włosów, które byłyby dość długie, by zagarniać je do tyłu okularami przeciwsłonecznymi, kolorowego ubrania, które odmłodziłoby jego wiek, uśmiechu, który zawróciłby w głowie mojej mamie.

Szukam i sama wiem, jakie to bezcelowe.

Na dworze pada deszcz. Jeszcze w płaszczu uchylam drzwi na balkon i nie bacząc na to, że deszcz będzie chlapał teraz na parkiet, nawołuję kocicę.

– Kici, kici! – wołam, a ponieważ nie odpowiada mi miauczenie, wychodzę na zewnątrz i przez chwilę rozglądam się po osiedlu.

Nigdzie jej nie ma. Mimo to zostawiam balkon otwarty i przy samym wejściu stawiam miskę; jeśli kocica będzie w pobliżu, na pewno poczuje jedzenie i może wreszcie przyjmie moje zaproszenie do środka.

Nie lubię przebywać tu w deszczowe dni. Woda spływa z dachu po drewnianym słupie i muszę podkładać materiał, żeby nie zalała parkietu. Mieszkanie wydaje mi się ciemne i smutne, coraz bardziej przypomina mi muzeum pamiątek. Podłoga trzeszczy i się ugina, potem dopada mnie dziwne wrażenie, że ktoś znów przekręcił w zamku klucz i pospiesznie zbiegł schodami na dół.

Ona tak zawsze robiła. Kiedy była w dobrym nastroju, kiedy kogoś miała, wołała do mnie: „Zamknij drzwi na klucz", a chwilę później, już w przejściu: „Albo ja zamknę!". Przekręcała klucz w zamku i zbiegała po schodach. Klatka powielała echo jej stąpnięć, dłoń przesuwała się po barierce schodów, szpilki stukały głośno o posadzkę.

Spaceruję po mieszkaniu niepewnie, otwieram drzwi do pokoi, żeby mieć wszystko pod obserwacją. Jestem zła na nią, że tu za mną przyszła.

– Powinnaś zostać w Gdyni – szepczę w pustkę mieszkania.

Powinna zostać w Gdyni. Przecież to przez jej nieustającą obecność, którą czułam dniem i nocą, sprzedałam tamten dom. Pamiętam, jak pakowałam to, co należało do niej, w duże kartony, które potem oddałam mojej parafii, żeby podarowano je ubogim ludziom.

Nie oszczędziłam ani satynowych strojów, ani biżuterii. Zostawiłam sobie tylko to, co było ważne: zdjęcia, pamiątki, które kochałam, jej perfumy oraz to, co ona sama lubiła najbardziej. Pomagała mi moja przyjaciółka, Marta. Razem segregowałyśmy wszystko, zastanawiając się, co warto zachować, a co oddać ludziom. Ona uważała, że powinnam zachować jak najwięcej, a ja sądziłam, że nie ma sensu robić z przeszłości relikwii, skoro to, co mama posiadała, może przydać się teraz komuś innemu, zamiast spoczywać na dnie szafy i budzić mój strach.

Marta żałowała, że wyjeżdżam aż do Warszawy.

„Będę za tobą strasznie tęsknić – powiedziała, przytulając mnie do siebie. – Masz do mnie pisać SMS-y i dzwonić! Słyszysz? Masz pisać, żebym wiedziała, że wszystko u ciebie w porządku!".

W Warszawie brakuje mi moich przyjaciółek. Samotność roztacza się wokół mnie jak szeroki parasol, odmienia mnie. Kiedy patrzę na siebie w lustrze, zauważam, jak bardzo zaczynam ją przypominać. Mam teraz ten sam dziwny wyraz oczu, który widywałam u niej. Mój głos od milczenia staje się ciężki i żeby nadać mu miękkie brzmienie, muszę chrząkać, a i wtedy brzmi obco, jakby nie należał do mnie.

Ona też tak dziwnie mówiła pod koniec. Skorupa, którą się otaczała, z biegiem dni robiła się coraz bardziej dźwiękoszczelna i nie przepuszczała żadnych słów.

Ze mną tak nie będzie – myślę. Ze mną nie może tak być. Jej choroba nie była dziedziczna, co najmniej sześćdziesiąt procent nadziei na to, że nie będzie dla mnie spuścizną po niej, dawał mi lekarz. To, czym ja się otaczam, można nazwać „samotnością z wyboru", a nie osamotnieniem. Wiem, że mogę ją w każdej chwili przerwać. Jeszcze nie teraz, ale przyjdzie moment, gdy zadzwonię do Marty i poproszę, żeby tu przyjechała, gdy zakreślę w gazecie interesujące mnie ogłoszenia o pracy i zawołam mechaników, kafelkarzy oraz wszystkich innych speców, żeby odmienili ten dom i wpuścili do niego nowe życie.

Nie masz nade mną władzy – myślę, poprawiając przekrzywioną na ścianie fotografię. Na pewno nie taką, jaką miałaś nad nią.

Mama była bierna i poddawała się. Nawet nie próbowała walczyć. Rozkładała ręce i przyjmowała samotność na siebie. Lekarz mówił, że nikt nie mógł jej pomóc. Było za późno.

Ona przychodzi na uczelnię do Ciebie w duszne popołudnie kończące lipiec.

Za rękę prowadzi małego chłopca, który wygląda na strasznie onieśmielonego naszymi sztalugami, rozebraną modelką oraz tymi wszystkimi spojrzeniami, które na niego rzucamy.

„Tam jest tata, widzisz?". Uśmiecha się do Ciebie i puszcza rękę chłopca, by mógł się z Tobą przywitać.

Nie mogę oderwać od niej oczu. Nie wygląda tak, jak to sobie wyobrażałam. Mówiłeś, że jest starsza od Ciebie, a wygląda na nie więcej niż trzydzieści lat. Mówiłeś też, że jest dziwna i że trudno Ci się z nią porozumiewać, a kobieta, która idzie przez pracownię, uśmiecha się do Ciebie wesoło, nieśmiało zagarnia kosmyk włosów za uszy i na powitanie całuje Cię w usta.

Nie mogę na to patrzeć. Czuję, jak mocno bije mi serce. Pochylam się nad farbami, wyciskam je na paletę i mam wrażenie, że wokół mnie powietrze jest zbyt duszne, bym mogła nim oddychać. Chwytam je jak ryba, a potem marszcząc brwi, patrzę na nią znowu.

Jest bardzo ładna i zupełnie niepodobna do mnie. Nie ubiera się tak, jak twierdzisz, że lubisz. Nie mogę wyobrazić sobie jej w podwiązkach, w czarnej koronkowej bieliźnie. Ma na sobie sukienkę w czerwone tulipany, które wydają się ożywać, gdy idzie przez salę. Z niedowierzaniem lustruję spojrzeniem jej płaskie sandały, włosy ścięte równo, z płaską grzywką, która odmładza jej buzię.

Rozgląda się po sali i prosi, żebyś ją oprowadził. Robisz to swobodnie, jakby mnie tu wcale nie było. „Ależ wy ładnie malujecie!” – mówi i uśmiecha się do studentów; do mnie też uśmiecha się przelotnie. Kiedy zbliżacie się do mojej sztalugi, czuję, jak moje policzki płoną, i mam wrażenie, że nie wytrzymam tej konfrontacji. Ona zwraca się do chłopca: „Widzisz, jakie ładne rzeczy maluje ta pani?”, a chłopiec podchwytuje moje spojrzenie i przesyła mi słodki, dziecięcy uśmiech.

W łóżku zapalam papierosa.

„Co się dzieje?” – pytasz. Nie mogę na Ciebie patrzeć, obracam papierosa w palcach, zaciągam się i nie mówię nic, bo wiem, że jeśli zacznę mówić, przerodzi się to w krzyk.

„Co tym razem?” – pytasz i przysuwasz się do mnie. Twoje ręce zachłannie dotykają mojego uda, wędrują po satynie pasa do pończoch, delikatnie pocierasz palcami linię, gdzie koronka się kończy, odsłaniając gładką skórę.

Zamykam oczy.

„Boże, wyglądasz, jakbyś mnie nienawidziła!” – mówisz zaskoczony, ale chyba niespecjalnie się tym przejmujesz. Zsuwasz ramiączko mojej halki, zaczynasz zasypywać pocałunkami moją skórę, miejsce przy miejscu, aż obejmę Cię ramionami, aż przyciągnę Cię do siebie i zapomnę na kilka chwil o niej.

Teraz już drażnią mnie wizyty w hotelach, te bezosobowe pokoje, szerokie łóżka z gładkimi narzutami, identyczne nocne lampki, kolorowe obrazki na ścianach. Męczy mnie seks w Twoim samochodzie, niewygodne tylne siedzenie, nasze przyspieszone oddechy, zaparowane szyby, dłonie zaciskające się na ciałach, jęki i westchnienia. Kiedy zabierasz mnie na polanę i rozkładasz na trawie koc, wcale nie podzielam Twojej radości, że nikogo tu nie ma.

Śmiejesz się ze mnie.

„Jesteś strasznie chimeryczną osobą” – mówisz.

Słońce znajduje się za Twoją głową, przez włosy przecieka jego światło i muszę mrużyć oczy, żeby na Ciebie popatrzeć.

„Nie wiem, jak z tobą wytrzymać” – żartujesz, a Twoje usta muskają skórę na mojej szyi, powolnie dążąc do piersi.

„Nie musisz ze mną wytrzymywać” – odpowiadam. Denerwuje mnie, że nie rozmawiamy o niej ani o nas. Twoje ręce wciąż przesuwają się po mojej skórze, usta całują mnie, a słowa są pozamykane szczelnie w Twojej głowie i nie umiem się do nich dostać.

Mam wrażenie, że nie interesuje Cię to, co mam do powiedzenia. Czasami, kiedy Ci coś opowiadam, zauważam, że rozpraszasz się i wcale mnie nie słuchasz. Twoje spojrzenie wędruje wtedy po moim dekolcie, po moich ustach, z uśmiechem zaglądasz mi w oczy. A przecież to, co mówię, też powinno być ważne. Ja słucham Ciebie z uwagą i zapamiętuję to, co powiesz. Potem, w moim łóżku, rozmyślam o tym, analizuję, przejmuję się tym. Dlaczego Ty tak nie potrafisz? Czy to, co myślę, nie ma dla Ciebie znaczenia? Czy liczą się tylko moje uda, moje piersi i ciepło mojego ciała, kiedy zagłębiasz się w nie?

Na kraciastym kocu kołyszesz mną sennie, więc zamykam oczy i próbuję zapomnieć o tym, co mam Ci do powiedzenia. Wokół nas bzyczą owady, pachnie trawa, niebo rozciąga się nad nami równe, w kolorze czystego błękitu. Jęczę z rozkoszy, zaciskam palce na Twoich plecach, a potem namiętnie całuję Cię i szepczę, żebyś nie przestawał, żebyś robił to dalej, szybciej, mocniej i że Cię kocham.

Tamtego dnia nie pamiętam zbyt dokładnie. Z rana otworzyłam okno, żeby wpuścić do pokoju ciepłe powietrze. Na plaży ludzie rozkładali leżaki – dla nich rozpoczynał się kolejny upalny dzień.

Brak samochodu zauważyłam, kiedy wyszłam na zewnątrz, żeby odebrać od listonosza przesyłkę. Mama prenumerowała wiele magazynów, które nie mieściły się w skrzynce na listy, więc listonosz był już przyzwyczajony do tego, że zejdę, i czekał cierpliwie.

„Ależ dzisiaj ładnie!" – przywitał mnie, wręczając duże pismo angielskie poświęcone urządzaniu mieszkań. – „Proszę o podpis".

Wcale nie zaskoczyło mnie to, że jej nie ma. Ostatnio czuła się na tyle dobrze, że sama wychodziła z domu, jeździła nawet do redakcji po nowe materiały do artykułów i twierdziła, że od poniedziałku zabiera się ostro do pracy.

Był piątek i rozpoczynał się sierpień. Z magazynem w ręce przysiadłam na schodach naszego domu i zaczęłam go przeglądać. Słońce świeciło na mnie, ostre i cudowne, odchyliłam na chwilę do niego twarz i przymknęłam oczy. Pamiętam, o czym wtedy myślałam. Od października miałam rozpocząć ostatni rok pedagogiki i w tamtym krótkim momencie na schodach przyszło mi do głowy, że muszę maksymalnie wykorzystać resztę wakacji, która mi została. Zaczęłam planować sobie dzień: zaraz pójdę na plażę i wmieszam się w tłum ludzi naoliwionych olejkami, leżących na kolorowych kocach. Potem ściągnę tu Martę i resztę przyjaciółek, które zostały w Gdyni na sierpień. Nie byłam pewna, o której wróci mama, ale postanowiłam, że na czwartą zrobię jakiś dobry obiad – coś lekkiego i smacznego, w sam raz na taki upał.

W jej pokoju panował nieporządek. Oczywiście zostawiła na podłodze większość rzeczy, które mierzyła z rana.

I może ten jeden fakt odnotowałam w głowie jako trochę niepokojący. Mama uwielbiała ubierać się i planowała swój strój w najdrobniejszych szczegółach, ale tylko na szczególne spotkania nie umiała się zdecydować, co włożyć, i mierzyła liczne stroje, które potem zostawały na łóżku albo koło szafy.

Zbierając je i odwieszając na wieszak, złapałam się na tym, że szukam brakującego ubrania. Trochę zdziwiło mnie, że wybrała na wizytę w redakcji jedną ze swoich najładniejszych garsonek, tę śnieżnobiałą, o której mówiła, że czuje się w niej jak panna młoda.

O miłości chyba nie miało być mowy. Mówiąc, że kocham, przekroczyłam niewidzialną granicę, o której nie miałam wcześniej pojęcia. Zaczynam orientować się w swoim nietakcie dopiero, kiedy zauważam zmianę w Tobie.

Jest przegląd prac kończący letnią akademię. Stoję razem ze studentami w ciasnej grupce, a na podłodze leżą nasze obrazy. Ty i asystentka spacerujecie między nimi zamyśleni, wymieniając się uwagami. Mówicie najczęściej miłe rzeczy: że ktoś zrobił postępy, że czyjeś malarstwo jest bardzo emocjonalne i wartościowe, że mamy dobre wyczucie kolorów i że świetnie radzimy sobie z modelem.

Kiedy przychodzi do korekty moich prac, asystentka uśmiecha się do mnie łagodnie, zadowolona z tego, co zrobiłam. Ja sama wiem, że nie przykładałam się jak trzeba i że mogłam namalować to wszystko lepiej, gdybym poświęciła sztuce więcej uwagi. Nie jest jednak źle i podejrzewam, że dwie moje prace trafią na wystawę.

Ty jednak zachowujesz się tak, jakbyś faktycznie nie znał mnie ani trochę i jakbym była dla Ciebie tylko mało zdolną studentką. Mówisz obojętnym głosem, że nie radzę sobie z dużymi formatami i że nie zrobiłam żadnych postępów. Unoszę na Ciebie zaskoczone spojrzenie, ale Twoje oczy z uwagą lustrują obrazy.

„Prace pani sprawiają wrażenie niedokończonych i nie wydaje mi się, żeby to był specjalny zabieg" – dodajesz, a ja nabieram głęboko powietrza i nie wiem, co powiedzieć. Kiedyś zaczęłabym się z Tobą kłócić. Zawsze przecież kłóciłam się z profesorami oceniającymi moją twórczość. Teraz jednak brakuje mi słów i ogarnia mnie straszna pewność, że jeśli się odezwę, powiesz mi coś tak okrutnego, że nie będę umiała sobie z tym poradzić.

„Dlaczego tak powiedziałeś?" – pytam pod sekretariatem godzinę później. – „Dlaczego nie wziąłeś moich obrazów na wystawę?".

Nie rozumiem Twojego spojrzenia, którym mnie obrzucasz. Nie rozumiem, dlaczego nawet nie przystajesz, tylko idziesz dalej. Biegnę za Tobą, łapię Cię za ramię i zmuszam, żebyś na mnie spojrzał.

„Co ty wyprawiasz?! Przecież wiesz, jakie to było dla mnie ważne!".

Oczywiście, że wiesz. Rozmawialiśmy czasami o moich marzeniach związanych z uczelnią. O tej wystawie też rozmawialiśmy i wydawało mi się, że ten jeden raz słuchałeś mnie uważnie, kiedy mówiłam, że zależy mi na tym.

Poprawiasz okulary, ściszasz głos: „Nie mogę robić z siebie głupca. Te prace nie nadają się na wystawę".

Mrugam oczami i kompletnie nie wiem, co odpowiedzieć. Ostatnie tygodnie zmieniły mnie tak bardzo, że zamiast wściekle wrzeszczeć, mnie zachciewa się płakać. Ty patrzysz na mnie przez chwilę i po prostu idziesz dalej.

Płaczę przez Ciebie po raz pierwszy w życiu. Płaczę w łazience na uczelni, pochylona nad zlewem, płucząc twarz zimną wodą. Ktoś wchodzi do łazienki, więc udaję, że coś wpadło mi do oka, i mruczę na głos, że strasznie boli. A potem, kiedy ta osoba już wyszła, zamykam się w kabinie, zakrywam twarz dłońmi i płaczę głośno, bez opamiętania.

Telefon zadzwonił koło trzynastej i męski głos poinformował mnie o wypadku samochodowym.

Stałam jak skamieniała przy słuchawce. Zdołałam tylko zapytać, czy wszystko z nią w porządku. Policjant nieporadnie wytłumaczył, że nie jest w porządku i że powinnam przyjechać do szpitala. O tym, że ona nie żyje, dowiedziałam się dopiero na miejscu.

„Samochód wpadł do wody" – tłumaczył mi policjant. – „Obecnie badamy przyczyny tego zdarzenia".

Nie musiała rozbijać lustra, bym wiedziała. Kiedy powiedzieli mi o wodzie, od razu domyśliłam się całej prawdy. Siedziałam w gabinecie lekarskim na czerwonym krześle i patrzyłam na swoje dłonie. Lekarz coś mówił i policjant mówił, a ja obróciłam dłonie i dopiero wtedy dostrzegłam, jak bardzo drżą.

„Jak ona teraz wygląda?" – zapytałam.

Zapadła pełna zakłopotania cisza – lekarz chyba nie był pewien, co właściwie chcę usłyszeć. Po takich wypadkach nie wygląda się najlepiej. Bąknął na uspokojenie, że „całkiem spokojnie", a ja kiwnęłam głową. Nie musiałam jej oglądać, by wiedzieć, że wygląda dobrze. Kilka tygodni później jakiś świadek miał zeznać, że widział jej samochód na chwilę przed upadkiem do wody i że wydawało mu się, że się śmiała. Policja mu nie uwierzyła, ale ja owszem. To byłoby do niej bardzo podobne: biel delikatnego materiału, usta pokryte czerwoną szminką, uśmiech na twarzy i dłonie, które z premedytacją skręciły kierownicę w stronę wody.

Sierpień jest duszny i parny. Wyjeżdżam z rodzicami nad morze i robię, co mogę, żeby zapomnieć o Tobie.

W przyszłym roku mój wydział architektury ma przenieść się do zaadaptowanego przez uczelnię gmachu, więc nie będę miała z Tobą zbyt często kontaktu. W moim planie zajęć nie ma żadnych więcej pracowni z Tobą.

Dziwna wydaje mi się myśl, że wpadnę na Ciebie nagle na schodach albo na korytarzu. Jeszcze dziwniejsze jest to, że dalej będziemy udawać, że nic między nami nie było.

Do września będę już silna i spotkanie z Tobą nie będzie miało znaczenia. Zakochanie nie może trwać w nieskończoność.

Dziwne, jak szybko moja pamięć zaciera Twoje wady i to, co było złe. Jej wybiórczość sprawia, że cierpię. Już wszystko Ci wybaczyłam, już nie potrafię się gniewać. Teraz już nie przeszkadzałyby mi hotelowe pokoje ani te wszystkie niewygodne miejsca. Teraz nie miałabym pretensji o to, że z niej nie zrezygnujesz. Nie czułabym złości za to, że nie mówisz mi o miłości.

Chcę tylko, żebyś był.

Leżąc na dmuchanym materacu, opuszczam rękę i w milczeniu obserwuję, jak woda rozsuwa się między palcami, jak tworzą się z piany śmieszne wzory na niej i jak ryby reagują na moje ciało.

Godzinami leżę w wodzie. Niebo odbija się w spokojnej tafli wody. Na dnie widzę połyskujące muszle i biały piasek. Nurkuję i otwieram pod wodą oczy. Moja siostra nurkuje ze mną, włosy unoszą się wokół jej głowy jak nadmuchany balon; łapie mnie za ręce i wyciąga, śmiejąc się, na powierzchnię.

Jeździmy tu dużo na rowerach. Ona bawi się jazdą i woła do mnie, żebym przyspieszyła. A ja wciąż tylko myślę o Tobie i ta tęsknota zabija we mnie wszelką radość. Nie potrafię cieszyć się jazdą, nie czuję we włosach pędu powietrza, moje stopy naciskające pedały roweru wydają się obce i robią wszystko niezależnie od mojej woli.

Kiedy nikt nie patrzy, wsuwam dłonie w ciepły piach na plaży i przesypuję go w palcach. Wczoraj mi się śniłeś i obudziłam się z tego snu zdenerwowana, z uczuciem tak potwornej tęsknoty, że chciałam jechać do Ciebie nawet w koszuli nocnej i bez bagażu.

Zabawiam się wyobrażaniem sobie różnych scenariuszy tego, jak to by było, gdybym do Ciebie pojechała. Wyobrażam sobie, że cieszysz się na mój widok, że przyciągasz mnie do siebie i mówisz, że wszystko jest w porządku. W niektórych marzeniach porzucasz ją dla mnie i wynajmujemy mieszkanie gdzieś daleko od Warszawy, ustawiamy na półkach swoje rzeczy i żyjemy ze sobą jak małżeństwo.

Brakuje mi Ciebie – myślę, a złoty piasek przesypuje się między moimi palcami.

Ktoś mi kiedyś powiedział, że można wysłać myślami przekaz do drugiej osoby. Chcę tak zrobić właśnie teraz. Patrzę w niebo rozciągnięte nade mną w równej niebieskiej i nieskończonej linii.

Czy czujesz moje myśli? – pytam bezgłośnie. – Gdzie teraz jesteś? Czy tęsknisz do mnie, jak ja do Ciebie?

Listy ciocia zostawiła dla mnie na nocnym stoliku, w pokoju, w którym zawsze spałam. Wiedziała, że znajdę je prędzej czy później, więc nie wspomniała o nich. Podejrzewam, że ona sama musiała znaleźć je nie tak dawno, może kiedy pakowała się do wyjazdu. Na pogrzebie mamy na pewno nie wiedziała nic na ich temat.

„Twoja mama była bardzo skrytą osobą" – powiedziała, gładząc mnie po ręce. Ubrana w prosty czarny kostium wydawała się tak bardzo poważna i niepodobna do siebie, że nie wytrzymałam i roześmiałam się.

Wiem, że martwiła się chorobą mamy i że wręcz rozpaczliwie szukała symptomów tej choroby we mnie. Tamten śmiech na stypie na pewno poczytała za jeden z nich, bo później wielokrotnie robiła mi delikatne uwagi na ten temat. Szczególnie zmartwiła się, kiedy usłyszała, że zamierzam zamieszkać w Warszawie.

„Będziesz tu bardzo samotna!" – wykrzyknęła.

Musiałam tu przyjechać.

Dopiero teraz, spędzając samotnie czas w Warszawie, jestem w stanie chociaż odrobinę zrozumieć to potworne osamotnienie, które odczuwała moja mama. Żżerało ją od środka tak, jak teraz zaczyna zżerać mnie. Zmusiło ją, by przekształciła nasz dom w twierdzę. Wszystko, co znajdowało się poza nim, napawało ją strachem.

Samotność jest bardzo podstępna: mami świadomością, że można ją przerwać, że jest tylko wydłużającą się w czasie chwilą i że pomoże ci zajrzeć w głąb siebie.

Nic bardziej mylnego.

Teraz już wiem, że samotność przeradza się w pustkę, poza którą znajdują się niewidzialne szklane ściany. Ona znajdowała się wewnątrz, a ściany otaczały ją coraz ciaśniejszym kręgiem. Wmawianie sobie, że można ją przerwać, jest kłamstwem. „Zaglądanie w siebie" przeradza się w uzależnienie, a dialog i dotyk stają sie zagrożeniem.

Widzę Cię przelotnie w centrum handlowym. Rozpoznaję twarz chłopca, którego ona przyprowadziła na uczelnię. Niesiesz go na barana i mówisz coś wesoło. A we mnie wszystko zamiera.

Idziesz na wprost mnie i wiem, że zaraz nasze spojrzenia się spotkają. W ułamku sekundy uświadamiam sobie, jak nieładnie dzisiaj wyglądam, jaka jestem blada i że nie nałożyłam na oczy żadnego makijażu.

Nie spodziewałam się Ciebie tutaj, nigdy nie przyszłoby mi do głowy, że odwiedzasz takie miejsca. Wpatruję się w Ciebie szeroko rozwartymi oczami, poprawiam odruchowo włosy i silę się na uśmiech, który schodzi mi momentalnie z ust, kiedy ona pojawia się obok Ciebie.

Nawet na mnie nie patrzysz. Idziesz spokojnym krokiem, a ja nie mogę się nadziwić, że jesteś taki pogodny, taki opalony i że nie ma w Tobie pustki, która rozlała się we mnie.

Twoja żona dostrzega mnie i uśmiecha się wesoło. Do Ciebie mówi: „Czy to nie twoja studentka?", więc odwracasz się i patrzysz na mnie przez chwilę.

Chciałabym wierzyć, że cieszysz się na mój widok. Chciałabym sądzić, że żałujesz, że oni są przy Tobie, bo inaczej zaprosiłbyś mnie na kawę i powiedział, jak bardzo tęskniłeś. Chciałabym, ale tak nie jest i nigdy nie będzie. Patrzysz na mnie, marszcząc brwi, z irytacją, że tu jestem i że mam taki posępny wyraz twarzy, który może zepsuć Ci dzień.

Kiwasz do mnie głową, a potem odchodzisz. I dopiero wtedy uświadamiam sobie, że to nie Ty byłeś słaby, zagubiony i to nie Ty miałeś cokolwiek do stracenia. Ciebie nic nie zarysuje. To ja traciłam na romansie z Tobą.

Kocica niepewnie wsuwa się do środka. Na dworze jest już jasno i nawet wyjrzało słońce, więc otwieram szerzej drzwi na balkon i przesuwam jej miskę na środek pokoju.

– No proszę, trzeba będzie kupić ci jakieś legowisko – mówię i śmieję się.

Kocica spaceruje po pokoju powolnym krokiem, obwąchuje wszystkie kąty. Do gustu przypada jej bujany fotel i zaraz też wskakuje na niego, by poudeptywać łapkami poduszki.

– Dobrze, ale potem ja tu siedzę – mówię.

Przy balkonie zatrzymuję się tylko na chwilę, żeby skontrolować, czy straszne kałuże zostały po deszczu. Nie są zbyt straszne, a słońce świeci tak cudownie, że kiedy rozchylam zasłony, kaskadą światła zalewa cały pokój. Kocica mruży oczy i miauczy. Głaszczę ją przelotnie po głowie, ale na takie pieszczoty chyba jeszcze za wcześnie, bo ona zaraz wstaje.

– Więc ty masz się tu zadomowić – informuję ją z rozbawieniem. Uśmiech schodzi mi z ust, kiedy spoglądam na listy.

Może już czas?

Teraz już wiem, już rozumiem. Nie o wszystkim można mówić. Często nie rozmawia się o tym, co najważniejsze. My rozmawiałyśmy o drobiazgach, a tematy poważne zbywałyśmy złością lub żalem. Mogę być zła, że smutek, który poczuła tamtego lata, zagnieździł się w niej tak głęboko i że nie opuszczał jej aż do końca, nasilając się z każdym dniem. Że popchnął ją na samą krawędź.

Ale chyba już nadszedł czas.

Mogę zrobić to za ciebie – myślę. Wtedy nie umiałam jej pomóc, a teraz jest już za późno. Mogę wyobrażać sobie, że jest tu ze mną, że to pod jej stopami uginają się nieznacznie deski podłogi, że to ona porusza przedmiotami w mieszkaniu, że to jej kroki słyszę na klatce schodowej.

– Chyba już czas – szepczę w pustą przestrzeń mieszkania.

Wiatr porusza delikatnie firankami, wydymając je. Przystaję przy oknie i wpatruję się w park, w którym starszy pan zagarnia liście grabiami. Alejka zalana jest ciepłym światłem jesiennego słońca. Światło przecieka przez liście, dając wrażenie impresjonistycznego obrazu. Mam wrażenie, jakby cały park tonął w kolorach i świetle. Przymykam więc oczy i myślę, że jeszcze chwila, jeszcze moment, zanim pozwolę jej odejść i nauczę się żyć bez smutku.

Lato dobiega końca, trawa traci zieleń, przekwitają kwiaty. Bujany fotel porusza się pode mną sennie, wydając ciche skrzypnięcia.

W głowie mogę tworzyć różne obrazy Ciebie i zasłaniać się nimi – to pomaga mi przetrwać dłuższy czas. Uzależniłeś mnie od hoteli, czerwonych szminek i namiętnego dotyku. Bez Twojego spojrzenia na mnie rozpadam się na nieważne kawałki.

Ona jedna nadaje wszystkiemu sens. Gdybym Ci o niej opowiedziała, zbyłbyś mnie stwierdzeniem, że to zbyt wcześnie, żeby wiedzieć. Ale ja wiem. Mam taką pewność.

Nie chcę Cię do niczego zobowiązywać. Ona jest moja i tak już pozostanie. Będzie moim sekretem.

Bartek Świderski

PIERWSZE WRAŻENIE

– O matko – jęknęła Ewa. Niebieska kreska wyostrzała się z każdą chwilą. Odruchowo zgasiła papierosa i wrzuciła go do sedesu. Nie wolno mi teraz palić – pomyślała. Zobaczyła się w lustrze: potargane włosy i rozmazany makijaż. Z seksownej pani adwokat, którą była jeszcze pięć minut temu, zmieniła się w klauna po występie.

Plastikowy test wyśliznął się jej z rąk i upadł na podłogę.

– Wszystko w porządku? – zawołała z pokoju Gosia.

Ewa zawahała się. Potrzebowała teraz przyjaciółki jak nigdy, ale czy może jej powiedzieć? Lepiej ochłonąć, przemyśleć to i samej podjąć jakąś decyzję – podpowiadał jej rozsądek. Ale ręka sama odblokowała zamek.

– Nie... To znaczy... Sama zobacz... – Otworzyła drzwi i opadła na zamknięty sedes. Podniosła z podłogi test. Gosia odłożyła szklankę z drinkiem i przyglądała mu się chwilę, marszcząc wyskubane brewki.

– Czy to jest to, co myślę?

Ewa kiwnęła głową.

– Twoje?

– Tak.

– Gratuluję, jesteś mamą!

Gosia zachichotała, ale szybko się opanowała, widząc spojrzenie przyjaciółki.

– Sorry – szepnęła.

Kucnęła przed Ewą i pogłaskała ją po głowie.

– Jak się czujesz?

Okrągłe, lekko zamglone dżinem oczy Gosi wyrażały troskę i współczucie.

– Słabo mi – jęknęła oszołomiona Ewa.

Gosia przez chwilę bezgłośnie poruszała ustami.

– To było w Alpach?
– Tak... Chyba tak...
– Z tym przystojnym instruktorem?
Ewa machinalnie przytaknęła. Gosia przerwała głaskanie i sięgnęła po drinka, uświadamiając sobie grozę sytuacji.
– O matko, on jest Francuzem.
Spojrzała na Ewę surowo i pokręciła głową z niedowierzaniem.
– Nie słyszeliście o antykoncepcji?
Nie spodziewała się po koleżance takiego seksualnego analfabetyzmu. Ewa opuściła głowę i zacisnęła usta. Po rozstaniu z mecenasem Andrzejem Zdrajcą Gładkowskim czuła wstręt do facetów i stosowała najlepszą metodę antykoncepcyjną. Sto procent skuteczności.
Od roku żyła w celibacie.

Gosia nie mogła o tym wiedzieć, bo Ewa wolałaby umrzeć, niż odkryć swój mały brudny sekret. A raczej fakt, że nie miała żadnych brudnych sekretów. Atrakcyjna prawniczka po trzydziestce i celibat? I tak nikt by nie uwierzył. A ona po prostu unikała facetów – żałosnych, owładniętych żądzą seksu, kłamliwych drani. Kiedy na sekretarce Gładkowskiego przypadkiem znalazła nagraną wiadomość od jego kochanki, przyrzekła sobie, że oszukano ją ostatni raz. Skończyła z czatami, flirtami w pracy i służbowymi lunchami, na które zapraszali ją klienci, niby oficjalnie, ale zawsze z podejrzanym błyskiem w oku. Podrywaczy w klubach, do których wybierała się czasem z Gosią, osadzała szybko i zdecydowanie. Wytyczyła wokół siebie granice i rozstawiła na nich czujki, reagujące na chamstwo, agresję, egoizm, krótko mówiąc: na chromosom Y. Gdy włączał się alarm, żywa, miła, ogólnie wesoło usposobiona do życia kobieta zamieniała się w bryłę lodu. Facetów mroziła najpierw fala ostrzegawcza – obojętne spojrzenia, niecierpliwe gesty – a jak się któryś zawziął i przedarł, odbijał się od twardej skorupy inwektyw, bo z języka ciała przechodziła na polszczyznę i to raczej mało parlamentarną. Starała się to robić dyskretnie, a gdy Gosia zadawała kłopotliwe pytania, tłumaczyła się zmęczeniem, nastrojem, „trudnymi dniami", a ostatnio zmyśliła tego instruktora narciarstwa, któremu rzekomo chce dochować wierności. Dyskusja nie miała sensu – jeśli Gosia w ogóle pamiętała, co znaczy słowo „celibat", to zapewne uważała go za główną przyczynę raka i chorób przyzębia. Innych przyjaciółek nie miała, przed matką zdradziła się tylko raz. Kiedy składała jej życzenia z okazji sześćdziesiątych urodzin, tamta stwierdziła, że życzy sobie jednego: poznania przyszłego zięcia. Ewa odparła z wisielczym humorem:

– Przecież znasz Gośkę.

Rosnący brzuch nieco utrudni jej podobne uniki. A pytania sypały się ze wszystkich stron. Najgorzej było w szpitalu, gdzie Ewa poszła na zdjęcie szwów po niedawnym wycięciu wyrostka. Kontrolne USG nie wykryło żadnych powikłań, ujawniło za to tajemnicze obrzęki w okolicy podbrzusza.

– O to, tutaj – stażystka wskazała jasną plamę na monitorze. – Wygląda zupełnie jak... Jakby pani...

– Jestem w ciąży – powiedziała szybko Ewa. Poczuła wstrząs, słysząc swój głos wypowiadający te uroczyste słowa, o których bała się pomyśleć.

– Gratuluję! – zawołała dziewczyna, potrząsając ogniście rudą grzywką. Spojrzała na monitor. – Drugi miesiąc?

– Chyba początek trzeciego – powiedziała Ewa. Mówiła szeptem, ale miała wrażenie, że słyszy ją pół oddziału. Rozanielona dziewczyna aż klasnęła w dłonie.

– To pani pierwsze dziecko?

– Tak – odparła niechętnie. Niech pani jeszcze podniesie głos, bo nie słyszą nas w sąsiednim budynku, chciała dodać, ale się pohamowała. Opuściła głowę i popatrzyła na swój odsłonięty brzuch, czując się naga i bezbronna. Dziewczyna podała jej papierowy ręcznik.

– Może się pani już wytrzeć. Pójdę po chirurga. Musimy sprawdzić, co z zabiegiem... To znaczy, nie mówię o TYM zabiegu, chi, chi. Przepraszam, to mało śmieszne – poprawiła się szybko. – Nie wiem, czy ciąża nie wpłynie na regenerację po wycięciu wyrostka, to wszystko.

Ewa spuściła wzrok i pokiwała szybko głową.

– To ja już pójdę.

Poklepała Ewę po ramieniu i wyszła na korytarz.

Ewa opuściła sweter, wstała z łóżka i podeszła do okna. Odchyliła żaluzje i pozwoliła, by zieleń drzew odprężyła jej oczy, piekące z niewyspania. Lekki wietrzyk wprawiał pokryte drobnymi listkami gałęzie topoli w radosny dygot. Dostrzegła wiewiórkę, skaczącą między nimi. A jednak rude może być piękne – pomyślała i uśmiechnęła się do siebie.

Za drzwiami rozległy się kroki. Ewa odwróciła się i zobaczyła lekarza. Pamiętała go – wysoki blondyn o niebieskich oczach, który przypominał jej młodego Roberta Redforda, tylko bez baczków. Rozmawiała z nim przed operacją, potem na obchodzie zastępował go już ktoś inny.

Teraz był blady jak ściana. Na widok Ewy zachwiał się i oparł o framugę.

W jej głowie zapalił się neon. W ciągu ostatnich trzech tygodni, od kiedy zrobiła test, żyła jak w transie. Jak to możliwe, jak to możliwe? – myślała w kółko. Dopiero wczoraj zrobiła dokładny rachunek sumienia. Ciąża równa się seks – to proste, cudów nie ma. Ale seks bez wspomnień? Musiała być nieprzytomna. Fakt, że w górach sporo balangowała, ale nigdy do tego stopnia. Romantyczno-upiorne wizje o tajemniczym kochanku, nawiedzającym ją we śnie, włożyła między bajki. Pozostawało siedem godzin po operacji, podczas których była nieprzytomna, w nieznanym miejscu, zdana na obcych ludzi. Oto luka, w którą wdarł się gwałciciel.

Spojrzała w bladą i napiętą twarz lekarza. Zachrypniętym głosem odesłał stażystkę i zamknął drzwi.

– Proszę usiąść, tutaj – wskazał Ewie kozetkę. W samą porę, bo poczuła, że uginają się pod nią kolana. – Który to miesiąc? – spytał słabo. Mięśnie na jego szerokiej szczęce napinały się jak żeglarskie węzły.

– Trzeci – odparła Ewa.

Opuścił głowę.

– Pozwę pana – powiedziała chłodnym tonem, jakby chodziło o kolejną sprawę. Rutynowy problem, wymagający określonych procedur. Już się nie bała, że ktoś ją usłyszy.

Spojrzał na nią błędnym wzrokiem.

– Oczywiście – odparł cicho.

– Straci pan pracę i skończy się to, co pan tu wyprawia.

Coś w niej pękło.

– Jest pan lekarzem, do cholery! – zawołała. – Ludzie ufają panu, powierzają swoje zdrowie, a pan co?

Pokręcił głową.

– Nie robię tego. To pierwszy raz.

Ewę aż zatkało. Poczuła, że do oczu napływają jej łzy. Nie chciała, żeby je widział. Wstała i ruszyła do drzwi.

– Powinni cię wykastrować – syknęła.

Królestwo za papierosa! Na schodach minęła palącą stażystkę, ale jakoś niezręcznie było ją prosić. Przy wyjściu ze szpitala minęła kiosk i poczuła ochotę na loda. Albo cytrynę. A może cytrynowego loda? Boże, zaczyna się – westchnęła.

Zadzwonił dwa dni później. Właśnie wyszła z łazienki, ocierając pot z czoła, drugą ręką rozcierając bolący brzuch. Poranne mdłości stały się regułą. Każdy nowy dzień witała z głową w sedesie, w czym zaczęła dostrzegać pewną symbolikę.

– Dzień dobry, mówi Jacek Kasprzycki.

Potrzebowała chwili, żeby skojarzyć nazwisko z tabliczką na drzwiach gabinetu. Nie miała czasu, żeby się zdenerwować. Spytała prawie spokojnie, z lekkim niedowierzaniem:

– Dzwoni pan do mnie? Do domu?

– Proszę nie odkładać słuchawki...

– Skąd ma pan mój numer?

– Z karty w szpitalu.

Dopiero teraz pomyślała o włączeniu magnetofonu, wbudowanego w telefon. Często załatwiała w domu służbowe sprawy, a niektóre rozmowy warto mieć na taśmie. Tak jak tę. Chociażby po to, żeby się potem przekonać, że to nie jest zły sen, że on był nie tylko perfidny, ale też bezczelny.

– Dzwonię do pani, bo... muszę coś wytłumaczyć... To bardzo ważne.

Głos miał zachrypnięty; zacinał się i mówił niewyraźnie, najwyraźniej był bardzo zmęczony. Czekała chwilę, ale milczał, więc powiedziała, siląc się na spokój:

– Tak, musi pan wiele wytłumaczyć, ale chyba pomylił pan numery. Telefon do sądu znajdzie pan na wezwaniu. Przyjdzie w ciągu tygodnia.

– Muszę coś wyjaśnić pani. Poniosę wszystkie konsekwencje, ale zanim spotkamy się w sądzie, musi pani o czymś wiedzieć.

Gniew pojawił się nagle, jak tornado, wypełniając pierś. Facet po drugiej stronie był sprawcą wszystkich nieszczęść i upokorzeń, które spadły na nią w ciągu ostatnich tygodni. Wczoraj doszła do nich rozmowa z szefem, któremu pokazała zwolnienie lekarskie, bo zwyczajnie nie miała siły wyjechać na szkolenie do Trójmiasta. To grypa, powiedziała, co za pech. Nigdy wcześniej nie okłamała szefa.

– Ja nic nie muszę – powiedziała ze ściśniętym gardłem. Chciała odłożyć słuchawkę, ale on zaczął mówić szybko:

– Źle się wyraziłem, przepraszam. Nie mam nic na swoje usprawiedliwienie, to co się stało... To niewybaczalne. – Wziął głęboki wdech. – Ale powinna pani wiedzieć, co tam się wydarzyło. Dwa miesiące temu. W szpitalu. Mam na myśli tę noc...

– Potrafię to sobie wyobrazić – wyszeptała i odłożyła słuchawkę. W gardle rosło coś piekącego, ledwo dobiegła do sedesu. Kiedy już wyglądało na to, że zostawiła w nim wszystko łącznie ze spinką do włosów i rolką papieru toaletowego, poczuła pewną ulgę. Wróciła do telefonu. Wydawało jej się, że tuż przed rozłączeniem, gdy odsunęła słuchawkę od ucha, zadźwięczało w niej coś dziwnego. Przewinęła taśmę i znalazła to – jego ostatnie zdanie. Wypowiedział je stłumionym, ściśniętym głosem, który dobrze znała z przesłuchań w sądzie. Brzmiała w nim desperacja człowieka, który nie ma nic do stracenia.

– Jestem impotentem – powiedział.

Potem były kartki z przeprosinami i błaganiem o rozmowę. Gdy nie odpowiadała, zaczął dołączać do nich kwiaty. Zwykle wybierał kompozycję róż i chryzantem o nazwie „Pierwsze wrażenie", jak wyczytała na kartce z logo kwiaciarni. Jeśli chciał jej przypomnieć to, które sam wywołał, to musiała przyznać, że było pozytywne: miły, kompetentny pan doktor o nieśmiałym, młodzieńczym uśmiechu. Dopiero potem wyszedł z niego psychopata.

Wciąż nie dawała jej spokoju jego telefoniczna deklaracja. Gwałciciel – impotent? To przecież bez sensu. Jeśli kłamał, musiał mieć w tym jakiś cel. Jaki? Nie trzeba być prawnikiem, żeby rozumieć, że impotencja to idiotyczna linia obrony w sprawie o gwałt. Ale on wyraźnie podkreślał, że to tylko do jej wiadomości. Może w takim razie prawdziwym ojcem dziecka jest ktoś inny? Może lekarz chciał, żeby prywatnie poznała prawdziwego sprawcę, a on tymczasem z jakichś tajemniczych powodów w sądzie poda się za ojca i weźmie winę na siebie?

Rozmyślała nad tym kolejny raz, idąc parkową alejką, wśród odurzającego zapachu akacji i lipy, z delikatną nutką tulipanów, rosnących w klombach dwie alejki dalej. Lato było w pełni, wszystko rosło, kwitło, pachniało i nagle przyłapała się na tym, że rozkoszuje się tą letnią bujnością, napawa nią wszystkimi, nagle wyostrzonymi zmysłami. Jej ciało tak nieoczekiwanie, jakby samoistnie, dostroiło się do upalnych wibracji, że zakrawało to na cud. Natychmiast przywołała się do porządku. Cudów nie ma. To raczej koszmar, dopust boży. I co z granicami? Przecież wytyczyła je nie bez powodu. Perfidny wróg przedarł się przez nie, zdobył jej zaufanie, uśpił – dosłownie! – i zaatakował w najmniej oczekiwanym momencie. A teraz jeszcze kłamał! Bezwiednie ułamała zwisającą nad alejką gałązkę lipy i przesuwała w palcach żółte kwiatki, próbując się uspokoić.

Minęła ją kobieta z wózkiem. Niemowlę w błękitnym czepku posłało jej uśmiech, błyskając dwoma ząbkami drobnymi i słodkimi jak kryształki cukru. Cholera! – prawie krzyknęła. Wyjęła komórkę i zadzwoniła do kancelarii, że spotkanie się przedłuża; potrzebowała jeszcze paru chwil, żeby dojść do siebie. Przede wszystkim musi wyjść z parku, tego cholernego rogu obfitości tryskającego kwiatami i dziećmi. Pokrąży chwilę ulicami, pooddycha swojskimi wyziewami spalin, może wpadnie coś zjeść, a potem zaaplikuje sobie solidną dawkę pracy, najlepszego z narkotyków, który „oddala nędzę, występek i nudę”, jak mawiał Wolter, i wypiera z umysłu męczące dylematy, jak przyświadczy każdy pracoholik.

Po kwadransie szybkiego marszu wchodziła do małego baru sałatkowego w bocznej uliczce Śródmieścia. I wtedy kątem oka dostrzegła znajomy szyld. Nazwa kwiaciarni wpisana w kwiat o rozchylonych płatkach, którą znała z karteczek na wiklinowych koszach. Po chwili wahania podeszła do wystawy. Stała tam makieta w kształcie wysepki z palmą. Opływała ją prawdziwa woda, na której kołysały się porcelanowe łódeczki z egzotycznymi kwiatami. Zaintrygowana weszła do środka. Uderzył ją słodki zapach i feeria barw, przechodzących przez całe widmo tęczy – od fioletu irysów po ciemną czerwień róż. Po chwili napotkała wzrok kwiaciarki.

– Mamy swoich dostawców – powiedziała starsza pani i uśmiechnęła się ciepło.

Dopiero teraz Ewa uświadomiła sobie, że wciąż trzyma zmiętą, pokrytą drobnymi kwiatkami gałązkę lipy. Palce miała żółte od pyłku. Łagodnie uśmiechnięta kobieta najwyraźniej nie mówiła tego złośliwie, więc Ewa odpowiedziała jej uśmiechem i odwróciła się w stronę półek z kompozycjami w koszach. Jej wzrok padł na znajomą mieszankę róż i chryzantem. Kwiaciarka podążyła za jej wzrokiem.

– Idealna na wszystkie okazje. Ta akurat jest już zamówiona, ale mogę przygotować nową.

Ewa odchrząknęła.

– Zamówiona?

– Tak. Od jakiegoś czasu mamy na nią stałego klienta.

– Zamawia przez telefon?

Staruszka spojrzała na nią z lekkim uśmiechem. Miała jasne, spokojne oczy kobiety, spędzającej całe dnie wśród kwiatów.

– Tak. Ale przed wysłaniem przychodzi osobiście. Przynosi karteczki z dedykacją.

Spojrzała na zegarek.

– Powinien być za pół godziny.

Zmienił się. Bladą, wychudzoną twarz okalał jasny zarost, oczy miał podkrążone z niewyspania. Elegancka zamszowa kurtka była pognieciona, wystająca spod niej koszulka nałożona na lewą stronę. Potargany, z błędnym wzrokiem, przypominał teraz bardziej Brada Pitta z „Podziemnego kręgu”. Podeszła do niego, kiedy wyszedł z kwiaciarni. Zamarł, jakby zobaczył zjawę.

– Kolejne sto siedemdziesiąt dziewięć złotych wyrzucone w błoto. Nie szkoda panu?

Ocknął się po chwili.

– Dostałem rabat.

Spojrzał jej w oczy, ale szybko spuścił wzrok.

– Możemy porozmawiać?

– Po to przyszłam.

Poszli do pobliskiej kawiarni.

– Stolik dla niepalących – poprosił kelnerkę, zerkając na Ewę. Czuła, że jej napięte nerwy mogą puścić w każdej chwili, i pożałowała, że tak lekkomyślnie naraża je na szwank. Podsunął jej krzesło i usiadł naprzeciwko. Przygładził palcami potargane włosy. Najwyraźniej nie wiedział, od czego zacząć. Ewa też potrzebowała chwili, żeby się uspokoić.

– Zanim pan cokolwiek powie, uprzedzam, że nie zmienię swojej decyzji.

Pokiwał głową.

– Jestem tu praktycznie tylko z ciekawości. I dość mam tych głupich bukietów, całej tej zabawy w chowanego. Rozumiem, że ma pan coś do powiedzenia i wydaje się to panu szalenie ważne. Słucham.

Milczał chwilę, bębniąc nerwowo długimi palcami po blacie stołu.

– Przede wszystkim musi pani wiedzieć, że...

Do stolika podeszła kelnerka. Ewa miała ochotę ją udusić, ale wtedy jej wzrok padł na podświetloną reklamę koktajlu truskawkowego z kawałkami owoców i stwierdziła, że ma na niego ochotę. On zamówił kawę. Ewa bezwiednie zauważyła, że kelnerka, zwracając się do niego, bierze głęboki wdech i szybko trzepoce podwiniętymi rzęsami. Czy gdyby ona spotkała go w innych okolicznościach, reagowałaby tak samo? On najwyraźniej nie dostrzegał małej etiudy kelnerki, wydawał się bardzo przejęty. Jej zamówieniem, jak się okazało.

– Nie wiem, czy pani wie, ale truskawki są uczulające, zwłaszcza...

Urwał i wykonał nieokreślony gest, spoglądając na jej brzuch. Tego już było za wiele.

– Zamknij się.

Ewa zdziwiła się, słysząc swój głos. Przypominał syk kobry, ostrzegającej intruza, który przekroczył granicę. Kolejny raz. Dobrze, spotkała się z nim, czekała pod kwiaciarnią, może niepotrzebnie się łudziła, że usłyszy wyjaśnienie czegoś, co z definicji nie dawało się wytłumaczyć. Ale na pewno nie pozwoli mu pouczać się i bawić w doktorka czy ciepłego, troskliwego... Niech to szlag!

– Co pan sobie wyobraża? Kto panu dał prawo pouczania mnie?

Milczał. Powiedziała zimno:

– I skąd pan w ogóle wie, że ja jeszcze jestem w ciąży?

Staruszka przy stoliku obok drgnęła i odwróciła się lekko. A on zbladł jeszcze bardziej, jego twarz nabrała koloru serwetki, którą wytarł wilgotne czoło.

– Ma pani rację, przepraszam. Dałbym wszystko, żeby to się nie stało. Od kiedy dowiedziałem się, jak się to skończyło, nie chodzę do pracy, nie mogę myśleć o niczym innym...

– Dobrze, darujmy sobie. Proszę powiedzieć jedno: skoro jest pan... tym kim jest, to kto to zrobił?

– Ja – wyszeptał.

Zerknął na staruszkę przy stoliku obok, która niepostrzeżenie przesunęła krzesło i odchyliła się ryzykownie. Przysunął się do Ewy i zaczął stłumionym głosem:

– To było tak...

Słuchała z narastającym zdumieniem. Kiedy skończył, popatrzyła w jego zaczerwienione oczy, które teraz już nie uciekały w bok, i zrozumiała, że mówi prawdę. Westchnęła i zamyśliła się, sącząc koktajl przez słomkę. Nie wiadomo dlaczego pomyślała o swoich rodzicach. Poznali się na studniówce matki, potem pięć lat byli narzeczonymi. Ewa przyszła na świat rok po ich ślubie.

A co ja opowiem mojemu dziecku? – pomyślała, dotykając swojego brzucha. Bo teraz wiedziała już, że chce je urodzić.

– To czysta biologia – stwierdziła autorytatywnie Gosia.

Ewa zaśmiała się.

– Sama mówisz, że facet jest jednak przystojny: wysoki, dobrze zbudowany – wyliczała Gosia. – I skończył medycynę. Musi być inteligentny i pracowity. Na oko niezły materiał na ojca.

– A wiesz, że coś takiego pomyślałam, kiedy go zobaczyłam? To było pierwsze wrażenie.

Ewa z namysłem poprawiła szelkę dżinsowych ogrodniczków, które właśnie kupiła. Rozmiar XL pasował już jak ulał. Idealne na koniec lata. Gruby materiał pozwalał siąść tak jak teraz na drewnianym pomoście i rozkoszować się lekkimi powiewami wilgotnej bryzy znad jeziora.

– Choć teraz go nienawidzisz, to czujesz instynktownie, że da ci zdrowe i niegłupie dziecko. I dlatego postanowiłaś je urodzić.

– Nie nienawidzę go – poprawiła ją Ewa.

– Jak to?

Ewa przezornie zmieniła temat:

– Możemy jeszcze dokupić lody? Są słodkie jak grzech!

Gosia nie poznawała koleżanki. Zwykle powściągliwa, ostatnio wręcz chłodna i tak antypatyczna, że „bez noża nie podchodź”, nagle zmieniła się w wulkan energii. Zdawała się nie dostrzegać, że ciąża psuje jej linię, buzia jej się nie zamykała. Teraz kończyła loda i łakomym wzrokiem patrzyła na błyszczący patyczek, który jej został. I zamiast nałożyć uczciwy podkład, po prostu się opaliła, oczywiście nierówno, nos o ton ciemniejszy od reszty. Totalnie się zapuściła, trzeba przywołać ją do porządku.

– Nie zmieniaj tematu. I nie mów, że mu wybaczyłaś. Może być z wyglądu supermenem, twardzielem z charakteru, ale przecież to moralne dno.

– Nie jest twardzielem. I ma sporo wad.

– Na szczęście gwałcicielstwo nie jest dziedziczne – pocieszyła ją Gosia.

– Nie o to chodzi. On jest... impotentem.

Gosia otworzyła usta.

– Pokazał mi diagnozę dwóch specjalistów.

– Pewnie załatwił je sobie u kolegów. Myśli, że się wymiga od alimentów.

– Nie chce się od niczego wymigać. – Ewa pokręciła głową, wciąż nie mogąc się nacieszyć lekkością nowej, krótszej fryzury. – Powiedział, że będzie mi płacił tyle, ile zechcę.

– Ciekawe z czego, jak straci pracę.

– No właśnie zastanawiam się nad tym.

Gosia obróciła się, aż zatrzeszczał pomost.

– Chcesz mu darować? A co z innymi kobietami, które wpadną w jego łapy?

– Już ci mówiłam, on jest impotentem. Na studiach zaczął patrzeć na kobiece ciało jak na przypadek chorobowy i tak mu zostało. Zwierzył mi się. Nic nikomu nie zrobił i nie zrobi.

Gosia zauważyła trzeźwo:

– Tobie zrobił.

Zapadła chwila milczenia.

– Ewa, chyba hormony pomieszały ci w głowie. Sorry, ale posłuchaj samej siebie.

– Właśnie słucham. – Ewa podniosła wzrok i spojrzała w oczy przyjaciółce. – Nie mamy, nie poradników, nie koleżanek, nie szefa. Wreszcie słucham siebie i wiem, czego chcę. Chcę urodzić to dziecko. Nie jestem nastolatką, to może być ostatni dzwonek.

– To dobrze. Wspaniale. To twoja decyzja i szanuję to. Ale powiedz mi jedno: jak, do jasnej anielki, impotent zrobił ci dziecko?

Ewa spuściła wzrok i powiedziała cicho:

– Chodzi o mnie. O coś, co zobaczył.

– Podczas operacji? Masz seksowną trzustkę?

Ewa poczuła, że uszy jej płoną.
– Nie... Głupio mi o tym mówić.
Gosia przysunęła się i pochyliła.
– Zabiję cię, jeśli mi nie powiesz. Odkryłaś lek na impotencję, a ja nic o tym nie wiem?
Ewa nabrała powietrza.
– Po operacji pielęgniarka zapomniała zrobić mi zastrzyk. Poszła do domu, druga jeszcze nie przyszła, więc musiał to zrobić sam. Przewrócił mnie na bok i... Nie, to naprawdę krępujące.
– O matko – szepnęła Gosia, rozglądając się konspiracyjnie. – Gadaj: masz trzy pośladki?
Ewa zanurzyła bosą stopę w wodzie i spojrzała na żaglówki kołyszące się na falach jeziora.
– Mam dołki nad pupą. Takie drobne wgłębienia, na które nigdy nie zwracałam uwagi. Widać je chyba tylko w odpowiednim świetle. Zresztą nie wiem, rzadko widuję swoje plecy.
Gosia sapnęła z przejęcia. Spojrzała w bok i zmarszczyła nos.
– Ja nie mam. Mam cellulit, ale to chyba nie to samo?
Ewa roześmiała się.
– Chyba nie. Podobno nigdy nie widział czegoś tak cudownego, a z cellulitem pewnie się zetknął. Powiedział, że to dlatego, że mam ładnie wysklepioną *pars lateralis os sacrum.*
– Fajny komplement. A co ty na to?
– *Domino gratias.*
– No dobra, a po naszemu? Co za *sacrum*?
– To od kości krzyżowej. Powiedział, że to rzadkie. Piękne i rozczulające, jak uśmiech dziecka. I stał się cud – zapragnął mnie. A że to się stało pierwszy raz w jego życiu, stracił głowę. Kiedy zorientował się, co się dzieje, było już po wszystkim.
– Niesamowite! – Gosia kręciła głową. – Wiadomo: duże piersi, wypukłe usta, długie nogi. Ale dołki nad pośladkami? To może być przełom w chirurgii plastycznej.
– Też byłam w szoku – powiedziała Ewa z uśmiechem. – Spotkaliśmy się potem jeszcze parę razy. Zaproponował, że wynajmie mi gosposię i załatwi najlepszą opiekę lekarską... Mów, co chcesz, ale miła jest świadomość, że przystojny lekarz, który może mieć praktycznie każdą kobietę...
– Nie do końca może – zauważyła trzeźwo Gosia.
– Którego pragnie praktycznie każda kobieta – poprawiła się Ewa – że ten facet pożąda tylko mnie. To... miłe.
Gosia nie wierzyła własnym uszom.
– Bo masz fajny tyłek? A co z trzema fakultetami, sukcesami, twoim cholernym pięknem wewnętrznym? Pan Gwałciciel ma to

gdzieś, leci tylko na twoje ciało. W dodatku bierze je bez pozwolenia. I to jest „miła świadomość”?

Ewa odchyliła się i podparła łokciami. Spojrzała na parę, która właśnie spuściła na wodę kajak i sadowiła się w jego wnętrzu. Ona, na oko szesnaście lat, tłumaczyła coś, żywo gestykulując, co chwila odgarniając za ucho powiewający na wietrze kosmyk, on kiwał głową, dyskretnie zerkając na jej biust. Pamiętała to. Wiek, kiedy pragniesz tylko jednego: żeby ktoś cię zrozumiał i pokochał za to, jaka jesteś. Faceci też pragną wtedy jednego. I to wydaje się takie głupie i banalne, do bólu oczywiste. Jeśli ładna dziewczyna ma jakieś aspiracje, traktuje swój seksapil jako zło konieczne. Wystarczy spojrzeć na tę z kajaka: zgarbiona, w męskiej koszuli, co chwila parska jak koń, nerwowo gestykuluje. Każdym ruchem sugeruje, że ma facetów gdzieś. A na pewno tych, których interesuje bardziej zawartość jej stanika niż czaszki.

Ale z czasem zaczynasz doceniać męskie spojrzenia. Nie traktujesz ich jak inwazji w swoją prywatność, ale potencjalne preludium do czegoś innego, głębszego. Być może rozsądniejsza jest odwrotna kolejność – najpierw dusza, potem ciało – ale czy aż tyle intelektualnych flirtów internetowych zakończyło się happy endem? Żaden Ewy, to pewne. Może ból nad lewym biodrem nie był najlepszym preludium do udanego związku i są lepsze swatki od nietypowego kształtu pleców. Chociaż, kto wie? Nauczyła się cieszyć z niespodzianek, które przynosił los. Zwłaszcza gdy w chaosie wypadków udawało się dostrzec pewną regułę. Na przykład, że pierwsze wrażenie bywa prawdziwe. Tak jak z Jackiem.

– Pewnie dziesięć lat temu zabiłabym go. Jeszcze miesiąc temu chciałam go zniszczyć. Ale teraz mi to pochlebia.

– Źle z tobą, staruszko.

Gosia odgarnęła włosy gestem, który wydawał się jej dziewczęcy i niewinny, i tylko przypadkiem wywołał brzęk srebrnych bransoletek, odsłonięcie ramienia i wyeksponowanie zgrabnego uszka z kolczykiem. Ta koordynacja kosztowała lata pracy, nie było w niej krzty niewinności. Niewinność szeleściła flanelą i pachniała mydłem toaletowym, jak tam w kajaku. Chłopak wiedział o tym bezbłędnie i dlatego ani razu nie spojrzał w ich stronę, nie odrywał za to wzroku od swojej koleżanki. Gosia zarejestrowała jego obojętność z gniewnym błyskiem w oku. Najwyraźniej nie robiła furory zawsze i wszędzie, na co w skrytości ducha liczyła.

Ewa uśmiechnęła się i wzruszyła ramionami.

– Przyjmę jego pomoc. Muszę myśleć o dziecku. Zobaczymy, co dalej. Co na to biologia?

– Olać biologię. – Gosia z goryczą odwróciła wzrok od kajaka.

– Cała nauka zaniemówiła z wrażenia. – Westchnęła i dodała po chwili: – Ale ja powiem ci jedno: nawet jeśli nie jest psycholem, to w najlepszym razie jest z niego niezłe... – Gwizdnęła i zakreśliła kółko na czole. – *Divadlo*, jak mówią Czesi.

– To chyba znaczy „teatr".

– Wiesz, o co chodzi. Lepiej uważaj.

Gosia wydęła usta i zapatrzyła się w dal. Po chwili powiedziała:

– Strzyka mnie w tyłku od tego wiatru, po co mnie tu przyprowadziłaś?

– Jest!

Ewa wskazała jacht, sunący w ich stronę po tafli jeziora. Napięty żagiel powoli zaczął się marszczyć, w końcu łopocząc spłynął w dół. Energicznymi ruchami zdejmował go wysoki, opalony blondyn.

– O matko – westchnęła Gosia.

– Patrz i dobrze zapamiętaj to uczucie. Liczy się pierwsze wrażenie.

– No właśnie. Masz lusterko?

Gosia szybkimi, sprawnymi ruchami przeczesała włosy. Ewa spojrzała na przyjaciółkę z uśmiechem.

– Wyglądasz okej, daj sobie spokój. Zapomnij o lusterku, o diecie i kosmetykach. I tak nigdy nie wpadniesz na to, co robi wrażenie na facetach.

Monika Szwaja

PIERŚCIONEK BEZ OCZKA

Ani Łaszewskiej

– No a jaki on jest, Paulinko?

– Ciociu, proszę, nie mów do mnie Paulinka... Jest cudny, no, cudny, no!

– No. Dlaczego nie mam na ciebie mówić Paulinka? Przecież masz na imię Paulinka!

– Paula, bardzo proszę, Paula, ostatecznie Paula.

– Jak ostatecznie?

– PAULA. Koniec. *Dixi.*

– O, są jeszcze młodzi ludzie, którzy stosują łacinę w życiu codziennym? Opowiedz mi jeszcze o tym twoim.

– Ciocia zapomina, że wykładam literaturę klasyczną. Po grecku też trochę mogę, chce ciocia?

– Nie, po grecku nie chcę. To dla mnie za trudne. *Theós apó mechanés.* Tyle pamiętam ze studiów. Opowiedz mi o nim.

– To prawie dobrze ciocia pamięta. U nas łacińska wersja jest popularniejsza, więc i tak chwała cioci.

– Kiedy przestaniesz mówić do mnie „ciociu"? Jesteś już dostatecznie stara, żeby mówić mi po imieniu. Ile ty masz lat? Dwadzieścia dziewięć, co?

– Trzydzieści jeden, ciotko. Jeśli naprawdę zapomniałaś, czym się zajmuję, to przypominam, że jestem doktorantką na uniwerku. O kurczę, popatrz, dopiero mi się teraz skojarzyło – to wujek w zasadzie ma na imię Bóg? Nie? Skoro *theós apó mechanés* to jest bóg z maszyny, to znaczy, że wujek Teoś ma na imię Bóg! Rewela!

– Paula, zaczynasz mnie denerwować. Skoro już puściłaś trochę pary, to nie możesz mnie teraz tak zostawić. Mów natychmiast, co to za jeden.

Paulina oderwała się od okna, przez które obserwowała niemrawego gołębia, siedzącego na balkonie, i bezwładnie padła na kanapę. Ciotka Anna Szawełko, zwana przez nią w latach bardzo dawnych Ciocianią, matrona zbliżająca się z wdziękiem do sześćdziesiątki, spoglądała na nią bystro spoza okularów w modnych oprawkach. Nie mówiła już nic, ponieważ doszła do wniosku, że Paulina w końcu nie wytrzyma i pęknie.

Oczywiście, miała rację. Paula pokręciła się trochę na kanapie, podłożyła sobie pod głowę małą poduszeczkę, jęknęła, wydarła sobie tę poduszeczkę spod głowy i cisnęła nią o podłogę. Podniosła ją z podłogi i westchnęła rozdzierająco.

– Przede wszystkim, cholerny świat, jest ode mnie młodszy o osiem lat, ciotko. Osiem lat. Jest szczeniakiem, niestety. Jest moim studentem, jeszcze bardziej niestety. Łazi za mną i się oświadcza. A mnie do niego strasznie ciągnie, ciotko moja ulubiona i matko chrzestna moja osobista!

– No, no – powiedziała z zaciekawieniem jej osobista matka chrzestna. – Mów dalej, dziecko, mów.

– A co ja ci jeszcze będę mówiła? On się omsknął o jeden rok i przyszedł do mojej grupy. Literaturę klasyczną ma w zasadzie zaliczoną, więc mógłby sobie odpuścić, ale twierdzi, że moje zajęcia poszerzają mu horyzonty. Przecież mu nie powiem, żeby sobie te horyzonty zawęził!

– Przeszkadza ci na zajęciach?

– Na zajęciach nie, ale przyłazi wcześniej i kładzie mi bukieciki kwiatków na biurku! A potem czyha na mnie, żeby mnie prosić o chwilę indywidualnej rozmowy w jakiejś idiotycznej sprawie, która poza nim nikogo nie obchodzi.

– Nie rozumiem.

– Na przykład chce, żebym mu wyjaśniła dokładniej sposób wersyfikacji pieśni Horacego. Bo on znalazł jeden wers, który mu się czymś tam różni konstrukcyjnie od pozostałych. I czepia się tego wersu, ale jednocześnie gapi się na mnie tymi ślepiami...

– Czarnymi?

– Nie, dlaczego? Zielonymi. On jest taki trochę ryży blondyn, ale bardzo przystojny. Ciociu, te jego oczy mnie po prostu wykańczają! Zielone są, naprawdę zielone, a nie takie wyblakłe. I mają takie złote ogniki. I rzęsy ma...

– Wszyscy mają rzęsy, nawet faceci.

– Ale nie takie, nie takie! Cholera, ciotko, on na mnie działa strasznie, po prostu strasznie. Niedługo nie będę mogła spokojnie prowadzić zajęć. Już teraz mam wrażenie, że wszyscy się na nas gapią. Na pewno się gapią. Omawiają moje życie prywatne w przerwach między zajęciami.

– A powiedz, Paulinko... tfu, Paulo, czy bardziej ci przeszkadza to, że jest twoim studentem, czy to, że jest młodszy?

– Jedno i drugie. Chociaż nie wiem. Nic już nie wiem. Popełnię samobójstwo, zobaczy ciocia.

Tu Paulina wyciągnęła źdźbło ozdobnej trawy ze stojącego na stole bukietu i zaczęła je nerwowo obgryzać. Ciotka łagodnie wyjęła jej trawkę z ręki.

– Tym się i tak nie otrujesz, a psujesz mi symetrię kompozycji. Daj, włożę ten badyl na miejsce. No ale rzeczywiście, muszę ci przyznać, że masz problem. A może ty za dużo myślisz?

– Ciocia pozwoli, że nie rozumiem – powiedziała godnie Paulina. – Jak można myśleć za dużo?

– Wiesz... czasem warto przestać kombinować i rzucić się na głęboką wodę.

Paulina spojrzała na ciotkę wzrokiem zranionej sarenki, ale po chwili ten wzrok jej zbystrzał. Ciotka uśmiechała się i wyglądała ogólnie podejrzanie. Paula nie wiedziała, na czym to właściwie polega – że podejrzanie – ale takie miała wrażenie. Nieodparte.

– Ciociu Aniu – zaczęła powoli. – Czy ciocia teoretyzuje, czy może ciocia ma jakieś doświadczenia w skakaniu na głęboką wodę? Ciocia wie, że to się może skończyć uszkodzeniem kręgosłupa? I ogólnym paraliżem. O ile nie zejściem śmiertelnym...

– Tylko jeśli woda nie jest naprawdę głęboka. – Ciotka uśmiechnęła się łagodnie. – Która godzina, Paulinko?

– Za dziesięć czwarta. – Paulina nawet nie zauważyła, że została nazwana Paulinką. – Niech no ciocia mi zegarkiem nie szkli, bo teraz ja chcę wszystko wiedzieć. Skakała ciocia, prawda? I co, głęboka była ta woda? Chyba tak, bo żadnego paraliżu osobowości cioteczka nie wykazywała nigdy, o ile pamiętam.

– Nie będę ci szklić, kochanie, ale zaraz przyjdzie Teofil i będzie chciał jeść. On się ostatnio odchudza, więc w porze obiadowej jest już strasznie głodny i nie mogę mu przysparzać stresu. Zostaniesz na obiedzie? Potem moglibyśmy pogadać. Mam pyszną zupę jarzynową, bez mięsa, i kurczaka w jarzynkach bez ziemniaczków. Chociaż jeśli chcesz, to dla nas obiorę kilka. Wiesz, ja teraz jem chleb i kartofle w tajemnicy przed Teosiem, kiedy go w domu nie ma, żeby mu nie było żal. A ja tam jestem chuda, to mi nic nie szkodzi na figurę. Ale jak ty będziesz, to chyba Teoś odżałuje.

– Ciotko, nie rób mi tego – jęknęła Paulina. – Mów zaraz!

– Zaraz nie mogę. Mówię ci, muszę szybko odgrzewać. Patrz, już jest!

Istotnie, przed domem parkował właśnie jasnozielony, starawy i lekko poobijany volkswagen. Ciotka zerwała się od stołu i chyżo pobiegła do kuchni, gdzie natychmiast zaczęła trzaskać garnkami.

– To co, obierać te pyrki?

– Nie obieraj – powiedziała ponuro Paulina. – Ja wychodzę. I tak za godzinę mam zajęcia z zaocznymi. I w ogóle nie będę mogła do ciebie wpaść przed przyszłą sobotą, nie, nawet przed niedzielą, bo jestem cały tydzień dosłownie zarąbana. Zarąbana – powtórzyła z goryczą. – Boże, ja muszę pracować bez przerwy, żeby zarobić na chleb, ciepłą wodę i komórkę. Czy mogę wpaść na ploty w niedzielę koło piątej po południu? Zdołasz zneutralizować wujka? Chyba że to z nim skakałaś?

– Nie, nie z nim, ale to nie ma znaczenia.

– Jak to, nie ma znaczenia?

– Opowiem ci – obiecała ciotka. – Ale jeśli wolisz, to wyślę wujka na basen. Niech traci sadło na basenie. A ja będę miała dla nas jakieś fajne ciasteczka. Nie krzyw się, ty też możesz jeść do woli i nigdy nie utyjesz. Masz moją figurę. Mówię ci, Paulinko, nie ma to jak dobre geny po kochającej cioteczce.

– Ale to prawie tydzień – jęknęła siostrzenica. – Co ja mam zrobić przez ten tydzień? Ulec? Choleeeera...

– Ja tam nie wiem, zrobisz, jak zechcesz. Masz ochotę ulec, co?

– Mam i nie mam. Trochę mam, a trochę nie mam. Nie, strasznie mam...

– To ulegaj.

– Ale on mi jeszcze nic nie proponował, chyba musiałabym go uwieść. Boże, jakie to wszystko skomplikowane... O, cześć, wujku, jak miło cię widzieć...

– Witajcie, kobiety. Wcale nie wyglądasz, Paulinko, na zadowoloną z tego, że mnie widzisz. Plotkowałyście na damskie tematy? Dajcie mi tylko jeść, a natychmiast usunę się w cień! Szawełku, masz coś dla mnie? Bo mnie przecież zaraz rozerwie z głodu!

Paula bez słowa sięgnęła po torebkę i zarzucając ją niedbale na ramię, w przelocie ucałowała ulubionego wujka i ojca chrzestnego w jednej osobie. Po czym opuściła pomieszczenie.

– Matko, co jej jest? – Teofil Szawełko uniósł brwi, co miało wyrażać niebotyczne zdumienie. – Dlaczego ona wychodzi bez słowa? Obraziłem ją czymś?

– Zakochała się – wyjaśniła jego ślubna żona. – Ma problem.

– Jaki problem? Miło jest się zakochać. – Teofil pocałował żonę w policzek, aby podkreślić wagę swoich słów. – Nie uważasz? Jestem w tobie zakochany trzydzieści sześć lat, Szawełku! Z wzajemnością. Masz dla mnie obiadzik?

– Oczywiście, zaraz dostaniesz zupę. Ale Paula zakochała się we własnym studencie.

Teofil zastygł na moment w drodze do łazienki.

– Ach, w studencie – rzekł z zastanowieniem. – Zwierzała ci się?

– Szukała u mnie dobrej rady. Ta różnica wieku ją zniechęca.

– Trzeba jej było opowiedzieć o Agostinie.

– Nie zdążyłam. Za późno mi powiedziała, już wracałeś do domu. A w końcu twój obiadzik jest dla nas w tej chwili najważniejszy. Sprawy sercowe mogą trochę poczekać. Umyłeś ręce? To nalewam.

Gdyby ktoś zapytał Paulinę, jak udało się jej przeżyć następny tydzień, miałaby poważny kłopot z odpowiedzią. W zasadzie funkcjonowała jak zawsze: rano wstawała z łóżka w ostatniej możliwej chwili, robiła sobie kawę, brała szybki prysznic, malując się, piła tę kawę, umalowana wybiegała z domu i pędziła do tramwaju, który wiózł ją przez cały Szczecin, żeby dowieźć w pobliże uniwersytetu. Prowadziła zajęcia i widziała, że studenci są z niej, jak zwykle, zadowoleni – należała do wykładowców, którzy potrafią nie nudzić. Prawdopodobnie dlatego, że sama przepadała za swoją dyscypliną. Wprawdzie rodzice widzieli ją oczami duszy na Akademii Medycznej, ale ona im tłumaczyła, że to ich wina, ta literatura klasyczna: nie trzeba jej było w dzieciństwie kupować książek Małgorzaty Musierowicz. Obok Petroniusza w wersji sienkiewiczowskiej i doktora Rieux, tata Borejko był jej najukochańszym bohaterem literackim. Z trudem powstrzymywała się, aby w rozmowie nie rzucać łacińskimi cytatami, których i tak nikt z jej przyjaciół prawdopodobnie by nie rozumiał – przyjaźniła się głównie z młodymi technokratami, mówiącymi mieszaniną języka polskiego z angielskim.

A zielonooki student Marcel Gruszczyński swobodnie wtrącał łacińskie zwroty w rozmowach z nią, z upodobaniem cytował Horacego (którego uwielbiała prawie tak jak tatę Borejkę) i deklamował heksametry z niezrównanym akcentem i niekłamaną (tak jej się wydawało) pasją...

Oraz bezczelnie zaproponował jej spotkanie. Wreszcie. Na razie raz zaproponował, w celu – jak się wyraził – odnalezienia wspólnych poglądów nie tylko na wersyfikację antycznych poetów. I poetek, jeżeli weźmiemy pod uwagę niejaką Safonę, ale co do niego, to nie jest wielbicielem Safony, nie z powodów literackich bynajmniej, ale z powodu jej skłonności do osobniczek tej samej płci, podczas kiedy on, Marcel, jest zdecydowanym zwolennikiem miłości męsko-damskiej (i nie ma w tym nic wartościującego, po prostu tak jest i już). A znowuż jeśli chodzi o miłość męsko-damską – tu zawiesił artystycznie głos i utopił w niej spojrzenie tych strasznych zielonych oczu z iskierkami, które dosłownie szalały w tym momencie.

Tak samo szalało biedne, niezdecydowane serce Pauliny.

Usiłowała sobie jakoś tę swoją sercową sprawę poukładać. Od małego była przyzwyczajona do układania wszystkiego: układała w równą kupkę ubranko przed snem, układała porządnie zeszyty w tornistrze, układała kanapki na talerzu w wachlarzyk; kiedy podrosła, układała włosy w równe fale, układała symetrycznie kwiaty w wielkim wazonie, układała alfabetycznie książki na półkach – według nazwisk autorów, ale przedtem poukładała te książki według epok literackich, tak więc porządek alfabetyczny był wtórny w stosunku do chronologii, wszystko bardzo logicznie i przejrzyście.

Sprawa Gruszczyńskiego Marcela nie była w najmniejszym stopniu logiczna ani tym bardziej przejrzysta. Nie dała się zracjonalizować. Co to w ogóle jest, żeby dwudziestoparoletni student działał na panią prawie doktor literatury w taki sposób, że przestawała myśleć o literaturze, a zaczynała myśleć – chaotycznie i niezbornie na dodatek! – o tym, jak by to było w jego ramionach, czy zamyka oczy, kiedy całuje, czy umie tańczyć tango-przytulango – Paula była mistrzynią tanga, ale nie spotkała jeszcze nikogo, z kim NAPRAWDĘ chciałaby zatańczyć – tak żeby iskry poszły i z tancerzy, i z patrzących...

Magister Paulina Wierzba była z siebie głęboko niezadowolona. Niestety, jej ego miało to w nosie. Ego chciało Marcela.

W sobotnie popołudnie ciotka Ania Szawełkowa nakarmiła w sposób dietetyczny swojego męża Teofila, potem próbowała go namówić na ten odchudzający basen, ale Teofil odmówił stanowczo i legł na kanapie z „Polityką" w lewej i pilotem od telewizora w prawej dłoni. Minęło dokładnie siedem i pół minuty i pokój wypełniło błogie chrapanie. Anna, wzorowa żona, przykryła Teofila miękkim pledem, „Politykę" i pilota położyła na stole i poszła do kuchni, zagniatać ciasto na małe pyszne herbatniczki, które zamierzała włożyć do metalowego pudełka i schować przed mężem bardzo głęboko. Miała nadzieję, że zanim Teofil się przecknie, apetyczne zapachy zdążą wywietrzeć. Po co biedaczek ma się stresować?

Wysypała na blat mąkę krupczatkę, wrzuciła masło i zaczęła je energicznie siekać wielkim nożem. Kiedy uznała, że masło jest przesiekane na piasek, dodała żółtka, cukier puder, szczyptę soli... niestety, teraz już trzeba było odłożyć nóż i wpakować w to dziabdziajstwo ręce, czego Anna nie znosiła. Skrzywiła się i zaczęła energicznie zagniatać ciasto.

Uuuu, nie zdjęła pierścionków. Jak zwykle. Nawbija jej się ciasta, będzie musiała szczoteczką do zębów czyścić biżutki... Głupiego robota, chyba że zamknie się w łazience i użyje elektrycznej szczoteczki Teofila z szybko wirującą końcówką. Wrzuciła ciasto do zamrażalnika i popędziła do łazienki, nasłuchując uważnie, czy pan mąż się czasem nie budzi.

Nie miał takiego zamiaru. Przeciwnie, chrapanie zyskało na regularności.

Anna zrobiła, co zamierzała, i wysuszyła pierścionki ręcznikiem. Obrączka, jeden z oczkiem (szmaragd jak marzenie, na czterdzieste urodziny od Teosia) i skromny, złoty pierścionek bez oczka.

Od matki Agostina.

Anna założyła go na palec, obejrzała uważnie dłoń i uśmiechnęła się do swojego odbicia w lustrze.

– Anna, *bellissima mia ragazza, io sono innamorato*...*

Ci Włosi nie tracą czasu – od pierwszego spotkania tak mówił i tyle to jeszcze pojmowała, bo w konserwatorium uczyła się podstaw włoskiego. Potem wpadł w szalony słowotok, z którego rozumiała tylko powtarzające się oświadczyny.

– Krowa, która dużo ryczy, mało mleka daje – powiedziała jej filozoficznie nastawiona do życia koleżanka Krystyna. – Gada i gada jak nakręcony, a jak wyjedziemy, po tygodniu nie będzie pamiętał, że poznał jakieś Polki.

Po tygodniu... a trzydzieści lat to nie łaska?

To było w rumuńskim kurorcie Mangalia, do którego ciągnęły w wesołych czasach wczesnego Gierka tabuny Polaków. Anna, Krystyna i kilkoro studentów z różnych uczelni przyjechali nad Morze Czarne z wycieczką Almaturu, zdecydowani bawić się i używać życia ile wlezie – po raz pierwszy tak naprawdę daleko od mamy, samodzielni, a przede wszystkim dorośli, dorośli, dorośli!

W ramach korzystania z życia wraz ze świeżo zaprzyjaźnionymi Rumunami urządzili sobie coś, co dzisiaj może nazywałoby się *barbecue*, a może *garden party*, a wtedy było po prostu ogniskiem z pieczeniem kiełbasek nadziewanych na patyki; po zjedzeniu kiełbasek piekli kawałki chleba i duże, słodkie papryki, które uwielbiali wszyscy jak jeden mąż, papryki, które dojrzały na miejscu, nie musiały znosić trudów transportu i smakowały niebiańsko. W charakterze przypraw mieli sól, a jako główny napitek wystąpiło wino w dwóch reprezentacyjnych rumuńskich odmianach: cotnari i mur-

* Anno, moja najpiękniejsza dziewczyno, jestem zakochany... (wł.).

fatlar – co dosyć szybko zaowocowało chóralnym śpiewem i góralskimi tańcami wokół ognia.

Tańce góralskie wypadły raczej amatorsko (jednemu ze studentów politechniki udało się nawet wskoczyć z impetem w sam środek ogniska, co wywołało żywą radość zgromadzonych), za to śpiewy brzmiały zgoła profesjonalnie. Wszyscy obecni albo byli członkami uczelnianych chórów, albo – jak Ania – studiowali śpiew solowy w akademii muzycznej. Nad kampus poniosły się więc wzmocnione winem tony polskich pieśni narodowych: „Płonie ognisko w lesie", „Szła dzieweczka" i „Przybyli ułani pod okienko". Potem pieśni narodowe zastąpił repertuar studencki i ktoś zaintonował „Politechnika przoduje".

Mniej więcej w połowie utworu Krystyna puknęła Annę w ramię.

– Ty, Anka, a to kto, znasz ich? Ten czarny to jakiś twój znajomy?

– Jaki czarny? Czekaj. „W prosektorium trup na truuuupie"...

– Bo on się na ciebie strasznie gapi!

– „Medyk palcem grzebie w kości, lecz to już nie boli gości"...

– Fajny jest nawet, Anka, przestań wyć!

– Ja nie wyję, przepraszam cię bardzo, Bobek wyje, on chyba mutację przechodzi w spóźnionym terminie! „A weterynarzy zgraaaaaja, obcinają koniom... grzywy, przez co koń jest nieszczęśliwy"...

– Jezu, ta piosenka to jakaś makabra straszna. Popatrz na niego, mówię!

– Jaka makabra? Nie znałaś tego? Nie żartuj! To ty makabry nie słyszałaś. Na kogo mam popatrzeć? Łe, naprawdę fajny! Ale ja nie lubię czarnych. „Farmaceuci wiara równa"...

W końcu wyliczono już wszystkie możliwe kierunki studiów i pieśń zamilkła, a wykonawcy rzucili się na kolejne, nieco tylko przypalone papryczki i kromki chleba. W tym momencie w krąg ogniskowego światła weszły nieśmiało trzy postacie. Trzech przystojnych, ewidentnie czarnych – nie tylko z powodu zmierzchu – facetów.

– Dżiendobry – powiedział jeden. – Wy fajnie szpiewaczie. My tu was suchamy. Wy Polacy maczie dobre... sluchy. *Io sono Italiano*, one też *Italiani*. My też kochamy... *cantare*. My szę chcemy z wami zapczi... zapchi..., ajaj, my chcemy być wasi *amici*. Dobrze?

– No – przytaknął Bobek z ustami zapchanymi kiełbasą. – Jasne.

– *No*? – Włoch jakby się zmartwił. – *Perche no*? Czymu nie?

– Aaa... – Bobek przełknął kiełbaskę. – Tak. *Si*. Nie *no*. Chodźcie, weźcie sobie coś do żarcia. Dziewczyny, dajcie im te parówki, niech sobie upieką. A ty, *Italiano*, to znaczy wy, Italianie, jesteście studenci?

– Studenczi? Nie, my pracujemy. Robotnicy. Teknicy. Ja indżyniere. Pół roka w Krakowie. Teraz my wyczieczka. O, dżienkuje. *Grazie*...

Trzej przybysze dostali po kiełbasce i patyku, żeby mieli na czym sobie te kiełbaski upiec, co wywołało u nich niesłychaną radość, przy czym tylko jeden wyrażał tę radość w języku w miarę polskim, pozostali dwaj cieszyli się po włosku. Najczarniejszy z nich sięgnął do swojego wielkiego plecaka i wydobył z niego kilka butelek wina, oczywiście cotnari i murfatlar, co z kolei wywołało szczery aplauz naszych studentów. Przyjaźń została zawarta w tempie rekordowym i śpiewy popłynęły ze zdwojoną mocą, tylko repertuar zmienił się na bardziej międzynarodowy.

Najczarniejszy Włoch – Agostino – ten, który miał plecak pełen wina, gapił się na Annę teraz już nie z półcienia i nie półgębkiem, tylko całkowicie jawnie, może nawet bezczelnie jawnie, a w każdym razie szalenie intensywnie. Poczuła się trochę nieswojo, chociaż nie było to nieprzyjemne, wprost przeciwnie, ale jednak nieco denerwujące...

– Zdecyduj się – zażądała w końcu Krystyna. – Przyjemnie ci czy nieprzyjemnie? Bo zaczynam tracić orientację.

– Sama zaczynam tracić – mruknęła Anna. – Myślisz, że on naprawdę nie rozumie, co my mówimy?

– Moim zdaniem ani w ząb. Strasznie maślane ma te oczka. Do ciebie się tak rozmaśla, nie do tych kiełbasek. One są ohydne moim zdaniem, nasza zwyczajna lepsza.

– Coś ty, naszą zwyczajną można zalać ognisko. Ja kiedyś zalałam. Na rybach z wujkiem. Agostino, chcesz kiełbaskę?

Agostino coś zagadał i zamachał rękami. Widocznie nie chciał kiełbaski. Chciał natomiast czegoś innego i biło to z niego na kilometr. Chciał pójść z Anną na długi samotny spacer brzegiem Morza Czarnego. Chciał jej powiedzieć, jak bardzo mu się spodobała, ze swoją drobną figurką, wielkimi oczami, włosami w loczkach i srebrzystym śmiechem oraz równie srebrzystym głosem wybijającym się z chóru ryczącego refreny. Właściwie to nawet to wszystko jej powiedział, tyle że po włosku. Krystyna, podsłuchująca na całego, była bardzo rozczarowana, bo nie zrozumiała ani słowa. Natomiast Anna z pewnym zdumieniem stwierdziła, że owszem, sporo rozumie... Widać zajęcia z włoskiego w akademii niezupełnie poszły na marne...

– I co, poszłaś z nim na ten spacer, ciotko? Rewelacyjne te twoje ciasteczka, mogę prosić jedno z marmoladą? I daj od razu to z orzechami. I mów. Poszłaś?

– Poszłam.

Anna w zamyśleniu sięgnęła po ciasteczko dla siebie i uśmiechnęła się do własnych wspomnień. Paulina rzuciła jej spojrzenie pełne oburzenia.

– Mów przecież!

– Już mówię. Poszliśmy na ten spacer. Długi dosyć się zrobił, to morze było rzeczywiście czarne, niebo też, jak ze mnie wino wywietrzało, to on mnie okrywał własnym swetrem... Próbowaliśmy rozmawiać, ja trochę włoskiego liznęłam na studiach, on nie mówił w żadnym innym języku, a tak w ogóle to mówił strasznie dużo, wiesz, jak to Włosi, gadają i machają rękami. No i on tak gadał i machał, że jak nagle przestał, to się zdziwiłam szalenie i z tego zdziwienia pozwoliłam mu się pocałować...

– Tylko?

– No, niezupełnie tylko... Przestań, Paulinko, co to za pomysły, żeby stara ciotka zwierzała się swojej małej siostrzenicy!

– To ty przestań. Ani ty nie jesteś stara, ani ja mała. Zakochałaś się w nim?

– Wiesz, że do tej pory nie wiem... On się zakochał we mnie.

– I co było dalej?

– Dalej to oni wszyscy trzej się z naszą grupą zaprzyjaźnili, potem wszędzie już chodziliśmy razem. Ten, co był pół roku w Polsce i myślał, że mówi po polsku, nazywał się Gianni i był z Genui, a Agostino i Carlo z Reggio Emilia, takiego małego miasteczka, może raczej wioski, to się nazywało Santa Vittoria di Gualtieri.

– I co?

– I nico. Nie, nie nico. Wszystko. Co ja ci będę opowiadała... Spacerowaliśmy przy księżycu... każdego wieczora właściwie, już do końca naszego pobytu... Na wydmach siedzieli Rumuni z karabinami, bo to były takie czasy śmieszne dosyć, a myśmy zawsze potrafili znaleźć sobie jakąś taką wydmę, na której nie było Rumunów ani karabinów. Potem nam się skończył czas pobytu w Mangalii i my, Polacy, pojechaliśmy do Budapesztu, a oni do Turcji. Agostino mnie namawiał, żebym pojechała z nimi, ale to nie było takie proste jak dzisiaj, kiedy bierzesz paszport i jedziesz, gdzie chcesz.

– Matko święta... I tak się rozstaliście? Na zawsze?

– Na zawsze? Nie... On się naprawdę we mnie zakochał i pisał do mnie regularnie listy, potem poszedł do wojska i z wojska też pisał listy...

– A ty byłaś zakochana?

– Tak jak teraz na to patrzę, to byłam cały czas na krawędzi, na skraju... i tak mnie chybotało, raz w jedną stronę, raz w drugą. To nie było wcale nieprzyjemne, to stąpanie po krawędzi, ale jednocześnie jakieś takie nierzeczywiste. W każdym razie nauczyłam się włoskiego porządnie, żeby móc z nim korespondować. Tony listów, mówię ci.

– No patrz... a kiedy wyszłaś za wujka?

– Jakieś trzy lata po tej Mangalii. Nie, cztery. Cztery i pół.

– I przestaliście korespondować. Z Agostinem.

– Nie, skądże. Napisałam mu, oczywiście, że wyszłam za mąż, ale on mi odpowiedział, że poczeka na mój rozwód, a nawet jeśli się nie rozwiodę, to i tak mnie będzie kochał. No i kochał mnie dalej... listownie.

– A jak ci się udało utrzymać tajemnicę przed wujkiem? On pisał na poste restante? Czy na adres tej twojej przyjaciółki, Krystyny?

– Normalnie pisał, do domu. Żadnej tajemnicy przed Teofilem nie miałam i nie zamierzałam mieć...

– Czekaj, a on cię nie chciał sprowadzić do Włoch, zanim wyszłaś za wujka?

– Chciał, oczywiście, ale ja nie chciałam. Nie wytrzymałabym we Włoszech, oni są mili, ale robią strasznie dużo hałasu, rozumiesz, sprawa temperamentu. Ja nie mam aż takiego wybuchowego. I tak jak ci mówiłam, byłam zakochana i nie byłam; tak mnie gibało po tej krawędzi. A kiedy poznałam Teofila – on wtedy był świeżutkim wykładowcą w szkole morskiej – to tamto gibanie mi prawie przeszło, a w każdym razie zbladło przy Teofilu. Właściwie nawet na jakiś czas zapomniałam o Agostinie, on wtedy pisał rzadziej, na dodatek po ślubie Teoś mnie zabrał w rejs „Darem", a to mi całkiem w głowie zawróciło.

Paulina sięgnęła po kolejne ciasteczko.

– Rozumiem. Mnie też by zawróciło. I co, długo byłaś w wujku zakochana?

– Do tej pory jestem w nim zakochana, nie zauważyłaś?

– Tak mi się wydawało, ale nie chciałam strzelać. A Agostino? Kiedy zrezygnował?

– Nie zrezygnował.

Paula spojrzała na ciotkę pytająco, pochłaniając kolejne ciasteczko.

– Po trzynastu latach od tego spotkania w Mangalii przyjechał do Polski. Karina miała wtedy osiem lat, a Julka pięć. Teofil właśnie wrócił z kandydatki, wiesz, to są takie rejsy kandydackie „Darem"...

– Ciociu, przestań. Mieszkam w tym samym mieście co ty!

– Przepraszam, racja. Był w domu może dwa dni, kiedy znienacka zjawił się Agostino... Telefon ci dzwoni.

– Cholera, nie pomyślałam, żeby wyłączyć, nie wiedziałam, że masz takie ciekawe momenta w życiorysie... Halo. Tak, Paula Wierzba. Co się stało? Jakie leje?

– Leje to taka waluta, rumuńska – mruknęła jej ciotka. Wyglądało na to, że Pauli nie będzie dane wysłuchanie opowieści do końca. W każdym razie dzisiaj.

– Już jadę. No, żeby to piorun strzelił najjaśniejszy, ciociu, muszę jechać, ale wrócę. Musisz mi opowiedzieć, jak się spotkali i dali sobie po zębach. Zdaje się, że sąsiad nas zalewa. Mnie i sąsiada. Innego. Rozumiesz. Lecę. Matko, jeśli zalało mi komputer...

Zgrzytnęła zębami, złapała torebkę i zniknęła jak sen jaki złoty.

Zmiatając ze stołu i podłogi okruchy ciastek, Anna pomyślała, że Paulina, kiedy wróci i dosłucha do końca, może być rozczarowana. Albowiem Teofil i Agostino bynajmniej nie dali sobie po zębach. Przeciwnie. Zaprzyjaźnili się bardzo szybko.

Uśmiechnęła się na wspomnienie tej chwili, kiedy otworzyła drzwi, przekonana, że koledzy Teofila przyszli go powitać po rejsie i sprawdzić, czy whisky, którą przywiózł ze Szkocji, jest równie dobra jak ta, którą kiedyś przywiózł z Irlandii. Ale za drzwiami nie stali koledzy. Stał Agostino.

– *Buongiorno*, Anna – powiedział cicho, a ona omal nie zemdlała z wrażenia.

– Cześć, Agostino – wykrztusiła z dużym trudem i zapomniała, że powinna go poprosić do mieszkania.

– Czecz, Anja. – Uśmiechnął się i dalej stał oparty ramieniem o futrynę.

– Kto przyszedł? – Odezwał się gdzieś w głębi pokoju Teofil. – Poproś do środka, Aniu, nie trzymaj gości na schodach.

Anna ocknęła się ze stuporu i otworzyła drzwi szerzej. Agostino wszedł, ciągnąc za sobą monstrualnych rozmiarów walizę. Teofil w stroju domowym, to znaczy w dżinsach i podkoszulku, zmaterializował się w drzwiach saloniku.

– O – powiedział na widok walizy. – Jaka fajna walizka. Chciałem sobie taką kupić, ale szkoda mi było forsy.

Wszyscy zwariowali – przemknęło Annie przez myśl i to ją przetrzeźwiło. Dokonała prezentacji, mieszając polski z włoskim.

– To jest Agostino, wiesz, ten, co do mnie listy pisał – powiedziała krótko do męża, nie próbując niczego wyjaśniać. Zresztą Teofila nie interesowały wyjaśnienia. Dawny kolega Ani z wakacji, z czasów studiów, to wystarczyło.

– O, cześć, stary – powiedział przyjaźnie. – Mówisz po polsku? Nie? Po angielsku?

Anna już chciała go zawiadomić, że Agostino ani w ząb w żadnym języku poza ojczystym, ale okazało się, że Agostino przez trzynaście lat rozwinął się językowo i owszem, po angielsku jak najbardziej. Teofila bardzo to ucieszyło, ponieważ miał wielką ochotę na pogadanie i przy okazji na wypróbowanie tej szkockiej, co w towarzystwie wyłącznie żony nie wchodziło w grę, nie pijała bowiem niczego mocniejszego niż wino.

Gość wyglądał na nieco oszołomionego, ale nie protestował. Anna, zadowolona, że ma chwilę na ochłonięcie, poszła do kuchni przygotowywać kolację. Specjalnie się grzebała, nie mając pojęcia, jak właściwie powinna się zachować. Kiedy z zastawioną tacą weszła do pokoju, obaj panowie byli już w pewnej komitywie.

Dołączyła do nich, cały czas się zastanawiając, co też zdążyli sobie opowiedzieć pod jej nieobecność. Cokolwiek to było, nie padły chyba żadne epokowe stwierdzenia, atmosfera bowiem emanowała pogodą, a może już nawet przyjaźnią.

– Musisz jechać na Mazury, stary – przekonywał Teofil Agostina w języku Szekspira i Tennysona. – Ja wiem, że Italia jest piękna, ale Mazury to Mazury. Pojedziemy do Mikołajek, tam będą śpiewać szanty. Wiesz, co to są szanty?

Agostino nie wiedział, ale chciał się dowiedzieć. Teofil wygłosił mały wykładzik na temat pracy na wielkich żaglowcach, wyjaśnił, dlaczego śpiewano pieśni przy różnych czynnościach, opowiedział o „Darze", z którego właśnie zszedł, po czym zażądał, żeby Ania przyniosła gitarę, i zademonstrował kilka przykładów szant oraz pieśni czasu wolnego. Agostino posłuchał i bez mała dostał wypieków, po czym wyrzucił z siebie około dwudziestu tysięcy słów w ciągu minuty. Ależ on wie, co to za pieśni! Jego papa, z zawodu piekarz, był zapalonym czytelnikiem powieści przygodowych i on, mały Agostino, też czytał te wszystkie Londony, Kiplingi, Curwoody i Coopery... Czytał o żaglowcach, czytał o śpiewających do pracy żeglarzach... *Madonna mia*! I teraz, w Polsce, może tych pieśni naprawdę posłuchać? Naprawdę?

– Jak chłopaki wytrzeźwiały, to znaczy na drugi dzień, zapakowaliśmy manatki i pojechaliśmy na te Mazury całą piątką. My, dziewczynki i Agostino – kontynuowała Anna swoją opowieść tego samego wieczora, bowiem Paula, uporawszy się z zalewającym jej mieszkanie sąsiadem, wróciła do niej spiesznie i zażądała ciągu dalszego. – Wiesz, to były same początki tego ruchu szantowego w Polsce, nie tak jak teraz, kiedy zawodowcy śpiewają. Wtedy śpiewał, kto chciał. Twój wujek pisał bardzo dobre teksty. Wiedziałaś o tym?

– Wujek? Teksty? No coś ty?

– I to dobre, powtarzam. Taki trochę improwizowany koncert był w Mikołajkach, gdańska telewizja robiła film, Teofil śpiewał i ja też... Agostino się zaprzyjaźnił ze wszystkimi, z telewizją włącznie, a oni go upijali systematycznie...

– Karuzello pod kapello – odezwał się głos od drzwi. – Wybaczcie, dziewczynki, ale nie chce mi się już udawać, że mnie nie ma w domu, albo że nie wiem, o czym plotkujecie. Poza tym nie jestem pewien, Paulinko, czy ciotka opowie ci wszystko uczciwie. – Teofil bezceremonialnie rozsiadł się na kanapie w bezpośredniej bliskości swojej żony oraz ciasteczek.

– Co to znaczy „karuzello pod kapello"?

– To jest to, co Agostino miewał każdego wieczoru. Nie wiem, w jakim języku. Ale trochę się polskiego nauczył. Wiesz, to były inne czasy niż dzisiaj, nie było w sklepach różnych rzeczy, między innymi alkoholu. Kiedyś nam zabrakło, Agostino gdzieś zniknął, a potem się objawił z flaszką. Pytamy go, gdzie był, a on na to: MELYNA! Mówiłaś jej, Aneczko, co było potem?

– Nie zdążyłam. Naprawdę jej powiemy?

– Pewnie. Niech się dziewczyna uczy życia.

Ciotka i wujek spojrzeli po sobie i zachichotali tym razem oboje. Paula nigdy ich takimi nie widziała, zresztą nigdy nie zastanowiło jej, jak bardzo są urodziwi i jak bardzo do siebie pasują. Ostatecznie byli starzy!

Wcale nie byli starzy. Mieli więcej lat niż ona. To wszystko.

– Co było potem?

– Teofil uznał, że skoro Agostino przejechał tyle kilometrów po to, żeby się ze mną zobaczyć, to coś mu się od życia należy. Zabrał dziewczynki i wrócił do domu. A myśmy zostali na Mazurach.

– Nie byłeś zazdrosny, wujku?

– Nie. Bo wiesz, kochana: moja żona ma przyjemność, to i ja mam przyjemność. Jestem zdeklarowanym zwolennikiem poligamii.

– Nie żartuj!

– Nie żartuję.

– Ciociu!

Ciocia wzruszyła ramionami i wsparła się częściowo o poduszki na kanapie, a częściowo o własnego męża. W oczach obojga pojawiły się zabawne iskierki.

– A gdyby ciocia z nim odeszła?

– To by znaczyło, że na nią nie zasługuję. Ale nie odeszła.

– Matko moja. Ależ wy mnie zaskakujecie. Ciasteczko poproszę. I co, on wyjechał?

– Wyjechał. Ale jeszcze przyjechał. A kiedyś przysłał dolary, żebyśmy z Karinką przyjechały do niego, do Włoch. On cały czas mieszkał w tej Santa Vittoria del Gualtieri, pamiętam, że jego ulica nazywała się Via Tenere. Byłyśmy tam kilka tygodni, jego znajomi wołali za mną na ulicach „ciao, Anna”, zapraszali na wielkie żarcie wieczorami... Objeździliśmy razem kawałek Włoch... Wenecja, Florencja, Genua, Werona, Cremona...

Ciotka zamyśliła się, co wuj Teofil natychmiast wykorzystał, sięgając po ciasteczko. Nie zauważyła tego, więc spokojnie wziął jeszcze dwa i schował do kieszeni.

– Wujku, ty naprawdę nie miałeś żadnych wątpliwości?

– Moja droga, cóż warta miłość bez zaufania? Czas pokazał, że miałem rację, ufając mojej żonie.

Rozmarzony uśmiech ciotki – istna Mona Lisa w wersji rodzimej! – dał Pauli do myślenia.

– Wybaczcie, moje drogie kobietki, idę popracować. – Teofil podniósł się z kanapy, pozostawiając żonie poduszki jako wsparcie. – Jako ideowy profesor uważam, że do niektórych zajęć powinienem się porządniej przygotować. Mam kilku upierdliwych studentów, którzy starają się mi udowodnić, że astronawigacja nie jest im do niczego potrzebna w dobie nawigacji satelitarnej. Dam im popalić, jeśli zdołam. W każdym razie będę się starał. Zauważ, moja Paulo, jaką komfortową sytuację ma tu moja żona, a mam na myśli kwestię zazdrości. Na tym wydziale studiują sami faceci. No, prawie. Pa, kochane.

Paula odprowadziła go wzrokiem, kiedy wychodził z pokoju. Zdecydowanie interesujący starszy pan. Pan. Bez starszy.

– Poznałam wtedy jego matkę – podjęła Anna opowieść, nie zwracając uwagi na wyjście męża. – Powiedziała mi, że Agostino mnie bardzo kocha, ale ona wie, że z nim nie zostanę. Mimo to dała mi pierścionek, a właściwie dała go przy mnie Agostinowi, żeby on dał go mnie.

– To ten? Pokaż, ciotko.

– Ten. Mały, skromny, bez oczka. Noszę go zawsze od tej pory.

– A co się stało z Agostinem?

– Nic się nie stało. Ożenił się. Ma córkę, Paolę. To prawie tak jak ty. Bo widzisz, ja lubię to imię. Byłam jej matką chrzestną. Wyrosła na miłą dziewczynę.

– Ale w końcu straciliście kontakt?

– Co ty się tak upierasz na to zerwanie kontaktów? Agostino cały czas do mnie pisze. I cały czas twierdzi, że mnie kocha. W pewnym sensie. W pewnym sensie ja też go trochę kocham.

– Ciotko! Jajeczko nie może być częściowo nieświeże! Oraz nie można być trochę w ciąży!

– Trochę w ciąży nie można. Jajeczko – nie może. Ale to nie jest ani ciąża, ani jajeczko... Pamiętaj, że na początku to była właśnie głęboka woda. Skoczyłam na główkę i wypłynęłam... z pierścionkiem w zębach.

– Ciotka. Ty do mnie pijesz z tą głęboką wodą.

– Nie da się ukryć. Mówiłaś, że masz jakieś wątpliwości. Kochana, miłość to nie jest umowa handlowa. To jest ryzyko.

– *No risk, no fun* – powiedziała ponuro Paulina. – Twój Agostino przynajmniej nie był od ciebie młodszy osiem lat.

– Osiem nie. Dziewięć. Ja miałam wtedy dwadzieścia sześć, bo nie wiem, czy wiesz, że studia mi się obsunęły o trzy lata, więc dość długo byłam studentką. A on miał siedemnaście. Tamtą wycieczkę do Rumunii i Turcji mama mu zafundowała w nagrodę za ukończenie szkoły.

– Żałujesz, że za niego nie wyszłaś?

– Nie. Wolę Teofila. Ale nie żałowałam nigdy ani jednej chwili z Agostinem.

Paulina włożyła sobie na serdeczny palec mały złoty pierścionek bez oczka. Pasował. Zdjęła, oddała właścicielce.

– Nie wiem, nie wiem...

– Ja też nie wiem. Tego się nigdy nie wie.

– No tak... Słuchaj, cioteczko, ja sobie już pójdę. Muszę pomyśleć...

– W tej sprawie myślenie czasem szkodzi.

– Tak czy inaczej, ucałuj wujka. Nie będę mu już przeszkadzać. Dzięki za ciasteczka... i opowieści dziwnej treści...

Kiedy piechotą i nie spiesząc się, wracała do swojego nie do końca zalanego mieszkania, zastanawiała się, czy pod blokiem, na murku okalającym trawnik, będzie siedział osobnik w kurtce z podniesionym kołnierzem. Od jakiegoś czasu siadywał tam systematycznie, a kiedy wracała do domu, wstawał ze swojego murka i z uśmiechem mówił jej po prostu „dobranoc”, po czym odprowadzał ją wzrokiem, dopóki nie zniknęła w odrapanej bramie.

Był i tym razem.

Dominika Stec

BOSO PO ROSIE

Matylda

Gdybym była dniem tygodnia, byłabym wakacyjną środą. Bezchmurną, pełną dobrych nadziei. Pewien facet scharakteryzował mnie tak, gdyśmy grali w jokera. Czemu nie. Nie rozumiałam tylko, dlaczego środa. Zanosiło mi się podówczas na maturę, więc w moim życiu kończył się poniedziałek. Co najwyżej daleko nad horyzontem różowił się wtorkowy świt. Jeśli zaś idzie o wdzięk, urodę i bezpretensjonalność – dałabym głowę, że sytuuję się w okolicach imprezowego weekendowego wieczora. Od początku nie rozumiałam sekretnej finezji tego porównania. Pewnie dlatego zapamiętałam je i użytkowałam w najróżniejszych wariantach, choć raczej w stosunku do innych niż do siebie. Agata – mówiłam – wyglądasz w tej sukience jak tłusty czwartek! Albo: Trzymajcie mnie, poznałam faceta jak noc świętojańska!

Dopiero ostatnie studenckie wakacje uświadomiły mi, że upojny wtorek, który niedawno świtał w moim życiorysie, wchodzi w fazę późnego popołudnia. Zaraz wieczór i jutro do roboty. Postanowiłam w przeddzień spić do dna sok z wonnej pomarańczy dziewczęcego żywota. Wycisnąć, ile się da. Mimo że pod względem męskiego towarzystwa panował u mnie chwilowo mglisty poniedziałek po Wszystkich Świętych.

W lipcu Anka zaprosiła mnie do Londynu, co uznałam za dobry początek.

Jest starsza ode mnie o dziesięć lat, ma angielskiego męża na rządowej posadzie, angielską teściową działającą w ruchu Zielonych i parkę międzynarodowych dzieci, które posługują się płynnie polskim, angielskim, hiszpańskim, a dodatkowo biorą lekcje chińskiego. Nawet chyba mówią w tym języku, o ile zdążyłam się zorientować. Bo długo tam nie siedziałyśmy. Czyli u rodziny Anki. Wypuściłyśmy się we dwie zwiedzać Imperium Brytyjskie. Stonehenge, Loch Ness, Wał Hadriana, te rzeczy. Notabene na te konkretne trzy nie starczyło nam akurat kasy.

Pewnego wieczora wylądowałyśmy w hoteliku, który pamiętał Henryka VIII. Postawiony w gęsto zabudowanej uliczce z rynsztokami (na szczęście już nieużywanymi), do pierwszego piętra można z dołu sięgnąć ręką, z okna dałoby się pić kawę w pokoju po drugiej stronie. Meble też mogłyby pamiętać Henryka VIII, gdyby nie to, że nie zmieściłby się tutaj. Był pokaźnej tuszy, a ja sama – zwiewna i filigranowa – dotykałam kolanami parapetu, siedząc na brzegu łóżka. Parapet wypadał zresztą niżej niż sprężynujący materac, więc miałam niejakie obawy, że gdy w nocy przewrócę się z boku na bok, wyturlam się przez okno na bruk romantycznej uliczki. Tym bardziej że nocowałam bez Anki, bo te pokoiki dla lalek były jednoosobowe. A z powodu upału nie szło zamknąć okna.

Spałam czujnie. W środku nocy obudziły mnie kroki na zewnątrz. Jedne, drugie, skradające się złowrogo w staroangielskiej ciszy. Wyjrzałam zza firanki. Wykapane średniowiecze! Uliczka zakręcała w ciemność w mglistej poświacie, na ceglastych murach iksy zmurszałych belek, skrzynki na kwiaty u okien bez parapetów. Nad stromymi dachami miasteczka gwiaździste niebo wydymało się jak czarny żagiel.

W oddali zegar wybił północ.

A za moim oknem rozpętała się istna godzina duchów! Jakbym przeniosła się w czasie. Po ścianach przemknął wielki cień, pod którym dreptał przynależny mu gnom. Kurduplowaty, w czarnej pelerynie do ziemi, w spiczastym kapeluszu czarodzieja z wieków średnich. Za chwilę przemaszerował drugi, ten z miotłą wiedźmy pod pachą. Może samiczka? Też była wzrostu wyrośniętego krasnala. W obliczu tych niebywałych wizji krew w moich żyłach zwolniła bieg. Ciągnęło mnie do Anki, ale rozdzielał nas zakręt korytarza. Za chińskiego boga nie chciałam teraz sprawdzać, co może czaić się za zakrętem korytarza. Na wprost mnie znów wyrósł cień łamiący się na murach. Wychyliłam się ostrożnie. W dole szerokie rondo w gwiazdki – jakby odbijało się w nim nocne niebo – uniosło się ciekawsko ku mojemu oknu. Zanurkowałam głową pod kołdrę.

Zdecyduj się, kretynko! Albo obudź się, albo zaśnij. A nie dwa w jednym!

Czemu w cudne wtorkowe popołudnie mojego życia widzę nocne zmory? Przypadek? Omen? Przepowiednia? Zakocham się? Umrę? Ki czort?!

Rano dowiedziałam się od Anki, że tej nocy wypadła premiera kolejnego z „Harrych Potterów". O północy poprzebierane dzieciaki ciągnęły do pobliskiej księgarni jak do miodu. Ubawiłam się po czasie moim nocnym strachem, nałożyłam sobie marmolady z pomarańczy na tost i wtedy za oknem hoteliku zatrzymała się karetka pogotowia, tarasując uliczkę szczelniej, niż zrobiłby to Henryk VIII ze swoją monarszą tuszą i w swoich bufiastych renesansowych szmatkach.

Okazało się, że w nocy w pokoju obok mnie zmarł na zawał młody Włoch.

Mateusz

Są dwie szkoły. Pierwsza twierdzi, że sztuka jest sublimacją popędu płciowego. Druga natomiast – że sztuka to emanacja egzystencjalnego lęku. Ja jestem z trzeciej szkoły – ukończyłem roczne Studium Scenariopisarstwa. Nauczyli mnie tam mnóstwa użytecznych rzeczy. Że scenariusz pisze się czcionką Courier, że dialogi dajemy siedem centymetrów od marginesu, strona tekstu odpowiada minucie filmu, scenariusz do „Obywatela Kane" to majstersztyk... Nie uszlachetnili mojego talentu, ale nie oczekiwałem tego. Natomiast miałem nadzieję, że pozwolą nam złapać kontakty zawodowe, dzięki którym będziemy mieli łatwiejszy zbyt na filmowym targowisku. Tego też jednak nie zrobili.

Kiedy skończyłem swój pierwszy profesjonalny scenariusz – i to od razu arcydzieło – nikt nie był zainteresowany. To fach dla twardych facetów, dowiedziałem się. Tu trzeba się przebić samemu. Dwa Ł – łeb i łokcie! Scenarzystów są setki, a filmów robi się parę w roku, wszystkie zbyt kosztowne na eksperymenty z debiutantami. Odkąd uiściłem w sekretariacie Studium ostatnią opłatę – jesteśmy kwita.

A przecież w pocie czoła wypichciłem historię, która zaczynała się od trzęsienia ziemi, po czym napięcie stopniowo rosło. Dokładnie według przepisu Hitchcocka. Dziewczyna poznała faceta z amnezją, on bał się życia, ona kochała na zabój, jego zapomniany los deptał im po piętach... Historia prawie szekspirowska.

Nie to, że nie chcieli jej zrealizować. Na to byłem w jakimś sensie przygotowany. Ale nikt nie chciał nawet przeczytać! Zerknąć między marginesy o przepisowych parametrach! Unieść okładkę i zauważyć z zachwytem, że zaraz potem następuje odjazdowe trzęsienie ziemi! Krążyłem z tym półtora roku od drzwi do drzwi, pracując w restauracjach, na stacjach benzynowych, na bazarach, w przedsiębiorstwach taksówkowych, wszędzie, gdzie ambitny scenarzysta poznaje tak zwane prawdziwe życie. Mięso codzienności. Jedyne, co w tym czasie osiągnąłem, to dwudziesty szósty rok życia. O wiele za wcześnie zacząłem sobie wyobrażać magiczną czterdziestkę, po której mężczyzna budzi się rano i myśli: „A więc tak już zostanie!". Czyli że pochowają mnie z tym genialnym nieprzeczytanym przez nikogo scenariuszem.

I w desperacji przyszedł mi na myśl Rapacz. Dwa razy miał u nas wykłady, ale wtedy nie sądziłem, że przyda mi się do czegokolwiek. Był aktorem, gwiazdą, a nie specem od scenariuszy. Ale teraz przyszła mi na myśl inna strona jego artystycznej osobowości.

Chodziły plotki, że woli chłopców. Jeżeli przyjdzie do niego ze sprawą zgrabny facecik, on się sprawą przejmie i zajmie. Czasem bezinteresownie. Nie jest świnią, jest utalentowanym dobrze ułożonym człowiekiem o szerokich znajomościach.

Co mi szkodziło spróbować? A nuż przeczyta, a nuż poleci komuś?

Pod względem męskiej urody nie ustępowałem mojemu scenariuszowi. W grze w jokera w kategorii „impreza" określiłbym siebie jako niezapomnianą noc w eleganckim klubie. Bez fałszywej skromności. Bo niby dlaczego kłamać samemu sobie? Takie są nieubłagane fakty! Oto ja, cały ja! Brunet wieczorową porą.

Być może oczaruję Rapacza platonicznie?

Być może nie zechce posunąć naszej znajomości za daleko, czyli de facto mnie posunąć, bo na to nie byłem jednak gotowy. Jestem hetero i dobrze mi z tym.

Ale być może ruszę z martwego punktu. Postawię krok dalej na drodze do kariery i ktoś wreszcie otworzy mój nieszczęsny scenariusz. Niczego więcej nie oczekiwałem. Żadnej protekcji. Żadnych ulg. Niech dadzą tekstowi szansę, a obroni się sam. To uczciwe.

Niech obudzę się po czterdziestce jako człowiek sukcesu, a nie jako pacjent koreańskiego masażysty uśmierzającego bóle kręgosłupa.

Był tylko drobny problem. Nie wiedziałem, czy plotki o Rapaczu są prawdziwe. A jeśli to jedna z wyssanych z palca legend o aktorach? Może on jest po prostu starzejącym się amantem pełnym kompleksów męskiego wieku średniego i każde inne spodnie z młodszą metryką to jego śmiertelny wróg.

Matylda

Pół wakacji zatruł mi tamten martwy Włoch, którego nawet nie widziałam na oczy. Uroiło mi się w związku z nim, że wszystko, czego doświadczamy, jest znakiem – tyle że nie wiadomo dla kogo przeznaczonym. Nocne gnomy w pelerynach były dla Włocha, jak się okazało. Ja załapałam się na nie przypadkiem. A gdyby tak one były dla mnie? Gdybym to ja oddała ducha we wtorkowe popołudnie mojej młodości? Czego dotychczas dokonałam? Nauczyłam się, że *impressio ligamenti costoclavicularis* to wycisk więzadła żebrowo-obojczykowego. Zdobyłam kilkadziesiąt zaliczeń, którymi strasznie przejmowałam się w trakcie sesji, a z których nic by nie wynikło. I co więcej? Czy dość się w życiu naśmiałam? Czy dość się napłakałam? Czy biegałam boso po porannej rosie, jak dramatycznie pytają autorzy „Czterdziestolatka"? Człowiek umiera i żałuje kupy idiotyzmów, których nie zrobił, bo uważał, że szkoda na nie czasu. Czy tamten młody facet umierający w pokoiku za ciasnym na Henryka VIII też żałował, że nie biegał boso po rosie w jakiś zapomniany świt porosły kaczeńcami?

A co, jeżeli nienawidzę biegania po rosie? W wilgotnej trawie łażą dżdżownice i gdybym nadepnęła na taką, poczuła ją między palcami, chybabym puściła pawia! Czy umierając, można żałować, że za życia nie puściło się pawia na łące? To głupie!

Oddawałam się tym rozmyślaniom na cudnej piaszczystej plaży cudnego jeziora Czernie, gdzie wyjechałam na dwa tygodnie ze znajomymi. Pod namiot. Dni były gorące, piwo zimne, humory dopisywały, więc trudno powiedzieć, żebym spędzała czas w cmentarnym nastroju. Ale jednak! Tamten facet umarł, a ja jak dotąd nie biegałam boso po rosie, nie skakałam ze spadochronem, nie pojechałam do Helsinek w środku zabójczej skandynawskiej zimy... I nie miałam najmniejszego zamiaru tego robić! Nie pociągało mnie!

Mogłabym tańczyć tango z różą w zębach, to owszem. Do białego świtu! Zew krwi, szał ciał! Tylko że to już robiłam, a w moim życiu i tak wciąż brakowało czegoś niesprecyzowanego. Trudnego do nazwania. Męża? Dzieci? Pasji? Miłości? A jeśli to mi się nie przytrafi samo z siebie i ocknę się z kacem w piątkowy wieczór mojego życia? Powinnam uczciwie zakrzątnąć się wokół własnego losu!

W tym stanie ducha – otwartego nagle na przyjęcie metafizycznego tchnienia wszechświata – wybrałam się kiedyś ze znajomymi na spacer po lesie. Po drodze ktoś wskazał na elegancką daczę obrosłą winem i powiadomił nas, że to letni dom Rapacza. Zakłuło mnie w sercu. Pojęłam, że to jest ten oczekiwany znak przeznaczony tylko dla mnie, na który pozostali spacerowicze załapali się przypadkiem. Nie rozumieją go ani w ząb.

Następnego dnia odmeldowałam się pod Rapaczowym płotem samotnie. W pełnym makijażu, choć zwykle na wakacjach odpuszczam sobie malowanie. Od dzieciństwa namiętnie kocham kino, a w kinie najnamiętniej kocham Rapacza. Mam w domu wszystkie jego filmy na płytach i kasetach. Letnia przygoda z nim samym to byłoby coś! Moja łąka, moja rosa i moje bose bieganie! A z tego mogłoby wyniknąć nawet coś znacznie większego, czego na pewno bym żałowała za kilkadziesiąt lat.

To znaczy tego, że nie zrobiłam tego. Przepuściłam moją niepowtarzalną szansę. Wbrew jasnym wskazówkom od losu.

Mateusz

Dżinsy, T-shirt, kowbojki. Tak miałem zanotowane przy wykładzie „Spotkania w interesach". Wytrawny scenarzysta nosi się z wystudiowaną niedbałością. Po codziennemu. Zwłaszcza wykluczone są biznesowe garnitury i krawaty. Nie ma zaś innych scenarzystów niż wytrawni. Ci niewytrawni to po prostu dupki.

Już prywatnie jestem specjalistą od niedbałości. Odżywiam się hamburgerami, nie mam mebli, jeżdżę ośmioletnią vectrą. Trochę kłopotu sprawiło mi tylko to, żeby moja niedbałość wyglądała na wystudiowaną. W tym celu zabrałem skórzane etui z cygarami. Mam tę słabość, że palę cygara. Nieczęsto, za to najlepsze, skręcane na słynnych smagłych udach Kubanek. Zwykle palą je producenci – ci prawdziwi, ci z książek i filmów, ci z dowcipów rysunkowych. Scenarzyści palą fajki. W najgorszym razie papierosy, choć podobno jest też jakiś w ogóle niepalący i niepijący. Z tym że niedobry.

Mnie stać na własny image. Jestem scenarzystą palącym markowe cygara.

Na wierzchu torby ułożyłem scenariusz. Bindowanie, brak okładki, tytuł „Mężczyzna z przeszłością" wyśrodkowany, Courier 12, wersaliki, telefon kontaktowy u dołu strony. Czysto, jasno, konkretnie. Zawodowstwo. Torbę ułożyłem obok siebie na siedzeniu. Nie dlatego, że maniakalnie dbam o własne dzieło i nie spuszczam go z oka (zresztą w domu mam maniakalną ilość kopii na płytach i na papierze), tylko dlatego, że bagażnik nie zawsze mi się otwiera. Nie chciałem ryzykować kompromitacji. Strój ma być niedbały, a nie wóz.

Na torbie ułożyłem mapę, na której Bartosz zrobił mi kropkę markerem w odpowiednim miejscu. Bo adres, jaki zdobyłem, brzmiał enigmatycznie: las nad jeziorem Czernie.

Matylda

Przez cały wieczór gapiłam się spomiędzy sosen za płotem. Wszystkie światła w domu były zapalone, choć przebywały tam tylko trzy osoby. Plus pies. Słyszałam jego szczekanie. Około dziesiątej Rapacz wyszedł na ganek razem ze starszym eleganckim facetem. Obejmował go ramieniem. Przez chwilę tak się zachowywali, jakby zamierzali dać sobie buzi. Ale ku mojej uldze nie doszło do tego, oczywiście. Poklepali się po plecach, ten starszy wsiadł do samochodu, pomachał przez okno i odjechał. Została, niestety, kobieta. Długonoga, czarnowłosa i jak na mój gust niezupełnie zrównoważona. Przez godzinę stała na tarasie, grając na trąbce „Karawanę" Duke'a Ellingtona. W kółko. Jeśli dotąd nie była psychiczna, to po tym koncercie już na pewno. W każdym razie mnie wiele nie brakowało. Godzina „Karawany" w nocnym lesie! Czaszkę zrywa! Wróciłam do namiotu wściekła, niemniej rano po śniadaniu zameldowałam się z powrotem na posterunku przy daczy.

Równocześnie ze mną zjawiła się ta umuzykalniona laska. Tym razem bez trąbki, dzięki Bogu. Ciągnęła za sobą turystyczny worek i ogon kurzu, a szła od strony jeziora. Wyglądało, że w ogóle tu nie nocowała. Przechodząc obok okien Rapacza, krzyknęła, że wyjeżdża. On odkrzyknął coś z głębi domu. Najpierw sądziłam, że „cześć". Ale gdy tak stałam pomiędzy sosnami, uświadomiłam sobie, że nie cześć. Już prędzej brzmiało to jak „ja też". Czyżby Rapacz stąd wyjeżdżał?

Nie miałam zatem wiele czasu na rozpoczęcie akcji „boso po rosie".

Zaryzykowałam metodę na inwalidkę. Każdy rasowy mężczyzna zajmie się ładną dziewczyną, która doznała nagłej kontuzji. Ładną dziewczyną już byłam. Potrzebowałam tylko okulawienia. Jak najszybciej. Rapacz właśnie wyszedł z bagażami, wrzucił je do samochodu i zabrał się do zamykania drzwi domu.

Ruszyłam z kopyta. Bałam się, że mam za mały talent aktorski jak na potrzeby takiego speca i wypadnę fałszywie. Może lepiej położyć się cichcem na ziemi, kiedy nie będzie patrzył, i łkać wzruszająco?

A jednak przewróciłam się przed otwartą bramą absolutnie naturalnie. Z krzykiem. Tyle że kompletnie bez wdzięku. Bo gdy biegłam, wyskoczyło na mnie znienacka to czarne bydlę, które wczoraj wieczorem słyszałam. Nie kobieta z trąbką, rzecz jasna, tylko pies. Rottweiler czy inny zabójca. Wywalił mnie na piaszczystą drogę, jakbym zderzyła się z parowozem. I nie poprzestał na tym. Rzucił się z kłami, z obślinionym jęzorem, z mordem w ślepiach.

Zdążyłam pomyśleć, że trafię na okładki brukowców. Bankowo. Jako niewinna ofiara wynaturzonego aktora. Może jeszcze strzelą mi fotkę z czarnym paskiem na oczach?

Z takim paskiem to już znajomi na pewno mnie nie przeoczą.

No to się nabiegałam po tej cholernej rosie!

Mateusz

Za Olsztynem miałem moment zwątpienia. A jeśli skończy się na tym, że Rapacz zacznie dobierać się do rozporka moich wystudiowanych dżinsów? W lesie zaś dookoła czatują na drzewach paparazzi. Trafię na okładki brukowców jako niewinna ofiara wynaturzonego aktora. Dadzą mi litościwy czarny pasek na oczy. Kto zechce, rozpozna. Użali się nad idiotą!

Zdobędę sławę błyskawiczną, choć mocno niezasłużoną.

Może nie osiąga się szczęścia, pukając do cudzych drzwi z własnym scenariuszem? Ale kto mi zagwarantuje, że osiąga się je inaczej?

Więc co? Więc gaz do dechy!

W samochodzie pachniało skoszoną trawą. Nie widziałem nigdzie po drodze skoszonej trawy. Na komórkę zadzwoniła Elka. Czy się spotkamy? Powiedziałem, że w przyszłym tygodniu. Może. Aktualnie Pan Bóg kusił mnie wielkim światem! A Elka kusiła tylko domową kolacją z kurczakiem w miodzie, czerwonym winem, kawą z kremem, ptysiami...

Nauczyłem ją, co lubi prawdziwy mężczyzna.

Matylda

Słyszałam przerażające dźwięki nad sobą, ale nic się nie działo. Prawdopodobnie żyłam, choć z siniakiem jak jezioro Bajkał. Otworzyłam oczy, gdy uznałam, że powinnam już być pożarta. O ile rottweiler rzeczywiście się do mnie dobrał.

Ziajał nade mną na tle błękitnego nieba, odciągany przez Rapacza za obrożę.

– Nic się pani nie stało?

– Dziękuję, nic, proszę, przepraszam... – wydukałam nieskładnie.

Za późno wyszłam z szoku. Wściekła przede wszystkim na siebie.

Owszem, nie broczyłam krwią, ale mogłam mu przynajmniej odpowiedzieć „nie wiem". Wtedy musiałby zabrać mnie do domu, poczęstować czymś do picia, może zadzwonić dla pewności po lekarza. A tak nic nie musiał. Nic mi się nie stało. Cholera, opracowałam wszystkie warianty podstępnego zapoznania się, łącznie z ewentualnym udawaniem facetki, która chwilowo straciła pamięć. A nie przewidziałam takiej banalnej sztuczki jak atak rottweilera. Jeżeli to prawda, że kobiety są przebiegłe, to nie mam nic wspólnego z tą płcią!

Rapacz pomógł mi wstać, zamknął psa w samochodzie, po czym swoją osobistą męską, lecz delikatną dłonią dołączył się do otrzepywania mnie z pyłu leśnej drogi, które wykonywałam. Niezapomniane przeżycie. Mówię o ręce Rapacza. Zwłaszcza że miałam na sobie tylko kusą sukienkę na ramiączkach. No i pod nią majtki tam, gdzie najbardziej upadłam, toteż najbardziej musiałam się tam otrzepać.

Zaniepokojony Rapacz tłumaczył, że to nadzwyczaj spokojny pies. Ostry, ale spokojny. Szczepiony, rejestrowany, po szkole tresury, która słono kosztowała. Nie ma pojęcia, co mu odbiło. Każdy właściciel psa tak mówi i zwykle to mnie irytuje. Ale nie tym razem. Bo on to mówił tym głosem i z tą dykcją, które kojarzą mi się z lepszą połową marzeń mojego życia. Tą odlotową. Więc gdy napomknął, że chyba nie zamierzam skarżyć go do sądu o ten wypadek, przyznałam się, że nie. Nie przekonałam go jednak od razu. Dodał żartem, choć jakby nie do końca żartem, że czasem ludzie są do niego negatywnie usposobieni w życiu, ponieważ nie lubią go w filmie. Zagrał jednego wrednego typka i to się za nim ciągnie.

Zapewniłam zgodnie z prawdą, że ja go uwielbiam w filmie. Także za tamtego typka.

Na te słowa trochę się uspokoił. Artyści to jednak pieszczochy. Duże dzieci.

– Teraz mam pilny wyjazd – powiedział swoim magicznym głosem. – Ale wieczorem wracam. Co prawda późno... A co pani powie na przeprosinową kawę jutro?

Z wrażenia tylko skinęłam głową.

Proszę, jednak postawiłam na swoim! A nie zanosiło się. Kobiety są wielkie!

– Tośmy umówieni! – ucieszył się Rapacz i wsiadł do samochodu.

Nie wiem do jakiego, ale do świetnego, jeśli chodzi o prezencję.

Przez uchylone okno zapytał, czy gdzieś mnie podwieźć. Pokręciłam głową, że nie – i nadal oniemiała pokazałam palcem, że zostawił klucze w drzwiach domu. Zabrał je. Na pożegnanie uniósł do mnie rękę sponad psiego łba. Ruszył z upojnym piskiem opon.

A właściwie one nie miały na czym tu piszczeć. Piaszczysta leśna droga. Ruszył po prostu w upojnym tumanie kurzu, w którym znikł mi z oczu, zanim jeszcze odjechał na dobre.

Mateusz

Na drodze do Hecza minęło mnie czerwone porsche. Z tyłu siedział rottweiler.

Odwróciłem się, bo Rapacz, o ile pamiętam, miał rottweilera, kiedy przyjeżdżał do Studium. Z tym że jeździł range roverem. Nie sądzę, żeby ktokolwiek zamienił taki wóz na inny. W każdym razie ja bym nie zamienił. Gdyby to mogło mnie dotyczyć, naturalnie.

Nie umawiałem się na wizytę telefonicznie. Telefonicznie się odmawia. Przez telefon nie widać, że dzwoni brunet wieczorową porą. Sekretarki odpowiadają, że ktoś oddzwoni. I już.

Za Heczem zadzwoniła Kaśka. Nie odpowiedziałem na jej trzy SMS-y.

– Co mi powiesz nowego, Mati?

– Że wybywam w świati! – odparłem. Wiedziała, że nienawidzę tego zdrobnienia. – Jak wrócę, dam znati.

– Jak się zapatrujesz na domową kolację?

Że uwielbiam domowe kolacje, też wiedziała. Wszystkie je tego nauczyłem. Człowiek jako mężczyzna jest słaby. Lubi mieć gdzie zjeść i spać.

– A konkretnie?

– A z winem i ze świecami!

– A po świecach mam zgagę.

Roześmiała się. Obiecała, że do świec dołoży coś ekstra. Czego nigdy jeszcze nie jadłem. Pychota! Nazywa się to czarcie polędwiczki. Rozmawiając, zobaczyłem drogowskaz przed polną drogą: „Jezioro Czernie 2 kilometry". Powtórzyłem Kaśce, że jak wrócę, odezwę się.

Przez dobrą godzinę krążyłem po leśnych duktach, ale nie znalazłem domu Rapacza. Miał mieć na froncie kratę z dzikim winem. Z nieba lał się żar. Około południa zjechałem nad jezioro, żeby popływać i się odświeżyć. Tam, gdzie pusto, bo nie zabrałem kąpielówek. Może Rapacz wcale nie mieszkał w tej okolicy, nie lubił chłopców, a scenariuszy nie czytał, tylko kazał je sobie streszczać ustnie. Czemu nie? Świat składa się z plotek i gówienka.

Matylda

Front domu obrastało wino. Pięknie wyglądał! Zwłaszcza głęboki, na pół oszklony ganek, spowity cieniem winorośli. Usiadłam w bujanym fotelu obok wiklinowego stoliczka. Zamknęłam oczy, rozkołysałam się. Czy Rapacz pali? W filmach tak, ale prywatnie? Może siada tu wieczorami, żeby wypalić cygaro? Patrzy na wielkie sosny szemrzące w półmroku. Uwielbiam mężczyzn palących cygara. Gorzko-kwaśny zapach, który ich otacza.

Skrzypnęły zawiasy.

Przestraszona otworzyłam oczy.

Drzwi domu uchyliły się i przymknęły.

Czyżby ktoś został w środku? Może ta z trąbką, co to pojawia się i znika ni w pięć, ni w dwanaście? Ale przecież sama widziałam, że Rapacz zamykał drzwi na zamek. To znaczy widziałam, że miał taki zamiar. Może po aferze z psem wyjął klucz, nie przekręciwszy go?

Więc co z tym skrzypnięciem? Przeciąg? Następny omen? Przecież nie odejdę stąd, żeby zostawić na pastwę losu taki bezcenny dom. Powinnam popilnować go, póki nie wróci właściciel.

Pchnęłam drzwi.

Odczekałam.

Wstawiłam nogę do środka.

Nic się nie działo. Zero alarmu.

Z wnętrza wydobywał się zapach owoców, psich perfum, kwiatów. Także cygar, także męskich kosmetyków. Może nie aż tak szczegółowo, jak to opisuję. W każdym razie przyjemna wonna mieszanina zawieszona w upalnym powietrzu.

Po przekroczeniu progu struchlałam. Na końcu cienistego korytarza stał Rapacz! Rozkładał ręce na powitanie, ubrany w pasiastą kamizelkę z filmu „Hrabina i ja".

– Przepraszam, było otwar... – zaczęłam zdetonowana.

I przerwałam. Równie zdetonowana.

Rapacz ani drgnął w swej powitalnej pozie. Był naturalnego wzrostu figurą z dykty. Takie stawiają przed kinami dla reklamy. Widać sentymentalny – i wziął sobie na pamiątkę. Poklepałam go łobuzersko po tyłku, zakolebał się od tej czułości. Był mało stabilny, bo od strony tyłka nie miał tyłka, tylko listewkę przybitą ukosem do podstawki.

Ściana zakręcała półkoliście, był w niej rozświetlony teraz słońcem trójdzielny witraż z delfinami. Całkiem jak akwarium. Za ścianą kuchnia. Absolutnie żurnalowa! W takiej mogłabym przez całe życie czekać z domowymi kolacjami na powrót mojego mężczyzny z rozdania Oscarów! No, może przesadzam. Na te Oscary wybrałabym się razem z nim, ale po powrocie upitrasiłabym coś tutaj z rozkoszą. Chyba żeby tam poderwał mnie De Niro.

Po prawej wielki salon. W połowie wysokości okrążała go galeryjka.

Ciekawostka architektoniczna! Z zewnątrz dom był nieduży, drewniany, natomiast w środku wydawał się rozległy i kamienny.

Wzdłuż schodów na galeryjkę wisiały fotosy. Rapacz z Alem Pacino, z Polańskim i z jego żoną, z Moniką Bellucci, z Depardieu. Jakbym szła po słynnym czerwonym dywanie w Cannes. Same ekstra-super-seksbomby! Pomijając Jana Pawła II i parę osób nie z branży, które też uśmiechały się ze ścian w towarzystwie Rapacza.

W piwnicy odkryłam basen (tak szmaragdowy, jakby wodę barwiono) i siłownię, a na poddaszu prawdziwe muzeum. W szklanych gablotach leżało pół mojego życia! Pilotka z filmu „Pilot", na którym całowałam się po raz pierwszy. Kij bejsbolowy z „Meandrów rzeki", na które wybrałam się w podniosłym nastroju jako świeżo upieczona studentka. Czarna maska z „Czarnej maski", na którą poszłam zapłakana, kiedy zostawił mnie Włodek...

Na stoliczku leżał album. Przejrzałam go z respektem. Rapacz w czułej pozie z wybrylantynowanym adonisem. Tego filmu nie widziałam, widocznie najnowszy. W szufladzie też znalazłam album. Ale zanim go otworzyłam, zastygłam sparaliżowana, jakby przede mną uderzył w podłogę piorun.

W szklanej szafce ujrzałam wiszącą na stelażu suknię. Białą, plisowaną, zwiewną... Od razu coś mnie tknęło!

Z biciem serca przykucnęłam przed mosiężną tabliczką na cokole szafki. Wgapiałam się w grawerowane litery jak zaczarowana. Wiedziałam! „MARILYN MONROE". Jezu, Rapacz kupił jej oryginalną suknię na jakiejś aukcji? Czy dostał w prezencie? Od niej samej? No nie, przecież kiedy się urodził, już nie żyła! „SEVEN YEAR ITCH". Nie kojarzyłam tego tytułu, ale to była suknia, w której śpiewała, że diamenty są najlepszymi przyjaciółmi kobiety... Źle, wróć! Wcale nie ta! To był „Słomiany wdowiec" z najsłynniejszą suknią w dziejach kina! Tą podwiewaną do góry przez wentylatory metra!

Najpierw usiadłam, żeby nie zemdleć. A potem poddałam się przeznaczeniu!

Otworzyłam drżącymi rękami gablotę. Wyjęłam drżącymi rękami suknię Marilyn. Ściągnęłam moją. Co ciekawe, też drżącymi rękami. Naciągnęłam tę nieziemską białą zjawę na siebie, modląc się w duchu, żebym jej nie rozdarła. Żebym nie zaprzepaściła erotycznej legendy kina. Pod palcami czułam niebo. Przed oczami płynęły mi śnieżne żagle chmur.

Najdziwniejsze było to, że suknia uwierała mnie w biuście. Jakbym miała odrobinę większy niż prawowita właścicielka. Byłam w niebie i już!

Zakręciłam się przed lustrem, aż i mnie podwiało. Mnie, a zarazem nie mnie! Uosobiony we mnie ideał kobiecości! Babę z Sèvres!

Że też nikt mnie teraz nie mógł zobaczyć...

I nagle kątem oka dostrzegłam w lustrze męską sylwetkę za moimi plecami. Kiedy przestraszona zastygłam w ostatnim erotycznym piruecie – miałam ją już przed sobą. Ciemne przeciwsłoneczne okulary zakrywały oczy faceta. Coś błysnęło w słońcu, a ja wyobraziłam sobie, że to ostrze siekiery. Unosił je oburącz, podchodząc do mnie. Celował w mój brzuch.

Wrzasnęłam histerycznie. Suknia Marilyn zawinęła mi się spazmatycznie wokół ud, po czym oklapła na mnie jak przekłuty balon.

Mateusz

Zainwestowałem pół setki. Koszt przelotu nad roziskrzonym od słońca jeziorem Czernie na spadochronie ciągniętym za motorówką. Dopiero z góry wypatrzyłem dom Rapacza. Trójkolorowa dachówka układała się w łeb ryczącego lwa, taki jak w czołówkach MGM. Był widoczny tylko od strony nieba, więc nie wszyscy wierzyli, że tam jest. Szczerze mówiąc, sam w to dotychczas nie wierzyłem. Ale uradowałem się, że naprawdę był. Dobrze wróżył wszystkim innym plotkom na temat Rapacza.

Zwłaszcza tym o ładnych, zgrabnych chłopcach.

Zostawiłem samochód pod sosnami. Cicho, pusto, na dodatek otwarte drzwi. W progu pełnił honory domu naklejony na dykcie Rapacz z filmu „Ja i hrabina". Klepnąłem go w płaski zadek, zawołałem, ale nikt się nie odezwał. Z pokoju na galeryjce dobiegały tupania. Pomyślałem, że facet ma tam salę ćwiczeń. Wszedłem po schodach i zajrzałem za pierwsze uchylone drzwi.

Przed lustrem wirowała dziewczyna. Jej biała suknia uniosła się rozkloszowana i wyglądały wspólnie jak Marilyn Monroe podwiewana na kratce tunelu w „Słomianym wdowcu". Tylko ta tutaj miała pod spodem gatki znacznie seksowniejsze niż tamta.

A poza tym darła się. Podwiewana Marilyn nie darła się na mój widok, chociaż ze trzy razy siedziałem wtedy przed ekranem. A ta sprzed lustra darła się i nie dawała sobie wytłumaczyć, że było otwarte, że wszedłem bez złych zamiarów, że tylko przyniosłem scenariusz do oceny. Kiedy podałem go jej na dowód, cofnęła się przerażona, jakbym zamierzał ją ukatrupić morderczą kombinacją Couriera 12 i trzech punktów kulminacji.

Podniosłem ręce do góry, wycofałem się za próg pokoju. Uspokoiła się od razu.

– Rapacz wyjechał, będzie dopiero późnym wieczorem – poinformowała mnie nawet.

Nie wiedziałem, kim ona jest, ale ogarnęło mnie przykre podejrzenie, że to jego flama. Czyli całą teorię o zgrabnych chłopcach można o kant potłuc. Byłem z tej przyczyny zły, prawdę mówiąc. Zapytałem ją, czy mogę zostawić u niej scenariusz, żeby go przekazała Rapaczowi. Wolała nie. Lepiej, żebym sam to załatwił z Rapaczem. Jasne, że lepiej, ale niektóre sprawy nieźle przeprowadza się za pośrednictwem kochanki. Ta biznesowa myśl błysnęła w mojej głowie, kiedy mili zgrabni chłopcy rozwiali się tam w siwy dym. Tylko czy ta dziewczyna była na pewno kobietą Rapacza? Pozory mylą.

Poprosiłem, żeby poczęstowała mnie szklanką zimnej wody i pójdę sobie.

Zeszliśmy do kuchni.

– Jesteś jego znajomym? – zapytała mnie.

– W pewnym sensie – odpowiedziałem enigmatycznie. – Zawodowo. Jestem scenarzystą.

– Więc to ty wymyślasz tych superfacetów, których on potem grywa?

– W pewnym sensie – powtórzyłem z uśmiechem, żeby nie zełgać zbyt otwarcie.

Przełknęła to bez problemu. Wyglądało, że jej orientacja w branży jest pobieżna. Nie dlatego tu była, jak się domyślałem. Nie znała tych, którzy faktycznie piszą scenariusze dla jej lowelaska. A jeśli jednak nie jest kochanką? Tylko kim? Siostrą? Gosposią?

Na wysokich taboretach w kuchni znów usadowili się z zadowolonymi minami zgrabni chłopcy, których przed chwilą spisałem na straty. Może jeszcze nie wszystko przepadło?

– Jesteście ze sobą, ty i Rapacz? – zapytałem obcesowo.

Może zbyt bezczelnie. Pogubiła się, bidulka, na te słowa. Otworzyła bez powodu dwie szafki, zanim znalazła lodówkę. Zarumieniła się staromodnie.

– W pewnym sensie – odpowiedziała, przedrzeźniając mnie. A potem dodała złośliwie: – Owszem, jesteśmy. A co, nie wyglądam według ciebie?

– Przeciwnie, wyglądasz jak Marilyn Monroe – zapewniłem pojednawczo. – W sam raz dla Clarka Gable'a, nie tylko dla Rapacza.

– Tak? A wolę Rapacza! On przynajmniej żyje – odcięła się, a zjawiskowi zgrabni chłopcy podnieśli się zgodnie ze stołków i wymaszerowali na zawsze.

Została tylko ona. Sto procent seksu. Zazdrościłem jej Rapaczowi, kiedy podawała mi wodę. Później zresztą też. Kiedy siedziała z nogą założoną na nogę na opuszczonym przez chłopców taborecie. Wyglądała w tej sukni, jakbym znał ją od lat. Tak długo jak Marilyn Monroe.

Nie chciało mi się odchodzić, mimo że nie miałem tu już nic więcej do roboty.

Zapytałem, czy pozwoli mi zapalić.

Jasne. A na deser zaproponowała kawę. Też jakby nie miała ochoty, żebym wychodził. No i wciąż się gubiła. Nie mogła znaleźć popielniczki, ekspresu do kawy. Podobno z powodu wychodnego gosposi. Nie ze mną te numery! Ewidentnie zrobiłem na niej wrażenie.

Matylda

Ryzykancko zaparzyłam kawę, mając na sobie bieluteńką suknię Marilyn. Czego się nie robi dla przystojnego faceta! Palił cygaro, upojnie pachniał gorzko-kwaśnym dymem i wodził za mną oczami. Znam to spojrzenie! Chyba z tego wszystkiego nie zauważył, że nie mogłam połapać się w kuchni Rapacza, błękitnej jak niebo od koloru tego witraża z delfinami. Zwaliłam winę na gosposię. Czasem muszę jej dać wychodne – powiedziałam mu – choć nie cierpię kuchennych zajęć. Kupił to kłamstwo bez mrugnięcia okiem.

Cudownie się z nim rozmawiało. Może dlatego, że w gruncie rzeczy to on był tymi wszystkimi błyskotliwymi facetami, którymi olśnił mnie Rapacz w mroku kinowej sali. Aktor błyszczy mądrością odbitą. To jego scenarzysta zna tak naprawdę świat, życie, kobiety. Aktor umie tylko tę wiedzę udawać i tyle. Tylko tyle.

Ani się spostrzegłam, kiedy w narkotycznym zapachu cygarowego dymu opowiedziałam mu całe swoje życie. To lepsze. Wymarzone. To, w którym śmiałam się, ile trzeba, płakałam, ile trzeba, i biegałam boso po rosie. Jeśli chce, niech zrobi z tego coś wspaniałego. Scenariusz na Oscara. Uwierzył w każde moje słowo – i nie dziwiłam się temu. Kobieta w sukience Marilyn, oblana błękitnym blaskiem witraża z delfinami, umówiona na kawę z Rapaczem, podrywana przez przystojnego scenarzystę palącego kubańskie cygaro – taka kobieta promienieje. Ma wszystko, czego potrzebuje. A to po kobiecie zaraz widać.

W którymś momencie zapytał, czy moje słowa znaczą, że czuję się spełniona. I czy umierając...

– Nie będę wtedy żałowała niczego! – wpadłam mu dumnie w słowo. – Że za mało się śmiałam albo nie biegałam boso po rosie. Posmakowałam każdej rzeczy. Prawie każdej. Już niczego więcej nie uronię z mojego życia. Zwłaszcza teraz, kiedy jestem z Rapaczem.

– To zabawne – rzekł na to takim tonem, jakby czegoś żałował. – Kiedy tutaj szedłem, byłem przekonany, że Rapacz jest gejem.

Kiedy to usłyszałam, udrożniły mi się nagle wszystkie logiczne zatory w moim mózgu. Jezu! Rapacz jest gejem! On ma rację! Te zdjęcia z albumów, które widziałam na górze! O la la! To wcale nie były filmowe fotosy! Ale byłam ślepa! Że też nie skojarzyłam niczego bez podpowiedzi! Moja łąka błyskawicznie obeschła z brylantowej rosy.

Ale roześmiałam się w głos, żeby chłopak mnie nie rozszyfrował.

– Nie żartuj! – żachnęłam się. – Co bym tutaj robiła, gdyby on był gejem?

– No właśnie.

Też uśmiechnął się rozbrajająco.

Interesujące! Właściwie czego tu szukał? Jakoś mało wyglądał na scenarzystę. Czyżby przyszedł do Rapacza na amory? Coś mnie natchnęło i zaproponowałam mu jajecznicę. Zauważyłam jajka w lodówce, kiedy szukałam wody mineralnej. To był dobry pomysł, ponieważ zgodził się, a jedząc z apetytem, opowiedział mi swój życiorys. Roiło się w nim od dziewczyn. Wiódł zdecydowanie damsko-męskie pożycie i taki mi się podobał.

A ja podobałam się jemu. Nawet nie próbował już tego ukrywać.

Upalne powietrze w kuchni zgęstniało jak zupa. Nie miałam pojęcia, jak się otwiera te fikuśne okna Rapacza. Mogłabym poprosić gościa, ale jeśli też nie będzie umiał? Zapyta mnie o dokładniejsze instrukcje. Nie, to już lepiej zaproponować mu spacer. I to szybko. Póki szczelnie zamknięte okna nie wydają się jeszcze podejrzane.

– Duszno dzisiaj, prawda? – zapytałam.

– Duszno – zgodził się ze mną. – Moglibyśmy się wykąpać. Ale nie zabrałem kąpielówek.

– Ja też – przytaknęłam.

Zerknął na mnie spod oka. Podejrzliwie. A ja zdrętwiałam poniewczasie.

Psiakość! Jak mogłam czegokolwiek nie zabrać i skąd? Przecież niby tu mieszkam!

– Bo mamy na dole basen! – przypomniałam sobie z ulgą. – Kąpiemy się nago!

Mateusz

Rzuciła pomysł wspólnej gołej kąpieli. Więc na dobrą sprawę już wiedziałem, jak to się skończy. Nawet nie wyszliśmy z basenu! To znaczy, nie wyszliśmy za pierwszym razem. Po raz drugi zrobiliśmy to na wyłożonej matą trampolinie. Była wspaniała!

Nie mówię w tej chwili o trampolinie, rzecz jasna.

Matylda

Był cudowny! Jezu, jaki cudowny! Takiego odlotu dotychczas nie przeżyłam!

Mateusz

Leżeliśmy potem na górnym tarasie na leżakach, pijąc drinki. Ma na imię Matylda.

Matylda

Spytał mnie o imię. On jest Mateuszem. Podoba mi się imię Mateusz.

Mateusz

Zaproponowałem, że zrobię następnego drinka. Matylda wyglądała na senną.

Na dole ubrałem się po cichu, zabrałem scenariusz i wymknąłem się od Rapacza na palcach. Na szczęście samochód zostawiłem po przeciwnej stronie. Niewidocznej z tarasu.

Jeszcze musicie cierpliwie poczekać, drodzy widzowie, ale w końcu pokażę wam, na co mnie stać! Bez opierania spraw o bufety, kochanki, zgrabnych chłopców! Postawię na nagą, nieposkromioną siłę mojego talentu!

Jasne, Matylda podobała mi się. Było mi dobrze jak nigdy. Najchętniej zostałbym z nią, ale patrzmy na życie trzeźwo. Mnie potrzeba zwykłej dziewczyny, a nie damulki rozpieszczonej przez kartę kredytową Rapacza. Takiej, która potrafi coś więcej niż jajecznicę, kiedy gosposia ma wychodne. Co mogłem jej dać, co mogłem od niej dostać? Było miło, ale się skończyło. Choć może żal... Powinienem sobie przyhołubić jakąś studiującą, pracującą, samodzielną. Która nie zacznie łkać na sofie, że się nudzi, kiedy będę akurat użerał się z zaskakującym zwrotem akcji w filmie, którego nie ma i nie wiadomo, czy będzie.

One lubią konkrety, a ja nie mam konkretów na zbyciu. Nie stać mnie póki co.

Chociaż podobno łatwiej pisać, kiedy się naprawdę kocha.

Matylda

Zeszłam z galeryjki w samych majtkach i zawołałam w stronę delfinów. Mateusz się nie odezwał. Nie usłyszał. Pewnie stał pod prysznicem. Odwiesiłam sukienkę Marilyn na miejsce, choć miałam pokusę, żeby tego nie robić. Zwyciężyła wrodzona uczciwość. Plus trzeźwe podejrzenie, że to jednak podróbka. Bo skąd tu nagle autentyczna Marilyn Monroe? Taka rozpadłaby mi się w dłoniach ze starości.

Włożyłam własną sukienkę i na palcach uciekłam z rajskiego domostwa Rapacza.

To był cudowny facet, ale nie dla mnie. Mówię o Mateuszu.

Łgarz i krętacz. Założyłabym się, że nie ma pojęcia o pisaniu scenariuszy. Scenarzyści nie palą cygar jak on. Producenci je palą. Poza tym wiedziałby, że Rapacz jest gejem, gdyby choć raz się z nim zetknął. Nie jest z branży. To jego gadanie o zawodowych kontaktach to bajka.

Szukał naiwnej.

W rzeczywistości jest fachowcem od rolet albo sprzedaje odkurzacze z pozytywką. Po to przyszedł do Rapacza, po nic innego.

Właściwie chciałabym, żeby naprawdę był scenarzystą. Najlepiej takim początkującym, który nie sprzedał dotychczas ani jednego scenariusza. Ale jest zdecydowany postawić wszystko na jedną kartę. Zrobić karierę. Żyłabym przy boku artysty, wspierała go, kibicowała jego dzielnej wspinaczce na szczyty. Albo została jego menedżerem! I zwyciężylibyśmy razem w pięknym stylu! To musi być odjazdowe doznanie! Pierwszy dzień świąt na okrągło i bez przerwy!

Ale nie można mieć w życiu wszystkiego, niestety.

Pal to licho! Jeszcze przeżyję, co mam przeżyć!

Mateusz

A jeżeli będę tego żałował do końca życia? Jeżeli na łożu śmierci nie pojawi się przed moimi oczami żaden zrealizowany lub niezrealizowany scenariusz, tylko niedopite piwa, nieprzeczytane książki i ta dziewczyna?

Matylda

Na ganek wpadłam biegiem. Liście winorośli szeleściły panicznie. Wsunęłam głowę przez drzwi. Na końcu korytarza musi stać postać z rozłożonymi powitalnie ramionami.

I tym razem to nie będzie Rapacz z dykty, wiem to!

Maciej Przepiera

SANSARA

Pułapki bez wyjścia są wytworem umysłu.
Opowiadanie dedykuję wszystkim uwięzionym.

– Niech się pieprzą! – prychnął Jepi, mrużąc oczy. – Wszyscy. I to najlepiej pomiędzy sobą. Przemądrzałe terapeucice niech się krzyżują z równie pokręconymi panami doktorami. Na zdrowie. Cholera, za każdym razem, gdy opuszczam ich pensjonat, moje ciało tryska witalnością, a w środku jestem rozwalony w drobny mak. Powinni ograniczyć się do tego, co potrafią robić, czyli do odtruwania. Ale nie, oni muszą człowiekowi grzebać w bebechach, muszą drążyć tam upierdliwie, niczym owsiki. A wszystko po to, żeby udowodnić, że coś jest z człowiekiem nie tak. A tam. Niech się pieprzą! – spuentował wątek i poprawiwszy na ramieniu niewielki plecak, ruszył raźniejszym krokiem do bramy szpitala psychiatrycznego.

– Aaa, kogóż to ja widzę? – Z budki strażnika wyłonił się uśmiechnięty pan Kazio, z którym Jepi lubił ucinać sobie pogawędki w trakcie spacerów po ogromnym przyszpitalnym parku. – Witam, mistrzu. Czyżby już nas pan opuszczał? Nie za wcześnie?

– Postanowiłem skrócić pobyt w tym przybytku – oznajmił Jepi, ściskając dłoń pana Kazia. – Trzy tygodnie w zupełności wystarczą. Poza tym dziś wieczorem jest wernisaż. Nie mogę przecież zawieść fanów – powiedział, poklepując sympatycznego strażnika po ramieniu. – A przede wszystkim swoich fanek – dodał na odchodnym, co Kazio skwitował już tylko wymownym uniesieniem kciuka w górę.

Nigdy już tutaj nie wrócę. Zatem żegnaj, Kaziu – pomyślał Jepi, skręcając na chodnik prowadzący w dół ulicy. Uczynił to z mocnym postanowieniem, iż nie odwróci się, aby po raz ostatni spojrzeć na szpitalne budynki. Jego plan na rozpoczynający się dzień był prosty, opracowany od dawna. Ponieważ mieszka zaledwie kilka przecznic dalej, pójdzie do domu pieszo. Tam zrzuci ciuchy przesiąknięte szpitalnym smrodem, dokładnie się ogoli, weźmie długą, gorącą kąpiel, ubierze się, zamówi taksówkę i ruszy do galerii. A tam, po spełnieniu swoich obowiązków w części oficjalnej, będzie mógł obdarzyć zainteresowaniem czekające już na to niecierpliwie, gotowe na wszystko, wielbicielki jego talentu. Na samą myśl o ich wygolonych, gładziutkich myszkach aż go ścisnęło w kroczu. Aż zakręciło mu się w głowie od wielotygodniowego postu. Na oddziale obowiązywał bezwzględny zakaz bliższych kontaktów z płcią przeciwną. Dziwny zakaz, zważywszy, iż nigdzie chyba tak wiele nie mówiło się właśnie o bliskości. Tudzież o trapiącej, w tak wielkim trudzie tam zgromadzonych, niedostępności emocjonalnej. Jepi podejrzewał, że ich opiekunom chodziło o szeroko pojętą niedojrzałość, do której zaakceptowania przekonywali swych podopiecznych każdego dnia. A zresztą i tak nie było tam ani jednej godnej uwagi niewiasty. Pacjentki prezentowały się tak żałośnie, iż nawet uruchamiając swój cały twórczy potencjał, nie był w stanie wyobrazić sobie seksu z żadną z nich. Kręciły się tam jeszcze co prawda terapeucice, niektóre całkiem ładne, wręcz piękne, jak na przykład taka Beata, czarnowłosa, zawsze zadbana kruszyna, która przeważnie wkładała na siebie kuse spódniczki i obcisłe bluzeczki. Widać w jakiś tajemniczy sposób pomagało to w leczeniu owej niedojrzałości męskiej części pensjonariuszy. A może i damskiej też. Kto wie. W każdym razie z taką Beatą to... E tam! – Jepi oprzytomniał znienacka, targnięty skrajnie sprzecznymi emocjami. Impulsem do nich była myśl, wyobrażenie, jak to ona w trakcie orgazmu, zamiast pojękiwać i wzdychać, jak niemal każda z mniej dojrzałych kobiet, zadaje mu terapeutyczne pytanie rodzaju: I co teraz mój kochany Jepi czujesz? A zaraz potem, badawczo mu się przyglądając, drąży dalej: Mógłbyś ponazywać to, co się zadziało?

W tym momencie Jepi stanął jak wryty. Do licha, jest przecież piękny słoneczny dzień. Przed nim wspaniały, niosący mnóstwo kuszących możliwości wieczór. Skoro tak, to dlaczego, skąd to rozdrażnienie?! No jasne, to przez nich, nawet na odległość potrafią wszystko popsuć. Robią mu pranie mózgu, choć on sam doskonale zdaje sobie sprawę z tego, co się dzieje. A dzieje się mianowicie to, że od czasu do czasu wpada w okresowe kłopoty. I tyle. Ale to się nie powtórzy. Po prostu zdarzało mu się zaniedbać kontrolę. Lecz to należy już do przeszłości, trochę samodyscypliny załatwi sprawę raz na zawsze.

Stojącego wciąż nieruchomo otoczyła rozwrzeszczana czereda dzieciaków biegnących przed siebie na oślep. Gdy nieco ochłonął z zaskoczenia, obejrzał się za siebie. Ustaliwszy, że źródłem żywiołu są wrota pobliskiej szkoły, w pierwszej chwili pomyślał, że nastąpiła jakaś katastrofa, alarm bombowy albo pożar, ale przyjrzawszy się młodym ludziom, zrozumiał, co jest przyczyną powstałego zamieszania. Otóż brać szkolna w całej swojej masie miała na sobie stroje galowe, a wszystkie buzie były rozradowane, co musiało oznaczać tylko jedno – oto nadeszły wakacje. Letnie wakacje! Gdy pierwsza fala żywiołu minęła, Jepi znów ruszył w dół ulicy. Tym razem powoli, w zamyśleniu. Przypomniały mu się jego własne szkolne czasy. Poczucie ekscytacji i szczęścia towarzyszące początkowi ferii. Poczucie, którego nic nie mogło zakłócić. Nawet świadomość tyrady ojca, która następowała nieuchronnie i nieodmiennie, po tym, jak ten zapoznał się już ze stanem umysłu syna wyrażonym w liczbach całkowitych. Jepi uświadomił sobie, że najwyraźniej posiadał wówczas, prócz niechęci do nauki, magiczną zdolność bycia szczęśliwym bez względu na okoliczności.

Tak go to odkrycie zdumiało, że aż znów się zatrzymał. Cóż zatem z tą zdolnością się stało? Gdzie podziała się owa prosta radość istnienia, która kiedyś towarzyszyła mu z byle jakiej okazji? A nawet bez okazji? Skoro zdaniem niektórych obecnie jest w pewnym sensie niedojrzały, to jaki był wtedy?

Jepi zacisnął szczęki. Żar lał się z nieba, a on poczuł, że coraz intensywniej się poci. To mu uświadomiło, iż kurtka, którą ma na sobie, nie jest odpowiednim okryciem na upalny dzień. Zdejmując ją pośpiesznie, kątem oka zarejestrował pewien dobrze znany sobie widok. Rzucające cień parasolki, kolorowe kwiaty w donicach między stolikami, krótko mówiąc, mała, przytulna knajpka, we wnętrzu której na pewno jest chłodno. Lubił do niej zachodzić ze względu na urzędującą tam barmankę Kasię. Ta nieraz już wyratowała go z opresji, wzywając jednego z dobrze sobie znanych taksówkarzy. Takiego, co to zapewniając w pełni dyskretną obsługę, nie tylko odtransportowywał Jepiego do mieszkania, ale i układał go w nim do snu. Tak właśnie, układał, gdyż oni, jako ludzie otrzaskani życiowo, wiedzieli, iż należy zadbać, aby człowiek znajdujący się w tym szczególnym stanie świadomości zapadł w swój głęboki sen ułożony na boku. A raz, może nawet dwa, Kasia w trybie awaryjnym ściągała profesjonalistów, którzy ekspediując go wprost do łoża na oddziale detoksykacyjnym, prawdopodobnie ratowali mu życie. Na wspomnienie tych zdarzeń w oczach Jepiego zakręciły się łzy.

Muszę odwiedzić Kasię.

Jak pomyślał, tak zrobił. Aby pozbyć się nieprzyjemnego, ponurego stanu ducha i pokazać tej szpitalnej bandzie, iż doskonale panuje nad tym, co robi, zdecydował się wypić jedno piwko. Jedno jasne z pewnością nie zaszkodzi. Jedno jasne rozjaśni ciemność, pomyślał, przekraczając próg, i ta jedna myśl istotnie rozjaśniła jego oblicze. Kasia ucieszyła się, widząc go w tak dobrej formie, a on postanowił nie przyznawać się do kolejnej wpadki. Tym bardziej że tym razem na oddział trafił wprost z domu, gdzie pił sam nie wie jak długo, a misję ratunkową zorganizowała opiekująca się nim wówczas fanka Małgorzata. Jednakże, gdy z werwą opowiadał Kasi o wystawie w Paryżu, skąd właśnie powrócił, ta wymownie uśmiechała się pod nosem, co i rusz spoglądając na jego plecak. Trochę go to zezłościło, wobec tego przeniósł się do ogródka.

E tam – pomyślał po kilku minutach smętnego wpatrywania się w resztki piany na dnie kufla. Po takiej przerwie dwa krzywdy też mi nie zrobią.

Jepi uważnie rozprowadzał płyn po kubkach smakowych. Taki plus detoksu, że po nim czuje się całe bogactwo aromatu i smaku. Dlaczego mam przestać pić piwo? – zapytał w myślach terapeucicę Beatę. – Przecież to nie alkohol, tylko niebywale smaczny, naturalny, uwarzony z roślin napój chłodzący.

– Upierdliwa jesteś dziewucha – wycedził, kręcąc głową, i wstał. Było samo południe, upał osiągnął właśnie swój szczyt, a Jepi miał jeszcze mnóstwo czasu. Zamówił trzecie piwo.

– Radosna nowina! – krzyknął, wchodząc do sypialni. – Dzisiaj będzie leżała tu dziewczyna. Rozebrał się do naga, rozrzucając ciuchy na łóżku, i poszedł napuścić wodę do wanny. Myśli o wieczornym podboju zamieniły się w impulsy do układu krwionośnego. Sygnały te spowodowały natychmiastowe przestawienie zwrotnic w arteriach krwionośnych oraz zwiększenie częstotliwości pracy pompy. W efekcie wszystko zaczyna skupiać się w okolicy środka ciężkości. Aż przychodzi moment, w którym płynie tam cała energia, a reszta pozbawiona zasilania gaśnie. Świadomość też. Na jedną chwilę, ułamek sekundy, umysł nieruchomieje. Francuzi mówią *petit mort*, mała śmierć. A jednocześnie dotknięcie szczęścia. Jepi spojrzał w dół, by z zadowoleniem odnotować fakt, iż kąt natarcia jest znacznie mniejszy niż dziewięćdziesiąt stopni, co świadczy o tym, iż biologicznie jest ze dwadzieścia lat młodszy niż kalendarzowo.

– Ech, Beatko, żebyś ty to widziała – mruknął. – Inaczej byś zaśpiewała.

Wanna napełniała się powoli, wobec czego udał się do salonu. Czuł się tak znakomicie, że nie zamierzał odmawiać sobie małego drinka, tym bardziej że w pełni na niego zasługiwał.

Już ze szklanką w ręku zwrócił uwagę na karteczkę opartą o popielniczkę. Była to wiadomość od fanki Małgorzaty, tej samej, która oddała go w ręce medyków. Pisała, że tęskni, że jej go brakuje i takie tam. Na koniec zaś, że czeka na telefon, bo bardzo chciałaby się spotkać, jak tylko on będzie miał na to ochotę. Westchnął ciężko i pociągnął solidny łyk. Prawda jest taka, że zdążył już o niej zapomnieć. Trzeba jej jakoś o tym powiedzieć. A może lepiej nic nie mówić? Zapaść się pod ziemię i już. No tak, ale to będzie wiązało się z dorabianiem kolejnego kompletu zapasowych kluczy. To nie najlepsze rozwiązanie. Jepi ze zgrozą zobaczył oczami wyobraźni następującą scenę: ściągnięte jakimś niepojętym zbiegiem okoliczności wszystkie wolontariuszki jego życia stawiają się w tej samej chwili pod drzwiami jego mieszkania, jednocześnie zaczynają grzebać w swoich torebkach i…

Ciepła woda łagodnie pieściła ciało. Zapalił papierosa i zaczął powoli sączyć drugiego drinka, spreparowanego dla pobudzenia procesów myślowych. Coraz bardziej rozluźniony wyciągnął się w wannie. Postanowił, że jak już trochę okrzepnie, zadzwoni do tej Małgosi. Powie jej, że w trakcie psychoterapii pogłębionej doszły do jego świadomości pewne smutne fakty. Jak chociażby taki, że w chwili obecnej, ze względu na swoje liczne dysfunkcje, nie jest w stanie zbudować zdrowego, trwałego związku. Ani w ogóle żadnego. Kierując się zatem świeżo kiełkującą dojrzałością, postanawia być sam aż do momentu, gdy owa dojrzałość mocniej się w nim zakorzeni.

Uporawszy się z tym problemem, Jepi postanowił pomyśleć o czymś przyjemniejszym. Na przykład o wakacjach. Wakacje. Tak, i jemu należał się odpoczynek. A może by gdzieś wyjechać? Krysia, opiekująca się materialną stroną jego istnienia, z pewnością coś sprzeda. Skoro twierdzi, że to będzie udana wystawa, to tak się stanie. Nikt tak dobrze nie zna się na tej robocie jak ona. Może góry? Cisza i spokój. Chata na zboczu. Przestronne poddasze. I może kobieta na dokładkę. Zielonooka, czarnowłosa góralka. Albo jeszcze lepiej, dobrze sytuowana dama powracająca z jakiegoś cywilizowanego kraju, do którego wyemigrowała w dzieciństwie wraz z rodzicami. Niezmanierowana. Ciesząca się życiem. Nietrwoniąca czasu na wyliczanie niespełnionych oczekiwań. I wolna. Tak, uwolniona od sączącej energię, osiągającej najdalej po miesiącu znajomości moc kosmicznej czarnej dziury, potrzeby obdarowania jej poczuciem bezpieczeństwa. Tak, może tam, w górach, przypomniałby sobie rzeczy zapomniane. Taka kobieta na pewno by mu w tym pomogła.

Jepi potarł swój gładki podbródek. Golenie po wielu dniach przerwy wprowadzało go w doskonały nastrój, kojarzyło mu się bowiem z zaczynaniem czegoś od nowa. A przynajmniej z szansą na zmianę. Z tym większym zadowoleniem odnotował fakt, iż wraz z jego pojawieniem się w sali toczące się swobodnie rozmowy przeszły w pełen szacunku pomruk, a uwaga wszystkich w widoczny sposób skupiła się na nim.

– Witaj, Jepi. – Pierwsza dotarła do niego Krystyna. – Cóż za punktualność – zauważyła, podając mu dłoń i jednocześnie lustrując go uważnie. – I prezentujesz się wspaniale. Oj, twoje dzieła pójdą dziś jak ciepłe bułeczki.

– Byłoby dobrze, ale jeśli tak się stanie, to będzie, Krysiu, twoja zasługa, wszystko jest jak zwykle dopięte na ostatni guzik, pełny profesjonalizm – pochwalił ją, rozglądając się po sali.

Niemniej jednak coś go niepokoiło. Czuł się jakoś dziwnie. Niezwyczajnie. I choć zdawało się to niemożliwe, wyglądało na to, że jest kompletnie trzeźwy. Zapytanie o to Krysi wprost wydało mu się niemądre, ale ona swym zachowaniem zdawała się tę jego trzeźwość potwierdzać. Czyżby terapeucice, nie zważając na to, czy on tego chce czy nie, wszczepiły mu jakąś nową tajną broń? Jakiegoś genetycznego chipa, sabotażystę powodującego, że człowiek z taką pluskwą w środku nie może się już normalnie upić? Nie może, bo jego organizm przerabia alkohol z powrotem na cukier i dwutlenek węgla. Tylko po cóż wtedy pić? Jepi, spojrzawszy na kręcących się po sali kelnerów z lampkami szampana, poczuł, że to może być prawda. Bo w ogóle nie chciało mu się pić, a coś takiego mu się wcześniej nie zdarzało. Nie móc, owszem, ale nie chcieć? Nigdy. A najdziwniejsze w tym wszystkim było to, że wcale mu to nie przeszkadzało.

Ustaliwszy te fakty, postanowił natychmiast wnikliwie zbadać kolejne intrygujące go zjawisko.

– Drogi Jepi – zaczęła Krystyna, osadzając go w miejscu – chciałabym cię przedstawić pewnemu kolekcjonerowi, to przyjaciel…

– Krysiu, Krysieńko kochana – przerwał jej. – Może i świetnie wyglądam, ale czuję się nieco zmęczony, pozwól, że zaszyję się gdzieś na uboczu, tylko na chwilę, a potem, jak już dojdę do siebie, wezmę się ostro do roboty. Obiecuję. – Uniósł dłoń w geście przysięgi i nie czekając na jej przyzwolenie, ruszył w kierunku marmurowej ławeczki usytuowanej w głębi sali.

Na początek pewne było jedno: znajdująca się tam postać była płci żeńskiej. Zamanifestowała zaś swą wyjątkowość tym, że na niej, jako jedynej w towarzystwie, jego pojawienie się nie zrobiło najmniejszego wrażenia. Nawet nie drgnęła. On oczywiście natychmiast to zauważył. Dotknęło go to, a jednocześnie rozbudziło ciekawość. Koniecznie musiał ją poznać. Natychmiast.

Nie siedziała w wyszukanej pozie. Przyglądała się wiszącemu przed nią obrazowi wyprostowana, z lekko zadartą głową. Jepi najpierw dostrzegł jej profil, potem zanurzył się w otaczającym ją zapachu, a na sam koniec poczuł wyraźnie, jak jego zaintrygowanie błyskawicznie przemienia się w nerwowe napięcie towarzyszące onieśmieleniu i zwykłemu strachowi. Tej obawie, pojawiającej się w nim rzadko, a ostatnio już wcale, gdy naprawdę zaczynało mu zależeć. Prawdą bowiem było to, o czym mało kto wiedział, a może i nikt, że kobiety Jepiego onieśmielały. Oczywiście patrzący z zewnątrz niczego nie podejrzewali, mężczyźni wręcz zazdrościli mu powodzenia. W rezultacie otoczony wielbicielkami Jepi zdążył zapomnieć, co znaczy, jak to się potocznie mówi, dostać kosza. I jakiej odwagi potrzeba, żeby poprosić o numer telefonu, zaprosić na spacer czy kawę. Teraz sobie to przypomniał. Przezwyciężenie pokusy ucieczki było nie lada wyczynem. Aż się spocił.

– Przepraszam, że pani przerywam... – Początek wyszedł mu jakoś sztucznie, odchrząknął zatem niezgrabnie i kontynuował: – Przepraszam, ale czy mógłbym usiąść obok pani?

A ona nic. Siedziała dalej jak zahipnotyzowana. Po chwili zaczął odnosić wrażenie, że trwa to całe wieki. Że w sali zapadła wszechobecna cisza, a wzrok wszystkich skupił się na nim, zastygłym w pełnym szacunku pochyleniu. W końcu wydało mu się, że przymknęła powieki w geście przyzwolenia, co skwapliwie wykorzystał, siadając obok.

Czując się niezręcznie i sztywno, niby również przyglądał się obrazowi, co i rusz jednak rzucał ukradkowe spojrzenia w bok. Jednocześnie analizował to, co mu się przytrafiło. Przez ostatnie lata ugruntowało się w nim przekonanie, że tak doświadczonemu człowiekowi jak on nie grozi już odbierające rozsądek zauroczenie. Przyzwyczaił się do wygodnego, samotnego życia. Do własnej przestrzeni, w której pozwolił czasem polatać jakiemuś ptaszkowi. Ale nigdy dłużej niż przez chwilę. Gdyby ktoś go o to teraz zapytał, nie umiałby odpowiedzieć, czy siedząca obok niego kobieta jest piękna. Widział jedynie czarne, opadające swobodnie na ramiona włosy. Widział też dłonie – smukłe, z długimi, pozbawionymi biżuterii palcami. Tak, dłonie miała piękne. Cóż poza tym? Reszta działa się w środku. Jepi czuł rozpływające się po nim gorąco oraz smak zapomnianego koktajlu uczuć. Pojawiły się też pierwsze symptomy jego działania: walące serce oraz szybko postępujący paraliż wszystkich narządów. Wiedział, że organy mowy ulegną mu jako jedne z pierwszych. Obiecał sobie, że się temu nie podda, że nie pozwoli jej odejść bez słowa. Na szczęście nic nie wskazywało na to, żeby ona się gdzieś wybierała.

Jepi zaczął gorączkowo obmyślać różne warianty zagajenia rozmowy, ale nic nie wydawało mu się wystarczająco błyskotliwe.

– Ten obraz, podoba mi się – usłyszał niespodziewanie, a jej głos, tak jak się tego spodziewał, był czarujący. – Jest całkiem inny niż reszta.

Zaskoczyła go. Czym ta abstrakcja aż tak bardzo różniła się od pozostałych? Gdyby to tylko od niego zależało, obraz dalej leżałby na stercie nieudanych i niedokończonych prac. Niestety, Krysia go stamtąd wyciągnęła i uparła się, żeby wyeksponować. Jepi za nim nie przepadał, gdyż pokazując go innym, odczuwał trudne do zniesienia zażenowanie.

– Bije od niego takie ciepło – kontynuowała jego milcząca do tej pory sąsiadka. – Ono rozlewa się w środku, niosąc spokój. Piękny – westchnęła – wprost nie mogę oderwać od niego wzroku.

Nagle, w jednej chwili, na niego też spłynął spokój, a paraliż minął, tak że mógł swobodnie odwrócić się w jej stronę i przemówić:

– Dokładnie to samo czuję, spoglądając na panią.

Niby jedno krótkie zdanie, ale Jepi nie spotkał się jeszcze z taką miękkością swojego głosu. Trochę przestraszony tym, co teraz może nastąpić, dzielnie jednak na nią spoglądał.

Jego słowa musiały mieć sporą moc. Odwróciła głowę i lekko ją pochyliwszy, spojrzała mu głęboko w oczy.

– Dziękuję – powiedziała, po czym wróciła do kontemplacji obrazu.

Jepiemu zaś wrócił paraliż. Kilka rzeczy nim wstrząsnęło, a kilka zaskoczyło. Jak chociażby jej krótkie „dziękuję". Żadnego krygowania się, trzepotania rzęsami tudzież rumienienia ze skromnie opuszczonym wzrokiem. Jednak najbardziej poruszające było jej przenikliwe spojrzenie. Jepi odniósł wrażenie, że jego wygląd zewnętrzny był dla niej czymś niemalże bez znaczenia. Może to i trywialne, ale w życiu nie widział tak pięknie zielonych oczu.

– Artyści powinni mieć w sobie spokój – usłyszał. – W ich dziełach zmagazynowana zostaje energia, którą one potem emanują. Co pan o tym sądzi?

Milczał przez dłuższą chwilę.

– To ciekawa teoria – rzekł w końcu ostrożnie.

– Chodzi mi o to – ciągnęła, delikatnie, niby przypadkiem, dotykając jego dłoni – że być może to, co pan teraz czuje, to ta właśnie energia. Myślę, że tylko takie dzieła mają sens.

Znów patrzyła w jego oczy.

– Wie pan, moim zdaniem, tutaj na ścianach wisi tylko jeden

obraz. Reszta to... – machnęła ręką – szkoda słów – zakończyła, wybijając po raz kolejny Jepiego z konceptu, bo uświadomił sobie, że ona prawdopodobnie nie wie, z kim rozmawia.

– Czy pani się gdzieś spieszy? – odważył się zapytać po tym, jak dyskretnie spojrzała na zegarek.

– Tak. Jestem tutaj przypadkiem, awaria na lotnisku spowodowała, że przełożono loty. Jednak już na mnie czas.

Wiedział, że powinien szybko coś zrobić, poczuł pojawiające się pierwsze objawy paniki, a także, że musi natychmiast... lecieć do toalety. W takim momencie! Zerwał się, wymruczał pod nosem ni to przeprosiny, ni to słowa pożegnania i pognał, żeby zdążyć.

Przy pisuarze, wraz z wielką ulgą przez jego umysł szeroką falą popłynęły myśli. Przypomniał sobie okoliczności, w jakich namalował ten obraz. Stało się to, gdy po raz pierwszy i jak na razie ostatni, wyrwawszy się ze szponów terapeucic, w drodze do domu nie zahaczył o knajpę Kasi. Wtedy, żeby zabić czas, puścił w domu pierwszy lepszy film i podjadając pikantne skrzydełka z megakubełka, jakoś sobie radził. Film był średni, ale grał w nim Nicolas Cage, jeden z jego ulubionych aktorów. Dopiero na sam koniec Cage przemówił do Cage'a (grał w tym obrazie bliźniaków) zdaniem, które wstrząsnęło Jepim. „Najważniejsze w życiu jest, żeby kogoś kochać, nie żeby być kochanym". Nawet nie oglądał do końca, tylko od razu zabrał się do malowania. Zdaje się, że według jej teorii ten film był prawdziwym dziełem.

Jepi zaczął się śpieszyć. Powrócił myślami do tajemniczej nieznajomej. Doszło do niego, że przez cały ten czas nie miał ani jednej erotycznej wizji z nią związanej. Nie był tego w stu procentach pewien, ale coś takiego chyba mu się jeszcze nie zdarzyło. Nawet nie zna jej imienia. Cholera, nic o niej nie wie. Trzeba działać, bo jeśli ona teraz zniknie, to zapewne już nigdy więcej jej nie zobaczy.

Rzucił się do drzwi, lecz one same otworzyły się z rozmachem, a do wnętrza szeroką strugą wlała się woda. Zupełnie jakby miasto zostało zatopione. Jepi nawet nie zdążył się zdziwić ani zbuntować, że przecież zdaniem naukowców fala tsunami spodziewana jest w tym rejonie nie prędzej niż za kilka tysięcy lat.

Krztusił się i kasłał, walcząc o oddech. W ustach czuł smak mydła i piany. Przecierał dotkliwie szczypiące oczy. Przyznać trzeba, że to przyśpieszyło obudzenie jego gasnącej świadomości. Jepi spojrzał na swój wodoszczelny zegarek.

Zaklął siarczyście, wyskakując z wody jak poparzony, choć ta była całkiem zimna.

Zaspał. W samym środku dnia. Stwierdziwszy to, rzucił się do telefonu, by zamówić taksówkę. Następnie pośpiesznie się ubrał.

Na koniec, przed samym wyjściem, spojrzał jeszcze w lustro. No masz, zapomniałem się ogolić – pomyślał, przygładzając włosy. – E tam, artyście uchodzi.

Nie czuł się najlepiej. To pewnie po tym mydle. Dlatego tym razem nie przeszkadzało mu specjalnie, że mało kto zwrócił uwagę na jego dyskretne pojawienie się w sali. Jedyną osobą, która namierzyła go niemal natychmiast, była Krystyna. Z czarującym uśmiechem przeprosiła mężczyznę, z którym rozmawiała, i ruszyła w kierunku Jepiego.

– No, jesteś nareszcie – zaczęła, taksując go wzrokiem od stóp do głów. – Wyglądasz, hmm, nieszczególnie. Zdaje się, że tym razem kuracja miała wyjątkowo ciężki przebieg. – Przemawiała do niego lekko zduszonym głosem, wiedział, że jest na niego wściekła i najchętniej pokrzyczałaby sobie teraz w zupełnie innym języku, ale w tym szacownym miejscu nie mogła sobie na to pozwolić. – Tak, i po raz kolejny nie przyniosła oczekiwanych rezultatów – zakończyła ironicznie.

– Przepraszam – wykrztusił – ale, nie uwierzysz…

– Nic nie mów – przerwała mu, unosząc dłoń. – Lepiej nie.

Chwilę stali w milczeniu. Miała rację, to, że o mały włos nie utopił się we własnej wannie, nie było żadnym wytłumaczeniem.

– Wybacz, Jepi. – Zdumiał go jej zadziwiająco spokojny głos, zazwyczaj złość nie mijała jej tak szybko. – Wiesz, większość ludzi, którzy tutaj są, doskonale zdaje sobie sprawę z tego, co cię trapi. Myślę, że doceniają fakt, że w ogóle przyszedłeś. Poza tym, cóż, wielu niepokoi się o ciebie. Ja też.

Wyraźnie wzruszona, otworzyła torebkę i zaczęła, jak to kobieta, przeczesywać jej zawartość w poszukiwaniu tego, co aktualnie potrzebne. Wreszcie, będąc już na skraju tej desperacji owocującej wysypaniem zawartości na podłogę, wydobyła z niej świstek papieru.

– No, jesteś, złociutki – oświadczyła z wyraźną ulgą. – Nie jestem pewna, czy powinnam ci o tym dziś mówić. Bo wiesz, nie rozumiem, dlaczego życie, mimo że tak je gmatwasz, aż tak bardzo ci sprzyja. Pomaga ci jak jasna cholera. Hmm, może ty masz coś specjalnego do zrobienia?

– Nie rozumiem, o czym mówisz.

– Już ci wyjaśniam. Bardzo się upierałeś, żebyśmy nie eksponowali jednego ze znajdujących się tutaj obrazów, pamiętasz?

Natychmiast rzucił okiem na drugi koniec sali, ale nie na obraz. Niestety, ławka była pusta. Skinął Krysi głową dla potwierdzenia, że wie, o czym mówi.

– Wiesz, co to jest? – zapytała, machając mu przed oczami wydobytym z torebki kawałkiem papieru.

– Jakiś papier. Proszę, przestań mnie dręczyć tajemnicami, nie jestem dziś w formie do rozwiązywania zagadek.

– Byłam tutaj, jak to zazwyczaj, długo przed oficjalnym otwarciem. Wiadomo, że trzeba wszystkiego dopilnować. Jako jedna z pierwszych zjawiła się nieznana mi kobieta. Można by rzec, dama. Dość szybko obeszła całą salę. Zatrzymała się dopiero przed obrazem, którego tak nie lubisz. Potem usiadła na tamtej ławce – tutaj Krysia pokazała mu ją wzrokiem. Nie musiała tego robić, dobrze wiedział, o której mówi. – Siedziała tam dobrą godzinę. Na koniec odnalazła mnie i zapytała, czy obraz jest na sprzedaż. Podałam jej cenę, a ona wyjęła czek i wypisała go.

– I to wszystko? A cóż w tym takiego dziwnego? – zapytał, czując rosnący niepokój.

– Niby nic, tylko kwota na czeku, którą ona wypisała, jest w funtach brytyjskich. A to oznacza, że możesz sobie wreszcie kupić tę wymarzoną chatę w lesie albo w górach.

– Nie mogę – oświadczył z ulgą. – Musimy tę kobietę odnaleźć i wyjaśnić nieporozumienie.

– Też o tym myślałam. Niestety, nie da rady.

– Jak to nie da rady? Przecież mamy czek. Gdzieś wysyłamy ten obraz. Zostawiła chyba jakąś wizytówkę, numer telefonu – zaczął się niecierpliwić.

– Jepi, a może ty ją znasz? – Krysia przyglądała mu się badawczo. – Bardzo żałowała, że nie zobaczyła się z tobą. Niestety, nie mogła dłużej czekać, była tutaj tylko przejazdem. Prosiła, żebym cię pozdrowiła.

– Awaria na lotnisku – wymruczał pod nosem.

– Tak, skąd wiesz?

– I miała piękne, niespotykanie zielone oczy, tak?

– Tak, Jepi…

– I czarne, opadające na ramiona włosy – kontynuował. – I żadnej biżuterii na sobie.

– Jepi, to jakiś kawał, prawda?

– Nie, Krysiu, to nie kawał. Jak się domyślam, nie wiemy o niej nic, obraz poleciła komuś podarować, pewnie jakiejś instytucji, a czek jest do zrealizowania w renomowanym banku, w którym ani za tabliczkę czekolady, ani za żadne skarby świata niczego się o niej nie dowiemy.

Krysia, zaskoczona jego przenikliwością, ograniczyła się do potwierdzającego skinienia głową.

Dlaczego to życie jest takie popieprzone? – zapytał sam siebie w myślach, sięgając machinalnie po lampkę szampana. Wychylił ją duszkiem. I co miał Krysi powiedzieć? Że wcale nie jest szczęściarzem i że nigdy nim nie był? Wszystkim dookoła tak się wydaje, a tylko on jeden zna prawdę. Tak jak teraz. Po raz kolejny został w perfidny sposób wydymany, zmielony i przeżuty przez Koło Sansary, a potem wypluty w sam środek cuchnącej kałuży. A odbyło się to w taki sposób, że powinien skakać z radości.

Przeprosił Krysię, mruknął, że zakręciło mu się w głowie od tych rewelacji i musi dojść do siebie. Potem ruszył w kierunku pustej marmurowej ławeczki. Zanim do niej dotarł, wypił jeszcze jedną lampkę, a w kolejną się zaopatrzył.

Spoglądając samotnie na obraz, doszedł do jednego wniosku. Mianowicie takiego, że nic z tego nie rozumie. To, czego doświadczył w wannie, było tak wyraziste, tak realne. Do tej pory czuł jej zapach, słyszał brzmienie jej głosu. Zupełnie jakby to było naprawdę. Tylko po jaką cholerę życie pokazywało mu jakiś lepszy świat? By zaraz potem wrzucić w ten gorszy. Czemuż tak się pastwisz nade mną? – zapytał rozgoryczony.

Długo się jednak nad sobą nie użalał. Dość szybko poczuł rosnącą irytację i postanowił, że jak tak, to tak, on ma wszystko gdzieś, napije się jeszcze szampana (kolejny naturalny wyciąg z roślin) i już. Później zaś, krocząc dumnie, acz nieco chwiejnie, pośród grupek rozentuzjazmowanych wielbicielek, czuł się coraz bardziej wyindywidualizowany. A rzeczywistość stawała się jakby płynniejsza. Wszystko to męt i namuł – skonstatował, przekradając się chyłkiem w stronę wyjścia. Po drugiej stronie ulicy był bar, a w nim bardziej odpowiednie na jego stan ducha trunki.

– Urocza jesteś – wyszeptał, przyglądając się pochylonej nad nim cudnej istocie. Anielica z czarnymi włosami!? Nie ruszaj się, proszę. Uniósł dłonie w uspokajającym geście. A jakie piękne usta. Jakie krągłe ramiona. Zaraz cię namaluję.

Anielica z dezaprobatą pokręciła głową.

– Chrzanisz, Jepi – wydobyło się spomiędzy jej wilgotnych warg.

Zamrugał powiekami.

Beata!? No nie, czyżbym się z nią przespał?

W tym momencie ponad nieupadłą anielicą dostrzegł dobrze sobie znane wężyki kroplówek.

– O ja cię pieprzę! – wyrwało mu się.

– Mnie również miło cię znów widzieć – zauważyło boskie stworzenie.

Ewa Ostrowska

ACH, JAKIE PIĘKNE RÓŻE

Boże, jak dobrze jest obudzić się przy boku tej swojej kochanej mordy, niewidzianej cały długi miesiąc. Byli ze sobą rok i rzadko zdarzały się im rozłąki – nigdy dłuższe niż dwa, trzy dni. Nieoczekiwanie dla siebie Jacek, student czwartego roku Szkoły Teatralnej, otrzymał propozycję zagrania głównej roli w godzinnym filmie telewizyjnym kręconym we Wrocławiu. Szalał z radości, ona również. Zobaczysz, powtarzała, to początek kariery. Będziesz sławny! Żegnając się, Jacek miał łzy w oczach, więc go pocieszała, że ten czas szybko mu zleci i przecież nie wyjeżdża na koniec świata, a w ogóle, to i tak w lutym niewiele mieliby czasu, ponieważ ją czeka sesja, pięć cholernych egzaminów, w tym statystyka, postrach wszystkich na roku. Pociąg ruszył, Jacek stał w otwartym oknie. Pamiętaj, że cię kocham, Magda!

Po kilka razy dziennie wysyłali do siebie esemesy, dzwonili wieczorem, żeby powiedzieć: dobranoc, dzwonili rano, żeby przywitać się: dzień dobry, miłego dnia, chociaż głos swój usłyszeć, skoro nie mogą być ze sobą w każdej wolnej chwili, pojawić się na pierwszym piętrze pubu w Kaliskiej, gdzie światła lekko przyćmione i nastrojowa muzyczka stwarzają dla takich jak oni intymny nastrój i można się poprzytulać lub pójść na trzecie piętro i jeśli akurat nie odbywa się tam koncert, wyszaleć się na dyskotece, aby potem, na zakończenie dnia, zjeść wspólnie kolację w kawalerce wynajmowanej przez Jacka, zawsze przy świecach, z jej ulubionym winem, półwytrawną kadarką. Ich studenckie kieszenie nie pozwalały na kanapki z wędzonym łososiem, z reguły jedli jajka przyrządzane na różne sposoby albo smażone kartofle, lecz wino musiało być, obowiązkowo, zaletą zaś kadarki była poza smakiem niewątpliwie cena, zaledwie osiem złotych, składali się po cztery zet i udawali, że jedzą medaliony Cordon Bleu, popijają bordeaux rocznik pięćdziesiąt pięć, a na deser nieodmiennie życzyli sobie banany z kremem czekoladowym. Potem szli pod prysznic i kochali się na nieco wąskim tapczanie Jacka. Przed wyjazdem Jacek powiedział: „Gdy wrócę, pojedziemy do moich rodziców, wreszcie muszą cię poznać", i wsunął na jej palec wąziutkie złote kółeczko z maleńkim brylancikiem.

Była szczęśliwa.

I teraz, przyglądając się śpiącemu, tej swojej kochanej mordzie, jak go często nazywała, niczego poza tym porywającym szczęściem nie czuła. Znów są razem. I tylko to się liczy.

Otworzył oczy.

– Hej – powiedział. Zawsze tak mówił i dodawał: Kochanie.

– Hej – odpowiedziała i pocałowała go w czubek nosa.

Uśmiechnął się, objął ją mocno.

– Słuchaj, muszę ci coś ważnego powiedzieć.

– To nie jest konieczne. Nie śpieszmy się. Zresztą, okropnie się boję twoich rodziców.

Przygarnął ją jeszcze silniej.

– Nie chodzi o rodziców.

– Nie?

– Chodzi o to, że... – wtulił głowę w jej ramię. – Ja się zakochałem.

Roześmiała się.

– Wiem o tym nie od dzisiaj, moja mordo kochana.

– Od pierwszego spojrzenia. Zaiskrzyło między nami natychmiast.

– W takim razie ze mną było inaczej. Bynajmniej nie od pierwszego spojrzenia. Masz kaczy nos i krzywe nogi. Trochę musiałeś się natrudzić.

– O Boże. Czy ty niczego nie rozumiesz?

– Niby co tu jest do rozumienia? Lepiej wstańmy i weźmy prysznic. A potem dużo kawy i grzanki. Tak się na mnie wczoraj rzuciłeś, że nie zdążyliśmy zjeść kolacji. Ale to było bardzo, bardzo miłe.

Usiadł. Chwycił się rękami za głowę.

– Zakochałem się w innej dziewczynie, rozumiesz?

Oczywiście, podpuszcza. Zawsze lubił ją podpuszczać. Kiedy w zeszłym roku wybierali się nad Śniardwy, oznajmił z ponurą miną, że muszą pojechać gdzie indziej, ponieważ w Śniardwach pojawiły się piranie i wszystkie kąpieliska zostały zamknięte. Właściwie to już koniec Mazur, piranie rozmnażają się w piorunującym tempie i zaraz będą wszędzie, w każdym jeziorze, rzece, strudze, a ona dała się nabrać i zawołała ze zgrozą: O mój Boże, to straszne!

– Przestań. Bo ci jeszcze uwierzę.

– Magda. To prawda.

– Jak piranie na Mazurach?
– Magda, mówię poważnie. Sam nie wiem, jak to się stało. Spojrzeliśmy na siebie i...
– I? – zapytała. Wyglądał tak, jakby się miał zamiar rozpłakać. Ale przecież go znała, często przed nią odgrywał różne scenki, był jej teatrem, ona jego publicznością, potrafił rozśmieszyć do łez lub wzruszyć, też do łez.
– Nie chciałem cię skrzywdzić, Magda.
– Ćwiczysz przede mną nową rolę? Wyluzuj, ta mi się nie podoba.
– To nie rola. Boże, Magda! Jak mam ci to powiedzieć, żebyś uwierzyła?
Wysunęła się spod kołdry. Sięgnęła po koc. Otuliła się nim szczelnie. Usiadła przy stole. Zastygła, bezkształtna bryłka stearyny w świeczniku, niedopity szampan, dwa talerze, na nich ledwo nadgryzione kanapki z wędzonym łososiem; stawiał Jacek – miał kasę i propozycję dalszej współpracy z reżyserem.
– Ma na imię Dagmara. Jest zjawiskowa, ale otrzymała małą rólkę, chociaż zasługuje na więcej.
– Aha – powiedziała. – A wiesz, czego tu na tym stole brak?
– Posłuchaj, Magda...
– Ależ cię słucham, słucham. Łosoś jest, szampan, a gdzie medaliony Cordon Bleu i banany w czekoladzie?
– Magda, ja naprawdę nie chciałem ciebie skrzywdzić. – Jacek otarł oczy. – Ja ci to zaraz wszystko po kolei wytłumaczę.
– Nie musisz. – Otuliła się szczelniej kocem; jakaś awaria centralnego? dlaczego tu tak zimno? – Odpowiedz mi tylko na jedno pytanie: kiedy?
– Co: kiedy?
– Kiedy ją poznałeś? Po tygodniu? Po dwóch?
Milczał.
– Aha – powiedziała. – Znaczy: pierwszego dnia.
– Ona nie taka. Nie poszła ze mną od razu do łóżka – zaprotestował. – Co robisz?
– Zbieram swoje ubranie z podłogi – wyjaśniła i chciała dodać: które tak ze mnie wczoraj namiętnie zdzierałeś, jakbyś był naprawdę stęskniony, lecz spojrzała na Jacka, skulonego, z nieszczęśliwą miną. Kto to jest? Znam go? Te ściany? Ten stół? Tę kawalerkę? Zbyt wąski tapczan? Dywanik w szarobure ciapki? Pościel z niebieskiej satyny? Co ja tu robię? Poderwałam jakiegoś dupka w pubie i przespałam się z nim? Muszę wziąć prysznic. Czy on tu ma łazienkę?
– Magda, pamiętaj, na zawsze zostanę twoim najlepszym przyjacielem.

Jakiś facet proponuje jej przyjaźń? Fajny z niego gość. Przyjaźń. Założy się o każdą sumę – i wygra! – że tylko czeka, aby sobie poszła, bo wtedy będzie wreszcie mógł zadzwonić do swojej zjawiskowej Dagmary i powiedzieć: „Jak się masz, kochanie? Tęsknisz za mną? Bo ja za tobą ogromnie. Liczę dni do spotkania. Twoja kochana morda". Albo: „Nie zapomniałaś o swojej kochanej mordzie? Ona o tobie myśli w każdej godzinie".

Wzięła gorący prysznic, który jej jednak nie rozgrzał. Ubrała się. Ruchy miała pewne, twarz obojętną. Jakby naprawdę poszła do łóżka z pierwszym, który się jej nawinął. Wrzuciła do kosmetyczki dezodorant, pastę do zębów i szczoteczkę. Niewiele tego. Na szczęście. Pół roku temu Jacek zaproponował, żeby z nim zamieszkała, dopiero miałaby rzeczy do pakowania. Odmówiła, ze względu na matkę. Nie chciała zostawiać jej samej. Wciąż nosiła żałobę po ojcu, który zmarł cztery lata temu. Jacka nie lubiła. Niedługo mi ciebie zabierze, mówiła. Taki los matek, zostanę zupełnie sama.

Jacek już się ubrał, sprzątnął ze stołu, ustawił dwie filiżanki. W elektrycznym czajniku bulgotała woda.

– Skoczę po rogaliki. Nie wypuszczę cię bez śniadania.

Zdjęła z palca pierścionek. Położyła obok pustej filiżanki. Wpadająca przez okno smuga marcowego słońca przez sekundę błysnęła złotem i zgasła.

– Magda, proszę. Nie tak wyobrażałem sobie nasze ostatnie spotkanie.

Naprawdę jest dobry, zrobi karierę, świetnie odgrywa rolę ciężko nieszczęśliwego.

– Tyle nas łączy. Nie niszcz tego. Kochałem cię, Magda! Na zawsze zostaniesz w mojej pamięci.

Wyszła, nie zważając na krzyki Jacka. Schodząc ze schodów, na które tyle razy wbiegali razem, pomyślała o tej nieznanej, obcej Dagmarze: biedna.

Matka natychmiast zauważyła brak pierścionka.

– Jacek zerwał z tobą? Madziu? – Matce drżały usta. – Wyglądasz tak, jakby ci ktoś umarł.

Umarł? Dobre określenie. Ale dlaczego nie czuje ani żalu, ani bólu, a jedyne, czego pragnie, to znaleźć się w swoim pokoju, położyć i zasnąć, i spać długo, jak najdłużej, dzień, dwa, tydzień, miesiąc.

– Co on ci zrobił, Madziu?

– Mamo, nic mi nie zrobił. Pamiętasz, jak byłam mała, puszczałam u wuja Zygmunta bańki mydlane. Wirowały, unosząc się w powietrzu, jedna za drugą, takie piękne, migotliwe i kolorowe, podobne do baletnic albo motyli, i pękały, zostawiając po sobie szare smugi.

– Nie rozumiem, Madziu. Co bańki mydlane mają wspólnego z Jackiem?

– Albo, pamiętasz, mamo, zabraliście mnie z tatą nad morze. Nabierałam morze w dłonie, ponieważ chciałam wam przynieść go odrobinę, lecz woda, choć słona, nie była już morzem. – Położyła rękę na ustach matki. – Nie mów nic więcej. Nie trzeba. Temat wyczerpany.

Sama dziwiła się swojej obojętności. Wyłączyła komórkę, nie tylko z powodu Jacka, który jednak usiłował się z nią skontaktować; nie czuła potrzeby rozmawiania z kimkolwiek. Na uczelnię najchętniej przychodziłaby w czapce niewidce. Z wykładów, mimo że bardzo starała się skupić, rozumiała pojedyncze zdania. Oczywiście wszyscy na roku wiedzieli, że jej związek z Jackiem się rozpadł, przyglądano się współczująco, zadawano pytania. Napisała podanie o urlop dziekański. Dziekan wezwał ją na rozmowę.

– Nie podała pani powodu – powiedział.

Namyślała się nad odpowiedzią. Po głowie plątały się różne słowa, których nie potrafiła poskładać w zdania.

– Nie szkoda pani tracić roku? Zimową sesję zaliczyła pani całkiem nieźle.

Zimowa sesja? A kiedyż ona była, ta sesja? Przed wiekami?

– Pani wybór – powiedział w końcu dziekan i napisał pod podaniem: „Udzielam".

Ulga; wreszcie nie będzie musiała wychodzić z domu, wreszcie nie będzie musiała nikogo oglądać i żaden głos ludzki nie zakłóci tej ciszy, jaką w sobie i wokół siebie czuła. Położy się, zapuści zasłony w oknie, ponieważ nawet światło, a tym bardziej słońce przypomina, że poza jej pokojem są ulice, którymi chodziła z Jackiem, wystawy, przed którymi się zatrzymywali, żeby się pocałować, ławki w parkach, na których siedzieli, trzymając się za ręce, całe wielkie miasto, wypełnione Jackiem. Matka pukała:

– Madziu, mogę? Porozmawiajmy.

– Nie teraz, mamo. Później.

Słyszała za drzwiami powstrzymywany płacz matki. Tylko z miłości do niej wygrzebywała się z pościeli dwa razy dziennie: na obiad, by łyknąć kilka łyżek zupy, przełknąć z ogromnym trudem kilka kęsów mięsa, oraz na kolację – zjeść grzankę i wypić kubek herbaty. W koszuli nocnej niezmienianej od tygodni, nie czesząc się, nie myjąc nawet zębów, patrzyła na przygotowane przez matkę jej niegdyś ulubione potrawy, a gardło zaciskało się wstrętem. Straciła poczucie czasu. W stale zaciemnionym pokoju czas stał się zbyteczny.

– Za długo to trwa. Muszę cię ratować! – Matka bez pukania wtargnęła do pokoju. Rozsunęła zasłony, otworzyła na oścież okna. – Rozmawiałam z psychiatrą. Potrzebujesz pomocy.

– Niczego nie potrzebuję. Niczego, rozumiesz?

– Masz ciężką depresję.

– Być może. Ale nie dam się zapakować do szpitala ani faszerować psychotropami. Sama wyjdę z dołka.

– Kiedy?

– Och, daj mi spać.

– Nie dam. Wybieraj: albo szpital, albo spróbujemy innej terapii.

– Jakiej? Na żadną się nie zgadzam.

– A do Modrzewka nie chciałabyś pojechać? Pamiętasz jeszcze Modrzewek? Stolik pod lipą, domowy chleb na zakwasie od pani Krawczykowej? Masło, które ubijałaś w drewnianej maselnicy? Miód z okruchami wosku? Pokoik na poddaszu, przez okno zagląda brzoza, od dawna już w zieleni?

– Wuj Zygmunt... – Magda rozpłakała się. – Nie obejmuj mnie, ja cuchnę...

– Ja też cuchnę. Ruskimi papierosami z przemytu. Okropne śmierdziele, ale tanie. Jak się pali trzy paczki dziennie, nie ma wyboru przy mojej pensji.

W dwie godziny później, wyszorowana przez pojękującą matkę – aleś ty chuda – z jeszcze mokrymi włosami jechała do Modrzewka. Na tylnym siedzeniu malucha leżała walizka z jej rzeczami. Matka swój spisek z wujem uknuć musiała znacznie wcześniej. W walizce Magda znalazła wszystkie potrzebne ciuchy, łącznie z kosmetykami; pokój na poddaszu pachniał świeżo odmalowanymi ścianami i tym czymś, czego nie sposób zapomnieć: wspomnieniami wszystkich spędzanych tu wakacji, świąt bożonarodzeniowych i wielkanocnych, bo dopóki żył ojciec, każde święta spędzali tutaj, z jego owdowiałym przedwcześnie bratem. U wuja Zygmunta był jej jakby drugi dom rodzinny. Brzozę, która wyrosła w wysokie, smukłe drzewo, sadziła razem z wujem. „Spójrz – powiedział, pokazując połamany, wiotki, pozbawiony liści patyczek – ktoś ją wyrwał, okaleczył, ale my postaramy się ją przywrócić życiu".

Rozpłakała się znowu.

– Płacz sobie, ile ci się podoba, bylebyś zdążyła na obiad. Jak zwykle zresztą o trzeciej. Młode ziemniaki z masłem i koperkiem. Do tego zsiadłe mleko. Takie gęste, że nożem można kroić.

– Jak zwykle zresztą. – Uśmiechnęła się, rozcierając łzy po policzkach.

„Jak zwykle zresztą" należało do ulubionych zwrotów wuja. Nic się nie zmienił. Wciąż taki sam: wysoki, lekko przygarbiony, z siwą rozwichrzoną jak u Einsteina czupryną, spadającą na czoło, i smutnymi oczami. Nigdy się nie pozbierał po śmierci żony. Dla niej wyprowadził się z miasta, dla niej kupił tu, niedaleko Pilicy i blisko sosnowego lasu działkę, wybudował dom taki, o jakim marzyła, z drewnianych bali. Ona zamierzała uczyć wiejskie dzieciaki w czteroklasowej szkole w Modrzewku, on zamiast miastowych piesków, kotków i kanarków leczyć wiejskie krowy, konie i barany. Przeżyli ze sobą trzy lata. Miała brzydkie znamię na prawym ramieniu. Zawiózł ją do znajomego chirurga. To kosmetyczny zabieg, powiedział chirurg, wytniemy raz-dwa, znieczulimy miejscowo. Bała się widoku krwi, mdlała przy zastrzyku. Po znajomości dali jej evipan. I już nie wybudzili. Uczulenie na evipan zdarza się mniej więcej u jednego na milion pacjentów. Żona wujka była akurat tym milionowym przypadkiem.

Stanęła przed oknem. Zieleń brzozy wdzierała się do pokoju. Pachniało jaśminem, rozgrzaną ziemią.

Jak zwykle zresztą wiosną – pomyślała.

Zawahała się w drzwiach jadalni. Tego jej nie powiedzieli. Że będzie w Modrzewku ktoś jeszcze. Towarzystwo wuja była w stanie znieść, lecz obcego faceta? O nie. Tu już matka z wujem przesadzili z terapią. Zastosowali wstrząsową. To nieuczciwe. Nie życzy sobie oglądać ani tym bardziej poznawać żadnego faceta. Nawet takiego jak ten tam, z odstającymi uszami, w okularach i rozchełstanej kraciastej koszuli.

– Madzia. Nie gniewaj się, ale jak zwykle zresztą, zapomniałem ci powiedzieć, że mam gościa. Nie przejmuj się nim. On tu chodzi własnymi ścieżkami, na twoje nie wejdzie – usłyszała za plecami szept wuja. Uśmiechał się przepraszająco. – Wiem, co chcesz powiedzieć. Że mam cię odwieźć do matki.

– Dokładnie tak.

– Popsuł mi się maluch.

– Kłamiesz.

– Kłamię. On wyjedzie za dwa, trzy dni. Tyle chyba potrafisz wytrzymać? Powiedziałem mu, że ma się do ciebie nie odzywać.

– Kłamiesz.

– Kłamię. Ale on sam, gwarantuję ci, nie należy do rozmownych. Czy ktoś, kogo natura obdarzyła tak bujnymi uszami, może błyszczeć elokwencją? Poza tym opuściła go żona. Przyjechał szukać samotności. I jest dla ciebie za stary.

– A może ja właśnie, wujku, potrzebuję odtrutki w postaci starszego od siebie faceta? Nawet z tak bujnymi uszami?

– Kłamiesz.

Uśmiechnęła się.

– Kłamię. Chodź, pomogę ci nakryć do stołu. Twój gość z głodu zacznie obgryzać paznokcie.

Nazywał się Jan Jakośtam; pochylając się do jej ręki, zamamrotał, że mu miło. Okulary w trakcie tego staroświeckiego powitania spadły mu na czubek nosa, zamrugał szybko powiekami, powiedział nie wiadomo dlaczego: przepraszam, idąc do stołu, potknął się o dywan, siadając strącił widelec, znowu powiedział: przepraszam, otarł spocone czoło niezbyt czystą chustką. Jadł pośpiesznie, wbijając wzrok w talerz, i chyba to jej obecność sprawiła, bo chociaż w jadalni jak zwykle panował przyjemny chłodek, to Jan Jakośtam pocił się obficie, a jego duże uszy przybrały kolor przejrzałych pomidorów. Nagle odsunął talerz, poderwał się gwałtownie, omal nie przewracając krzesła, wymamrotał: – Państwo wybaczą – i wybiegł z jadalni.

– No i wypłoszyłaś biedaka – zakpił wujek.

– Palant – powiedziała. – Na miejscu jego żony też bym od niego odeszła. Jak w ogóle można zakochać się w kimś takim?

– Oj, Madzia. Oceniasz ludzi po wyglądzie?

„Oj, Madzia! I co ty widzisz w tym swoim Jacusiu? Brad Pitt to on nie jest" – przypomniały się Magdzie słowa kumpeli z roku. Natychmiast odechciało się jej Modrzewka, wujka, w ogóle wszystkiego.

– A poza tym – ciągnął wuj Zygmunt – to on się w niej zakochał. Jak to się mówi: od pierwszego spojrzenia. Widziałem ją, ładna bestyjka, niewiele starsza od ciebie.

– I co?

– Wiadomo było z góry, czym się to skończy. Przyprawiała mu rogi z młodszymi.

– Więc po co za niego wyszła?

– Oj, Madzia. Dla pieniędzy. To dziany facet, ma parę hurtowni, kilka sklepów, jednym słowem kupa kasy.

– To smutne.

– To jego smutek. Ty masz swój. Ja swój. Mój jest najmniej bolesny.

– Jak to?

– Ponieważ mnie nikt nie oszukał. Ciebie i tego palanta, jak go nazwałaś, pewno słusznie, oszukano. A teraz idź. Najlepiej na spacer. Poszukaj siebie sprzed lat na leśnych ścieżkach. Może leżysz pod sosną i wsłuchujesz się w szum gałęzi. A może siedzisz nad zakolem Pilicy i wpatrujesz się w płynącą rzekę.

– Wtedy byłam młoda, głupia i potrafiłam marzyć.

– Odezwała się staruszka z dwudziestodwuletnim bagażem.

– Boli mnie głowa. Pójdę do swego pokoju, położę się.

– Niestety, moja panno. Przewidziałem taki obrót sprawy. Klucz od pokoju dostaniesz wieczorem, po kolacji.

– Jutro mnie odwieziesz do domu! – krzyknęła rozzłoszczona i dotknięta do żywego. Psycholog się znalazł od siedmiu boleści! – Jesteś okrutny. Nie umiesz uszanować uczuć innych! Ani moich, ani tego nieszczęsnego faceta, z którego uszu się wyśmiewasz! Rzeczywiście, w lesie będzie mi przyjemniej, nie będę musiała wysłuchiwać twoich idiotycznych odzywek ani oglądać twojej gęby.

– I tak trzymaj. – Wujek się roześmiał. – Złość jest lepsza od apatii.

Trzasnęła drzwiami, wybiegła. Zaraz po drugiej stronie żwirowanej drogi zaczynał się las. Biegła na przełaj, powtarzając: – Jutro wyjeżdżam. Wrócę choćby autostopem. Ani jednego dnia dłużej w Modrzewku.

Obraz wtulonego w jej ramię Jacka, wyznającego, że zakochał się w innej, wrócił. Przez cały miesiąc oszukiwał je obie, ją i tę zjawiskową Dagmarę. Tamtej przysięgał miłość, a do niej, gdy tamta nie miała możliwości go słyszeć, dzwonił i czule pytał, czy wciąż kocha swoją „kochaną mordę". Powinna była go opluć. Chociaż tyle. Napluć prosto w tę fałszywą „kochaną mordę"! I przez kogoś takiego zawaliła rok studiów, przeleżała w łóżku, nie myjąc się, nie wiadomo ile czasu, ponieważ nawet teraz nie wie, czy jest jeszcze czerwiec, czy już zaczął się lipiec. Boże, ale musiała śmierdzieć! I to biedne matczysko, wystające pod drzwiami. Madzia. Dziecko. Proszę. Opamiętaj się. Zrozum, na Jacku świat się nie kończy.

Zatrzymała się, rozejrzała. No tak, zaraz za tym rzadkim zagajnikiem zaczyna się łąka, schodząca stromo do płynącej wartko rzeki. Łąka wyglądała między drzewami tak, jakby spadło na nią słońce i rozprysnęło się setkami rozkwitłych mleczy. Znaczy jest połowa czerwca. Boże, dlaczego Jacka nie opluła, nie krzyknęła, że był, jest i pozostanie wyłącznie żałośnie zagrywającym aktorzyną?

Zbiegła stromizną na sam brzeg. Lubiła to miejsce. Lubiła siedzieć pod jedyną tu wierzbą, godzinami przyglądając się rzece, w której odbijały się leniwie sunące po niebie, jakby senne chmury.

Pod wierzbą facet z okularami smętnie zawieszonymi na czubku nosa obrywał listki i ciskał je w wodę. Rękawy kraciastej koszuli miał podwinięte. Przegub lewej ręki zaznaczony sinymi bliznami. Palant! Pewno ciął sobie żyły. Też chciał umrzeć. Z takiego samego powodu jak ona.

– Dupek! – krzyknęła. – Powinien się pan cieszyć, że odeszła! Że już nie mówi do pana, ach, jak cię kocham, czekając niecierpliwie, żeby pan jak najszybciej wyszedł z domu, i żeby ona mogła wskoczyć do łóżka z innym facetem! Oczywiście, a jakże, kocham cię, mówi, a myśli: rok wytrzymam, potem odejdę i pół kasy moje.

Facet czym prędzej opuścił rękaw koszuli. Zdjął okulary, przetarł je nerwowo tą samą co przy obiedzie, nie pierwszej czystości chustką.

– Proszę odejść. Pani niczego nie rozumie.

– A co tu jest do rozumienia? Pokochał pan nie tę osobę, co trzeba.

– Proszę odejść. Zostawić mnie samego.

– Ani mi się śni! Jestem wściekła. Na siebie, na pana, na takich palantów jak my, którym się wydaje, że ich świat się zawalił i nie ma już po co żyć, ponieważ ci kochani przez nas okazali się zwykłymi łajdakami. A łajdaków należy olewać. Ja właśnie swego olałam.

– W pani wieku wszystko wydaje się proste. Ja mam trzydzieści trzy lata i wiem, że nikt mnie nigdy nie kochał i nie pokocha.

– Niby dlaczego? Co to, kulawy pan czy garbaty?

Milczał. Opuścił głowę.

– Jestem mało atrakcyjny. Po prostu brzydki – odezwał się cicho.

– Mój chłopak też nie był przebojowo przystojny. Miał kaczy nos i krzywe nogi, ale mnie wydawał się przystojniejszy od Brada Pitta.

– Nie znam.

Roześmiała się.

– Nie ogląda pan filmów. To aktor, bożyszcze idiotek. I wcale nie jest pan brzydki. Ma pan ładne oczy.

– Skąd pani wie, skoro noszę okulary?

– Okulary trzyma pan w ręku, więc widzę pana oczy.

Pośpiesznie wsunął szkła na nos.

– Ach! – zawołała, znowu wściekła. – Co mnie pan zresztą obchodzi! Może się nawet pan utopić, tu jest głęboko i nurt szybki. Żona włoży czarną kieckę, położy wiązankę kwiatów na pana grobie, odetchnie z ulgą: „Wszystko, co po nim, teraz jest moje, ale miałam fart".

Zawróciła, pobiegła wzdłuż rzeki. Ścieżka się wiła wąska, między wysokimi trawami. Stado dzikich kaczek żerowało w pobliżu sitowia. Nurkowały, wystawiając śmiesznie kuperki. Głośno plusnęła ryba. Pilica zwalniała bieg, wpływając w zakole. Woda, przezroczysta, złociła się piaskiem. Tylko w tym miejscu wolno się było latem kąpać, tylko tutaj matka pozwalała Magdzie pływać.

Jak to powiedział wuj? Poszukaj siebie nad zakolem? Nie musi się już nigdzie szukać. Odnalazła się. Dzięki temu palantowi zrozumiała, że nie jest jedyną osobą na świecie oszukaną w cyniczny sposób. I że znajduje się w lepszej sytuacji od niego, ponieważ jest młoda, niebrzydka i ma całe życie przed sobą, a drugi raz nie pozwoli się oszukać. Pech tego biedaka polega nie na tym, że jest nieatrakcyjny fizycznie, jego pech to ta kasa, ponieważ nigdy nie będzie wiedział, czy jakaś facetka kocha jego czy tę kasę właśnie.

Słońce zachodziło purpurową, kiczowatą kulą za lasem po drugiej stronie rzeki. Zapłonęła woda, pożar czerwieni ogarnął wysokie sosny. Kiedyś specjalnie tu przychodziła, aby obejrzeć ten krótki spektakl przechodzenia dnia w zmierzch, często spowity mgłami, unoszącymi się znad łąk, powtarzany odwiecznie, niezmiennie, lecz każdego dnia inny, nigdy taki sam. To tak jak z rzeką: dwa razy nie wstąpisz do tej samej wody.

No i całe szczęście – pomyślała.

W domu na stole zobaczyła tylko dwa nakrycia.

– Wyjechał – uprzedził pytanie wuj.

Magdzie zrobiło się przykro. Niepotrzebnie mu nagadałam – pomyślała. A swoją drogą, mógłby się pożegnać, palant.

– Zostawił dla ciebie list. Przeczytasz teraz czy po kolacji? Wpadłaś mu w oko! – Wuj był wyraźnie ubawiony. – Poprosił mnie o kartki, nagryzmolił chyba z dziesięć, co napisał, to darł, szarpał resztki włosów na głowie...

– Naprawdę masz paskudny charakter, wuju. Dawaj ten list.

– Madzia. Chciałem cię rozbawić.

– Wyśmiewając się z tego biedaka?

– No, no. Już nie palant, tylko biedak?

– Oj, wuju! List proszę.

Pani Magdo! Nawet pani nie wyobraża sobie, ile pani dla mnie zrobiła i jak bardzo jestem pani wdzięczny. Przepraszam za nieporadność zdań, lecz lepiej posługuję się kalkulatorem niż piórem. Jeszcze dziś rano byłem zobojętniały na wszystko. Jeszcze dziś rano myślałem, że moje życie jest pozbawione sensu, bo poniżony, upokorzony, sponiewierany, bez nadziei. Aż tu nagle w drzwiach jadalni – pani. Zabrzmi to idiotycznie, wiem, ale tak właśnie się stało ze mną: zabrakło mi tchu i ta myśl: opamiętaj się, stary, przecież ta piękna dziewczyna nie dla ciebie, nawet na ciebie nie spojrzy, uciekaj, póki czas, ponieważ znowu będziesz cierpiał. Więc przepraszam za swoje zachowanie przy stole, ale musiałem uciec. Od pani. A nad rzeką wcale nie myślałem o żonie, bo od momentu spotkania pani ona nagle przestała dla mnie istnieć, Magdo. Mój Boże, jakież ja bzdury wypisuję! Powiem jeszcze tyle: uciekam przed panią znowu, ale szczęśliwy, bo już nie sam, bo z pani obrazem w sercu. Całuję pani ręce. Jan

– Pokraśniałaś niczym piwonia – odezwał się wuj. – Rzeczywiście biedak.

– Przestań kpić. To nie fair.
– Nie kpię.
– Kłamiesz.
– A co poza kłamstwem mi pozostało? Chyba zjedzenie jajecznicy, którą zaraz nam usmażę. Wolisz na boczku czy na kiełbasie?
– Wszystko mi jedno.
– Dobrze, w takim razie będzie na maśle. No, Madzia, nie zabijaj mnie wzrokiem. Nie odezwę się więcej ani jednym słowem. Chyba że poprosisz mnie o numer jego komórki.
– Zawiedziesz się, nie poproszę.
– To i dobrze. Jest za stary dla ciebie.
– Wcale nie jest za stary.
– Oho – powiedział tylko wuj.
Jadła pośpiesznie, chciała jak najszybciej znaleźć się w swoim pokoju, przeczytać ten list ponownie. *Całuję pani ręce. Jan.* Nawet nie ma pojęcia, jak się nazywa, ale właściwie do czego jej taka informacja, przecież wuj ma rację, jest za stary, *zabrakło mi tchu,* czy to przypadek, że spotkali się tu, u wuja w Modrzewku, oboje wykpieni, oszukani, upokorzeni? Z podobnym bagażem bolesnych doświadczeń, rozczarowań? I oboje je tu zrzucili, jakby otrząsając się ze złego snu? *A nad rzeką wcale nie myślałem o żonie, ona nagle przestała dla mnie istnieć.* Jacek również odszedł w niebyt. Tamten pociachał sobie żyły, ona prosiła codziennie wieczorem o łaskę niedoczekania następnego dnia.
– Chyba jednak chcesz mieć numer jego komórki – odezwał się wuj. Napisał kilka cyfr na skrawku papieru. – Ale wszystko dobrze sobie przemyśl. Sama wiesz, jak łatwo skrzywdzić drugiego człowieka.
– Tak, wuju. Wiem. Dziękuję.
List przeczytała tyle razy, że umiała go na pamięć. Numer komórki też. Kolejne dni spędzała na długich spacerach, zastanawiając się, czy tędy także przechadzał się Jan. *Całuję pani ręce. Uciekam, już nie sam, bo z pani obrazem w sercu.* Usiłowała przypomnieć sobie jego twarz, ale zapamiętała jedynie te wielkie, odstające komicznie uszy i łagodność spojrzenia brązowych oczu. Wuj o nic nie pytał. Dogadzał jej, gotując różne pyszności. Matka dzwoniła codziennie, pytając, jak się czuje. „Doskonale, mamo – odpowiadała. – Nie martw się. Wyzdrowiałam".
– Jestem szczęśliwa, mamo – powiedziała matce któregoś dnia. I zapragnęła natychmiast zobaczyć Jana.
Chyba ten wyraz szczęścia miała w oczach, ponieważ wuj podał jej swoją komórkę.
– Dzwoń. Odwiozę cię do Łodzi w każdej chwili.

Wybrała numer.

– Posłuchaj – powiedziała – wracam. Spotkamy się dziś o piątej w kawiarni na rogu Kilińskiego i Narutowicza.

Nie czekając na odpowiedź, wyłączyła się. Jeżeli pisał tylko pod wpływem chwili *już nie sam, bo z pani obrazem w sercu,* to nie przyjdzie. Trudno. Musi poznać prawdę. Tę jego i tę swoją: czy na pewno zatęskniła do niego i chce go zobaczyć? Spotykać się, być z nim? Czy w ogóle coś ich, poza przypadkiem, połączyło?

– Madzia! – zawołała matka na powitanie. – Jak ty pięknie wyglądasz! Dokonałeś cudu, Zygmunt.

– To nie ja, kochana bratowo. – Wuj ucałował Magdę w oba policzki. – Powodzenia. Trzymam kciuki. Może to właśnie jest ten?

– Zygmunt? O czym ty mówisz? – przestraszyła się matka.

– Zapytaj Magdy. A nie zapominajcie obie o Modrzewku. Zawsze na was czeka.

– Madzia, zakochałaś się znowu, nie daj Boże?

– Nie wiem, mamo. Dziś się o tym przekonam. I nie płacz. Przepraszam cię za wszystko. – Objęła matkę. Dopiero teraz spostrzegła, jak bardzo posiwiała.

– Boję się – powiedziała matka.

– Ja również się boję, mamo.

O czwartej wyszła z domu. Postanowiła pójść piechotą, bo *tyle słońca w całym mieście*, zanuciła, zbiegając ze schodów. Nie miała daleko, zaledwie cztery, może pięć przystanków tramwajowych, a chciała przyjść do kawiarni przed Janem.

Plac Wolności mienił się kolorami: co krok kobieta sprzedająca kwiaty – białe i żółte rumianki, różowe gladiole, fioletowe frezje, no i róże, róże wszędzie, pachnące, niektóre w stulonych jeszcze pąkach, inne bujnie rozkwitłe.

– Jeżeli przyniesie mi różę – pomyślała – będzie znaczyło, że to on właśnie. Przeznaczony mi przez los.

Z przyjemnością zauważyła, że mężczyźni oglądają się za nią. Więc nie zbrzydła podczas depresji. Albo może wyładniała dzięki Janowi?

W kawiarni było mało gości, stoliki przy szerokim oknie z widokiem na ulicę Kilińskiego, którą musi nadejść Jan, puste. Usiadła. Kelnerka podała jej kartę. Za dziesięć piąta. Zaraz powinien być.

– Na razie tylko mineralną – poprosiła. – Czekam na kogoś.

Piąta. Pięć po piątej. Dziesięć. Piętnaście. Nie przyjdzie. Wygłupiła się z tym telefonem. Poczuła na sobie jakby współczujące spojrzenie kelnerki. I wtedy go zobaczyła. Biegł, trzymając przed sobą olbrzymi bukiet. Okulary, oczywiście, spadły mu na czubek nosa. Wchodząc do lokalu, potknął się, obił o pusty stolik, przeprosił;

rozglądał się po pomieszczeniu, nie widząc jej, chociaż siedziała dwa metry przed nim, spocony od biegu lub ze zdenerwowania, taki rozbrajająco śmieszny, uszasty, nieporadny.

– Hej! – pomachała mu ręką.

– O Boże, jakie szczęście – wyjąkał – że przyszłaś, że na mnie poczekałaś. O Boże, od wyjazdu z Modrzewka myślałem o tobie bezustannie. Kiedy dziś rano zadzwoniłaś, pomyślałem, że chyba śnię.

Stał przed nią, wpatrzony, jakby była jakimś nieziemskim zjawiskiem lub omamem, który za moment rozpłynie się i zniknie ostatecznie. W jego brązowych oczach radość mieszała się z niedowierzaniem. – Boże, jakie szczęście – powtarzał.

– Usiądź wreszcie, ludzie się nam przyglądają. Ja również stęskniłam się za tobą.

Przygarnęła bukiet do siebie. Róże na wysmukłych łodygach, ledwo rozkwitłe i tyle ich! Marzyła o jednej, a dostała chyba pół kwiaciarni.

– Są piękne. Dzięki.

– Podobają ci się? Tak się cieszę. – Usiadł, otarł spocone czoło, tym razem czystą chusteczką. – Przepraszam za spóźnienie. To właśnie przez te róże. Jak na złość, przy Pabianickiej objazd, potworne korki. Nie gniewasz się? Musiałem je dla ciebie mieć.

– I pojechałeś po nie aż na Pabianicką? Przecież tu wszędzie są kwiaciarnie. – Roześmiała się. Co za dziwak! Ale kochany, róże rzeczywiście niesamowicie piękne.

– Kwiaciarnie tak, oczywiście, pewno, że wszędzie – zgodził się; ujął jej rękę, ucałował. – Ale po pierwsze, takie róże znajdziesz jedynie w tych najdroższych, ekskluzywnych, nie mniej niż trzydzieści złotych za sztukę, a po drugie, mój przyjaciel, inżynier ogrodnik, mieszka pod Pabianicami, gdzie od lat je uprawia, więc mam gwarancję, że sprzeda mi świeże, no i znacznie taniej niż w kwiaciarni.

– A te? Po ile ci liczył za sztukę? – zapytała. Łagodnie wysunęła swoją dłoń z jego, bo znowu pochylał się do pocałunku.

– Te? Powiedziałem mu, że dla mojej dziewczyny. Oddał za darmo. Chociaż to eksportowa Dame de Coeur. Opłacało się jechać.

– No tak – powiedziała tylko.

– Dlatego się spóźniłem. W dodatku musiałem zostawić wóz na strzeżonym parkingu przy Teatrze Wielkim. Całą drogę biegłem, modląc się w duchu, żeby cię zastać.

– Pewno masz drogi wóz – bardziej stwierdziła, niż zapytała.

– O tak. Dlatego zawsze korzystam ze strzeżonych parkingów, chociaż każą sobie na nich coraz więcej płacić. Zaraz się moim mercedesem przejedziesz. Sama zobaczysz, jakie to cudo.

– Przejadę? Dokąd?

– Do mego domu. Szampan zamroziłem po twoim telefonie. Boże, liczyłem minuty dzielące mnie od spotkania z tobą. Och, proszę, nie mam na myśli nic zdrożnego – zastrzegł się i poczerwieniał. – Musimy się lepiej poznać, żeby... – Poczerwieniał silniej, nie dokończył.

– Żeby pójść do łóżka? Wrażliwy z ciebie facet. – Próbowała się uśmiechnąć, ale wiedziała, że ten uśmiech wypadł blado. – Twój dom z pewnością też, jak mercedes, drogi? Otoczony drutem pod napięciem? Czy strzeżony przez ochroniarzy?

– Nie kpij. Po prostu mam ładny dom, dobre meble, obrazy. Ciężko od lat pracuję, stać mnie na pewien luksus i lubię otaczać się pięknymi przedmiotami, a na ich posiadaniu nic nie tracę, bo to coś w rodzaju trwałego kapitału. Którym pragnę podzielić się z tobą. – Pochylił się do jej ręki, pocałował. – Wszystko pragnę dzielić z tobą.

– Aha – powiedziała. Popatrzyła na twarz tego mężczyzny, któremu opłacało się jechać do Pabianic, bo tam róże albo za półdarmo, albo w ogóle za darmo, mimo że tak unikalne, wyjątkowe, sprzedawane wyłącznie w ekskluzywnych kwiaciarniach przynajmniej trzydzieści złotych sztuka. Zapytała siebie w myślach, czy w ten właśnie sposób podrywał tamtą, pierwszą, *którą, podobnie jak ją, natychmiast, od pierwszego spojrzenia, aż do utraty tchu?*, brak aparycji nadrabiając pokazywaniem drogiego wozu, domu, mebli, obrazów, *na których się nie traci*?

– Co państwu podać? – spytała kelnerka, pojawiając się bezszelestnie przy ich stoliku.

– Dziękuję, dla mnie już nic – odpowiedziała. Położyła dziesięć złotych na blacie stolika. Wstała. Spojrzała raz jeszcze na twarz Jana, teraz napiętą, zaniepokojoną. Pomyślała, że za jego pełne poświęcenia stanie w korkach i jazdę aż pod Pabianice, coraz droższą opłatę parkingową coś się jednak należy, więc pocałowała go lekko w usta.

– Miłego popołudnia. Trzymaj się.

– Magda! Boże! Co ja takiego zrobiłem, że odchodzisz?

Pomyślała, że i tak nie zrozumie dlaczego. Wyszła z kawiarni. Zatrzymała przejeżdżającą taksówkę.

– Ach, jakie piękne róże – powiedział taksówkarz.

Filip Onichimowski

SZCZURY

Wielki, żółty, plastikowy rower wodny płynie leniwie. Z przodu skrzypią pedałami moja Młoda i Lesio. Ja leżę z tyłu, na pace, i wystawiam nieogoloną twarz do słońca. Zimne piwo chłodzi jedną rękę. Papieros ogrzewa drugą. Woda chlupocze usypiająco, zagarniana łopatkami naszego wehikułu, które przy pierwszych oględzinach skojarzyły nam się z oparciami szkolnych krzesełek. Pocieszny mechanizm napędowy okazał się tak wydajny, jak wyglądał. Dlatego ślimaczymy się okropnie. Większość energii, którą Młoda i Lesio pakują w pedały, zamienia się nie w prędkość, tylko w ten uspokajający chlupot i pianę na wodzie. Ale my nie śpieszymy się nigdzie. Nie musimy. Teraz w ogóle nic nie musimy. Nie mamy nic do zrobienia. Nic nas nie popędza. Letnie popołudnie jest dokładnie takie, jakie powinno być. Ciepłe, słoneczne i ciche, a przede wszystkim bez wyzwań i zmartwień. Dlatego leżę teraz sobie i myślę, że jest bardzo przyjemnie nic nie musieć. Jest sprawą bardzo pozytywną tak leżeć bezczynnie na słońcu z piwem w jednej ręce i papierosem w drugiej. To właściwa dla człowieka pozycja i właściwe zajęcia. Dlatego cieszę się każdą chwilą i wyleguję, nasiąkając słonecznym światłem, piwem i dymem papierosowym. I jest mi dobrze. Aż się nie chce wspominać, że nie zawsze tak było.

Upierdliwy dzwonek telefonu wyrwał mnie ze snu. Była sobota. Z nikim się nie umawiałem, nic nie planowałem, nic nie przeskrobałem. Jedyne co było pewne, to to, że chciałem wtedy pospać i nadrobić zarwane nocki, a tu figa. Podniosłem upartą słuchawkę do oczu. Na ekraniku jak byk wyświetlał mi się Krzychu. Na budziku parę minut przed dziewiątą. Na kalendarzu sobota w połowie lipca. Te trzy punkty, czyli Krzychu, telefon o barbarzyńskiej porze i weekend złożyły mi się w głowie w dobrze znaną układankę. Odebrałem połączenie i dokładnie tak jak się spodziewałem, wszystko zaczęło się standardowo.

– Cześć, Paweł! Nie obudziłem cię? – Krzychu, jak zawsze w takiej sytuacji radosny i energiczny, fałszywie zatroszczył się o spokój mojego snu.

– Trochę tak, ale nie przejmuj się. Właśnie miałem wstawać – uspokoiłem go standardowo, a moje myśli obracały się tylko wokół tego, by znowu wbić mordę w poduszkę.

– Słuchaj, stary, tragedia! Jest szybka robota, a koleś, który miał to zrobić, wycofał mi się w ostatniej chwili. – Ten tekst też był mi znany. – Nie chciałbyś popracować dla mnie? Można zarobić niezłe pieniądze.

– Kiedy i gdzie? – zapytałem, wytrzepując z głowy resztki snu, bo pieniądze jak zawsze wtedy były mi mocno potrzebne.

– Dzisiaj i jutro. W hipermarkecie Reality.

– Za ile?

– Dziesięć złotych za godzinę, stary. Dobra kasa. Dziesięć godzin dziennie, to będziesz miał dwie stówki za weekend.

– Dobra, stary. Masz człowieka.

– Dzięki, Paweł! – Krzychu ucieszył się wyraźnie. Może nawet zbyt wyraźnie. Być może powinno mnie to zaniepokoić, ale tak się nie stało. Kasa rzeczywiście była lepsza niż zwykle, dlatego zgodziłem się od razu. Pozostało tylko ustalić dwa istotne szczegóły.

– O której mam być w tym baraku?

– Za godzinę.

– Za godzinę? Ocipiałeś? Niby jak mam się wyrobić?

– Normalnie. Ruszaj tyłek i do zobaczenia!

Krzychu powiedział to tak, jakby chciał się rozłączyć, więc ostatnie ważne pytanie zadałem, prawie krzycząc:

– To powiedz mi jeszcze tylko, co będę robił?

– Mamy promocję Pierożkowego Króla.

– Co?

– Pierożkowego Króla, stary! Pierogi będziesz promował! Sorry, muszę kończyć! Do zobaczenia w Reality!

Nim zdążyłem zapytać o cokolwiek więcej, skubaniec rozłączył się. Ubierając się w pośpiechu, starałem się rozgryźć, co za cholerstwo kryło się za tym telefonem. Robiłem już dla Krzycha różne roboty w supermarketach, ale czegoś takiego jeszcze nie było. Pierożkowy Król? A co to jest, do diabła? Zacząłem węszyć podstęp, ale lojalność wobec starego kumpla zwyciężyła. Bez śniadania wybiegłem z domu, żeby zdążyć na autobus do centrum.

Mimo dobrych chęci spóźniłem się piętnaście minut. Krzychu był zdenerwowany, ale nie robił żadnych wyrzutów, tylko od razu przeszedł do rzeczy. Na zapleczu czekał na mnie tajemniczy Pierożkowy Król – gumiasty biały kombinezon o monstrualnych rozmiarach.

– Jezus Maria, co to jest? – wycharczałem przez ściśnięte gardło.

– Pierożkowy Król! – odpowiedział Krzychu z beztroskim uśmiechem na twarzy, szukając czegoś pod gumowanymi fałdami. – O! Jest! – zawołał uradowany i pokazał mi jakieś metalowe rurki i akumulator.

– Krzysztof, pytam jeszcze raz: Co to jest do cholery? – warknąłem tym razem groźnie. Krzyśkowi mina nieco zrzedła. Pod ciężarem mojego spojrzenia jego udawana beztroska pękła jak bańka mydlana.

– No, Pierożkowy Król, stary. Tutaj masz kostium, tutaj stelaż, na którym będzie się trzymał, a tutaj dwa akumulatory. Oba naładowane. Jak jeden ci się rozładuje, to go wstawiasz do ładowania i montujesz na jego miejsce naładowany.

– A po kiego mi jakieś akumulatory?

– No jak po co? Bo tutaj w bocznych ściankach kostiumu masz takie dwie pompy ssąco-dmuchające, które napompowują ten kombinezon na tobie.

– Nie!

– Jak nie? Napompowują. Sprawdzałem rano.

– Być może i działają, ale na pewno nie na mnie. Idę do domu. Na razie, stary!

– Jak to do domu? Czekaj! Przecież się umawialiśmy! – Tym razem w głosie Krzycha zadrgała rozpacz.

– Być może się i umawialiśmy, stary, ale na pewno nie na robienie ze mnie jakiegoś zasranego pajaca – warknąłem zgryźliwie. – Nie będę na oczach całego miasta robił z siebie idioty w tym gumowanym szajsie!

– Proszę ciebie, Karlicki, zostań! – Krzychu teatralnie padł na kolana. – Nie rób mi tego! Obiecuję, że nikt cię w tym nie pozna!

– Jak to nikt mnie nie pozna? Niby jak?

– W tym w ogóle nikt nie zobaczy twojej twarzy!

– To jak ja będę w tym widział? Przez co się w tym cholerstwie patrzy?

– Tutaj z przodu jest taka półprzezroczysta folia, widzisz? Ty będziesz widział wszystko, a ciebie nikt. Proszę, zgódź się...

Westchnąłem ciężko. Zacząłem się łamać, co ten skurczybyk natychmiast wyczuł. Zawsze byłem miękki. Za miękki. No i druga sprawa... Krzycha zlecenia już wiele razy uratowały mi tyłek. Z ciężkim sercem doszedłem do wniosku, że chyba czas na rewanż. Spojrzałem jeszcze raz w te jego proszące oczy i kiwnąłem głową.

– No dobra. Pomóż mi to cholerstwo włożyć!

Krzychu podskoczył do góry i klasnął w ręce.

– Super! Dzięki, Pawełku! Super, hiper! Dziękiiiiii!!! O! Poznaj dziewczyny, z którymi będziesz pracował... – tutaj odwrócił się w bok i wskazał ręką. Dopiero teraz zauważyłem dwie blondynki, przyglądające się nam z rozbawieniem. – To jest Magda, a to Elwira. Poznajcie, to jest Paweł. No, już? No to sprawa wygląda tak: Dziewczyny będą robić degustację na stoisku, a ty będziesz się pałętał w przebraniu Pierożkowego Króla w pobliżu i naganiał ludzi. Macie tam kuchenkę, gary, kosz na śmieci, kartony z pierogami, worek cebuli i olej. Częstujecie ludzi i zachęcacie klientów do kupna. Pracujecie od godziny jedenastej do dwudziestej. Proste? – wykładał Krzychu, montując mi na plecach rurowy stelaż i akumulator na pasach.

– Jasne – odparłem. – A jakieś przerwy może? Rozumiem, że kosmicznego kibla w środku Pierożkowego Króla nikt nie uwzględnił?

– Oczywiście, że macie przerwy! – oburzył się Krzychu. – Jedną w zasadzie. Piętnastominutową, od piętnastej piętnaście do piętnastej trzydzieści.

– No tak... Jak zwykle, psia krew! – zakląłem, gdy Krzysztof próbował naciągnąć na mnie górną część tego idiotycznego przebrania. Walczyliśmy przez dłuższą chwilę, zanim wreszcie się udało. Wszystkie szybkozłącza wdzianka zostały dokładnie zapięte, a pompy ssąco-dmuchające ruszyły pełną parą. Zwisający na mnie dotychczas jak mokra szmata Pierożkowy Król zaczął się nadymać i puchnąć. Po paru minutach mogłem doczłapać do wiszącego na ścianie lustra i przytknąwszy nos do już zaparowanej „folii widokowej" przyjrzeć się sobie w całej okazałości.

Widok był przerażający. Przede mną stał gigantyczny, opasły pieróg – razem z czapą kucharską wieńczącą jego wielki łeb mierzył chyba ze trzy metry. Bydlę to osadzone było na krótkich, pięćdziesięciocentymetrowych najwyżej łapkach i wyposażone w rączki równie nikczemnej długości. Krągłą mordę Pierożkowego Króla przecinał niemalże na pół idiotyczny uśmiech, mający zapewne kojarzyć się każdemu klientowi z hasłem „Zjedz mnie proszę! Zobacz, jaki jestem fajniusi!". Tak przynajmniej pewnie kombinowali twórcy tej marketingowej szkarady, ale dla mnie w tamtej chwili uśmiech ten oznaczał raczej „Patrzcie wszyscy! Patrzcie na kretyna, który dał się w to ubrać!".

– I jak tam, Paweł? Jest w porządku? – zapytał Krzychu, najwyraźniej zachwycony swoim dziełem.

– Cholernie za daleko od „jest w porządku" – warknąłem wściekły z wnętrza mojego więzienia.

– A jak się tam czujesz w środku?

– Jak Gagarin przed lotem. Albo wiesz co? Nie! Czuję się jak jakiś szwej w OP-1, któremu jakiś kretyn dodatkowo wsadził na grzbiet akumulator, dwa kilogramy rur i dwa wentylatory. Zadowolony teraz?! – Wściekłość w moim głosie musiała chyba osiągnąć poziom krytyczny, bo Krzychu przestał drążyć temat i spróbował mnie pocieszać.

– No co ty? Wyglądasz super! Dzieci cię pokochają!

– W dupie mam twoje dzieci! – odszczeknąłem się. – Gdzie mam w tym iść?

– Dziewczyny cię zaprowadzą. Powodzenia, stary!

– Goń się... – mruknąłem przyjaźnie na pożegnanie i poczłapałem za Magdą i Elwirą na miejsce mojej kaźni.

Już w połowie sklepu się zorientowałem, że będzie jeszcze gorzej, niż myślałem. Mimo monstrualnych rozmiarów Pierożkowy Król okazał się dla mnie po prostu za mały. Krótkie nóżki skafandra pozwalały na robienie kroków mniej więcej chińskiej damy dworu. Co gorsza, również widokowa folia zdecydowanie nie ułatwiała obserwacji terenu. Nie dość, że cały czas pokrywała się parą, to jeszcze umieszczona była za nisko. Żeby cokolwiek zobaczyć, musiałem się mocno schylać, co owocowało tym, że idąc i patrząc jednocześnie, przemieszczałem się w postawie i z gracją dzwonnika z Notre Dame. Pocieszny z zewnątrz Pierożkowy Król, w środku okazał się przenośną salą tortur dla moich nóg i kręgosłupa. Ale to nie był jeszcze koniec pierożkowych niespodzianek. Najgorsze wciąż było przede mną.

Nie minęło parę minut, a dziewczyny odpaliły kuchenkę, wstawiły wodę na przepyszne pierożki od Pierożkowego Króla i zaczęły obierać, kroić i smażyć dorodne cebule. Ja kręciłem się w pobliżu, machałem do ludzi gumowym kikutem zastępującym pierogowemu monstrum ludzką rękę i starałem się dobrze wypełniać swoją pracę. Mimo niesprzyjających warunków próbowałem być pociesznym i radosnym Pierożkowym Królem, źródłem szczerej radości i pozytywnych skojarzeń. Wzorem dla dzieci i trudnej młodzieży z obskurnych blokowisk wielkich miast. Niestety! Już wkrótce piekielne dmuchawy, nieprzerwanie nadymające moją okazałą powłokę, zachłysnęły się z upodobaniem wonnym aromatem dorodnej cebulki i z zapałem zaczęły go zasysać do środka. W kilka chwil Pierożkowy Król wypełnił się smrodem cebuli świeżej i smażonej, zapachem pierogów z mięsem i kapustą z grzybami oraz wszędobylską, buchającą z wielkiego gara parą wodną. Stopniowo moja sala tortur zamieniła się w przedsionek piekła, ja zaś ze skazańca zacząłem przekształcać się w potępieńca. Do bólu kręgosłupa i mięśni doszło łzawienie oczu i pot, który zaczął się lać ze mnie jak z maratończyka na trzydziestym kilometrze. Spływał po czole, po plecach, po nogach, po całym ciele. Przedostawał się przez mikroszczeliny otaczającego mnie gumowego kondoma i spływał po pękatym brzucholu Pierożkowego Króla tak jak po moim. Połączeni w nienawistnym związku, cierpieliśmy obaj. A to przecież nie był trzydziesty kilometr. To był dopiero początek trasy. Musiałem coś szybko wymyślić, bo zanosiło się na haniebną zapaść zawodnika na samym starcie.

– Tylko spokojnie, stary... Uspokój się, Karlicki, pomyśl, co tu zrobić, bo inaczej już po tobie... – wymruczałem do siebie, główkując, jak by tu obniżyć stopień gówniantości sytuacji, w której się znalazłem.

Po chwili powstały pierwsze elementy planu, w którym jako podstawową przyjąłem zasadę systematycznej eliminacji kolejno identyfikowanych zagrożeń, trzymając się przy tym hierarchii stworzonej według stopnia ich uciążliwości. Po pierwsze, musiałem poradzić sobie z atakującym mnie smrodem i gorącem. Moja odpowiedź na to była krótka i zdecydowana. Po prostu olałem dyrektywy służbowe, według których powinienem był przebywać w bezpośredniej bliskości miejsca promocji, i wycofałem się na bezpieczną odległość. Sytuacja polepszyła się o tyle, że stężenie smrodu w Pierożkowym Królu zmalało do poziomu niezagrażającego mi już niechybną utratą przytomności. Niestety, wysoka temperatura utrzymująca się wewnątrz mojego opakowania za nic nie chciała opaść do akceptowalnego poziomu. Był to kolejny problem, z którym musiałem sobie poradzić, a rozwiązanie nie było tak oczywiste jak w poprzednim wypadku. Rozwiązanie to w końcu spłynęło na mnie w formie olśnienia.

– Nabiałowy! Lodówki! – zakrzyknąłem uradowany.

O tak! Przekleństwo ciągle przeziębionych i smarkających hostess trzęsących się z zimna na promocjach twarożków, jogurtów i maślanek stało się moim wybawieniem. Parę sekund i już gnałem ile sił i możliwości w pierożkowych nóżkach do działu nabiałowego. Do chłodni, lodówek, lad chłodzących, świecących zimnym neonowym światłem i rozegranych kojącym pomrukiem pomp tłoczących życiodajny freon. Jeszcze chwila i nadmuchujące Pierożkowego Króla wentylatory zaczęły wypełniać go ożywczym chłodem. Kolejny problem został rozwiązany, a ja, uradowany jak dziecko, gratulowałem sobie przenikliwości umysłu.

Mimo wyraźnych postępów wciąż nie udawało mi się jednak rozwiązać problemu bólu kręgosłupa. Jedyne, co dawało się z tym zrobić, to przerywać co jakiś czas obserwację terenu i prostować się, dając upragnioną ulgę skatowanym plecom. Właśnie odpoczywałem sobie w ten prowizoryczny sposób i nawet zaczęło mi się wydawać, że jakoś to będzie, gdy doszło do sytuacji, która miała mi brutalnie uświadomić moją naiwność: pojawiły się ONE. Jeszcze ich nie widziałem, stałem sobie, debilnie się ciesząc, a ONE już tam były i bezgłośnie zaczęły mnie otaczać. Połapałem się, że coś się dzieje, dopiero gdy usłyszałem pełny napięcia okrzyk:

– Mama! Zobacz, jaki wielki bałwanek!

Przywarłem oczami do zaparowanej folii i zobaczyłem je. Dzieci! Całe stado! Otaczały mnie ze wszystkim stron i wpatrywały się we mnie szeroko otwartymi ślepkami. Nie wiedząc za bardzo, jak na to zareagować, odruchowo pomachałem im łapką. Wywołało to żywiołową reakcję z ich strony. Jedne zaczęły piszczeć z radości, drugie krzyczeć ze strachu. Zadowolony z efektu, pomachałem im jeszcze raz. Tym razem jednak dużo energiczniej. Dla większego wrażenia dodatkowo przestąpiłem z jednej nóżki na drugą. Zgodnie z moimi przewidywaniami dzieci odpowiedziały na to jeszcze większym entuzjazmem, postanowiłem więc kontynuować zabawę. Był to błąd. Entuzjazm dzieci bowiem wkrótce osiągnął poziom krytyczny. Podziw zewnętrzny wszedł w fazę żądzy bezpośredniego kontaktu. Oglądanie „bałwanka" przestało uwalniać w mózgach małych potworów dostateczną ilość hormonów szczęścia. Potrzebowały dotyku, więc dotykały. Najpierw nieśmiało i z obawą. Potem coraz śmielej. Delikatne ostukiwania gumowanego kombinezonu zamieniły się w kuksańce. Do kuksańców doszło szarpanie za nóżki. Wreszcie oberwałem pierwszego kopniaka. Rozpętało się piekło...

Razy sypały się ze wszystkich stron. Próbowałem się jakoś opędzać, ale mój kombinezon nie dawał najmniejszej szansy obrony. Byłem zbyt wolny, zbyt niezgrabny i nieporadny. Małe diabły otaczały mnie ze wszystkich stron, a ja mogłem jedynie bezradnie podrygiwać i słuchać łomotu małych piąstek i nóżek, próbujących spenetrować moją gumową zbroję. Do ich euforycznych okrzyków i pisków dołączyły głosy zachwyconych rodziców.

– Ślicznie, Krzysiuniu! No, jeszcze raz kopnij pana! O, jak ślicznie!

– Grzesiu! Uśmiechnij się! Mamusia pstryknie ci zdjęcie!

– Zosiu, oddaj tę szczotkę! Szczotka nie służy do bicia bałwanków!

No, tego to już było za wiele. Szczotką? W biały dzień, na środku supermarketu i w dodatku po grzbiecie? Na takie świństwo musiałem zareagować! Tylko jak? Przywalić jednemu? Nie! Rozwścieczeni rodzice rozszarpaliby mnie na strzępy. Uciekać? Nic z tego. Dogonią mnie gówniarze, zapędzą w jakiś kąt w dziale rybnym i utopią w basenie z karpiami. Zaprotestować? Prosić o litość? To było poniżej mojej godności. Dyszący z wysiłku, w ostatnim przebłysku świadomości wpadłem na pomysł, by gnojków przeczekać. Dotarło wreszcie do mnie, że w sumie wszystkie te szczeniackie ciosy nie są w stanie zrobić mi większej krzywdy, a najlepszy sposób na obrzydzenie dziecku zabawki to pozbawienie jej wszelkich zabawowych aspektów. Odatrakcyjnienie przez spowszednienie. Plan zastosowałem natychmiast. Stanąłem w miejscu jak pomnik i przestałem reagować na jakiekolwiek ciosy i zaczepki. Przez dłuższą chwilę nic się nie zmieniało. Grad uderzeń nie słabł, a nawet wzrósł, co mogło sugerować błąd w moich kalkulacjach, ale nie... Cwane gnojki próbowały mnie sprowokować, ale nie ze mną te numery. Stałem twardo, niewrażliwy na ich prostackie zagrywki – i co? I wreszcie szeregi moich prześladowców zaczęły się przerzedzać. Jeden po drugim smarkacze nudzili się moim bezruchem i zawiedzeni szli w cholerę ze swoimi zasranymi rodzicami. Minutę po minucie atak słabł, aż wreszcie odczułem apatyczne pacnięcie ostatniego, zawiedzionego kopniaka i nastała cisza i spokój. Wreszcie odetchnąłem. Przez chwilę stałem, ciesząc się, że najgorsze tego dnia mam już za sobą, gdy nagle usłyszałem przed sobą poważny i zachrypnięty głos:

– Eee! Babcia! Zobacz no babcia, jakie ten głupol ma brzucho!

Przykleiłem oczy do folii tylko po to, by ujrzeć przed sobą starsze małżeństwo menelskiej proweniencji i poczuć potężne uderzenie żylastej piąchy dziada, który walnął mnie w kałdun. Cios był mocny. Sękate łapsko wgniotło pierożkowy brzuchol na tyle, że dotarło do mojego prywatnego brzucha z siłą solidnego kuksańca. Ten cios okazał się tym jednym przysłowiowym za dużo. Zwinąłem się w kłębek. I nie to, że skręciło mnie po tym razie z bólu czy coś takiego – nic z tych rzeczy! Owszem, zgiąłem się, skuliłem cały w sobie, ale tylko po to, by nie wybuchnąć z wściekłości, by zdusić furię, która zaczęła mnie rozsadzać od środka. Bóg tylko wie, jak ciężka i zaciekła była walka, którą stoczyłem z samym sobą w tym krytycznym momencie, ale ostatecznie i tak nic to nie pomogło. Nie wytrzymałem. Czerwona mgła przesłoniła mi oczy. Lśniąca piana zabieliła się w kącikach zaciśniętych ust. Jak automat przerzuciłem ciężar ciała z prawej nogi na lewą i wyprowadziłem z głębokiego półobrotu sierpowy cios wymierzony prosto w obwisły od piwska brzuchol cwaniaka. Ułamek sekundy i... Trafiłem! Mimo ograniczeń mojego stroju przyłożyłem dziadowi tak, że prawie usiadł. Stęknął głośno, zgiął się wpół i gdyby nie ramiona „babci", fiknąłby, aż miło. Jeszcze chwila i już oboje spieprzali, rzucając za siebie lękliwe spojrzenia. Zemsta Pierożkowego Króla się rozpoczęła! Strącony do piekieł, odarty z człowieczeństwa, przeistoczyłem się w bestię stworzoną na zgubę zwykłych śmiertelników. Nieomal czułem, jak na czole rosną mi kręcone rogi, jak z nozdrzy zaczyna buchać siarkowy dym, a w dłoni jarzą się snopami iskier płonące widły. Całe zło zgromadzone pod płaskim, najeżonym niezagiętymi gwoździami dachem hipermarketu Reality skumulowało się w tej jednej krótkiej chwili w mojej pełnej nienawiści i gniewu osobie. Zaczęły się łowy.

Resztę tego dnia i cały następny spędziłem na wymyślaniu sobie osobliwych zabaw. Wykorzystując nieuwagę klientów, skradałem się za nimi, w dogodnym momencie kradłem ich wózki i odprowadzałem daleko poza zasięg ich wzroku. Gdy nie było takiej możliwości, dorzucałem im do pełnych koszy zupełnie niepotrzebne, za to drogie towary. W myślach rozkoszowałem się widokiem ich zdziwionych czy wściekłych twarzy przy kasach. Z prawdziwą satysfakcją obserwowałem ich głupotę, gdy kupowali „promocyjne" pierożki od Pierożkowego Króla po osiem złotych za osiem pierożków i nie zauważali, że wciskane jest im badziewie przeterminowane o dwa tygodnie. Z rozkoszą rzucałem się na nich i przytulałem do ich białych koszul i bluzek moją lepką od potu i brudu powłoką. A gdy i to mi się nudziło, stawałem nieruchomo, udając sztucznego, po czym nagle ruszałem biegiem w stronę niczego niespodziewających się osób. Widok nadętego trzymetrowego bydlaka, który nagle ożywał i z tupotem ruszał w ich stronę, działał momentami jak pojawienie się mumii w kiczowatym horrorze z początku zeszłego wieku. Dorośli ludzie podskakiwali ze strachu i wypuszczali koszyki z rąk. Szacowne matrony, robiąc w przerażeniu dwa, trzy kroki do tyłu, siadały w regałach z kefirem i topionym serem. Dzieci zalewały się łzami przerażenia. A ja, spocony, zgięty wpół, jęczący z bólu promieniującego od katowanego kręgosłupa, mściłem się na wszystkich, którzy pojawili się w zasięgu mojego wzroku. Zemsta miała smak słodko-gorzki. Pierożków nie spróbowałem.

Ostatni raz pracowałem w supermarkecie przy gumach do żucia. To była gówniana robota. Przychodziłem do marketu dwa, trzy razy w tygodniu. Wrzucałem na paleciaka zapas tego śmierdzącego chemią tałatajstwa, podjeżdżałem do kas, po czym zaczynałem przeciskanie się przez stojących w kolejkach ludzi, żeby uzupełnić braki na stojakach. Ludzie klęli, trącali mnie łokciami, mruczeli pod nosami jakieś obelgi, a ja jak robot robiłem swoje. Zbliżały się święta Bożego Narodzenia i robiło się coraz gorzej. Dziury na stojakach były coraz większe. Kolejki coraz dłuższe. Ludzie coraz bardziej nieprzyjemni i opryskliwi. Nie układało mi się z rodziną. Kobieta kopnęła w tyłek i wyrzuciła z domu. W dodatku moje finanse wyglądały jak wielki kryzys w latach trzydziestych. Ogólnie czas był mało pozytywny, zacząłem więc zalewać pałę. Całymi dniami włóczyłem się po mieście bez celu, a wieczorami rozkładałem gumy i szedłem się nawalić. Dni płynęły jeden za drugim. Bezmyślne, bezbarwne, beznadziejne. A potem przyszedł przełom. Jednego dnia, jakoś tuż przed Nowym Rokiem, zapiłem z Grzechem do czwartej nad ranem. Potem siedzieliśmy na stacji benzynowej, męcząc jakieś hamburgery tylko po to, żeby nas stamtąd nie wyrzucili i pozwolili siedzieć i rozmawiać. Gdy wybiła szósta, Grzechu poszedł do domu spać, a ja wpadłem na pomysł, że pójdę do odległego o kilkaset metrów marketu i rozłożę gumy. Pomysł teoretycznie nie był taki zły. Alkohol wywietrzał ze mnie jakoś szybko, a o tej porze w pustym markecie robota zanosiła się na łatwą i bezkonfliktową. Wlazłem do magazynu i zacząłem spod regału wyciągać moją paletę gum, gdy nagle zza rogu wyskoczył menedżer.

– O, dzień dobry, panie Pawle! Jak się cieszę, że pana widzę! – zawołał podejrzanie radośnie.

– Tak? A dlaczego? – zapytałem, nie rozumiejąc jego porannego entuzjazmu.

– Mamy dzisiaj remanent roczny, wie pan?

– Tak? A co to oznacza?

– To, że musi pan przeliczyć co do sztuki towar, zapakować i zapieczętować całość, no i oczywiście sporządzić dokładny raport. Druczek zaraz panu przyniosę.

– Aha... – mruknąłem i kiwnąłem bezmyślnie głową. Powoli zaczęło do mnie docierać, co mi się kroi. Oto w tym niezbyt ciekawym stanie miałem sam przeliczyć dwie ledwie napoczęte palety gum do żucia. Potem to wszystko popakować, zrobić protokół i modlić się, żeby wszystko się zgadzało, jeśli ktoś wpadnie na pomysł kontroli. Pięknie! No po prostu zajebiście! Ze dwadzieścia rodzajów gum! Dwie kopiate palety małego, kolorowego, śmierdzącego sukinsyństwa z samego serca Ameryki! Wręcz super!

Zacząłem liczyć. Mijały godziny. Kolorowe paczuszki dwoiły się i troiły mi przed oczami, a ja kląłem jak szewc i sumiennie rachowałem karton po kartonie, paczka po paczce. Po pewnym czasie ogarnęło mnie odrętwienie. Potem dopadł potworny kac. Gdy skończyłem robotę – koło drugiej po południu – byłem prawie nieprzytomny. Na miękkich nogach poczłapałem do domu. W ubraniu zwaliłem się na łóżko i w tej samej chwili zasnąłem. Gdy obudziłem się rano następnego dnia, pierwszą rzeczą, jaką zrobiłem, był telefon do Krzycha, w którym zakomunikowałem mu, żeby szukał nowego pracownika. Przyjął to ze zrozumieniem, a ja nigdy więcej nie poszedłem pracować w supermarketach. To był ostatni raz.

A teraz leżę sobie na nadbrzeżnej trawie i gapię się w chmury. Młoda przytula się do mnie i delikatnym oddechem pieści moją szyję. Wielkie, kolorowe ważki co chwila siadają na naszych rozgrzanych ciałach – traktują nas jak lądowiska i pasy startowe. Nie przeszkadza nam to. Jest po prostu dobrze. Nie potrzeba nam teraz nic więcej. Nigdzie nie musimy pędzić. Jesteśmy szczęśliwi tym słońcem i pluskiem wody.

Bo niektórzy są jak szczury, przemykają się między trybami machiny i żywią resztkami z koryt, przy których tłoczą się wielcy tego świata. Zadowalają się małym, cieszą chwilą, nie gonią za tym, co przynosi niedosyt i frustrację. Wyścig szczurów wymyśliły najwyraźniej nadambitne cwaniaki, które takich gryzoni nienawidzą. Tacy, co to zadepczą każdego, który stanie na ich drodze w imię bzdury, którą nazywają swoim życiem, sukcesem, sensem i ideą. Ci nigdy nie rozgryzą szczurzej filozofii. Do końca będą się zastanawiać, dlaczego to, co szczurowi daje szczęście, ich wpędza w depresję. Do końca pozostaną nieszczęśliwi.

A ja teraz czuję się silniejszy niż kiedykolwiek... Cieszę się każdym dniem, każdą chwilą spędzoną z przyjaciółmi i samotnie. Cieszę się chwilami wolności i w spokoju znoszę momenty niewoli. Doceniam wszystko, co mnie spotyka dobrego i złego, bo wszystko to jest w tym krótkim momencie moje i żaden nadęty gwizdek, któremu wydaje się, że jest ważny, nie jest w stanie tego zmienić. Gdy muszę pracować, pracuję. Gdy nie muszę – nie pracuję. Dużo palę, nie stronię od dobrego kielicha, nieregularnie się odżywiam i wałęsam po nocach, więc nie martwię się moją emeryturą, na którą nie będą w stanie zapracować przyszłe pokolenia. Jak dobrze pójdzie, to może nawet zostanie po mnie coś pozytywnego, może... Ale najbardziej w tym wszystkim poprawia mi humor to, że takich szczurów jak my nigdy się nie pozbędą z tego świata. Jesteśmy niezniszczalni i przetrwamy wszystko. Przeżyjemy hipermarkety, międzynarodowe koncerny, prawnicze korporacje i pola bawełny. Przetrwamy krachy na giełdach, podwyżki akcyzy, prohibicje, wojny i rewolucje. Będziemy tu w chwili, gdy na surowo zostaną pożarte ostatnie psy i koty. Ukryjemy się dobrze i będziemy patrzeć z naszych nor ze spokojem na otaczający nas chaos. Budząc niesmak i odrazę, do końca pozostaniemy czyści i piękni. I co jeszcze mnie bawi... czasami mam niejasne przeczucie, że przeżyjemy nawet człowieka.

Monika Mostowik

SŁOŃCE

Brakowało mi słońca tak samo, jak brakowało mi siebie. Rzuciłam pracę i jeszcze wcale nie wiedziałam, czym chciałabym się zająć. Nie umiem przecież wyszywać ani gotować. No, może placki ziemniaczane bym zrobiła, bo uwielbiam płakać przy mieleniu cebuli tą maszynką do mięsa, którą dostałam od babci, kiedy się dowiedziała, że idę na swoje. Co prawda gdy tylko się dowiedziała, że idę naprawdę na swoje, czyli że żaden facet przede mną nie uklęknie, domagała się zwrotu, ale umarła, zanim zdążyłam ją oddać. Może powinnam była włożyć ją do trumny, żeby mnie potem nie nawiedzała, ale nie dało się, przepędziły mnie płaczki. Dlatego czasem muszę mielić cebulę, żeby o niej pamiętać.

Już będzie tydzień, jak pościągałam ze ścian swoje zdjęcia. Są ładne, ale stare, mówią mi, że to ja jestem stara, one się nie zmieniają. Przypomniał mi się wtedy ten fotograf, kiedy przekonywał mnie do zdjęcia bluzeczki, a potem majteczek, a potem staniczka. Mówił, że my, kobiety, bardzo lubimy się fotografować, żeby potem patrzeć na swoje zdjęcia i wspominać, jakie byłyśmy piękne. Cóż, nie miał chyba racji, bo nie mogę tego nazwać lubieniem – było mi raczej smutno i żal, kiedy na nie patrzyłam. Jeszcze nie zdecydowałam, co zamiast nich na ścianach powieszę, świecą pustką. Zdaje się, że potrzebuję nowych zdjęć.

Brakowało mi słońca nie tylko dlatego, że od jakiegoś czasu wcale nie podnosiłam rolet. Gdybym miała pewność, że świeci, podniosłabym. Ale zawsze budziłam się zbyt późno albo zbyt wcześnie; albo była nieznośna pełnia, która zawieszała mi między oknem a słupem telegraficznym cienką linę, na której miałabym tańczyć, albo to była latarnia, której jeszcze nie zdążyli rozbić, żeby nie stały pod nią panienki, albo światło w oknie tego chemika z naprzeciwka, który testował na sobie wszystkie kolorowe mikstury i już nieraz wybierałam się na jego pogrzeb. Zawsze było w tym jakieś oszustwo, zupełnie jakbym oczekiwała cudów, a nie słońca, do którego większość z nas przecież ma prawo, zupełnie ot tak. Zasłaniałam rolety, żeby szukać wewnątrz, tak jak radziły kieszonkowe poradniki. Pomyślałam, że coś musi w tym być – skoro przypisuje mi się złe zamiary i nieczyste intencje, to one gdzieś muszą tkwić we mnie i udawanie, że tylko ja mam rację, niewiele zmienia. Chciałam wiele zmienić, po raz pierwszy w życiu poczułam nieodpartą chęć wywrócenia wszystkiego do góry nogami, wywleczenia siebie jak skarpetkę na lewą stronę.

Gaspar przeczytał gdzieś artykuł o tym, że światło, a zwłaszcza słońce, leczy depresję, i nagle oznajmił mi, że jedziemy. Nie podejrzewam, żeby się bardzo wzbraniał przed tą delegacją. Obiecał, że nie będę musiała nic robić, nawet placków ziemniaczanych, tylko ładnie wyglądać i nie przeszkadzać mu. Nie byłam przekonana, czy potrafię, ale postanowiłam dać sobie szansę. Wzięłam najładniejsze sukienki, kolczyki i lakiery do paznokci. Buty, nie tylko na obcasie, bo obiecał, że będę się świetnie bawić. Okulary przeciwsłoneczne, w razie gdyby słońce już spaliło mi powieki, kremy i balsamy, choć nie byłam przekonana, czy pozwolę się dotykać. Moja kolekcja strojów kąpielowych pierwsza znalazła się w walizce, choć nie mogłam oprzeć się marzeniu, żeby pławić się w tym słońcu nago. Nie byłam jednak pewna, jak to się ma do ładnego wyglądania i nieprzeszkadzania. Na pewno są tam jakieś opuszczone plaże, wierzyłam, i z tego wszystkiego nie spałam trzy noce przed wyjazdem. Zaraz jak weszłam do samolotu, zemdlałam, zdaje się z wrażenia i niecierpliwości, ale troskliwe panie stewardesy odebrały to zupełnie inaczej i chciały mnie odesłać do lekarza. Gaspar niewiele mógłby na to poradzić, więc szybko się zebrałam w sobie i przestałam mdleć; zaczęłam spać.

Kiedy wysiedliśmy z samolotu, deszcz padał niemiłosiernie, a ja płakałam na głos. Teraz już miałam pewność, że słońce chowa się przede mną złośliwie, że śmieje się ze mnie i ukradkiem pokazuje mi język. Że nie wszyscy mają do niego prawo ot tak, że niektórzy, na przykład ja, muszą na nie zasłużyć. Ryczałam coraz bardziej, żeby sobie czasem ktoś nie pomyślał, że się na to zgadzam i pójdę do swojego pokoju i spuszczę rolety.

Podjechaliśmy przed hotel i tu poczułam, że Gaspar ma ochotę zostawić mnie na zawsze i uciec. Sama targałam swoją walizkę i upuściłam mu ją na nogę, dopiero kiedy zobaczyłam, jak tańczą na dziedzińcu. Tańczyli w deszczu, szczęśliwi, połykali krople wody jak sok pomarańczowy. Ubrania przyklejone do ciał sprawiały, że wyglądali jak rzeźby. Patrzyłam oniemiała na nich, na rozpryskujące się szkiełka wody, sople, które nie zdążyły zamarznąć. Wyszłam spod dachu i wtedy byłam z nimi, dotykali mnie, zupełnie jakbym istniała, byli wylewni i wzruszający. Tańczyli każdy do swojej muzyki. Nie mogłam znaleźć swojej, ale wtedy ona zaczęła mi nucić coś do ucha, chwyciła mnie za rękę i pociągnęła głębiej i głębiej. Tańczyłam i nuciłam razem z nią, nie mam pojęcia, skąd znałam tę melodię. Ludzie uśmiechali się, zupełnie jakby mnie znali od lat, obejmowali, jakbym należała do nich, jakbym nic nie miała na sumieniu. Nasze sylwetki zlewały się w jedno, nikt nie zgadłby, że płaczę, nawet gdybym nagle miała na to ochotę. Deszcz zmył ze mnie ubranie i żal.

– Nie mieliśmy tu deszczu od miesięcy. Dziś jest święto – powiedział recepcjonista, podnosząc moją walizkę. Szłam za nim jak lunatyczka i chyba miałam nadzieję, że poprowadzi mnie w jakieś zupełnie niewiarygodne miejsce. Weszliśmy do windy i wtedy w lustrze zobaczyłam, że jestem przecież całkiem goła. Gdybym tylko miała czym, szybko bym się zakryła, ale wtedy zauważyłam, że on ani nie był dla mnie bardziej miły, ani bardziej inny w związku z tym. Kiedy weszłam do pokoju, Gaspar akurat brał prysznic. Ja już nie musiałam. Wyciągnęłam z walizki pierwszą lepszą sukienkę, żeby się zakryć, i udawałam, że jestem sobą, tak żeby mnie poznał, kiedy wróci.

– To się zabawiłaś! – powiedział, wycierając włosy.

Nie potrafiłam tego skomentować. Gdybym powiedziała, że mam nadzieję, że to dopiero początek, pewnie odesłałby mnie z powrotem. Rzucił mi ręcznik.

– Dziś wieczorem jest bal, właściciel hotelu zaprasza, z okazji deszczu. Powariowali. Ja mam spotkanie, możesz iść sama. – Oczywiście, że pójdę, pomyślałam. – Tylko się ubierz.

Gaspar wyszedł wystrojony w garnitur, a ja siedziałam nadal w tej pierwszej lepszej kiecce i czekałam na wieczór. Nie mogłam ruszyć się z miejsca w tym oczekiwaniu, żeby czasem wieczór się nie spóźnił albo żeby mnie czasem nie ominął. Obudziło mnie pukanie do drzwi. Ona przyniosła mi ubrania, które zostawiłam na dziedzińcu.

– Nie idziesz?

– Idę.

– No to chodź.

– Tylko się uczeszę.

– Nie trzeba.

– Włożę buty.

– Dam ci moje.

Może myślała, że kiedy się cofnę do wewnątrz, nie wyjdę już nigdy i wtedy ominie mnie coś wspaniałego. Albo ją. Zeszłyśmy na dół. Uśmiechnięty kelner podał mi szklankę. Normalnie zastanowiłabym się, czy ten uśmiech nie jest aby podejrzany, czy nie chce mnie upić, on, albo ktoś mu to upicie mnie zlecił, a jeśli tak, to z jakiego powodu, żebym była łatwiejsza, żebym coś chlapnęła, albo żebym nie była taka twarda, albo żebym musiała wyjść do toalety, albo żebym nie pamiętała zbyt wiele, a oni wtedy...

– Na długo przyjechałaś?

– Nie wiem jeszcze. Szukam słońca.

Gdybym wtedy to usłyszała z boku, wzięłabym się za wariatkę, a z pewnością pomyślałaby tak moja przyjaciółka; może dlatego przestała mnie słuchać. Ale ona zaczęła się śmiać zupełnie szczerze i głośno.

– Pecha mam – skwitowałam. Nie lubię, jak ktoś się ze mnie nabija.

– Słońce ci jeszcze bokami wyjdzie, zobaczysz.

Jej buty były o numer za małe, swoją drogą nie sądziłam, że ktoś może mieć stopy jeszcze mniejsze niż ja, w każdym razie nie ktoś prawdziwy. Tańczyliśmy do upadłego, a kelner z tym niezmiennym uśmiechem podawał mi kolejne szklanki.

– Po co ci słońce? – zapytała akurat wtedy, kiedy usłyszałam tę melodię, którą nuciła mi rano do ucha. A może akurat wtedy usłyszałam tę melodię, kiedy zapytała – już sama nie wiem, ale mam wrażenie, że miało to jakieś znaczenie.

– Gaspar twierdzi, że słońce leczy depresję.

Znowu zaczęła się śmiać, zupełnie nie zakrywając dłonią ust, choć miała krzywą trójkę.

– Dlatego zostawił cię samą, tak?

– Ma jakieś służbowe spotkanie.

– Rozumiem – odpowiedziała, dusząc w sobie śmiech. Wolałam, jak się śmiała głośno, przynajmniej wiedziałam, na czym stoję. Oddałam jej buty.

– Za ciasne. Pójdę po swoje. – Próbowała mnie powstrzymać. – Czar prysł.

– Jaki czar? Moja droga, ty jeszcze nie wiesz, co to są czary.

Weszłam do windy, ale ona nie ruszyła. Z okazji święta nawet winda nie działała. Ruszyłam po schodach, a ona stała na dole, jakby czekała, kiedy spadnę, żeby mnie złapać. Schodki były coraz wyższe, podnosiłam kolana prawie pod brodę. Nagle okazało się, że schodzę z powrotem na dół.

– Rozmyśliłaś się?

– Chyba tak.

Wzięła mnie za rękę i zaprowadziła do pokoju. Stała w drzwiach i chyba czekała, aż zaproszę ją do środka. Tym razem ja zaczęłam się śmiać.

– Wybacz, ale to mi przypomina te wszystkie hotelowe historie erotyczne, wiesz, kiedy facet stoi w drzwiach, a ona w końcu zaprasza go „na kawę". – Jej najwyraźniej to nie rozbawiło. Poszła sobie, i kiedy przestałam się śmiać, a jej już nie było, poczułam się, jakby mnie ktoś ogolił na łyso.

Gaspar nie obudził mnie na śniadanie. Wzięłam prysznic i zeszłam na dół. Czytał gazetę, wyłożony na leżaku. Wszystko już wyschło. Po deszczu nie było śladu. Słońce podgrzewało drinki. Czułam, jak szczypie mnie w czubek nosa, płatki uszu i gotuje pot w zagłębieniu między piersiami. Lubiłam to.

– Schowaj się.

Recepcjonista przyniósł mi parasol – tym razem przeciwsłoneczny – i posadził mnie pod nim. Jak już słońce przestało mnie oślepiać, zobaczyłam ją, jak wskakuje do basenu. Poruszała się jak ryba i chyba tak też się zachowywała. Jakby się w każdej chwili potrafiła wyślizgnąć z ręki. Jakby chwilami dusiła się na powietrzu i musiała gdzieś wskoczyć. Obserwowałam ją chwilę, a ona udawała, że tego nie zauważa. Wskoczyłam za nią.

– A jak ty w ogóle masz na imię? – zapytałam, kiedy już zdecydowała się odpocząć i usiadła koło mnie na brzegu.

– A co za różnica?

– W sumie żadna, ale wygodniej jest z kimś rozmawiać, nawet myśleć o nim, jak się go nazwie po imieniu.

– Go? Czyli kogo?

– Nie rozumiem.

– Jestem kobietą, jeśli nie zauważyłaś. – Nadal nie rozumiałam i to ją chyba zniecierpliwiło. – Myślisz o mnie, a mówisz: myśleć o NIM i jak się GO nazwie po imieniu.

– No bo tak się mówi.

– Jasne. W takim razie nie chodzi się na bal bez butów.

Wzięła swoje klapki i ręcznik, ale zanim znikła w słońcu, zdążyłam za nią krzyknąć:

– Dokąd idziesz?

– Popływać.

Wiedziałam, że są tu opuszczone, zapomniane plaże. Leżałyśmy w słońcu leniwie, przypuszczam, że nawet gdyby nagle ktoś zaczął mnie przysypywać piaskiem, nie byłabym w stanie sprzeciwić się temu.

– On ma cię gdzieś, zauważyłaś?
– Obiecałam mu nie przeszkadzać.
– W czym? W życiu?
– Też. Ma tu swoje sprawy do załatwienia, mnie wziął przy okazji. Dba o mnie.
– To znaczy płaci za hotel.
– Nie musiałby tego robić.
– No nie wiem, to chyba jedyna rzecz, którą potrafią robić dobrze.
Najpierw myślałam, że jest zła na mnie, potem, że na cały świat, bo przecież chyba nie na Gaspara, nie zna go wcale, ale kiedy zaczęła się śmiać, potraktowałam to jako prowokację. Chciała, zdaje się, o czymś rozmawiać.
– A ty jak masz na imię?
Zabrzmiało to jak gadka o pogodzie.
– May.
– O Boże. A cóż to za imię?
– Mama myślała, że jak da mi takie imię, to już w ogóle będę wyjątkowa.
– I jesteś? – Wreszcie na mnie spojrzała, choć miała tak zmrużone oczy, że nie miałam pewności, czy mnie w ogóle widzi. Ostatnia rzecz, na jaką miałam właśnie ochotę, to zastanawianie się nad swoją wyjątkowością. Odwróciła się na brzuch.
– Nasmarujesz mnie?
Pomyślałam, że jednak dobrze, że wzięłam olejek i balsam. I że o wiele więcej przyjemności jest w dotykaniu innych ludzi niż siebie lub kiedy ktoś mnie dotyka. Usiłowałam też sobie przypomnieć, kiedy czyjś dotyk sprawiał mi przyjemność, i przyszła mi na myśl moja fryzjerka. Kiedy myła mi włosy, masowała głowę okrężnymi ruchami swoich smukłych łagodnych palców, o mało nie zakochałam się w niej. A może raczej w tych jej palcach, po co od razu w niej.
– Sama tu przyjechałaś?
– Tak. A czemu pytasz?
– Bo pomyślałam, że jesteś samotna.
– Ty, zdaje się, nie przyjechałaś sama, a też jesteś samotna.
– Teraz nie.
– To tylko złudzenie. Tak naprawdę jesteśmy jeszcze setki mil od siebie.
– Jeszcze.
– I jak się czujesz? – Faktycznie nie nadążałam za nią. Miałam wrażenie, że kiedy ona biegnie za mną, mimo woli przystaję, ale kiedy zaczynam ją gonić, ona przyspiesza. Była w niej jakaś dziwna nerwowość, a jednocześnie głęboki spokój. Żałowałam jednak,

że czasem był zbyt głęboko, abyśmy mogły normalnie rozmawiać.
– Od początku nie wyglądałaś mi na osobę z depresją. Ludzie w depresji nie szukają niczego, a tym bardziej słońca.

– Niektórzy wolą chuchać na zimne.

– A ty?

– No, zimne czasem trzeba ogrzać.

Uśmiechnęła się.

– Na jego miejscu nie zostawiałabym ciebie samej.

– Nic złego przecież mi się nie stanie. A nawet gdyby, pewnie i tak nie mógłby na to nic poradzić.

– Mógłby się postarać.

– To by niczego nie zmieniło.

– Co najwyżej twoje uczucia do niego.

Chyba za dużo myślę o uczuciach, zamiast sobie na nie po prostu pozwolić.

– On mnie naprawdę kocha.

– Dlatego macie osobne łóżka?

Nie miałam pojęcia, co to ma do rzeczy. Poza tym skąd wiedziała, że mamy osobne łóżka? Zaczęłam być podejrzliwa, a to niedobrze. Nie po to tu przyjechałam.

– Długo już tu jesteś? – zapytałam zupełnie po nic. Zupełnie mnie to nie obchodziło. Pewnie chciałam po prostu zmienić temat.

– Nie pamiętam.

Poszła do wody.

Zbyt długo nie wychodziła. Wiedziałam, że chce, żebym się o nią martwiła, żebym poszła jej szukać, żebym nie mogła jej znaleźć, żeby mi wszystkie najgorsze rzeczy przyszły do głowy, żebym krzyczała i wołała o pomoc. Coraz bardziej zapadałam się w piasek, ale jej nie było widać. Moja złość narastała. Przepłynęłam kawałek, ale nic to nie dało. Kiedy wróciłam, jej rzeczy nie było jednak na plaży. W końcu Gaspar zaczął mnie szukać.

Na kolacji jej nie było, ale kelner zapewnił mnie, że ona nie ma w zwyczaju jadać kolacji. Że jeśli już, to jada u siebie w pokoju. Tym razem schodki na górę były niższe niż podeszwa moich butów, waliłam pięściami w drzwi niemiłosiernie. Otworzyła jednak, zanim zjawiła się ochrona. Nie wiedziałam wtedy, jak się zachować, i nie słyszałam, co do mnie mówiła, być może zupełnie nic. Może tylko ruszała ustami, przecież uwielbiała mnie nabierać.

– Martwiłam się.

Nie wyglądała na wzruszoną, ale za to nalała mi wina.

– Szukałam cię.

– Gdybyś naprawdę szukała, znalazłabyś.

– Czyli chcesz mi wmówić, że szukałam na niby? – Wyobraziłam już sobie, jak plama z czerwonego wina będzie wyglądała na ścianie...
– Uspokój się.
Wypiłam do dna.

Z jej balkonu świat wyglądał, jakby był zupełnie nieważny, rozmyty i skurczony. Jakby błagał, żeby go wpuściła do środka.
– Nie mam żadnej historii do opowiedzenia. Zupełnie żadnej. Ludzie opowiadają różne anegdoty, wspomnienia z podróży, chwalą się znajomościami, tym, co ostatnio widzieli w kinie albo przeczytali w gazecie. A ja nie mam nic do powiedzenia.
– Niemożliwe, że nic ciekawego ci się nie przydarzyło.
– Naprawdę nic. Może to brzmi niepoważnie, ale zupełnie nie ma o czym mówić. Opowiedz coś dla przykładu.
Zaczęłam odważnie, bez zastanowienia; chciałam jej udowodnić, że to nic trudnego.
– Moja koleżanka z pracy zmarła na raka. Mam potworne wyrzuty sumienia, bo wymagałam od niej zbyt wiele. Ukrywała chorobę, ale mogłam się przecież domyślić. Doniosłam na nią do szefa. Na drugi dzień zmarła.
– No to faktycznie, na pewno przez ciebie.
– To nie jest śmieszne!
– A jakie?
Zaczęłyśmy tak głośno chichotać, że ludzie zaglądali do nas z innych balkonów.
– Jutro mi opowiesz jakąś swoją historię, dobra? Na pewno jest ich całe mnóstwo, tylko nie wiesz, od czego zacząć.

Chwiejnym krokiem weszłam do pokoju. Gaspar chrapał tak, że przychodziły mi do głowy coraz bardziej wyrafinowane metody zabijania. Na szczęście chwilami przewracał się na drugi bok i wtedy mogłam o nich zapomnieć, odłożyć wymyślony nóż z perłową rączką, błyszczący tasak do mięsa, świecznik z ostrymi zakończeniami, szkoda by go było dla świeczek. Myślałam natomiast o jej historiach. Wymyślałam je za nią, w razie gdyby naprawdę nie miała nic do opowiedzenia.

– Co dziś będziesz robić? – zapytał Gaspar, nie odrywając wzroku od gazety.
– Haftować. – Wreszcie popatrzył na mnie. – Opalać się, a co miałabym robić?
– Fajna ta twoja koleżanka. Jak ma na imię?
– A co za różnica?

Gaspar wrócił do gazety. Widocznie pomyślał, że lepiej mu to wychodzi niż rozmawianie ze mną.

– Zazdrosna jesteś.

Zaczęłam się głośno śmiać, ale to nie był mój śmiech, tylko jej. Owszem, byłam zazdrosna.

Zaprosiłam ją do naszego stolika na kolację, żeby udowodnić, że wcale nie jestem zazdrosna. Dla nas obu miało to być jakieś poświęcenie, bo ona nie miała przecież zwyczaju jadania kolacji, chyba że u siebie. Wystroiła się niemiłosiernie. Było mi głupio, że nie zrobiłam makijażu, ale odkąd tu przyjechałam, nie potrzebowałam tego. Teraz nagle przypomniałam sobie, że Gaspar prosił, żebym ładnie wyglądała. Było już jednak za późno. Kelner podał przystawkę i zanim wymalowałabym paznokcie, nie tylko wszystko by wystygło i wszystko by zjedli, ale z pewnością byłoby to wystarczająco dużo czasu, żeby o mnie zapomnieli na śmierć i świetnie się razem bawili.

Na szczęście zaraz po kolacji odezwał się służbowy telefon Gaspara i mogłam odetchnąć, kiedy zostawił nas same. Widziałam, że w duchu śmiała się ze mnie, choć z pewnością wmawiałaby mi, że coś sobie wmawiam. Miałam ochotę zjeść jej czerwone paznokcie – wyglądały jak landrynki, głowę bym dała, że były słodkie.

Nocą plaże były jeszcze bardziej opuszczone. Nie docierało do nich światło z hoteli. Można było zakopać tam swój skarb, nikt by nie zobaczył.

– Miałaś mi opowiedzieć jakąś historię.

Zaczęła bez zastanowienia, od razu wyobraziłam sobie, ile razy ćwiczyła tę kwestię.

– Moja sąsiadka znęcała się nad swoim psem. Strasznie wył i piszczał. Nie wiem, czym go okładała, ale pewnego dnia wyniosła go do śmietnika. Widziałam ją przez judasza, jestem pewna, że wiedziała, że ją podglądam. Na drugi dzień pogryzł ją pies sąsiada z góry. Myślisz, że to była miłość?

– Nie znam się na psach. Ale to na pewno nie jest twoja historia, tylko sąsiadki.

Widać, że obawiała się tego, myślała pewnie nad tą historią całą noc, a ja nie byłam zadowolona. Jakież to ludzkie, żeby tak nie doceniać starań. Wiedziałam jednak, że stać ją na więcej i wkrótce nie wybaczyłaby mi, gdybym na tym poprzestała.

– Widzisz tę górę? – Wskazała palcem ciemność. – Jutro tam pójdziemy. A wtedy opowiesz mi jakąś swoją historię, a nie swojej koleżanki z pracy.

Nie mogłam usnąć. W sumie nie przyjechałam tu, żeby spać, ale nie miałam pojęcia, ile jeszcze wytrzyma mój organizm. Czy nie usnę czasem w połowie drogi na tę górę, której nawet nie mogłam zobaczyć w ciemności, więc nie miałam pewności, że w ogóle istnieje.

Rano jednak ją zobaczyłam w całej okazałości. Wbijała się w słońce. Już się cieszyłam na samą myśl, że będę na szczycie, bliżej słońca, nie będzie trzeba pewnie nawet stawać na palcach, żeby go dosięgnąć.

Ruszyłyśmy w drogę. Nie uwierzyłabym wtedy, że te drobne kamienie będą moimi największymi wrogami, że będę się modliła o deszcz. Musiałyśmy po drodze połknąć tyle piasku; coraz mniej słyszałam, jakby wypełniał mi uszy. Patrzyłam na nią, upewniając się, czy czasem nic ważnego nie chce mi powiedzieć, wtedy musiałybyśmy zacząć schodzić, żeby wysypać ze mnie piach, ale okazało się, że nie ma jednak takiej potrzeby. Byłam coraz bardziej zgarbiona i pochylona, w końcu zaczęła mnie pchać. Co chwila zmieniałyśmy się i raz ja pchałam ją, raz ona mnie. Jej pośladki prawie mieściły mi się w dłoniach. Wyglądała, jakby usiłowała zdobyć tę górę po raz kolejny, jakby każda napotkana jaszczurka była jej koleżanką ze szkoły. Usiłowałam jej zadać pytanie, ale taka strata energii groziła mi stoczeniem się w dół. Milczenie dodawało mi sił – i jej ręce, które popychały mnie do przodu. Jak zejdziemy na dół, wykąpiemy się, będzie już wieczór, woda będzie chłodniejsza, będzie cudownie. Byłam mokra od potu. Bałam się, że moja skóra za moment zacznie się gotować, że się stopi jak wosk, że pocieknie ze mnie wszystko i słońce zliże mnie jak lody waniliowe. Kazała mi wyobrażać sobie lód. Gryzłam kostki lodu bez opamiętania, traciłam przy tym zęby, krwawiło mi podniebienie.

– Nie przesadzaj – powiedziała, lejąc mi wodę na głowę. Kiedy zdjęła mi kapelusz, zobaczyłam milion drobnych mieniących się gwiazdek, po chwili zaczęły mi się wbijać w policzki. Jej sylwetka była jedyną nadzieją na cień. Chowałam się w nim.

– Po co mnie tu zabrałaś?

– Zostawimy tam na górze twoją depresję.

Popatrzyłam w górę, ale nie zobaczyłam szczytu. Czyżby góra rosła wraz z moim zmęczeniem? Jaka depresja, tak w ogóle?

– Możemy ją zostawić tu – wskazałam na gorącą skałę.

– Tu jest za blisko. Jeszcze cię dopadnie.

Nie dała się zwieść. Pchała mnie znów w górę.

Na szczycie słońce było jakby łagodniejsze. Siedziałyśmy, opierając się o siebie plecami. Wyglądałyśmy jak siostry syjamskie, zrośnięte spoconymi koszulkami; żeby się rozdzielić, musiałybyśmy się rozebrać. Słońce tylko czekało na to, pożarłoby nas żywcem.

– Opowiedz.

Jak na zawołanie zaczęłam pluć piaskiem. Otworzyłam usta i słowa zaczęły się wysypywać jak złote ziarna, ale od razu zaczęły się staczać w dół. Nie sądzę, żeby cokolwiek usłyszała.

– Nic ciekawego nie przychodzi mi do głowy.

– Na pewno jest ich całe mnóstwo, tylko nie wiesz, od czego zacząć.

– Chyba jestem zbyt zmęczona.

– Wtedy najlepiej się opowiada. Ważysz każde słowo.

– Zawsze ważę.

Znowu zaczęłam pluć piaskiem. To było jak złoty krwotok padający wprost na moje kolana. Wtedy wstała i zobaczyłam, że ma całe spodenki we krwi. Zemdlała. Ledwo udało mi się ją złapać, zanim zleciała z tej cholernej góry. Zresztą sama nie wiem, czy to moja zasługa, czy tej grubej gałęzi, która najpierw strąciła jej kapelusz, a potem chwyciła za włosy. Nie wypuszczałam jej z rąk i chciałam wierzyć, że potrafię ją wciągnąć z powrotem. Przecież byłyśmy zrośnięte i chciałam, żeby tak zostało. Chciałam czym prędzej wrócić do świata. Słońce miałam gdzieś. Przypomniałam sobie tę melodię, którą nuciła mi do ucha wtedy, jak spadł deszcz. Zaczęłam nucić, żeby go zachęcić. Ale zaraz potem pomyślałam, że piach nigdy nie będzie naszym sprzymierzeńcem, spłynęłabym wtedy po błocie z nią na plecach i każda skała po drodze usiłowałaby nas zatrzymać. Liczyłam każdy krok, a ona przybierała na wadze. Słońce nie pozwalało mi uciec. Wołało mnie, namawiało, żebym rzuciła ją i uciekała, jedno z dwóch. Albo ja, albo ona. Jej krew spływała mi po plecach. Postanowiłam opowiedzieć jej jednak jakąś historię, chyba miałam nadzieję, że się ocknie i odzyska siły, że zejdzie o własnych siłach, że znowu będzie wczoraj, zanim wpadła na ten głupi pomysł włażenia na tę górę.

– Lubiłam pracować, bo w pracy byli ludzie. Choć niezbyt wiele z nimi rozmawiałam, cieszyłam się, że w razie gdybym miała jednak kiedyś taką śmiałość, jest się do kogo odezwać. Cieszył mnie ruch: chodzili korytarzem, choć zwalniali krok, mijając mój pokój, rozmawiali, tworząc miły dla ucha szum, choć w pobliżu mnie milczeli lub szeptali, myśląc, że wcale nie słyszę. Mogłabym zacząć podsłuchiwać, gdyby choć trochę interesowało mnie, o czym mówią. Ale interesowało mnie tylko to, że się krzątali. Kiedy tylko wracałam do domu, włączałam telewizor, najlepiej na wiadomości, gdzie było pełno ludzi, albo teleturnieje. Nie znosiłam ciszy, moja skóra wtedy rogowaciała, miałam ochotę ją zdrapać, złuszczyć, zedrzeć, czasem przychodziłam do pracy cała podrapana, musiałam opowiadać, że mam kota. Niesfornego rudego kota sobie wymyśliłam i opowiadałam o nim wymyślone historie, nawet kiedy nikt o nie nie prosił, nawet jeśli nie zadawali pytań. Mogłam przecież go kupić naprawdę, ale ja wolałam stwarzać iluzje. Denerwowało mnie, kiedy ludzie wychodzili z pracy. Biura pustoszały i przychodziła cisza. Powoli, w drewniakach, tłukła się niemiłosiernie i śmiała się ze mnie. Nie pomagały moje awantury, że nie nadążają z projektami, że są leniami i nierobami, żeby się wzięli do roboty. Nie pomagały wysokie premie za zostawanie po godzinach. Ludzie wychodzili czym prędzej, korzystali z chwili mojej nieuwagi. Kiedy tylko wyszłam do toalety, połowa biura znikała. Zaczęłam nosić pampersy, nie wychodziłam ani na chwilę i obserwowałam ich przez szybę, nie zamykałam drzwi, żeby czasem nikt nie przemknął do wyjścia. Chciałam, żeby byli. Oni z pewnością też wracaliby do pustych domów, więc po co? Dlaczego nie zostać tu ze mną? Żony i mężowie z pewnością ich nie rozumieli, dzieci krzyczały tak, że pewnie chcieli od nich uciec po kilku minutach, więc dlaczego nie spędzać tego czasu ze mną. Przecież nikomu nie przeszkadzałam. Gaspar wie, że umiem nie przeszkadzać. Podobno to wszystko, co robiłam, nie było zdrowe. Ludzie zaczęli się zwalniać. W końcu postanowiłam odejść. Bałam się, że to mnie zabije, ale w sumie nie bardzo. Przeżyłam. Może to Gaspar mnie uratował.

Położyłam ją w cieniu i pobiegłam po wodę. Zwilżyłam jej usta i twarz i ocknęła się wreszcie. Od razu się uśmiechnęła i znów miałam wrażenie, że mnie nabiera. Narastała we mnie złość na samą myśl, że udawała to wszystko, żebym ją niosła.

– Co się dzieje?

– Nic. Okres dostałam.

– Przestraszyłam się.

– Niepotrzebnie. Co miesiąc wchodzę na tę górę.

– A gdybym cię nie złapała?

– Wiedziałam, że mnie złapiesz. Chyba mnie polubiłaś trochę.

Wracałyśmy do wioski, a krew ciekła jej po udach. Chciałam być niewidoczna. W sumie udało mi się, wszyscy patrzyli na nią, a mnie jakby nie było.

Zamknęłam pokój na klucz. Wyplułam jeszcze dużo piasku. Gaspara nie było w pokoju. W sumie nigdy go nie było, kiedy był potrzebny. Zawsze zjawiał się po fakcie, kiedy już dochodziłam do siebie. Może o to chodzi właśnie, żeby sobie radzić samemu (czy też samej, jak by powiedziała ona), żeby przestać liczyć, że pojawi się Gaspar czy ktokolwiek inny.

Wzięłam prysznic. Woda spływała mi po plecach i czułam, jakby obmywała moją ranę po tym, jak zostałyśmy rozdzielone, jakby została po tym głęboka blizna. Stałam po kostki we krwi. Jednak byłyśmy zrośnięte, nikt mi nie wmówi, że nie, nawet ona.

– Jutro wracamy – powiedział Gaspar, nie odrywając się od notowań giełdowych.

Zdaje się, że wpadłam w panikę, bo nie mogłam złapać powietrza. Potem czułam, że mdleję i że Gaspar wcale tego nie zauważy.

– Jutro wracam – powiedziałam, nie odrywając wzroku od zachodzącego słońca. Wiedziałam, że ona na mnie patrzy, a przynajmniej miałam taką nadzieję.

– Na górę?

– Nie.

– Myślałam, że ci się podoba.

Była piękniejsza niż zwykle. Łagodność jest taka piękna, a ona jakby nagle pozbyła się tej swojej nerwowości, jakby ją słońce z niej wycisnęło wraz z potem. Byłam mu jednak wdzięczna. Oparła głowę o moją. Byłyśmy nagle jak siostry syjamskie zrośnięte myślami.

– Przyjedź po mnie za rok – powiedziałam do Gaspara, mając nadzieję, że nie oderwie go to od notowań giełdowych.

– Zwariowałaś? – Popatrzył na mnie jak wtedy, kiedy powiedziałam, że rzucam pracę.

– Chyba tak. Ale to tym bardziej nie powód, żeby tam wracać. Zresztą nie mam do czego.

– A ja?

– Ty jesteś ciągle w pracy. Ani się obejrzysz, a minie rok i znów przyjedziesz na wakacje.

Błądził wzrokiem dokoła mojej głowy, jakby szukał w mojej aurze jakiejś podpowiedzi.

– To przez nią, tak?

– Nie. Dla niej.

– Będzie ci płacić za hotel?

Nie miałam pojęcia. Dlaczego zawsze trzeba się zastanawiać nad takimi prozaicznymi rzeczami właśnie wtedy, kiedy człowiek ma zamiar zrobić coś szalonego.

– Zobaczysz, znudzi ci się za dwa tygodnie i co wtedy? Jak wrócisz? Autostopem przez ocean? Teraz jest pięknie, bo słoneczko, bo opalone ciałko, bo sobie pływacie, ale nie zawsze jest święto. To ci spowszednieje, znasz przecież siebie, i co wtedy?

Nie miałam zamiaru się nad tym zastanawiać. Ale skoro już pytał, to mogłam mu powiedzieć, że wtedy zabiorę ją do siebie.

– Ale tam nie ma góry – martwiła się.
– Usypiemy.

Pożegnałyśmy Gaspara, choć miałam wrażenie, jakby chciał mnie porwać, jak tylko ona spuści ze mnie wzrok. Chyba to zauważyła i chwyciła mnie za rękę. Byłyśmy wtedy jak siostry syjamskie zrośnięte palcami. Pomyślałam, że chciałabym poświęcić na to całą powierzchnię mojego ciała.

Siedziałyśmy na brzegu i czekałyśmy, aż woda rzuci nam perły do stóp.
– Ta twoja historia, którą opowiadałaś, kiedy wracałyśmy z góry, jest przerażająca. Nie mogę przez nią spać.
A jednak słyszała. Wciąż nie mogę się pozbyć wrażenia, że mnie nabiera. Czułam, że nabija mnie w butelkę, i znów w związku z tym zaczęło mi brakować powietrza. Podeszłam do wody i wtedy odzyskałam oddech, a nawet znalazłam perłę. Czasem po prostu trzeba się ruszyć z miejsca, zamiast czekać, że do ciebie przypłynie.
Podeszła do mnie i podziwiała nie tyle perłę, ile jej opakowanie.
– Nie było ci żal wyrywać jej ze środka?
– No przecież sama chciałaś znaleźć perłę.
– No owszem. Nie wyrzucam ci nic, tylko pytam, czy nie było ci żal.
– Nie, nie było.
Może powinnam czuć się winna, ale nie znosiłam tego. Uśmiechnęła się, jakby wiedziała, o czym myślę. Podałam jej perłę. Połknęła ją.

– Wracając do twojej historii… opowiadałaś ją w czasie przeszłym. Naprawdę myślisz, że masz to już za sobą?
– Nie myślę już o tym. Mam to za sobą. A co z twoją historią?
– Już opowiedziałam.
– Ale to nie była twoja historia.
– Moja, bo ja ją opowiedziałam. Inni ludzie są znacznie bardziej ciekawi niż ja. Nie miałabym po co żyć, gdyby nie inni, gdybym nie mogła o nich myśleć, na nich patrzeć, więc jeśli mam coś opowiadać, to tylko o innych.
– W takim razie ktoś musi opowiedzieć twoją historię.
– Jeśli wydam się komuś na tyle ciekawa…
– Ja chętnie to zrobię. Opowiem, że poznałam ciebie, że jesteś

cudowną osobą, ale nawet nie znam twojego imienia, nie wiem, skąd pochodzisz i dokąd zmierzasz.

– To sobie wymyślisz.

– To już na pewno nie będzie twoja historia.

Wzruszyła ramionami i poszła sobie. Zdążyłam zauważyć, że posmutniała. Zastanawiałam się, co ją gryzie, ale raczej sprowadzało się to do wymyślania. Może ktoś ją kiedyś zostawił. Była szczęśliwa, bez reszty oddana, ufna, a nagle obudziła się w hotelu sama. Kiedy pytała o współlokatora, okazało się, że nie był zameldowany, i wszyscy myśleli, że postradała zmysły. Od tamtej pory włóczy się po hotelach i wszyscy traktują ją z przymrużeniem oka, jak ducha, który jest wpisany w historię hotelu. Może wołają na nią „hotelowa panna", przecież jakoś muszą ją nazywać.

Pognałam do recepcji. Zupełnie nie wiedziałam, jak mam o to zapytać, ale oni przecież musieli znać jej imię. Wydusiłam z siebie parę słów, bardzo niezręcznie, tak że recepcjonista zupełnie nie wiedział, o co mi chodzi. Kiedy postarałam się ubrać to w inne słowa, uśmiechnął się i pokiwał głową ze zrozumieniem, znikł gdzieś i za chwilę ją przyprowadził. Patrzyła na mnie pytająco.

– Emilia.

– Tak masz na imię?

– Powiedzmy.

Zezłościłam się. W sumie od dawna się nie złościłam, już prawie zapomniałam, jakie to głupie uczucie.

– Czy ty zawsze musisz się tak wygłupiać? Nie możesz się jak człowiek przedstawić?

– O co ci chodzi? Nagle ci moje imię do szczęścia potrzebne, chcesz je sobie wytatuować na pośladku czy co? Chodźmy popływać.

Najbardziej lubiłam pływać w nocy. Kiedy niebo moczyło się po kolana w morzu i nie widać było między nimi żadnej granicy, równie dobrze morze mogłoby być niebem, a niebo morzem, były identycznego koloru. Lubiłam wtedy być blisko niej. Ona doskonale wiedziała, gdzie przebiega granica, potrafiłaby ją wskazać palcem nawet z zamkniętymi oczami. Robiła to często, kiedy zaślepiało nas słońce. Kiedy niebo piło morze i tak samo się mieniło. Głowę bym dała, że toniemy, że się chmury potopiły, ale ona potrafiła mnie wydostać z największej ciemności i zaślepienia.

– Chyba lepiej ci po ciemku, prawda? – zapytała, ale jakby to było pytanie retoryczne.

– Co znaczy lepiej? – parsknęłam. Przenigdy nie chciałabym się przyznać do jakiejkolwiek słabości.

– W ciemności jesteś taka odważna.

Chyba chciała mnie pocałować. Przez chwilę zdaje mi się, że zapomniałam, jak się pływa, choć podobno tego się nigdy nie zapomina. Tym razem ona mnie uratowała, wyniosła na powierzchnię i jeszcze chwilę, a zaczęłaby mi robić sztuczne oddychanie, gdybym nie zaczęła znacząco kaszleć i oznajmiać całemu światu, że przecież nic mi nie jest.

Odkąd przeprowadziłam się do jej pokoju, słońce świeciło nam nawet wewnątrz. Nie musiałyśmy wcale wychodzić, ale nagle znowu zaczęłam wymyślać jej historię. Może jej dom się spalił albo zatonął i teraz chowa się przed powodzią czy skwarem w hotelach. Czasem człowiek nie ucieka zbyt daleko od swojego przeznaczenia i kusi los, może dlatego ona tak lgnie do słońca i do wody. A może jest po prostu syreną. Może w nocy jej nogi porasta łuska i wyrastają płetwy. Postanowiłam to sprawdzić tej nocy. To trudne, bo jeszcze nie udało mi się usnąć po niej. Zawsze zbyt wcześnie zamykałam oczy i nawet nie miałam pewności, czy ona w ogóle sypia. Tym razem też nie wytrzymałam, ale obudziłam się i zobaczyłam, że śpi. Jak dziecko – błogo, lekko uśmiechnięta. Patrząc na nią, pomyślałam, że nie mogło jej się nigdy nic złego przydarzyć, jest taka szczęśliwa. Odkryłam ją i przyglądałam się jej udom, czy aby nie ma na nich łusek. Zaczęłam je gładzić, rozchyliła nogi, mrucząc, wciąż nie otwierała oczu, i obudziłam się.

Jedno jest pewne, nie jest syreną. Przyniosła śniadanie do łóżka i zajadałyśmy się, karmiąc się nawzajem, o wiele to przyjemniejsze niż karmienie siebie. Miałyśmy z tego nie lada przyjemność, po co daleko szukać, skoro mamy jej tyle na wyciągnięcie ręki.

– Emilia...

– Tak? – Popatrzyła na mnie z niepasującą do niej powagą i zaraz potem gruchnęła śmiechem tak, że resztki rogalika z dżemem wypadły jej z ust. – Daj spokój, słyszysz, jak to brzmi?

– No jak?

– Czy słyszałaś, żebym ja kiedykolwiek mówiła do ciebie po imieniu?

– Aha, rozumiem. Chodzi o to, że nie jestem dla ciebie nikim ważnym. Nie ma znaczenia, czy to jestem ja czy Zosia, czy Marysia.

– Nie znam żadnej Zosi.

– A może ja mam na imię Zosia.

– Niemożliwe. – Znów zaczęła się śmiać. – Poza tym znamy się kilka dni, nie sądzisz, że to za mało, żeby stać się dla kogoś kimś ważnym?

Może zbyt długo się namyślałam, ale w końcu odpowiedziałam, pełna podziwu dla własnego podziwu:

– Nie, nie sądzę.

– No i za to cię właśnie lubię.

Przytuliła mnie mocno, a ja poczułam się jak pluszowa maskotka, która nawet nie przypomina żadnego zwierzaka. Taka, którą się dołącza do zakupu co najmniej trzech opakowań pieluszek dla dzieci, a potem się ją rzuca psu, żeby się bawił.

Dostałam od niej w prezencie statuetkę syreny. Miała perłowe piersi i złote łuski poniżej pasa. Nie wiedziałam, co o niej myśleć. Nazwałam ją Emilia.

– Nawet rzeczom nadajesz imiona?

– Tym ulubionym tak.

Uwielbiałam spędzać czas w jej pokoju, ale w końcu naniosłyśmy tam tyle piachu, że zaczął nam zgrzytać między zębami. Plułyśmy nim z balkonu, aż w końcu zarezerwowałam bilety. Gaspar wiedział, że kiedyś nam się to znudzi, ja też wiedziałam i dlatego to wcale nie było takie smutne; ona też wiedziała, bo miała już spakowaną walizkę.

Żegnał nas cały hotel. Stali równo szeregiem i machali, kiedy odjeżdżałyśmy taksówką. Musieli się bardzo do niej przywiązać, zresztą chyba miała to do siebie, że trudno było pozostać wobec niej obojętnym.

– Wiesz, niektóre kobiety twierdzą, że ten moment wzlotu samolotu to wspaniałe uczucie, zupełnie jak orgazm – powiedziała, kiedy stewardesa przypomniała nam o zapięciu pasów. Chwyciła mnie mocno za rękę, przycisnęła głowę do siedzenia, zamknęła oczy i samolot zaczął startować. Kiedy wzleciał, jęknęła.

Biedna dziewczyna – pomyślałam. Mnie od tych wzlotów tylko niedobrze. Na szczęście miała jakiś worek.

Najbardziej w moim mieszkaniu podobały jej się puste miejsca po zdjęciach na moich ścianach. Patrzyła na nie, jakby tam wciąż były jakieś obrazy.

– Musiałaś sprzedać?

– Nie. Schowałam.

– Dlaczego?

– Bo przytyłam.

Zrobiłyśmy kolację i podałyśmy ją obie. Każda chciała być pierwsza – a to z krojeniem pomidorów, a to z rwaniem sałaty, a to z nakrywaniem do stołu. Nie mogłam sobie przypomnieć, kiedy wcześniej podawałam komuś do stołu; albo byłam w restauracji, albo w barze, albo w stołówce. Moja kuchnia prawie nie była używana. Kiedy byłam w domu, byłam tak zdołowana, że nie jadłam; od czego tak utyłam w takim razie? Uświadomiłam też sobie, że mieszczę się w rzeczy, które zdejmowałam z siebie, kiedy fotograf robił mi te akty na ścianę. A tyle czasu i energii zmarnowałam na użalanie się nad sobą.

Leżałyśmy w łóżku z nogami opartymi o ścianę. Mówiła, że dzięki temu nie ma się żylaków. Nagle stała się bardzo rozmowna, pytała, czym depiluję nogi, czy woskiem, czy maszynką, i czy używam samoopalacza czy tylko podkładu, jak często farbuję odrosty i czy wycinam skórki. Miałam jakiś dziwny żal o to, i przestraszyłam się nie na żarty. Czasem ludzie milczą, żeby schować swoją nie tajemnicę, lecz pustkę.

– Chyba wrócę do pracy.
– Przecież tam cię nienawidzą.
– Może dam się polubić. Musimy z czegoś żyć.
– Mogę sprzedać hotel.

Zastygłam na chwilę i znowu zaczęłam wymyślać jej historię. Odpłynęłam z powrotem na wyspę, ale szybko wróciłam, kiedy zobaczyłam, że nie ma jej tam na opuszczonej plaży. Nie ma ani jej, ani słońca. Teraz mam słońce w swoim pokoju.

– Lubię tak z tobą leżeć i nic nie mówić – mówiła, a ja czułam, jakby wyciągała mnie spod wody. – Z facetem tak się nie da, prawda? Jak się koło niego leży, to od razu chce cię dotykać. – Czułam, jakby mnie śledziła, najmniejszy ruch ręki mógłby mnie wtedy zdradzić i wydać wyrok, na przykład, że będę szczęśliwa do końca życia. – Lubię też tak z tobą jeść i nic nie mówić – kontynuowała, jakby szukała ratunku.

– Bo przy jedzeniu się nie gada.

Uśmiechnęła się i popatrzyła mi prosto w oczy.

– Wiesz, o czym mówię, z facetami tak się nie da, prawda? Przy kolacji albo czytają gazetę, albo myślą, jak by cię tu zaciągnąć do łóżka.

– No nie wiem, z kim ty się zadawałaś.

Chciałam, żeby choć raz porozmawiała ze mną wprost, ale ona wolała chodzić koło mnie na palcach i szukać pretekstu do rozmowy o niczym. Nie zamierzałam jej niczego ułatwiać.

– Dlaczego nie mieszkacie razem?

– To znaczy kto?

– No ty i on.

– Byłoby mi łatwiej, gdybyś nazywała ludzi po imieniu – droczyłam się z nią. – Chodzi ci o Gaspara?

– Nie mam pamięci do imion.

– Dlaczego mielibyśmy mieszkać razem?

– Mówiłaś, że cię kocha.

– No bo kocha. Ja też go kocham. Gaspar mieszka z żoną.

– Aha, rozumiem.

Nic nie rozumiała, a ja miałam z tego jakąś dziką satysfakcję. Postanowiłam jednak nie znęcać się nad nią.

– Gaspar to mój brat.

Gdyby mnie zapytała, powiedziałabym jej, że to wcale nie było żadne oszustwo, przypomniałabym jej, że nigdy mnie o nic nie zapytała wprost, choć pewnie dobrze wiedziała, że miałabym żal o te pytania. Czasem ludzie się trochę rozmijają – albo się śpieszą, albo spóźniają. Zanim uciekła, powiesiłam na ścianach jej zdjęcia.

Wiedziałam, że powinnam jej szukać, przekonać, że wszystko się da zatrzymać i przypiąć do jakiejś ściany, gdybym tylko sama była do tego przekonana.

W końcu sprzedałam swoje cztery ściany, zdaje się, że przestały mi być potrzebne. Starczyło nam na wspólne życie i szum w głowie.

Zofia Mossakowska

MORDERCA MOTYLI

Mojej ślicznej, osiemnastoletniej córce

Kolejny drink, nie pamiętam już który. Patrzę na gniazdo nieznanego ptaka na palmie – nic się w nim nie dzieje niepokojącego; czy to możliwe? Przecież zwierzęta to głównie instynkt. Morze też nie zmieniło koloru; tylko fale urosły o kilka centymetrów, uniosły się, jakby sfrustrowane ciągłym spychaniem w kierunku brzegu. Piasek jest ciepły, choć jeszcze nie gorący, a ja siedzę sama na tej plaży, po raz pierwszy tak wcześnie, choć mój mąż, kiedy jeszcze tu był, namawiał mnie kilka razy na spacer o wschodzie słońca. Jeszcze przed nadejściem Emily.

A poranek na plaży niezaprzeczalnie warto przeżyć. Przyjść na długo przed innymi, by wykorzystać dobry czas przed godzinami upału, zaganiającego ludzi pod parasole. Odłożyć na później lenistwo, pospacerować, brodząc ze stopami w wodzie i oddychając na zapas, aby starczyło na zimę. Morze o poranku jest świeższe i bardziej puste, na jego brzegu leżą jeszcze żółwie jaja, jak zapomniane pingpongowe piłeczki. Są pod ochroną, za ich zbieranie grożą surowe kary, ale dotyczy to raczej miejscowych, którzy pojawiają się na plaży najwcześniej. Na szczęście dla żółwi nie ma tu zbyt wielu miejscowych, którzy mieliby na to czas; większość pracuje w hotelach i doskonale rozumie, co to takiego odpowiedzialność – za morze, za palmy, za romantyczne ptasie gniazda i za te okrągłe jajeczka, pieczołowicie odkładane do dołków w piasku i oznaczane tabliczką *No tocar!* Przyglądam się tym żółwim inkubatorom i myślę, że cała ta troska nie zrobi najmniejszego wrażenia na Emily.

Co ja tu robię? Co za licho podkusiło mnie, by tu być, w tej pocztówce, pięknej tak nieprzyzwoicie chyba po to, by każdy, kogo na to nie stać, mógł się pocieszać kpiną z kiczowatości krajobrazu. Trudno wyobrazić sobie bielszy piasek, smuklejsze palmy, wodę bardziej przejrzystą; nawet wraki, do których jeszcze przedwczoraj nurkował mój mąż, są podobno tak wspaniałe, że każdy z nich zasługiwałby na osobną salę w muzeum. A sam hotel? Zbudował go prawdziwy artysta, wkomponowując cały kompleks w naturę tak, że podobno nie ucierpiało ani jedno drzewo, nie przegoniono nawet pająków, które wciąż przechadzają się po krzakach orchidei. Chaty dla gości wzniesiono z najszlachetniejszych gatunków drzew, a ich dachy to przemyślne konstrukcje z traw; restaurację, całą ze szkła, umieszczono pośrodku wielkiego stawu, pełnego majestatycznie przemieszczających się spasionych złotych ryb. Nawet tłuste krokodyle za solidnym ogrodzeniem wyglądały na tutejsze; słyszałam, że sztuczki, których nauczono je dla uciechy gości, wykonują tylko po to, by ich nie zniechęcić do przyjazdów.

– Jeszcze jedna piña colada, señora?

Znowu ten kelner. Jeszcze dwa dni temu nazywał mnie señoritą, pewnie by przypodobać się mojej córce, jak niemal wszyscy z obsługi – instruktorzy, barmani, nawet tancerze z rewii, snoby gorsze od największych snobów pośród gości. Żaden nie pozostał obojętny na uroki mojej ślicznej osiemnastoletniej córki, która wymyśliła sobie nasz pobyt tutaj jako prezent urodzinowy. Niestety, obok bardzo prywatnych wakacji gdzie indziej.

– Nie, chyba mam dosyć.

– Ale wie pani, señora: od piętnastej żadnego alkoholu...

– Tak, tak – powiedziałam, uprzedzając jego dalsze, zbędne tłumaczenia. – A wszystko przez Emily.

Wszystko zaczęło się jakieś pół roku wcześniej. Wróciłam późno, po kilku kieliszkach wypitych z przyjaciółkami. Jadłyśmy niskokaloryczne sałatki i narzekając na nudnych bądź niewiernych mężów, nie żałowałyśmy sobie szampana. To był stały punkt naszych regularnych od lat spotkań, które każdej z nas sprawiały nieocenioną przyjemność i z pewnością były skuteczniejsze od godzin spędzanych u psychoterapeutów. Choć i tu, i tu zdarzało się nam płakać, w naszym dobranym gronie śmiech gościł częściej od płaczu i zazwyczaj z powodów, które w pojedynkę absolutnie nie wydawały się śmieszne.

Mój odpowiedzialny mąż od dawna spał, szykując się do kolejnego dnia walki o pieniądze. Zamierzałam dołączyć do niego po cichu, ale moje zamiary spełzły na niczym z powodu córki, która w napięciu oczekiwała mnie w łazience. Później, kiedy ten wieczór przeniósł się już do katalogu wspomnień, wielokrotnie żałowałam, że akurat wtedy w takim stanie wróciłam do domu. Wyrzucałam sobie wypite kieliszki alkoholu oraz to, że nierozsądnie dopuściłam do tej rozmowy z moim jedynym dzieckiem.

– Mama – wyjęczała córka na mój widok – nie wyobrażasz sobie, co mnie spotkało.

Patrzyła na mnie błagalnie z otomanki, na której siedziała z kolanami podciągniętymi pod brodę. Jej oczy płonęły, co dostrzegłam od razu, choć i mój stan daleki był od codziennego. Przejrzałam się ukradkiem w łazienkowym lustrze; jak zwykle nie miało dla mnie litości. Najgorsza była twarz, żaden make-up nie był dość skuteczny, by ukryć chorobliwe rumieńce, które pojawiały się na moich policzkach już po trzecim kieliszku. Oraz po trzecim zdaniu rozmowy o mężczyznach, w tym także o moim własnym.

– Cóż się takiego stało, kochanie? – zapytałam. Aby odwrócić uwagę od siebie, postanowiłam okazać najwyższe zainteresowanie córce, która zdawała się go nadzwyczajnie potrzebować. Emanowała mieszanką podniecenia, nadziei oraz tego specyficznego nastoletniego czarnowidztwa, które wie, że rodzice rzadko bywają aniołami i na ogół są przeciw spełnianiu najsmaczniejszych marzeń.

– Mama, nigdy nie zgadniesz, kto do mnie napisał.

– Adam? – zapytałam niewinnie, przypominając sobie jedynie stałego przyjaciela e-mailowego mojej córki. Był Kanadyjczykiem, poznała go w internetowym forum dotyczącym fantasy.

– Jasne... – Pokiwała głową, bardziej przygnębiona niż rozzłoszczona moją tępotą. – Właśnie dlatego mówiłam, że nie zgadniesz.

– Więc kto?

– Had! Napisał do mnie Had, i to na osobistą prośbę Terry'ego! – wykrzyknęła z pasją. – Wyobrażasz sobie? To tak, jakby Terry sam do mnie napisał!

– Przecież już raz do ciebie napisał – przypomniałam. – I to całkiem sam.

List od Terry'ego Lowkinda wisiał od wewnątrz na drzwiach szafy mojej córki, za szybką, starannie oprawiony w ramkę. Wybrała to miejsce, by móc patrzeć na niego za każdym razem, gdy otworzy szafę, tylko ona, bezpieczna przed świętokradczą ciekawością obcych. Zdaniem mojej córki list ten był najcenniejszą rzeczą nie tylko w jej pokoju, ale w całym naszym domu, o którym sama zwykłam mawiać, że zawiera niezłą kolekcyjkę ładnych przedmiotów. Niezupełnie miło mi było myśleć, że jedynie ta odręcznie zapisana kartka papieru mogłaby być dla mojej córki powodem do chronienia domu od zburzenia czy pożaru. A jednak wszystko na to wskazywało, i to nie tylko dlatego, że Terry Lowkind był cieszącym się światową sławą pisarzem, człowiekiem-legendą oraz guru setek tysięcy młodych ludzi na całym globie. O wiele więcej znaczyło to, że oprócz fenomenalnych powieści napisał osobisty list do mojej córki, w którym oświadczył, że jedynym powodem jego tworzenia jest istnienie wrażliwych i lotnych umysłów – takich, jaki posiada ona.

– Mama, on napisał nową książkę i zaprasza mnie na jej promocję!

– Taaak? – Skrzywiłam się podejrzliwie. – Czy aby nie mówiłaś, że Terry Lowkind brzydzi się reklamą?

– Ależ to Had się tym zajmuje w jego imieniu! Nie ma wyboru, zmuszają go do tego wydawnictwa, media, no i czytelnicy! Przecież mówiłam ci o tym ze sto razy...

Mówiła, pamiętam. Had, przyjaciel legendarnego Lowkinda, był kimś w rodzaju asystenta, sekretarki i nawróconego ucznia w jednym. Zauroczony czytelnik, uprosił pisarza o prawo do reprezentowania go w świecie. Był jego agentem, bronił przed agresywnością dziennikarzy, zastępował w mediach i przewodził każdemu internetowemu forum, które się zawiązało, by głosić sławę największego fantasty wszech czasów. A także, o czym często opowiadała mi moja rozczulona jedynaczka, woził zapasy jedzenia do drewnianej chaty w Meksyku, gdzie pisarz chronił się przed ludźmi. Bez telewizora i komputera, jedynie z kolekcją winylowych płyt oraz jedną starą maszyną do pisania.

Z minuty na minutę dowiadywałam się więcej szczegółów na temat światowej premiery nowej powieści. Uroczystość miała odbyć się w Cancún na Jukatanie, w dużym hotelu z plażą. Nieoceniony Had zdołał namówić Terry'ego, by pojawił się tam na chwilę – na pewno nie było to łatwe. Sam Terry natomiast postanowił zaprosić do swej chaty najwierniejszych czytelników.

– Do siebie, do swojego domu! Tylko trzydzieści osób, z całego świata ledwie trzydzieści osób! W tym mnie, mama, wyobrażasz sobie? Terry Lowkind zaprasza mnie do siebie!

Usiadłam na brzegu wanny i przyglądałam się córce, która już prawie była kobietą, a jednak w takich chwilach uniesienia jej oczy przypominały mi tamto dziecko, które umiało cieszyć się jak żadne inne na świecie – tak że nigdy nie umiałam mu niczego odmówić.

– Do tej drewnianej chatki?

– Ona wcale nie jest taka mała – wyjaśniła moja córka, odgarniając długie włosy. – Podobno jest w niej kilkanaście pokoi, jak to na ranczo.

– Więc on ma ranczo.

– Tak, z końmi i psami. Mówiłam ci, że kocha zwierzęta. To widać w jego książkach.

– Powinien hodować smoki...

Nigdy nie przeczytałam więcej niż kilka stron z każdej nowo wydawanej powieści Terry'ego Lowkinda, czego teraz przyszło mi żałować. Wiedziałam tylko, że chodzi o uzbrojone w miecze księżniczki, samotnych szlachetnych rycerzy oraz świat wyimaginowanych stworzeń, z których każde ma swoją rangę i godność. I o skomplikowaną filozofię dobra i zła oraz o odwieczną walkę jednego z drugim albo odwrotnie. Kiedyś, na samym początku, odważyłam się powiedzieć córce, że wszystko to brzmi dość uniwersalnie, a ona obraziła się i oświadczyła, że powinnam dokładnie przeczytać to, co czuję się upoważniona krytykować. Tymczasem ja wcale nie zamierzałam krytykować nikogo, nawet tych smoków Terry'ego Lowkinda, który wbrew pozorom wcale nie był pisarzem dla dzieci. Wręcz przeciwnie, jego proza była wystarczająco trudna, by odstraszyć przeciętnego czytelnika; zwłaszcza w oryginale, po angielsku, w której to – wyłącznie – formie spożywała Lowkinda moja córka.

– Proszę cię, pozwól mi polecieć do Meksyku – usłyszałam niezwykle poważnie brzmiące słowa. – W życiu na niczym nie zależało mi bardziej niż na tym, żeby poznać Terry'ego i porozmawiać z nim o jego książkach.

Powinna jeszcze dodać: „w moim długim, prawie osiemnastoletnim życiu...". Jednak nie byłam nawet zła na nią za to, że obcego pisarza uczyniła najważniejszym pragnieniem, osobą ważniejszą może ode mnie czy ojca. Milcząc, długo starałam się przekonać w myśli, że nic nie jest tak śmiertelnie poważne, na jakie wygląda grubo po północy w łazience. Ona chyba mnie rozumiała i choć na pewno nie przychodziło jej to łatwo, nie popędzała mnie. Czasem patrzyłyśmy na siebie, ale częściej przyglądałam się sobie w lustrze i wciąż nie podobało mi się to, co widziałam.

– Niedługo mam urodziny – przypomniała mi moja córka, a ja nastroszyłam się lekko, jak przy każdej zapowiedzi jej niedalekiej pełnoletności. – To jedyny prezent, który chciałabym od was dostać. Sprawdzałam już w Internecie bezpośrednie loty do Cancún. Transportem dalej zajmą się Terry i Had. Nie musisz się o mnie bać. Znam prawie wszystkich zaproszonych, będzie Adam, przyleci tam z Kanady.

Wydało mi się, że alkohol całkiem już ze mnie wyparował. Pamiętałam Adama, z którym moja córka czatowała regularnie od ponad dwóch lat, a także głos jego rodziców w telefonie, kiedy przed Gwiazdką dziękowali nam za przysłane prezenty. To był jej pomysł, by podzielić się Europą z przyjacielem i jego rodziną, a tamci uznali za stosowne wyrazić wdzięczność zbiorowo. Mimo kulejącej komunikacji, utrudnionej moim szkolnym angielskim oraz ich kanadyjskim akcentem, jakoś się dogadaliśmy i było nawet całkiem miło. Przypomniałam sobie, że z rozpędu zaprosiłam Adama na wakacje.

– Nie mogę puścić cię samej – powiedziałam.

Czułam, że nie mam wyboru, i żadne dziecko nie musiało mi mówić, że takie okazje zdarzają się tylko raz na całe życie. Sama nie miałam co do tego wątpliwości.

– Skoro ja rozumiem ciebie, ty także musisz zrozumieć mnie...

– Mamo!

– Mogę tylko polecieć z tobą – dokończyłam szybko, ubiegając jej łzy. – Do Cancún oczywiście, a jeśli wszystko będzie w porządku, pozwolę ci pojechać z innymi do tej chaty Lowkinda. Ponieważ, jak przypuszczam, ja nie zostanę zaproszona jako jedna z jego ulubionych czytelniczek.

Palmy wciąż wyginały się wdzięcznie, ale fale jakby zaczynały tracić cierpliwość.

– Czy señor Costa Ramos się odezwał? – zapytałam kelnera, choć nie miałam powodów do jakiejkolwiek nadziei.

– Nie, nic mi o tym nie wiadomo. – Pokręcił bezradnie głową. – Może z kimś rozmawiał, ale teraz wszyscy są zajęci... Jedyne, co się liczy, to komunikaty.

– Rozumiem.

– Proszę zadzwonić na jego komórkę, señora – poradził mi dobrodusznie, odchodząc z nienaruszoną butelką od mojego leżaka.

– Ale nie ma zasięgu... – odpowiedziałam półgłosem, choć mnie już pewnie nie słyszał, zajęty myślami o swoim barze, który należało już przygotowywać do zamknięcia o piętnastej. Przed spotkaniem z Emily.

Wiatr nieznacznie się nasilił. Każdego innego dnia nikt, a już na pewno ja, nie zwróciłby na to uwagi, podobnie jak na nieco już nerwowe falowanie palmowych liści czy na pracowników hotelu, którzy jakoś liczniej przemykali wśród drzew, leżaków i parasoli. Widziałam kobietę w niebieskim uniformie, która wynosiła z budki kąpielowe ręczniki, a także drugą, chowającą gliniany wazon z kwiatami. Wydało mi się to nielogiczne, jednak tylko do momentu, w którym kilkuosobowa ekipa monterów zabrała się do odkręcania lamp, tak sprytnie ukrytych między palmami i parasolami na plaży, że dotąd ich nie zauważyłam. Od tej właśnie pory zaczęłam dokładniej przyglądać się wszystkiemu, nie tylko z powodu mojego przyniesionego na plażę strachu czy też niepokoju, na który nałożyła się podjęta resztkami woli decyzja o rezygnacji z picia alkoholu. Po prostu, w tym zmieniającym się na moich oczach otoczeniu znalazłam pretekst, by zająć czymś moje wybite z rytmu myśli.

Marmurowe tarasy przed recepcją, uliczki między chatami oraz przestrzeń przed restauracją stały się jakieś puste i surowe. Szybko zrozumiałam dlaczego – wyniesiono z nich kolonialne fotele i kanapy, stoliki oraz donice z roślinami. Ze ścian poznikały obrazy, spod stropów staroświeckie wentylatory. Podeszłam bliżej, jakbym z opóźnieniem zapragnęła podziwiać to, co stało tu przez wszystkie poprzednie dni, a teraz rozpłynęło się w powietrzu. Kosztowne posadzki niemile ziębiły moje bose, oblepione plażowym piaskiem stopy, a ja automatycznie rozejrzałam się, czy aby ktoś nie przygląda mi się niechętnie. Jednak w promieniu wielu metrów nie dostrzegłam nikogo, nie było nawet kryształowych luster na ścianach.

Przypomniałam sobie chwilę, kiedy pojawiliśmy się tu po raz pierwszy, cała nasza trójka, zmęczona podróżą, jednak szczęśliwa, z aparatem pełnym zdjęć i głowami pełnymi obrazów. Przyjechaliśmy wprost z zaczarowanego świata Majów i nie mówiliśmy o niczym innym, z przerwami jedynie na rozmarzone monologi córki, która regularnie wracała do tematu rychłego spotkania z Mistrzem. Jednak także w jej wyobraźni zadomowiła się na dobre magia tamtego dawno upadłego, a jednak materialnego i realniejszego niż książki królestwa, do którego to my, jej rodzice, postanowiliśmy ją zaprosić. Jako uwerturę do spotkania z pisarzem dostała od nas w prezencie widok opustoszałych świątyń i zapach kryjącej je dżungli, nierozwikłane tajemnice odległej cywilizacji oraz tysiące schodów prowadzących do prawdziwego nieba. I ten czar zadziałał, widzieliśmy to, kiedy ręka w rękę wspinała się z nami ku ołtarzom okrutnych bogów, kiedy podpierając się rękami, pokonywała kamienne stopnie, wciąż wystarczająco ostre, by jak przed tysiącami lat łamać kości spadającej w dół ofiary. Wyglądało na to, że zdołaliśmy zrelatywizować ważność spotkania z człowiekiem, dla którego wszyscy troje przylecieliśmy do Meksyku. Wobec potęgi miast, których mieszkańcy zniknęli jednej nocy, zostawiając napoczęte jedzenie i przewrócone kubki na stołach, wobec zagadki tej niepojętej ucieczki zrodzona w pojedynczym umyśle fantastyka traciła wiele ze swego blasku.

Mieliśmy za sobą kilkudniową podróż po Jukatanie według planu mojego męża, który nie do końca akceptując moją zgodę na wyjazd córki – nawet w moim towarzystwie – do Meksyku, postanowił wybrać się z nami. Tydzień przed premierą powieści Lowkinda wyruszyliśmy wynajętym samochodem w drogę, z zamiarem objechania architektonicznego dziedzictwa półwyspu. Później, w hotelu niezbyt oddalonym od Cancún, zamierzaliśmy przeczekać czas spotkania naszej córki ze słynnym pisarzem, który nas, jej rodziców, nie zaprosił. Luksusowy pobyt na wybrzeżu zwanym Riwierą Majów miał zrekompensować nam przyjemności, których nie dane nam było przeżyć na ambitniejszym, literackim polu.

I wszystko odbyło się niemal dokładnie tak, jak zaplanował mój mąż, jednak z niewielką perypetią w postaci kradzieży wypożyczonego samochodu. Stało się to na szczęście w ostatnim mieście naszej podróży, Méridzie, przez stulecia ulubionym celu piratów. Nieszczególnie zmartwieni, powiadomiliśmy hotel o kłopotach z transportem; uprzedzająco grzeczny menedżer natychmiast zaproponował przysłanie kierowcy. Wagę gestu podkreślił, powierzając zadanie własnemu kuzynowi, który sprawił, że podróż w hotelowej limuzynie stała się koszmarem; nad wszystkim rozczapierzył się złowrogi duch jego właśnie, Jorge Costy Ramosa, Meksykanina urodzonego w Hiszpanii, mordercy motyli.

Jorge Costa Ramos, bardziej szara eminencja niż hotelowy kierowca, wyglądał raczej przystojnie, ale, według określenia mojej córki, z którą musiałam się zgodzić, dość wszawo. Nie chodziło przy tym o jego strój, który był bez zarzutu, ani też o fryzurę, aż do przesady zadbaną. Dotyczyło to jego aury, czegoś, co sprawia, że aktor ląduje w dossier producenta jako czarny albo biały charakter, a widz od pierwszej sceny filmu wie, czego spodziewać się po granej przez niego postaci. Jorge Costa Ramos był wszawy, ponieważ Pan Bóg nie stworzył go dobrym, jemu samemu natomiast brakowało charakteru, aby zostać jednoznacznie złym. Był więc taki sobie, zawieszony pośrodku, grzeczny w stosunku do ludzi ważnych, obojętny wobec obojętnych i paskudny dla tych, wobec których mógł sobie na to pozwolić.

Spędziliśmy ze sobą około ośmiu godzin; odebrał nas z hotelu w Méridzie i pomógł załatwić formalności z policją, o której czytaliśmy, że jest skorumpowana i niebezpieczna, więc przezornie nie fatygowaliśmy się sami do komisariatu. Pakując nasze walizki do ogromnego bagażnika, Jorge Costa Ramos nieprzerwanie się uśmiechał, dokładając blask własnych – albo i nie – zębów do lśnienia chromowanych błotników i wypolerowanego wnętrza. W przeciwieństwie do nas wcale się nie pocił, nie groziło mu więc przeziębienie z powodu klimatyzacji, ustawionej na temperaturę syberyjskiej nocy. Był ugrzeczniony i rozmowny, jednak ignorował uporczywe pokasływanie mojej córki, które skłoniło mnie w końcu do poproszenia o zmniejszenie różnicy między wnętrzem limuzyny a zaokiennym latem.

– Ależ naturalnie, señora – zgodził się natychmiast, podnosząc temperaturę może o ułamek stopnia Celsjusza. – Klient nasz pan.

Myślałem tylko, że chcecie odpocząć od upałów w tych dzikich miasteczkach... Po opaleniźnie poznaję, że spędzaliście państwo dużo czasu na świeżym powietrzu. Zwiedzanie, zwiedzanie oczywiście. Nie muszę pytać, czy podobały się państwu nasze wykopaliska archeologiczne.

Miał na myśli piramidy, świątynie i te niesamowite place do rytualnej gry w pelotę, gdzie takim jak on łamano kości jeszcze przed rozpoczęciem meczu. Dla niego oznaczały jedynie wykopaliska, skuteczny wabik dla turystów, których właściwe miejsce było w drogim i klimatyzowanym hotelu. Przyglądałam mu się z perspektywy tylnego siedzenia samochodu – widziałam jego profil i część wygodnie usadowionego w skórzanym fotelu ciała. Lekko rysował się mu brzuch, trochę ciążył drugi podbródek, w smolistych włosach srebrzyły się pojedyncze siwe włosy. Oceniłam go na jakieś czterdzieści lat, może parę więcej. Gdyby na tę jego kompletnie nieprzypominającą królewskiej czaszkę nasadzić czapkę z daszkiem, byłby stuprocentowym hotelowym kierowcą. Gdyby natomiast pozwolić mu rozluźnić się jeszcze bardziej – co z pewnością praktykował w chwilach wolnych od wożenia gości – byłby wzorcowym latynoskim macho; nie *latin lover*, raczej *padre latino*, który przy każdej okazji zdradza swą przytłustawą, zmęczoną szóstką dzieci żonę. Wyobraziłam sobie, jak rozpina do pępka swą wykrochmaloną koszulę i prezentuje ciężki złoty łańcuch z wisiorem wplątanym w gęste włosy na piersi, jak mimo upału wystawia za okno łokieć i gwiżdże przenikliwie na przechodzące drogą dziewczęta albo psy... Wiedziałam, że nie zahamowałby na widok leżącego na drodze psa – setki ich, potwornie wychudzonych, widzieliśmy w minionym tygodniu. Nie sprawiał wrażenia kogoś, dla kogo życie ma znaczenie. Z pewnością nie życie motyli.

– Mama, przesadzasz – wyszeptała moja córka, ściszając głos, aby jej nie słyszał. Chciała ukryć użycie ojczystego języka, w naszym pojęciu niegrzeczne w obecności kogoś, kto go nie zna. – On nie może inaczej jechać. Tu są miliony motyli, nie ma możliwości ominąć wszystkich.

Jednak mówiąc to, sama odwracała wzrok od przedniej szyby, choć stada motyli nad drogą dopiero się zaczynały – ot, może kilkadziesiąt barwnych plam wyłaniających się nagle z kurzu drogi. Kiedy leciały górą, bezpieczne nad dachami nielicznych tu samochodów, jak mydlane bańki zasłaniały kolorami niebo. Zaplątane w słoneczne promienie, rozjaśniały jednolitą ścianę zieleni, otaczającą zatrzaśnięte bramami miasto, ucięte ostro jak bochenek chleba. Jednak im dalej, tym bardziej stawało się ciasno od tych motyli – latały coraz niżej i ryzykowniej. Nawoływałam je w myślach do rozwagi, ale one nic sobie z tego nie robiły; opadając w dół w tym turnieju tańca, jeden po drugim rozpryskiwały się na szybie samochodu Jorge Costy Ramosa, który nawet nie zwolnił, przeciwnie, pędził jak dziecko biegnące przez kałużę, rozpryskującą się kropelkami spod jego małych stóp.

Wnętrze samochodu wypełniał wykład o wykopaliskach, mielony przez Jorge Costę Ramosa, który w regularnych odstępach odwracał ku nam głowę, dzieląc uprzejmie uwagę między siedzącego z przodu mojego męża oraz nas, dwie przygnębione kobiety z tylnego siedzenia. Błagałam go wzrokiem, by się nie odwracał, pilnował przedniej szyby, roztrzaskującej kolejne setki motyli, jednak ani on nie zwalniał pędu z głową niezgrabnie obróconą do tyłu, ani też same motyle nie zwiększały ostrożności. Kiedy powietrze nad drogą i przednia szyba limuzyny upodobniły się kolorami tak, że taniec ofiarny motyli stał się prawie niewidoczny, Jorge Costa Ramos włączył wycieraczki. Jak jego własne łapska, zaciekle spadły na rozmazane żółte, zielone i niebieskie, najczęściej jednak czerwone wspomnienia po motylach. Pedantyczny Jorge Costa Ramos starannie polewał je pienistym płynem ze spryskiwacza, ja natomiast z każdym syknięciem aparatury i każdym wahnięciem wycieraczek coraz bardziej nieodwołalnie i jednoznacznie go nienawidziłam.

Fontanna, ta, która powitała nas w hotelu po krwawej podróży z Méridy, obwiązana była ciężkim sznurem. Przymocowany w wielu miejscach do ściany, marmurowego obramowania trawnika i nawet do pobliskiej palmy – miał uchronić ją od przeznaczenia. Ktoś wyłączył obieg wody, więc nie szumiała, palmę pierwszeństwa oddając wiatrowi, wobec którego z każdą chwilą mniej się liczyła. Szkoda mi się zrobiło tej fontanny, smukłej jak zagraniczna panna, bardziej nimfa niż Meksykanka, bliższa tutejszym roślinom niż ludziom. Była dumą właściciela hotelu, ale i mnie dobrze się kojarzyła; to jej się uczepiłam, kiedy Jorge Costa Ramos przywiózł nas do hotelu, to w nią wlepiłam oczy po to, by nie musieć już patrzyć na niego.

Zanim nas tu dowiózł, wymordował miliony motyli; całe stada, całe plemiona, całe galaktyki motyli straciły życie na przedniej szybie jego limuzyny. Ta zbrodnia przybiła mnie bardziej niż wyobrażenie anonimowych ofiar, spychanych z wierzchołków piramid w miastach Majów, jako stokroć gwałtowniejsza niesprawiedliwość, dotykająca żywe symbole roztańczonej wolności. Łatwiej mi było doszukać się sensu w zrzucaniu skrępowanych skazańców ze schodów u Majów niż w tym bezrozumnym mordowaniu niewinnych motyli.

I na nic zdało się moje postanowienie, namiętna przysięga bojkotowania widoku Jorge Costy Ramosa, gdziekolwiek by się pojawił. Sama go odszukałam, wyprosiłam spotkanie – pokorna, gotowa na wszystko, choćby na własnoręczne zeskrobywanie motylich zwłok z szyby jego samochodu, gdyby tego zażądał. Spotkaliśmy się pod fontanną właśnie, w miejscu, w którym w piekącej nienawiści pożegnałam go przed zaledwie kilkoma dniami. Przez Emily – znowu Emily! – musiałam przełknąć to upokorzenie.

Personel hotelu jakby się zmultiplikował. Na miejsce jednego, do tej pory niemal niewidzialnego pracownika nagle pojawiło się przynajmniej trzech, a żaden z nich już nie udawał, że go nie ma. Krążąc w nieznanym dotąd temu miejscu pośpiechu, nie schodzili już z drogi gościom; przemierzali chodniki i ścieżki, nie kłaniając się i nawet nie przepraszając za swe dziwaczne zachowanie. Kilku majstrowało przy jednej z chat na plaży, opuszczanej właśnie przez gości, którzy z niezadowoleniem na twarzach i w pocie czoła sami wynosili z niej swe kosztowne bagaże. Dopiero teraz zauważyłam, że hotelowe chaty tak jak wszystko inne wyposażone są w normalne szyby; nienaturalnie przejrzyste, nie wiadomo kiedy, ale pieczołowicie czyszczone przez niewidzialny personel, umknęły dotychczas mojej uwadze. Zmaterializowały się dopiero po oklejeniu taśmami, ściągając na siebie uwagę jak twarz rannego, poznaczona szerokim plastrem z rolki. I tak jak sprząta się wszystko już niepotrzebne sprzed szpitalnego łóżka, tak plażowym chatom odebrano cały ich dobytek w postaci leżaków, lamp i hotelowych prześcieradeł. Przechodząc obok, odważyłam się zajrzeć do jednej z luksusowych chat i zobaczyłam mężczyznę wpatrzonego w telewizor. Robił to równie ukradkowo jak ja, zbędny i wykwaterowany już z okratowanego taśmą pomieszczenia. Najpierw wydało mi się, że w odruchu protestu łapie ostatnią okazję, by przed wyłączeniem prądu obejrzeć kawałek programu, zaraz jednak zrozumiałam, że wciąż od nowa czyta ten sam komunikat. Nie musiałam mu w tym towarzyszyć, bo oboje wystarczająco dokładnie poznaliśmy już wszystkie szczegóły. Emily, jakżeby inaczej, Emily...

Potrząsając głową jak stara kobieta, wolno powlokłam się do restauracji. Nie byłam głodna, nie potrzebowałam już właściwie niczego, jedynie instynkt zaganiał mnie do ludzi zgromadzonych w jednym miejscu, stabilniejszych w grupie od wprawionej w ruch populacji kelnerów i sprzątaczy. Inaczej niż tamten człowiek, studiujący monotonną maskę hotelowego telewizora, zapragnęłam poszukać komunikatu gdzie indziej – w rozgwarze, im bardziej wielojęzycznym, tym wiarygodniejszym. Liczyłam na spotkanie któregość z menedżerów, animatorów, może instruktora albo chociaż zorientowanego tancerza lub tancerki z hotelowej artystycznej międzynarodówki. Nie chciałam wierzyć, że wszyscy odjechali, porzucając papuzie kostiumy, peruki i pióra, atrybuty pomagające wcielać się w kogoś lepszego. Wolałam ufać, że nie zdradzili swych wycyzelowanych musicalowych sobowtórów, nie stracili męstwa Króla Lwa czy Pocahontas... Mówiło się, że zniknęli już poprzedniego wieczora, jednak nie uwierzyłam, ponieważ nikt nie ruszał w drogę o tej godzinie, w której ja sama zagadywałam każdego, kogo udało mi się zatrzymać w hotelowej bieganinie, przeszkodzić mu na chwilę w notowaniu ważnych spraw do załatwienia, skłonić do oderwania ucha od telefonu, wówczas jeszcze funkcjonującego.

Szklane ściany restauracji szokowały przejrzystością, szerokie powrozy czarnej taśmy czekały, poskładane dyskretnie w rogu sali, która pozornie zachowała swój codzienny i przesadnie gościnny charakter. Jeszcze nikt nie ośmielił się schować porcelany i kieliszków, kelnerzy pilnowali swoich serwetek, przyklejonych na sztywno między łokciem a nadgarstkiem, kelnerki modelowały oficjalnie ciepłe uśmiechy, dopasowane kolorem do czystego ludowego stroju. Nie brakowało niczego – ani muzyki, ani dekoracji, a po sali jak zwykle przechadzali się muzycznie hotelowi gitarzyści w sombrerach. Jedzenia było tyle samo co każdego zwykłego dnia, czyli pięć razy więcej, niż zdołałby wepchnąć w siebie najpazerniejszy gość; nic nie wskazywało na urlopy czy ucieczki z kuchni, jakby to, co wolno było tancerzom, niedopuszczalne było dla odzianych w białe kitle artystów, odpowiedzialnych za *tapas, sopas, carnes* i *pescados*. Mimo wczesnej pory salą płynęły tuzinami butelki z regałów zacumowanych na ścianach, w bieli lub czerwieni holowane gościom do stołu. Wśród szkieł i talerzy, między wysepkami serwet z monogramem tliły się świece, chwiejne w porywie oddechu, żałosne, gdyby wyobrazić je sobie w konfrontacji z podmuchem wiatru.

Poza restauracją, za jej wypełnionymi po sufit szklanymi ścianami, kończył się świat dekoracji. Reprezentacyjny budynek właśnie odzierany był z kontekstu, jak nietknięte w remontowanym domu kolorowe akwarium, do którego wciąż wrzuca się pokarm i nie przestaje pompować tlenu, a jedynie przykrywa szmatami, by nie ucierpiało zbytnio. Ponury efekt podkreślało czarnowidztwo wypisane na twarzach krążących za szybami mrocznych ludzi i szeptane złowrogo przez chór robotników w kaloszach, nasłanych na staw otaczający zbudowaną na palach restaurację, by wyłowili wszystkie złote rybki. Ostatnią próbą utrzymania w cuglach dramatyzmu sytuacji było pozostawienie w zagrodzie hotelowych krokodyli. Pod świecącą w dzień i w nocy lampą drzemały sobie spokojnie, z otwartymi oczyma, z których nie wyzierały żadne emocje; podstępnie uśmiechnięte, cierpliwie czekały na okazję.

W restauracji również nie dowiedziałam się niczego o Ramosie; jedynie jeden z zatroskanych kelnerów wtajemniczył mnie w pogłoski o jego wyjeździe limuzyną. Był zasmucony brakiem odpowiedzialności u wyższego personelu, który zbyt lekko traktował niebezpieczeństwo związane z Emily. Podziękowałam mu i odeszłam w przekonaniu, że gdyby nie to, że mój strach osiągnął już wcześniej górne rejestry, zemdlałabym prosto na jego biały kelnerski frak. Nie wyjaśniłam ani tego, że sprawa dotyczy mojej córki, ani też że to ja jestem odpowiedzialna za ów wyjazd, ponieważ z mojego powodu Jorge Costa Ramos ruszył ciężką hotelową limuzyną o kuloodpornych szybach w drogę do drewnianej chaty Terry'ego Lowkinda. To ja go wysłałam, człowiekowi mordującemu motyle zapłaciłam tysiąc dolarów i obiecałam dołożyć drugi po wykonaniu zadania. I jeszcze nakazałam sobie za karę podać mu rękę, jako dodatek do tego drugiego tysiąca, w chwili, gdy mi tu ją przywiezie, do jedynego bezpiecznego miejsca na całym wybrzeżu, do hotelu zbudowanego z bali, które w niezauważalny dla oka sposób wbetonowane są w ziemię, wyposażonego w szyby, z których każda dorównuje wytrzymałością szkłom wystaw u Cartiera czy Tiffany'ego oraz dachami, na których pierzynka z trawy maskuje solidną siatkę z hartowanej stali.

Wynajęłam mordercę motyli, ponieważ nie dowierzałam Terry'emu Lowkindowi, który każdym napisanym przez siebie słowem pysznił się, że żyje w zgodzie z naturą – w drewnianym domu bez komunikatów, daleko od drogi, praktycznie bez telefonu. Jego opowieści, choć przeczytałam ich niewiele, składały mi się w zbyt groźną całość. On sam – niepoprawny guru niedoświadczonych dziewcząt, naiwny mistyk, przeterminowany idealista i przyjaciel smoków – mógł sobie wierzyć w sprawiedliwość żywiołów i ufać równowadze wszechświata. Wolno mu było – jednak bez mojej córki. Nie miałam nic przeciw temu, by nadal tworzył bestsellerowe wariacje na temat „zła się nie ulęknę", lecz nie miałam zamiaru pozwolić mu na testowanie jej osiemnastoletniej wiary. Wszelkie próby rezerwowałam dla siebie, bo moim przeznaczeniem było pielęgnowanie w sobie siły i udowodnienie, że potrafię ochronić ją przed wszystkim: demonami i ludźmi, chorobami i zarazą, pędem smoka i spojrzeniem mordercy. Ja, najbardziej skuteczna, kiedy szło o moje dziecko, księżniczka z mieczem.

Kiedy szło o moje dziecko... Tylko dlaczego sama nie wsiadłam do tej cholernej pancernej limuzyny? Czy wczoraj rano rzeczywiście było tak bezpiecznie, jak zapewniali mnie wszyscy tutejsi? Czemu dałam się przekonać, uwierzyłam obcym tylko dlatego, że zaklinali się na znajomość rzeczy? Zarzucałam naiwność dziecku, tymczasem sama... Mieli wrócić w ciągu dnia, przed wszystkim, mieli być w zasięgu telefonu komórkowego przynajmniej od chwili dojechania do głównej drogi, a ja po wręczeniu Ramosowi drugiego tysiąca dolarów miałam zjeść z moją córką kolację. Tę ostatnią na porcelanowej zastawie, przed ostatnią spokojną nocą oraz przed ostatnim śniadaniem, po którym restauracja przełączy się na tryb alarmowy i zacznie wydawać racje posiłkowe na papierowych i styropianowych naczyniach.

Teraz, po nieprzespanej nocy, która w żadnym wypadku nie była dla mnie spokojna, stoję nad ogołoconym z ryb jeziorkiem i przebijam wzrokiem szybę, za którą inni obżerają się i winem spłukują swój niepokój. Nikt nie chce ze mną rozmawiać, wszyscy są zajęci; jedynie menedżer hotelu i kuzyn Ramosa zapewnił mnie, że córce nic nie zagraża, i usprawiedliwił telefonię komórkową, która ma prawo szwankować w trudnych okolicznościach. Nie pozostało mi nic innego, jak czekać, w sytuacji, w której wszyscy mają ważniejsze sprawy – policja, straż, odpowiedzialni za bezpieczeństwo ochroniarze. W najbliższym, ale jednak o czterdzieści minut jazdy oddalonym mieście również nie mogłabym liczyć na nikogo; słyszałam, że tam jest jeszcze gorzej – trzeba zająć się ludnością, zatroszczyć o porządek, przejąć odpowiedzialność za dzieci, kobiety i starców. Rozbolała mnie głowa od tej litanii, którą wyrzucali z siebie jeden po drugim jak meksykańskie grzechotki w tańcu.

Przeżyłam to już poprzedniego wieczora, kiedy wszyscy po kolei odmawiali mi pomocy. Jedyny ratunek przybrał postać Jorge Costy Ramosa z jego wszawą pazernością na pieniądze, więc zgodziłam się na wszystkie warunki, w tym na oczekiwanie jego powrotu z córką na terenie hotelu. Wytłumaczył mi, że to najlepsze wyjście, a ja z tchórzostwa przyznałam mu rację. Jednak nie był to jedyny powód. Gdyby tak było, łatwiej byłoby mi nie spać podczas samotnej nocy, sterczeć nad ranem przed drzwiami restauracji, pić alkohol w rytm potężniejącego wiatru na plaży oraz popłakiwać z litości nad ptakami uwięzionymi na palmie, która z pewnością nie dotrwa następnego świtu. Tak naprawdę nie wsiadłam do tego samochodu z powodu motyli, ponieważ czyniąc to dobrowolnie, stałabym się współwinna ich śmierci. Zostałabym morderczynią jak ten cyniczny szofer-nie-szofer, lepki od motylej krwi i nieczujący jej przytłaczającego ciężaru. Wybrałam czystą skórę, za sterylność matczynego sumienia zapłaciłam dolarami. Teraz – zbyt późno – pojmowałam swój błąd, ale nie pozostało mi nic innego, jak modlić się o zbawienie krwi i skóry mojego dziecka. Zbyt późno, ale dopiero teraz byłam naprawdę gotowa na wszystko – łącznie z wiarą w odwieczną kosmiczną sprawiedliwość, którą głosił i praktykował mistrz mojej córki, Terry Lowkind.

Nostalgiczny urok Méridy sprawił, że mieliśmy już ochotę zatrzymać się w mieście dłużej, niż należało, jakbyśmy przeczuwali niemiłe przeżycia w drodze powrotnej. Wieczór przed wyjazdem spędziliśmy na włóczeniu się pod kolonialnymi arkadami, zaglądaniu do kamienic i katedry, jeździe konnym tramwajem oraz nasłuchiwaniu gitarowych haftów muzyków w czynnych do świtu knajpkach. Wstąpiliśmy do jednej z nich na piwo i ostre *nachos* z oliwkami, jednak kręcące się pod stołami zgłodniałe koty sprawiły, że zmieniłam zdanie i zamówiłam kurczaka. Groziła mi reprymenda ze strony męża, potępiającego dokarmianie zwierząt w ubogich krajach, w którym problemem jest wyżywienie dzieci, ale było mi wszystko jedno. Z kawiarnianej estrady przygrywał gitarowy duet, mąż i córka wyglądali na szczęśliwych, a ja nieuważnie głaskałam dwa mruczące koty, które ocierały się o moje nogi, jakby wiedziały, co zamierzam. Po chwili dołączył do nich trzeci i jego również pogłaskałam. Tym razem jednak moja ręka zawisła w miejscu, gdzie kończy się koci grzbiet – zwierzę nie miało ogona. Przyjrzałam się mu dokładniej, co nie było łatwe w świetle świec, i zauważyłam, że brakuje mu również jednego oka, i to od dawna; musiał zostać okaleczony w dzieciństwie, jako bezbronne kocię. Meksykańskie piwo, *nachos*, a nade wszystko tęskna meksykańska muzyka stanęły mi w gardle. Gdybym była sama, odwróciłabym się i natychmiast wróciła do hotelu, jego modrzewiowego przepychu, mosiężnych klamek, fontanny w holu i staroświeckiego basenu w wypielęgnowanym ogrodzie. Zamówiłabym najdroższe wino i nawet nie podziękowała za przyniesienie ludziom, którzy znęcają się nad niewinnymi stworzeniami. Może nawet potłukłabym im kieliszki, butelki, brzeg porcelanowej umywalki... Oczywiście nie zrobiłam żadnej z tych rzeczy; moja żałośnie buntownicza natura zdobyła się jedynie na już nie ukradkowe, lecz ostentacyjne karmienie trzech kotów z talerza, podanego przez zdziwionego nagłą wrogością kelnera. Kiedy następnego ranka wsiadaliśmy do limuzyny Jorge Costy Ramosa, rozejrzałam się za moim przyjacielem kotem. Nie było go, co uznałam za zły znak. Nie potrafiłam jedynie sprecyzować, na czym ów omen polega – na tym, że był kotem pozbawionym ogona, czy na tym, że nie przyszedł się pożegnać.

Na obrzeżach miasta, jego rogatkach i na każdym odcinku drogi, na którym samochody zmuszone były zwalniać, stały kobiety usiłujące sprzedać coś kierowcom. Zwykle w niewielkich grupach, rzadziej pojedynczo, otoczone gromadkami dzieci. Już wcześniej poznaliśmy ich obyczaje – bagażnik naszego skradzionego w Méridzie samochodu pełny był woreczków z suszonymi paskami bananów, szybko gnijących mandarynek, jabłek, fig i czegoś, co z wyglądu przypominało góralskie obwarzanki. Kupowaliśmy również ręcznie plecione bransoletki oraz woreczki, które nasza córka obiecała rozdać koleżankom w szkole. Kupowanie nie było łatwe, gdyż sprzedające miały zwyczaj zbiorowego oblepiania samochodu, tak że niemożliwym stawało się wybranie towaru jednej z nich. Jeszcze trudniej było uregulować należność, po którą wyciągało się kilkanaścioro rąk jednocześnie. Opracowaliśmy więc technikę uchylania jednego z okien – w Meksyku tak czy inaczej jeździ się zaryglowanym od środka samochodem – i szybkiego odbierania podanego towaru, za który płaciliśmy odliczonymi banknotami bez reszty. I choć nigdy nie byliśmy pewni, że płacimy właściwej osobie, kupowaliśmy dużo i niepotrzebnie, zapełniając samochód rzeczami, które nie były nam do niczego potrzebne.

Postępowaliśmy tak, ponieważ kierowało nami gryzące sumienie zamożnego turysty. Obudziło się w nas już podczas drugiego dnia naszej podróży, na wyboistej, krętej drodze, która prowadziła do piramid w osadzie Palenque. Akurat wyglądałam oknem, gdy za jednym z zakrętów mój mąż zahamował tak gwałtownie, że chmura pyłu wzniesionego z szosy zasłoniła widoczność. Zanim zdążyłam zapytać, o co chodzi, z chmury wyskoczyła młoda Meksykanka z gromadką małych dzieci, które natychmiast otoczyły samochód. Była ładna i prezentowała się malowniczo w tradycyjnej sukni z białej bawełny i haftem na piersi, jednak wydała mi się garbata. Krzyczała do nas napastliwie i potrząsała workami suchych ciastek, które trzymała w obydwu rękach, natomiast towarzysząca jej czereda piszcząc usiłowała wedrzeć się do samochodu. Mój mąż zaklął głośno i wściekle zacisnął pięści, podczas gdy ja, w pierwszej chwili oburzona jego reakcją, zrozumiałam zasadność wybuchu. Okazało się, że kobieta, zapewne przy pomocy maluchów, rozciągnęła w poprzek drogi sznur, który podnosiła tuż przed nadjeżdżającym samochodem. Tylko dlatego, że zrujnowany fragment szosy przed zakrętem uniemożliwiał szybszą jazdę, auta nie wpadały w pułapkę w pełnym pędzie; to, co było, też wystarczyło, by przerazić kierowcę.

Mój mąż nie był wyjątkiem; gdyby nie masa dzieciaków, może nawet wyskoczyłby i zwymyślał kobietę, która, zapewne przyzwyczajona do niezadowolenia potencjalnych klientów, usiłowała pertraktować z nim przez szybę. Wołała coś i do mnie, jednak ja, wciąż osłupiała, nie potrafiłam oderwać wzroku od jej dłoni, poobcieranych do krwi przez sznur, który gwałtownie wyszarpnęła jej maska naszego samochodu. Kobieta jakby tego nie zauważyła, już zajęta czym innym – krwawiącymi rękami prezentowała towar na sprzedaż i krzykliwie zachęcała do kupna, pewna siebie jak przekupka na rynku dużego miasta. Oglądałam się za nią, rozczarowaną i wściekłą, przepraszałam wzrokiem przez tylną szybę samochodu aż do następnego zakrętu. Nie była garbata; jej plecy zaokrąglał meksykański hamak z cienkiej siatki. Trzymała w nim jeszcze jedno dziecko, maleńkie, pewnie kilkumiesięczne, jak ponadwymiarowy embrion zapakowane do zapasowego brzucha z siatki utkanej na plecach. Niemowlę spało grzecznie wśród krzyków matki i rodzeństwa, nieświadome donkiszotowskiej walki z samochodami, pyłem i biedą.

Nie dobiłam mojego męża prawdą o matce-pajęczycy, czując litość dla jego złości, z której jeszcze nie zdołał ochłonąć. A jednak, nie porozumiewając się słowem, pilnowaliśmy się od tamtej chwili wszyscy troje i już nie odjeżdżaliśmy bez kupienia czegoś na spokojną podróż.

Mój mąż opowiedział tę historię Ramosowi przy okazji kupowania coca-coli od ulicznego sprzedawcy. Ich rozmowę zaczęłam śledzić z pewnym opóźnieniem, dopiero gdy tamten roześmiał się jakimś wyjątkowo obleśnym, choć dyplomatycznie stłumionym śmiechem. Zauważyłam drgnięcie ramion mojej córki i jej gwałtowne odwrócenie się do okna, typową dla niej ucieczkę od spodziewanej przykrości. Zatrzasnęła się od środka, natychmiast, z góry, chroniąc się w widoki za szybą samochodu. Nie była w tym sama, także mój mąż zauważalnie usztywnił się na swoim przednim siedzeniu. Było jasne, że i jego zniesmaczył smrodek zaserwowanej potrawy, jednak nie wiedział jeszcze, jak odmówić. Żadnego z tych sygnałów nie zauważył – zapewne wcale tego nie chcąc – Jorge Costa Ramos, napoczynający dopiero lepki kłąb swoich historyjek, nabierający tempa w rozgadywaniu. Pokasłując dyskretnie i uśmiechając się do samego siebie, rozsmakowywał się w samozadowoleniu, niby to odpowiadając na potrzeby mojego męża, jak mężczyzna do mężczyzny. Ściszył głos, jednak czułam, że swe obleśne zwierzenia kieruje również do mnie. Nie miałby nic przeciw, gdyby posłuchała ich także moja uporczywie skoncentrowana na krajobrazie nastoletnia córka.

– Proponuję im więcej niż te marne kilka pesos za suszone banany, señor. Daję im szansę, by zarobiły więcej – chwalił się Jorge Costa Ramos, przedsiębiorcza siła kierownicza, handlowiec i filantrop w jednym. – Nie wszystkim, tylko tym, które na to zasługują. Żyją w ciężkich warunkach, w miejscach bez infrastruktury. Ich dostęp do pracy jest ograniczony. Wiele z nich woli u mnie zarobić; w godzinę mają tyle, ile ich nędzny handel nie przyniesie w trzy dni. Są mi wdzięczne. Poza tym przyjemność...

Widziałam niesmak na twarzy mojego męża. A co robisz z dziećmi tych kobiet, łajdaku, chciałam zapytać Jorge Costę Ramosa – za siebie, zdystansowanego, małomównego męża oraz za naszą córkę, na którą wciąż spoglądałam ukradkiem, nie do końca dowierzając skuteczności jej odizolowania się od złego.

– Do niczego ich nie zmuszam, señor, nawet nie zachęcam – tłumaczył memu sztywno wyprostowanemu mężowi Jorge Costa Ramos. – Wręcz przeciwnie, wyjaśniam im, że nie jestem zainteresowany kupnem ich towaru, natomiast gotowy do zapłacenia za usługę innego rodzaju. To one, kiedy słyszą o sumie, jaką łatwo mogłyby zarobić, proponują mi warunki. Włączają w to koleżanki, rodzinę. Czasem nawet córki.

Uderzenie pulsu w skroniach powiedziało mi, że zapędziliśmy się zbyt daleko. Nagle przejadła mi się masochistyczna przyjemność podsłuchiwania rozmowy i byłam już gotowa na wyrzucenie z siebie gotowej reprymendy, gwiżdżąc na to, ile znajdzie się w niej błędów, jąkania i nieprawidłowego akcentu. Jednak uprzedził mnie mąż:

– Czy moglibyśmy zatrzymać się na stacji benzynowej? – zapytał. – Chciałbym zapalić, a nie mam papierosów.

Nie palił od dwóch lat i nie sądziłam, by akurat teraz naszła go na to ochota, jednak byłam mu wdzięczna za tę, niech i niezbyt heroiczną, interwencję. Nasza córka nie zareagowała, a ja zrozumiałam, że w ucieczce od opowiastek Jorge Costy Ramosa pomogła jej muzyka z odtwarzacza. Dopiero w tej chwili dostrzegłam mikroskopijne słuchawki w jej uszach; znajomość ich skuteczności przyniosła mi ulgę.

– Ależ proszę, señor. – Jorge Costa Ramos sięgnął do skrytki. – Papierosy mojego kuzyna, trochę mocne, ale niezłe. Męskie.

– Dziękuję, palę tylko jedną markę.

– Pan również nie lubi meksykańskich?

– Po prostu zostaję przy swoich.

Po krótkim przystanku na stacji benzynowej, podczas którego mój mąż ofiarnie wypalił dwa papierosy, a ja przyłączyłam się do niego, jakoś szczególnie się nie poświęcając, ruszyliśmy w dalszą drogę. Jorge Costa Ramos spróbował jeszcze raz podjąć przerwany wątek, jednak mąż odwrócił się do mnie i po raz pierwszy ewidentnie niegrzeczny, rozpoczął rozmowę w naszym ojczystym języku. Lekko zdziwiony, aczkolwiek przyzwyczajony do różnych zachowań zagranicznych gości kierowca przybrał maskę uprzejmego zrozumienia, jednak i ja szybko przestałam być stosowną rozmówczynią dla mojego męża. Choć jeszcze nie spłynęła ze mnie pierwsza fala obrzydzenia Jorge Costą Ramosem, już zbliżała się następna. Wyjechaliśmy na rzadziej uczęszczaną drogę i jakby zwabione naszym widokiem, nadciągnęły pierwsze stada motyli.

Kiedy niewiele dni wcześniej w radiu dopiero zaczynali mówić o Emily, nie zwracaliśmy na to uwagi. Nasz hiszpański był kiepski i najłatwiej przychodziło nam rozróżnianie kolorów wymienianych w komunikatach: *verde*, *rosado*, jeszcze nie *rojo*. Słuchaliśmy tego jak opowieści o sukniach tajemniczej Emily, cennego gościa, który nie potrafi zdecydować się na kolor stroju na wizytę. My woleliśmy buszować wśród stacji radiowych w poszukiwaniu muzyki, a było w czym wybierać, bez łamania sobie głowy nad znaczeniami, tłumaczeniem, bez obawy o obcą specyfikę i akcenty. Samby i salsy, mambo, flamenco i merengue posiadały umiejętność wytaczania z gościa kropli krwi, w zamian za którą oddawały mu kieliszek własnej. Od chwili tej magicznej wymiany krążyły w żyłach obcego, jakby się tu urodził. Nie mógł już nie odklasnąć innemu klaśnięciu dłoni, zlekceważyć szurnięcia spódnicą, uderzenia obcasów i kastanietów, puścić koło ucha akordu meksykańskiej gitary. Musiał łapać je jak rzucane w tłum złote monety, zbyt cenne, by upadły na ziemię, jak mannę i ogień podawany z rąk do rąk.

Na promocję powieści Terry'ego Lowkinda zarezerwowano największy hotel w Cancún, oddalony od centrum, usadowiony między morzem a laguną. Jechaliśmy do niego prawie godzinę i nawet nie wpuszczono nas do środka, jedynie nasza córka, której policzki na stałe ubarwiły się podnieceniem, zasłużyła sobie na tę łaskę; osobiste zaproszenie pisarza otworzyło przed nią ciężką, z żelaza kutą bramę, a jedna z hostess natychmiast zajęła się nowym gościem. Zaniepokojeni, ale i trochę dumni, pożegnaliśmy dziecko, które dopiero w ostatniej chwili przypomniało sobie o należnych nam pożegnalnych pocałunkach, co darowaliśmy jej bez żalu, starając się cieszyć razem z nią. Samotni za zatrzaśniętą bramą, czekaliśmy, aż zniknie w tłumie, eskortowana przez szeroko uśmiechniętą młodą Meksykankę, wprawnie wymijającą grupki dziennikarzy i stanowiska ekip telewizyjnych. Gdyby nie upał, zapewne dopadłby nas strumyczek rozżalenia typowego dla kamerdynerów lub woźniców, których odsyłają do domu państwo udający się na bal, jednak palące słońce skutecznie przywołało nas do rozsądku. Uciekliśmy do czekającej taksówki i kazaliśmy zabrać się z tego miejsca; mój mąż zaczął się śpieszyć na swój samolot do Europy, mnie oczekiwała powrotna jazda do hotelu oraz dwa dni i dwie noce bez dziecka, któremu właśnie spełniał się sen o spotkaniu z Mistrzem i grupą jego apostołów.

Pokój w hotelu wydał mi się jeszcze obszerniejszy niż uprzednio, kiedy po podróży z Jorge Costą Ramosem łapczywie objęliśmy go w posiadanie. Było cicho, za zamkniętym oknem pokrzykiwały papugi, jakby chciały ostrzec mnie przed upałem przyczajonym na zewnątrz. Jednak i tak nie miałam ochoty wychodzić, czując się tak bezpańsko, jak tylko może czuć się kobieta na końcu świata, kiedy jej wzywany obowiązkami mąż drzemie w oddalającym się samolocie, a córka zajęta jest sprawami, wobec których ważności matka mogłaby znajdować się równie daleko jak ojciec. Nie mogłam liczyć na to, że któreś z nich zadzwoni do mnie w ciągu kilku godzin dzielących mnie od obiadu i nawet nie oczekiwałam podobnego poświęcenia. Zamiast tego zafundowałam sobie pociechę w postaci potężnej szklanki tequila sunrise, którą zmiksowałam własnoręcznie z zapasów zgromadzonych w minibarku. Nie fatygując się na taras, włączyłam telewizor; był duży i dyskretnie schowany w rzeźbionej szafie, by w kolonialnym, wysmakowanym wnętrzu nie razić nachalną nowoczesnością. Jako pierwsze pojawiły się w nim hotelowe wiadomości, które zwykle dotyczyły kulinarnego tematu dnia albo programu rewii. Tym razem było inaczej.

Z telewizyjnego ekranu dowiedziałam się, kim jest Emily. Przedstawiono mi ją dogłębnie – z podaniem pochodzenia, wieku, rozmiarów, sprawności fizycznej, rodziny, sąsiadów, ulubionych zabawek, a także obyczajów oraz planów na najbliższe dni. Emily okazała się huraganem, który w szybkim tempie zbliżał się do Zatoki Meksykańskiej z zamiarem zniszczenia całego wybrzeża. Kolory, w których jeszcze niedawno wyobrażałam sobie jej sukienki, symbolizowały stopnie zagrożenia. *Verde*, zielony, zakończył się w chwili, w której moja córka przekroczyła bramę hotelu świętującego pojawienie się na świecie nowego miotu rycerzy i księżniczek Terry'ego Lowkinda. *Rosado*, różowy, zapanował na wybrzeżach Jukatanu, kiedy po oficjalnej uroczystości najbliżsi Mistrzowi wielbiciele wsiedli w terenowe samochody i ruszyli do odciętego od świata rancza, na którym maszyną do pisania powoływał do życia niezłomnych bohaterów. Natomiast *rojo*, czerwony, rozpocznie się następnego dnia, kiedy będą jeszcze spali, zmęczeni całonocnymi dyskusjami o smokach, które jako jedyne winny strzec porządku planety. Nie dostaną szansy dowiedzenia się, że w tym samym czasie zwykli śmiertelnicy zajmują się zupełnie przyziemną rzeczą, a mianowicie powszechną ewakuacją.

Tak więc jeszcze raz, trzeci od świtu, a może czwarty, stoję przed ptasim gniazdem na palmie i zagryzam wargi z bezsilności. Nie mogę pomóc jedynemu pisklęciu, wokół którego w coraz większej panice latają ptasi rodzice, a ono krzyczy do nich w swym piskliwym, dziecięcym języku. Jest zbyt młode, by samodzielnie wylecieć z rodzinnego gniazda, zbyt duże, by rodzice mogli je z niego zabrać. Palma chwieje się coraz mocniej w rytm pęczniejących fal, na tle systematycznie ciemniejącego nieba, na plaży, która uparcie pustoszeje. Pozostało na niej niewielu turystów – kilku mężczyzn fotografuje rozsierdzoną wodę, jakaś para całuje się w uniesieniu, podekscytowana niecodzienną scenerią. Za kilka minut pobiegną do bezpiecznego hotelowego pokoju i może uda im się zostać we dwoje, bez potrzeby dzielenia go z przekwaterowanymi do pawilonu na wieczór i noc gośćmi z plażowych chat. Będą się kochać w atawistyczny sposób, właściwy stanom zagrożenia, w których, jak mówią statystyki, zostaje poczętych wiele dzieci. Także i te ptaki, samiec i samiczka, z którymi związało się moje serce, podarują światu następne kolorowe jajka i nie zważając na barwy kolejnych huraganów, wciąż od nowa będą wiły gniazda. Nie ich ptasi móżdżek sprawi, że krótko opłakiwać będą skazanego na śmierć potomka, ale ich wiekuisty zwierzęcy instynkt. Zazdroszczę im go do bólu żołądka, do kołatania zębów pomimo upału, do rozbijania czaszki przez uzbrojone w miecze i tarcze demony Terry'ego Lowkinda. Mojego ludzkiego niezdrowego rozsądku trzymam się uczepiona rezerwą wyczerpanych sił. Uruchamiając je wszystkie, usiłuję wierzyć, że złożenie losu mojego pisklęcia w ręce mordercy motyli było jedynym słusznym rozwiązaniem.

O piętnastej, jeszcze nie policyjnej, lecz prawie, godzinie spragnieni alkoholu goście odebrali ostatnie kieliszki z ostatniego czynnego baru. Nie przyłączyłam się do ich grona, wyjątkowo bez strachu o kłopotliwość wymuszonej abstynencji. Była mi potrzebna, wydawało mi się, że w obecnej chwili potrzebuję nie tylko jasnego umysłu, ale także sprawnych rąk i nóg, jakbym wierzyła w to, że w niebezpieczeństwie będę miała okazję zrobić z nich użytek. Najważniejsze, by nic nie przytłumiało mojego czekania, nie matowiło uwagi. Nie wypuszczałam z dłoni martwego telefonu i śledziłam wzrokiem każdego przechodzącego człowieka z identyfikatorem definiującym jego służbowe stanowisko. Czyhałam na wiadomości, tropiłam je uporczywie i usiłowałam wywołać je jak wytęsknione duchy. I wciąż nic mi z tego nie przychodziło, ponieważ wszyscy wokół zachowywali się tak, jakbym to ja była widmem, i mijając mnie w pośpiechu, nie potrącali tylko dlatego, że przez pomyłkę zapomniałam się zdematerializować.

Plaża wyglądała jak nieczynna, zamknięte zostały wszystkie bary, a stację sportów wodnych zabito szerokimi deskami na krzyż. Ogołocone z materaców leżaki powiązano sznurami w pęki jak pory albo szparagi, polecając ostatnim, nierozsądnie chciwym wrażeń gościom opuścić plażę najpóźniej za dwie godziny. Opustoszały okolice basenu, w którym pływało jeszcze dwoje dzieci pod czujnym okiem rodziców, którzy, rzecz nowa, nie zdali się na ratowników, i tak zresztą zajętych czym innym. Zauważyłam przemykającą się ukradkiem kobietę w fartuchu pokojówki, niosącą małe dziecko na jednym ręku i ciągnącą za sobą drugie. Miała przerażenie na twarzy, nie tylko z przyczyny Emily zapewne, lecz i ze strachu przed natknięciem się na zwierzchnika, jednego z tych, którzy skrupulatnie pilnują podziału ról na gości i pozbawioną praw służbę.

Zazdrościłam jej, jeszcze jednej matce, która przemycała potomstwo do bezpiecznego miejsca, ryzykując utratę środków do życia. Podczas podróży po półwyspie widziałam miejscowe budownictwo: chatynki sklecone z patyków i bambusa, kryte słomą i wiarą w dobroć Pana Boga. Miejscowi żyli tak od tysięcy lat, od huraganu do huraganu, nieświadomi chwili niebezpieczeństwa. Ich chaty niewiele różniły się od tych, które jak przedmurze – przeddrzewie? – poupychali na obrzeżach swych kamiennych miast starożytni, szlachetnie urodzeni Majowie. Historia zatoczyła koło, biedni znów żyli tak, jak ich przodkowie przed tysiącami lat. Pozorna równość społeczna nie trwała długo, umiejscowiona w krótkim czasie po wygnaniu panów świata i pogrzebaniu ich piramid pod plątaniną lian i mchem. Tylko wtedy istniała szansa dla zwyczajnych ludzi, którzy mogli zacząć wszystko od nowa, zapominając o władcach prasujących swym niemowlętom czaszki na kształt ostrosłupa, by odróżniały się od plebsu. Jednak prości ludzie dżungli nie pokusili się o poprawę swego losu; kto wie dlaczego – może z powodu upału? Najpierw służyli najeźdźcom, zaganiającym ich do swoich kościołów, wieki później doczekali chwili, kiedy obcy odkopali starożytne budowle, dotąd w spokoju kruszejące pod ziemią. I kiedy ciekawość ściągnęła następnych obcych, powstały nowe kolonie pysznych pałaców, a chaty meksykańskich Indian odzyskały dawny status mieszkań dla służby.

W komunikatach mówiono o ewakuacji całego wybrzeża, co oznaczało exodus kilkudziesięciu tysięcy ludzi. Dowiedziałam się, że nasz hotel jest jedynym miejscem, któremu zezwolono na próbę stawienia czoła siłom natury; wszystkie pozostałe zamykano właśnie na cztery spusty, po wywiezieniu gości autobusami przepełnionymi jak łodzie ratunkowe. Choć nie miałam szczególnego pojęcia o tym, co w podobnych sytuacjach robią tubylcy, byłam pewna, że wszyscy zmierzają w jednym kierunku – przeciwnym do tego, który musiał obrać Jorge Costa Ramos, aby za pieniądze przywieźć mi córkę.

Czas upływał coraz szybciej, jakby chciał dotrzymać kroku coraz bardziej zamaszystym podmuchom wiatru, a ja, naśladując ich obu, miotałam się po hotelowym terenie. Każdy spotkany pracownik odsyłał mnie do pokoju, a ja potakiwałam, chcąc uniknąć dyskusji. Większość gości już dawno usłuchała; wszystko wskazywało na to, że współpraca między wtajemniczonym personelem i gośćmi przebiega bezkonfliktowo w konstelacji grzecznego, lecz stanowczego zachowania jednych i wdzięcznego za przejęcie odpowiedzialności posłuszeństwa drugich. Nikt nie zamierzał szarżować, świadomy ryzyka. Brutalne wspomnienie o niedawnym tsunami przywróciło nieco pokory wobec natury; jakby trzeba było tej drastycznej, krwawymi slajdami ilustrowanej lekcji, by tropiki przestały kojarzyć się wyłącznie z rumem albo tequilą pod palmą, a morze z wożeniem się na desce surfingowej.

Na nie swoich doświadczeniach nauczeni rozsądku ludzie rozchodzili się do pokoi, w których czekały już przygotowane racje żywnościowe, dodatkowe koce i latarki. A także szczegółowe instrukcje nakazujące spakowane walizki schować do ściennych szaf i zachować w pogotowiu plecak z dokumentami, niezbędnymi lekarstwami oraz jedną zmianą ubrania. Kategorycznie przykazano, aby na zbliżającą się noc, noc Emily, nikt nie zdejmował butów przed położeniem się do snu. Napisano tak w sześciu językach, choć wiadomo było, że w ciągu najbliższych kilkunastu godzin sen i tak nikomu się nie przydarzy.

Klucząc między alejkami, by umknąć czujności personelu, dotarłam do bramy wjazdowej, niepilnowanej już przez nikogo, jakby wobec zagrożenia z morza niebezpieczeństwo od strony lądu przestało istnieć. Za wszystko miał wystarczyć szlaban, którym przezorni wartownicy zablokowali wjazd przed opuszczeniem swej na biało-zielono pomalowanej strażniczej budki. Obtarłam sobie ręce, kiedy nasłuchując nieustannie silnika limuzyny Jorge Costy Ramosa, z trudem go unosiłam. Kiedy wreszcie stanął, wyprężony ku pociemniałemu niebu, pożałowałam, że nie przyczepiłam do jego końca czerwonej chustki, by moja córka, zbliżając się, zobaczyła ją z daleka i wiedziała, że na nią czekam, że nie uciekłam wraz z innymi tchórzami.

Samochód wciąż nie przyjeżdżał. Zamiast wyczekiwanego warkotu słyszałam jedynie narastający świst wiatru oraz krzyk pertraktujących z nim drzew, które jakby dopiero teraz pojęły zagrożenie i próbowały się od niego wywinąć. Strzeliste palmy tańczyły w miejscu, jakby testowały zakotwiczenie korzeni oraz swój, zawieszony na nich ciężar. Ich zielone czupryny podjęły już rytm na wpół jękliwego i na wpół oburzonego śpiewu, jednak ich stopy zajęte były oceną szansy na ucieczkę. Najwyższe z drzew, te, które najdalej mogły sięgnąć wzrokiem, objęła już pierwsza panika na widok oddalonej zaledwie o kilometr palmowej ariergardy nad brzegiem morza, skalpowanej przez pierwsze jednoznacznie już mordercze uderzenia wiatru. Stało się – Emily wylądowała na wybrzeżu.

Niebo sczerniało i zrzuciło pierwsze ładunki w postaci nieregularnych bomb pełnych wody, spadających ciężko na przygodne cele. Trafione drzewa chciały odpowiedzieć salwą w postaci liści i konarów, jednak przeceniły swe możliwości – wszystko poleciało w dół. Wysoko nade mną pofrunęła pierwsza zerwana w całości zielona czapa palmowych liści, ukręcona jak natka z marchewki. Zdążyłam jedynie zasłonić uszy przed jej szumem i moje ręce tak już pozostały – odruchowo chroniłam nimi to czoło, to czaszkę, to oczy, małymi krokami wycofując się do jedynego w promieniu kilkuset metrów schronienia, którym była opuszczona budka strażnicza o ściankach cieńszych niż większość wirujących w powietrzu konarów. Ledwie zdołałam wcisnąć się do budki, coś trzasnęło głośno i powietrze przeszył ostry błysk, jakby niebo zażyczyło sobie ostatniego zdjęcia z fleszem. Przez tę trwożliwie długą sekundę widziałam całe otoczenie w pozarealnej sinoniebieskiej ostrości, jakby po to, bym mogła je sobie zapamiętać, na pożegnanie teatru, w którym przyszło mi się znaleźć. Było tak, jakby ostatni raz ukłoniły mi się odchodzące w niebyt drzewa i ostro cmoknęły w policzki siekące krople deszczu przemieszane ze szlamem. I natychmiast potem zgasły bez jęku dwie latarnie flankujące wjazd na teren hotelu oraz niewielka żarówka w wartowniczej budce, pozwalając sobie, jako mniejsza, na cichy syk skargi. Zostałam sama w mokrej, huczącej ciemności, w wątłych objęciach meksykańskiej stróżówki – niepewnego partnera, który przez pomyłkę zaprosił mnie na tańce do mordowni.

Wszystko, co działo się w mojej głowie, było negatywem filmu kręconego na zewnątrz, trzaskanego tysiącem obiektywów w powiększeniach, zniekształceniach i z użyciem stopklatki w najmakabryczniejszych ujęciach. Mózg pękał mi od nadmiaru scenariuszy drogi mojej córki, o której nawet nie wiedziałam, czy rzeczywiście do mnie jedzie, wieziona przez wichurę przez mordercę motyli, który nagle stał się malutki i śmiesznie bezbronny wobec większych od siebie złoczyńców. Każda z wersji była dostatecznie zła – wyobrażałam ich sobie przywalonych przez padające drzewo, pozbawionych możliwości ruchu albo, gdyby ucierpiał tylko samochód, podobne do wycieraczek ręce Jorge Costy Ramosa... Boże, proszę, nie! I po co wyciągałam ją z rancza króla sprawiedliwych, dlaczego nie uwierzyłam artyście sławiącemu wiekuistość praw natury? Komu jak nie jemu miałaby odpłacić się za zaufanie, darować życie, oszczędzić... Gdyby nie to, że zajęły się już tym szalejące żywioły, z nienawiści do siebie szarpałabym się za włosy i wzorem dawnych winowajczyń rozorałabym paznokciami policzki. Jednak zbyt leniwa na godziwą karę, zadowalałam się torturami sumienia, skulona w kącie cudem stojącej jeszcze budki, głupio przytulona do śliskiego od szlamu kawałka posadzki, niby wierząca, że jestem bezpieczna, bo najgorsze odbywa się wyżej.

Kiedy po raz pierwszy mignęła mi wśród drzew chwiejna smuga światła, pomyślałam, że muszę się mylić. Przyszły mi do głowy pioruny, prawdopodobne w realności, w której wszystko posiadające energię wyładowuje się w moim bliskim sąsiedztwie. Jednak moja rozkołatana nadzieja i tak sprawiła, że wypełzłam z kąta i zbliżyłam się do progu rozchwianej budki. Trzymałam się oburącz jej lichej ścianki i modliłam o to, by błyski nie były fatamorganą, lecz wyczekanymi, wybłaganymi światłami reflektorów limuzyny Jorge Costy Ramosa, którego, jak sobie zaczęłam właśnie przyrzekać, nigdy więcej nie nazwę mordercą – przeciwnie, ogłoszę w prasie bohaterem. I spotkała mnie ta łaska, bo okazało się, że nie łudzą mnie pioruny czy w cudowny sposób wskrzeszone latarnie. Rzeczywiście zbliżał się samochód, widziałam jego reflektory, a to, że przybliżały się tak wolno i musiały przebijać się przez fruwające gałęzie, wcale mnie już nie przerażało. Naraz przybyło mi wiary, wedle której mojej córce znajdującej się w zasięgu mego wzroku nic złego nie mogło już zagrozić. Wybiegłam z budki i natychmiast porwał mnie wiatr, aż pomyślałam, że chce mi pomóc dobiec do tego spotkania, wzięcia dziecka w ramiona i obejrzenia jego twarzy. Jednak on mylił się w kierunkach i zmieniał zdanie jak złośliwy kapral prowadzący musztrę, więc, wściekła na niego, ale pełna siły, musiałam z nim walczyć, wyrywać się i kląć.

– Czy pani zwariowała? Co pani tu robi?

Szamotałam się już nie tylko z wiatrem – musiałam wyszarpnąć się z obcych rąk, których dotyk palił boleśniej niż najtłustsza bryła błota, popierany krzykiem brzmiącym nienawistniej od świstu akurat zrywającego dach z gościnnej budki wartowników.

– Zostawcie mnie! – wrzeszczałam do umundurowanych ludzi,

ale mnie nie słuchali, wlokąc jak niedorzeczną wariatkę, aż przebiegło mi przez głowę, że może rzeczywiście na taką wyglądam.

Wciągnęli mnie do wnętrza ciężkiego terenowego samochodu, na spotkanie którego wybiegłam, wierząc, że przywozi mi dziecko. Oprócz kierowcy było w nim dwóch mężczyzn w mundurach, których nie chciało mi się identyfikować, umorusanych prawie tak jak ja. Wszyscy trzej coś do mnie mówili, ale nie słuchałam, wściekła i zapłakana, bezlitośnie odarta z nadziei. Wieźli mnie w stronę hotelu, z trudem torując sobie drogę wśród zwalonych gałęzi, wśród lejących się z ołowianego nieba ciężkich strug wody. Podcinane gwałtownymi porywami wiatru, zmieniały kierunek, dokonując cudu cięcia powietrza poziomo. Nie poznawałam krajobrazu, bezsilna, jak przemoczony worek mąki rzucona w kąt samochodu, z twarzą wciśniętą w okno, przypominające nieczyszczoną od wieków szybkę piekarnika. Z tego, co czasem udało mi się zobaczyć, wynikało, że zniknęły drogi, roślinność i wszelkie kierunkowskazy. Kierowca jechał na pamięć, nie wiedząc po czym, rozpaczliwie szukając fragmentów względnie przejezdnej powierzchni i nie bacząc na to, że rozjeżdża bardzo do niedawna reprezentacyjne trawniki, klomby i szczątki tarasów.

Okno restauracji było mokre, ale czystsze od szyb samochodu, który zabrał mnie z punktu oczekiwania na córkę. Mężczyźni zaciągnęli mnie do tego pomieszczenia, prawie pustego, jeśli nie liczyć kilku osób z personelu. Wszyscy byli na mnie źli, nawet kobieta, która podała mi szklankę z napojem, i na zmianę powtarzali to samo pytanie: czy postradałam rozum. Ich irytację podwoiło to, że podobno przeze mnie wiatr oderwał drewniane deski chroniące szklane drzwi restauracji; trzymały dobrze, dopóki nie trzeba było ich otworzyć. Nie obchodziło mnie ich hiszpańskie pokrzykiwanie, a ich zatroskanie o restaurację mogłoby mnie śmieszyć, gdybym dobrowolnie znalazła się w ich towarzystwie. Odwróciłam się od nich, ich nerwowych gestów, niezrozumiałego pokrzykiwania, od ich czystych służbowych strojów oraz serdeczności, z którą przywitali trzech przybyłych kolegów, brudnych jak ja, zmęczonych bohaterów. Ignorując ich ostrzeżenia, stałam przy szybie pozbawionej drewnianego zabezpieczenia, za ten jeden jedyny zamach wdzięczna huraganowi, który ofiarował mi możliwość wypatrywania dziecka. Przed moimi oczyma rozgrywały się sceny efektowniejsze od tych, które miała mi do zaoferowania brama wjazdowa. Wzniesiona na stawie restauracja była niczym arka Noego, jedyne pewne miejsce wśród szalejących żywiołów nieba i wody, z której niedawno wyłowiono siatkami złote rybki. Przypomniałam sobie ich smutne miny; z pewnością uznały przeprowadzkę za niesprawiedliwość, zwłaszcza wobec pozostawienia w spokoju krokodyli. W odległości kilku metrów przeleciała młoda, dwu-, może trzymetrowa palma, wyrwana w całości, z korzeniami i postrzępioną koroną, a ja zapragnęłam uwierzyć w to, że schronienie krokodyli ma ściany równie mocne jak nasza zabita deskami restauracja.

Po niecałych dwóch godzinach nastała cisza, nagła i niespodziewana, jakby w kinie w środku katastroficznego filmu popsuł się projektor. Wyprostowałam się. Było mi zimno w mokrym ubraniu, jednak nie dlatego odwróciłam się do zbitych we wrogą gromadkę ludzi. Łatwo było do nich trafić, bo stół, który obsiedli, oświetlili świeczkami, zapewne pierwszy raz użytymi w tym przybytku z prawdziwie praktycznej przyczyny. Prądu wciąż nie było, jednak wiedziałam, że ci, którzy mnie tu przywieźli, dysponują krótkofalówką.

– Nie, señora, nie wiemy, gdzie jest señor Ramos. Ale...

Zmęczony mężczyzna wyciągnął zza paska urządzenie nie dlatego, że o nie zapytałam, ale ponieważ samo odezwało się skrzypiącym warkotem. Jego właściciel rzucił mi wściekłe spojrzenie, podniósł się z krzesła i odszedł kilka kroków, gdzie odbył niezrozumiałą dla mnie rozmowę. Ponieważ nie było wątpliwości, że nie spuszczają mnie z oka, nie miałam innego wyboru, jak tylko wrócić na swoje stanowisko obserwacyjne przy drzwiach wejściowych. Usiadłam na wycieraczce i ścierałam łzy, które ciekły mi po policzkach w tempie będącym wiernym odbiciem tempa deszczu spływającego po szybie. Słyszałam ciszę wsączającą się do środka i bolało mnie od niej całe ciało – głowa, niewidzące dalej niż na kilka metrów zrujnowanego chodnika oczy, obtarte dłonie, podrapane ramiona i nogi. Ta cisza była bezsensowna, po szastającej niebezpieczeństwami zawierusze nie przyniosła niczego, bo nie oddała mi córki. Skoro wcale nie chciałam do niej dotrwać, nie było też powodu cieszyć się, że dożyłam. I nie miałam zamiaru tu zostawać, zaaresztowana i siedząca żałośnie na oczach ludzi, którzy pilnują mnie tylko z obowiązku, jak żołdacy Napoleona na Wyspie Świętej Heleny. Otrząsnęłam się, jednak przy wstawaniu kolana strzeliły mi tak głośno, że sprowokowały tamtych.

– Nie, señora – powiedział podniesionym głosem jeden z tych, którzy mnie tu przywieźli, i ruszył w moją stronę, by przeszkodzić mi w otwieraniu drzwi. – Nie może pani wyjść, to tylko oko cyklonu. Niech mnie pani słucha, to jeszcze nie koniec! Zaraz wszystko zacznie się na nowo, jeszcze mocniej, niech pani zrozumie!

Nawet nie udawałam, że go słucham, a on, silniejszy ode mnie, odciągał mnie od drzwi, szklanym odbiciem niechlujnie rejestrujących naszą nierówną walkę. Wymienialiśmy się w niej grudkami błota, które podczas szarpaniny odpadały nam z ubrania, i oblewaliśmy się wodą zastygłą we włosach. Wolałam jednak patrzeć w to niedomyte lustro niż w twarz mężczyzny, którego nienawidziłam i w nienawiści tej pragnęłam wyrwać się z jego śliskich, obrzydliwie lepkich rąk. I udało się – dojrzałam w lustrze, jak udaje mi się wyszarpnąć umundurowanemu Meksykaninowi, któremu w rękach pozostaje tylko moja biała, mokra bluza z kapturem, i biegnę do drzwi, do których brakuje mi tylko kilku kroków...

– Mama! – wykrzyczała moja córka, prawie mnie przewracając, wyższa ode mnie, silniejsza, z dłuższymi, bardziej mokrymi włosami, w samym podkoszulku, pozbawiona białej bluzy, której głupio przyglądał się ochroniarz, kiedy zwisła mu w dłoniach jak niechciany souvenir. – Mama, tak się bałam!

Wycałowałam moje dziecko, sprawdziłam twarz, głowę, po kolei, jak po powrocie z przedszkola, kiedy była malutka – oczy, czoło, nos, usta, dłonie... To naprawdę była ona, nic jej złego nie spotkało.

– Gdzie ty byłaś? – zapytałam słabo, bo nagle zabrakło mi siły i sama przestałam siebie słyszeć.

– W głównym budynku, w pokoju razem z ośmioma innymi... Ramos przywiózł mnie, zanim zaczął się huragan, ale ciebie już nie było.

– Jak mogłam was nie spotkać, tak czekałam na ciebie w bramie... Bałam się o ciebie.

– Wjechaliśmy drogą dla dostawców. Ja też się o ciebie bałam, mama! I w ogóle, co ty wyprawiasz? Przysyłasz mi tego gnoja, więc jadę, tylko dlatego, że ty tego chcesz, przyjeżdżam, a ciebie nie ma... Gdybym nie podsłuchała rozmowy ochroniarzy przez krótkofalówkę, nawet nie wiedziałabym, gdzie jesteś. Mówili, że znaleźli jakąś wariatkę koło szlabanu i na wszelki wypadek trzymają ją w restauracji. Wtedy już wiedziałam, że musi chodzić o ciebie.

– Cóż... – westchnęłam z rezygnacją – czasemi lepiej jest nie rozumieć obcego języka.

Moje dziecko wyglądało zdrowo, nie było ani brudne, ani nawet zbyt przemoczone. Wyglądało na to, że pierwszą część wizyty Emily rzeczywiście przeczekała w hotelowym pokoju.

– Gdzie jest Jorge? – zapytałam ostrożnie, pierwszy raz nazywając go tak familiarnie. – Dlaczego nie przyjechaliście wczoraj? Czy on... zachowywał się wobec ciebie w porządku?

– Wobec mnie tak – powiedziała nie od razu, prawie przez zęby. – Wobec mnie, owszem. Wcale nie wiedziałam, że miał mnie odebrać wczoraj. Przyjechał dziś rano, przynajmniej tyle dobrego. Byłam z Terrym i jego ludźmi, a ty...

Oparłam się mocniej o szklane zamknięte drzwi, już zwolniona od podejrzliwych spojrzeń tamtych.

– Porozmawiamy o tym później, dobrze? – poprosiłam.

– O, na pewno – obiecała mi złowieszczo. – Ale czy ty w ogóle wiesz, kogo po mnie wysłałaś? Wiesz, co on robił cały czas?

Jorge Costa Ramos nie miał zamiaru zadowolić się dwoma tysiącami dolarów, na które umówił się ze mną za przywiezienie dziecka. Dysponując wynajętą przeze mnie limuzyną, a także czasem, którego nawet jego kuzyn nie mógł skontrolować, postanowił dorobić jako szofer w czas katastrofy – płatny, i to wysoko. Poprzedniego dnia, kiedy kursowały jeszcze samoloty, wykorzystywał brak taksówek i odwoził bogatszych gości na lotnisko, a kiedy to się skończyło, zajął się transportowaniem zagrożonych ludzi do miejsc ewakuacji. Naturalnie wybierał sobie jedynie tych bogatszych, z których kilkoro przywiózł nawet do naszego hotelu, jak przypuszczam, bez konsultacji z kuzynem. Przyjechali tu z moją córką, w szóstkę stłoczeni w limuzynie.

– Mama, ja go błagałam, aby zabrał rodzinę z dziećmi! Stali na końcu kolejki i nie mieli żadnych szans dostać się do autobusu. Mówiłam mu nawet, że mu za nich zapłacisz, ale on nie miał pewności. Wolał kasę z góry, wziął kilka stów od trzech bysiów ze złotymi łańcuchami, a ci w samochodzie nabijali się ze wszystkiego. Dobrze, że nie widziałaś twarzy tych meksykańskich maluchów i ich matki... Wolę nie myśleć, co się teraz z nimi dzieje.

W oddali rozległy się pierwsze uderzenia wiatru i cisza zaczęła topnieć. Emily przypomniała o sobie akurat w tej samej chwili, w której zapaliły się nieczynne do tej pory latarnie przed restauracją, naprawione przez kogoś pracującego podczas ciszy panującej w oku cyklonu. Nagle jaskrawy widok na zewnątrz uderzył mnie mocniej od bezpośredniej chłosty, którą w ciemnościach zafundowała mi natura. Zabrakło mi tchu przed oświetlonym pobojowiskiem przedhotelowych tarasów, pozbawionych drzew, z klombami wyglądającymi tak, jakby przekopał je paranoiczny ogrodnik-wielkolud, wyrywający i rzucający byle gdzie wszystko, co nawinie się pod rękę. Z ziemi sterczały elektryczne przewody po połamanych lampach, wszędzie walały się śmietniki i tabliczki wskazujące kierunki. A wszystko przysypane było pęczkami trawy z zerwanego tuż przed nastaniem ciszy dachu, który do niedawna krył hotelowy amfiteatr. Patrząc na jego sponiewierane resztki pychy, wyobraziłam sobie Emily jako zaciętą gospodynię, która pilnie pokroiła i wymieszała składniki nowej potrawy, a potem posypała ją tartym parmezanem.

Robiło się coraz głośniej, hałas narastał wraz z odgłosami, które znaliśmy już z poprzednich godzin, wówczas nie umiejąc ich jeszcze zidentyfikować. Teraz wiedzieliśmy, że powietrzna trąba karczuje kolejne drzewa, zrywa dachy i bawi się w młynek z zabudowaniami, instalacją i sprzętem. Latarnie przy restauracji jeszcze dzielnie stawiały jej opór, ale nikt nie miał wątpliwości, że sił nie starczy im na długo.

– *Que diablo*... – krzyknął nagle ktoś za nami i sekundę później usłyszałyśmy gwałtowne szurnięcie krzesła, z którego poderwała się jedna z obecnych w restauracji kobiet.

– Jorge? – wydusiła z siebie z niedowierzaniem, odpychając mnie od drzwi. – Jorge!

W migotliwym świetle latarni pojawiła się sylwetka mężczyzny. Słaniał się na nogach i zataczał jak pijany, jednak uparcie szedł w naszym kierunku od limuzyny, którą dostrzegłam dopiero teraz, niejako w skojarzeniu z nim, znanym mi przede wszystkim jako szofer. Teraz widziałam ją oddaloną o zaledwie kilkadziesiąt metrów, zniekształconą przez zwaloną palmę, leżącą jeszcze na masce, jak porzucona przez nauczyciela dyscyplina po wyroku wykonanym na tyłku krnąbrnego ucznia. Zabrakło mi wyobraźni, abym mogła zrozumieć sposób, w jaki Jorge Costa Ramos pokonał tę drogę, której zasadzkom ledwo podołał terenowy samochód w czasie wstępnych harców Emily. Może przyjechał tu wcześniej i siedział w niej po odstawieniu pasażerów do głównego budynku? Cała ta gdybanka wydawała się nie mieć znaczenia wobec jego widoku, kiedy sam, pozbawiony jakiejkolwiek pomocy, walczył o każdy centymetr drogi. Obejrzałam się za siebie, automatycznie szukając pomocy u obecnych mężczyzn, jednak żaden z nich nie podrywał się z krzesła, jak zrobiła ta młoda kobieta, która teraz rzuciła się do otwierania drzwi. Zatrzymał ją stanowczy chwyt – biorąc pod uwagę okoliczności rozsądny, nawet jeśli w obecnym zamieszaniu trudno mi było oceniać roztropność własnej córki. Jednak to ona trzymała szalejącą Meksykankę, to w jej oczach malowało się współczucie oraz zimna złość na tego, który takiej litości najmocniej by potrzebował. Dziwiłam się temu zacięciu, ale i czułam, że jest jak moje własne; po niewielkim wahaniu poparłam moje dziecko, wracając na wywalczone miejsce przy drzwiach i zastawiając je sobą jak strażnik. Kobieta wciąż krzyczała, jednak szarpała się już mniej; rezygnując z pomysłu wyrwania mężczyzny wichurze, zajęła się zagrzewaniem go do wysiłku. Widziałam, jak zaklina ten ostateczny moment, w którym będzie mogła wpuścić go przez drzwi. Już nie musiała obawiać się sprzeciwu którejś z nas, bo ani ja, ani moja córka, która nienawistnym, pełnym satysfakcji wzrokiem śledziła walkę Jorge Costy Ramosa, nie zamierzałyśmy jej w tym przeszkadzać. Niech sobie wejdzie, myślałyśmy obydwie, ale niech wcześniej pozna, czym jest strach.

Zostało mu zaledwie kilkanaście kroków; musiałby tylko pokonać kilka pni drzew, wirujące skorupy tarasowej donicy oraz parę strzaskanych w dzikim tangu desek, które wiatr na moją cześć oderwał od futryny restauracyjnych drzwi. Może zagapił się albo szedł za wolno i Emily straciła do niego cierpliwość. Poderwała go więc w górę, a on obejrzał się na nią, wściekły, nieprzyzwyczajony do kobiet, które zachowują się samowolnie. Wtedy ona zaśmiała się i zakręciła nim, jakby owijała go sobie wokół palca. Jednak musiał się jej nie spodobać, bo po króciutkim wahaniu odrzuciła go jak śmieć, jednym ruchem, wprost na ogołoconą z okiennicy pancerną szybę. Jego ciało klasnęło głucho, a my odruchowo odskoczyłyśmy, wszystkie trzy. I żadna z nas nie uciekła wzrokiem od jego rozpłaszczonej na szkle twarzy, która w kilka sekund zmieniła się w krwistą masę, oraz od jego rozrzuconych kończyn, niezupełnie przypominających ludzkie kończyny. W milczeniu patrzyłyśmy, jak powoli zsuwa się po szybie Jorge Costa Ramos, czerwono-żółto-zielony jak meksykańska flaga, połączony z milionami zamordowanych przez siebie motyli.

Iwona Menzel

NAD BIEBRZĄ

Łąka za stodołą złociła się mleczem, tu i ówdzie przykrytym welonikiem dmuchawców. Rosły na niej powykręcane wierzby i pojedyncze brzózki, a nad wodą olchy. Tuż za niską skarpą ziemia była podmokła i do brzegu rzeki nie dało się dojść, ale rozpościerał się stąd szeroki widok na łagodne zakola Biebrzy. Jak okiem sięgnąć falowało morze szuwarów, turzyc i traw, aż do linii horyzontu, gdzie stykało się z krawędzią nieba. Ile razy zawiał wiatr, po łąkach przechodził migotliwy srebrzysty dreszcz i złudzenie, że jest się zagubionym pośrodku oceanu, stawało się kompletne.

Pięknie, naprawdę pięknie. Ale Wybrzeże Amalfitańskie to nie było.

Antonia odwróciła się i ruszyła w kierunku domu. Szerokim łukiem ominęła niewiarygodnie grubą krowę, pasącą się na łące. Nie miała żadnego doświadczenia z bydłem, no bo i skąd, ale krowy miały rogi i podobno bodły. Zwierzę podniosło łeb, przyjrzało jej się uważnie i zamuczało z nadzieją. Sądząc po wydętym wymieniu, pilnie potrzebowało wydojenia. Spojrzenie jego pięknych, okolonych długimi rzęsami oczu było w każdym razie tragiczne.

– Nie licz na mnie, moja droga – powiedziała Antonia do krowy uprzejmie. – Dojenie nigdy nie należało do wymaganych ode mnie kwalifikacji. Bardzo mi przykro.

Krowa zwiesiła głowę, westchnęła ciężko i z rezygnacją powróciła do skubania trawy.

Na dachu stodoły para bocianów przeprowadzała sumienną inspekcję gniazda. Ona była niezadowolona, grymasiła, krytykowała niedoróbki, wyciągała ze ściółki jakieś patyki i potrząsała nimi samcowi przed nosem. On dwoił się i troił, żeby ją przekonać, rozkładał bezradnie skrzydła, trzepotał, w końcu odchylił do tyłu szyję i wybuchnął gorączkowym klekotem.

– Nie daj się nabrać – ostrzegła Antonia bocianicę. – Cuda ci będzie obiecywał, włoską terakotę i wannę z hydromasażem, a potem zostawi cię samą na jajach w obsranym gnieździe. Stawiaj warunki teraz, kiedy się jeszcze stara o twoje względy, jak się raz do niego wprowadzisz, to umarł w butach.

Karolek zapewniał, że gabinet po ginekologu na Pradze, w głębi drugiego podwórka przy Brzeskiej, to tylko intermezzo. Wystawiał w Niemczech i we Włoszech, był o krok od przełomu, interesowała się nim Fabryka Trzciny, a mieszkanie jest rozwojowe, bo można przebić się na strych i zrobić fantastyczną maisonetkę z przeszklonym dachem. Potem okazało się, że Karolek za granicą to, owszem, był, ale w galeriach nie tyle wystawiał, ile mył okna, Fabryka Trzciny zamiast wernisażu zaproponowała mu odmalowanie toalet, a fotel ginekologiczny jest przyspawany do dźwigara podłogi i żeby go usunąć, trzeba zerwać strop. Na strych zdążył się przebić sąsiad, który miał szwagra w administracji. Przez trzy spędzone na Brzeskiej lata Antonia musiała myć nogi w umywalce i gotować na kuchence kempingowej. Karolkowi bielizna pościelowa, garnki i deski klozetowe były kompletnie obojętne. Lubił powtarzać, że van Gogh sprzedał w ciągu całego swojego życia tylko jeden obraz, w ten sposób dając do zrozumienia, że jest nie mniejszym artystą. Żeby podkreślić duchowe braterstwo, mówił o van Goghu „Vincent" i chętnie cytował jego słowa: „Nędza jest niczym albo prawie niczym. To, co dopiero jest straszne, to przeszkoda w pracy" – więc nie zawracaj mi głowy drobiazgami, Antonio!

Do tych drobiazgów należały pieniądze. Zarabianie ich było sprawą Antonii, Karolek nie miał na to czasu. Był całkowicie pochłonięty pracą nad rzeźbą z gipsu, starych mikroprocesorów i gumek aptecznych, którą nazywał „Ciągłością leżącą". „Ciągłość" rozciągała się z biegiem lat coraz bardziej, wypierając powoli z mieszkania Antonię. Wyprowadziła się, kiedy Karolek zupełnie poważnie zaproponował, żeby wyrzucili tapczan i sypiali na fotelu ginekologicznym. Potrzebował więcej miejsca na swoje dzieło.

Po Karolku pozostały jej tęsknota za niecodziennością, długi i imię.

– Alina to antykwariat – zawyrokował już pierwszej nocy, z twarzą opartą o jej udo. – Moja ciotka nazywała się Alina. Mieszkała na wsi i śmierdziała oborą. Widzę cię jako Antonię, w sznurowanych trzewiczkach z cholewkami i kapeluszach z początku wieku. Poza tym nagą. Chcę tak z tobą tańczyć walca. Rozejrzyj się po sklepach.

Była wówczas bardzo młoda i nieprzytomnie zakochana. Zamiast się obrazić, że chce ją wymienić na inną, ruszyła posłusznie na poszukiwania po ciuchlandach, żeby dopasować się do jego artystycznej wizji. Jej wysiłki zostały nagrodzone i wirowali w walcu wokół przykrytego prawdziwym tałesem fotela ginekologicznego: Antonia tylko w trzewiczkach i kapeluszu, Karolek w cylindrze, z szyją owiniętą białym szalem. Tałes świsnął z wystawy „Bóżnice i judaica Podlasia". Antonia uważała wtedy, że jest to dowód budzącej się w nim zaradności życiowej. Bardzo się myliła.

Później już nikt z nią nie tańczył nago walca, nie kochał się w windach i nie szukał mikroprocesorów na wysypiskach śmieci. Nikomu też nie zapalały się oczy jak u rysia, kiedy rozsuwał jej kolana. Pod wieloma względami Karolek był kochankiem idealnym. Miał tylko jedną wadę, ale decydującą: nie dało się z nim żyć.

Przez drogę przegalopowało raźnie stadko krów, pędzone przez jasnowłosego chłopca na rowerze. Rower miał teleskopowe amortyzatory i aluminiową ramę, na szyi chłopca wisiał odtwarzacz mp3. Przejeżdżając, ukłonił się grzecznie Antonii. Miły dzieciak. W Warszawie dzieciom nawet z tej samej klatki schodowej nie przychodziło do głowy powiedzieć jej dzień dobry. Sympatyczna wiocha – zasobna, zadbana, wybrukowane kostką chodniki, pobielone krawężniki, woda, gaz, kanalizacja. Pewnie za pieniądze Unii. Mężczyźni w sklepie strasznie narzekali, że ceny, że ograniczenia, że Niemiec i Francuz chcą decydować, co się u nas będzie działo, za sto lat wszyscy będziemy pracować u bauera na polu. Ciekawe, jak by to Lipowo Stare bez pieniędzy z Brukseli wyglądało.

Obok Lipowa Starego było jeszcze Lipowo Nowe, na oko niewiele nowsze. W jednym i w drugim nie brakowało pięknych starych chałup z ozdobnie szalowanymi szczytami, koronkowymi nalicznikami okien i ślicznie rzeźbionymi słupkami na węgłach. Przed wieloma stały kapliczki z przybraną kwiatami Najświętszą Panienką. Od strony ulicy domy miały drewniane ażurowe ganki, widocznie nieużywane, bo na schodkach piętrzyły się niezliczone doniczki z pelargoniami. Wypielęgnowane były też ogródki, za sztachetami płotów kwitły podlewane i opielane z miłością malwy, nasturcje i mieczyki. Antonia, która od śmierci babki nie była na wsi, miała wrażenie, że odbyła podróż w czasie i wróciła do lat swojego dzieciństwa. W Warszawie z tamtej Polski już prawie nic nie zostało, nawet Praga straciła swój kostropaty urok i stała się obiektem zainteresowania artystów i snobów. Karolek ze swoją Brzeską leżałby dziś stuprocentowo w trendzie. Niestety, jak zwykle, wyprzedził współczesnych i trafił tam po prostu za wcześnie.

Wieś była długa, ciągnęła się przez parę kilometrów wzdłuż obsadzonej lipami drogi. Lipowo Stare przechodziło niepostrzeżenie w Lipowo Nowe, jedynie zmiana numeracji i krzyż na rozdrożu znakowały koniec jednego i początek drugiego. No i animozje mieszkańców. Poprzedniego dnia Antonia usłyszała przypadkiem rozmowę dwóch kobiet, które gawędziły na ulicy przed jej oknem.

– Pani Wisiu, wie już pani? Młodzież w nocy most podpaliła. Całe przęsło osmalone.

– To na pewno nie nasi, to ci z Nowego.

Lipowa rywalizowały ze sobą. Jak tylko w Starym pobielono na 3 Maja krawężniki, Nowe natychmiast też złapało za pędzle. Postawiono w Starym wieżę widokową, to ci z Nowego zaraz wybudowali sobie taką samą, tylko o metr wyższą, chociaż u nich brzeg płaski i gdzie im do takich widoków jak w Starym. Podglądali nawet, co ludzie w obejściach mają, i teraz stoją u nich w ogródkach takie same wiatraczki, karmniki dla ptaków i kominki. Jakby sami nie potrafili niczego wymyślić.

Informacje o konflikcie pochodziły od pani Wisi. Pani Wisia mieszkała w sąsiednim domu i była piękna. Miała twarz wygarbowaną słońcem i wiatrem jak amerykańska skórzana kurtka lotnicza, sięgający do pępka czarny warkocz i orli nos, którego mógł jej pozazdrościć każdy Komancz. Wyglądała jak indiańska królowa, miała w sobie coś majestatycznego. Ach, gdybyż to autorki, które Antonia promowała, były do niej podobne! Niestety, jej pisarki nie miały w sobie nic arystokratycznego. Przywiędłe, przysadziste, przygrube. Domowego chowu. Ale na zdjęciach wszystkie chciały przypominać Nicole Kidman i nie dawały sobie wytłumaczyć, że nawet Photoshop ma swoje granice.

Wielka szkoda, że pani Wisia nie zamierzała napisać ani słowa. Posługiwała się językiem równie niezwykłym jak jej wygląd i w „Kawie czy herbacie" zrobiłaby sensację, jakby tylko otworzyła usta. Zaraz po przyjeździe Antonii wpadła na sąsiedzką wizytę z blachą ciasta i powiedziała:

– Oj, taka pani miła i młoda, pani Antosiu! A ja myślałam, że jak z Warszawy i z wydawnictwa, to machmuła jakaś się zjawi.

A wychodząc, poprosiła:

– Jakby pani jechała do Moniek, to pani mi kupi trochę mandarynek – tak do poiskania.

Aśka nie mogła nachwalić się tego sąsiedztwa. Pani Wisia obdarowywała ją szczodrze wypiekami, jajkami prosto od kury i truskawkami z ogrodu, pod jej nieobecność miała na wszystko oko i podlewała kwiatki. Bez państwa Szymaniaków Aśka nigdy by tego domu nad Biebrzą nie postawiła.

A dom był fantastyczny. Prawdziwa stara chałupa, przeniesiona z pobliskiej Klewianki. Tak się akurat dobrze składało, że synom zmarłego właściciela bardzo się spieszyło, żeby zamienić ojcowiznę na gotówkę. Sprzedali chałupę za bezcen i z trudem ukrywali radość, że znaleźli głupiego z miasta, który chce dać pieniądze za kupę zmurszałych desek. Po roku życzliwi ludzie poradzili im, żeby odwiedzili swój dom w Lipowie Starym. Stali przed nim i płakali rzewnymi łzami. Dogłębnie przygnębieni patrzyli na odrestaurowane z miłością zręby i naliczniki, starannie odmalowane okiennice i świeżo pokryty osikowym gontem dach. Nie mogli uwierzyć, że to ten sam dach, pod którym spędzili dzieciństwo. Wciąż na nowo przeliczali w pamięci, za ile go oddali, i było im strasznie żal.

Trzeba jednak uczciwie przyznać, że do cudownej przemiany walącej się chałupy tylko po części przyczyniła się wyobraźnia Aśki. Sama fantazja, bez pieniędzy, nie wystarczyłaby. Szczęśliwym trafem w tym wypadku pieniądze nie grały żadnej roli. Aśce takie katastrofy jak Karolek po prostu się nie przydarzały. Wyszła za Robcia, Największego Żyjącego Architekta, którego zawód okazał się bardzo praktyczny w odbudowującej się z postkomunistycznych ruin Polsce. Robcio trzaskał projekt po projekcie na potrzeby rozkwitającego turbokapitalizmu i bardzo dobrze im się z tych potrzeb żyło. Pędził w srebrnym maserati z niedozwoloną prędkością – stać go było na mandaty – po budzącym się kraju, na tylnym siedzeniu smoking, laptop i projektor multimedialny, a Aśka, która razem z Robciem kończyła architekturę, mogła spokojnie koncentrować się na urządzaniu kolejnych mieszkań i letnich domów. Ten nad Biebrzą napełniał ją szczególną dumą. Biebrza była przyszłościowa. Bałtyk był przereklamowany, Tatry zapchane, Mazury rozparcelowane, a tu orlik grubodzioby, błotniak łąkowy, bataliony i zdrowa żywność. Osobiście wybrała każdą szybkę w drzwiach i każdą płytkę terakoty, jak Jack – russel-terier – tropiła na targach stare klamki, fajerki, szybry i kafle. Zdun, który lepił zaprojektowany przez nią kuchenny piec i kominek, dorobił się rozstroju nerwowego. W woreczku żółciowym miał cały kamieniołom. Ale warto było: Aśka mogła się teraz pochwalić najpiękniejszym domem na całym Podlasiu.

– Nie zawsze muszą być Kanary i Baleary, dziewczyno – powiedziała do Antonii. – Tam już wszyscy byli. Jesteś moją najlepszą przyjaciółką, a jeszcze nigdy nie widziałaś Lipowa. Nad Biebrzą jest więcej nieba, więcej horyzontu, więcej ptaków. Więcej gwiazd. Musisz chociaż raz spędzić tam urlop.

– Więcej komarów – zauważyła Antonia. – Rozmokłych bagien, piejących o trzeciej rano kogutów i krowich placków. Nie wątpię.

– Tam jest prawdziwa Polska, jakiej już nigdzie indziej nie ma. Uczciwa, szczera, nietknięta ręką architekta.

– Nietknięta ręką Robcia?

– Robcio jest genialny, ale nawet on nie może budować w parku narodowym. Jedź. Odwiedzę cię w weekend, przywiozę francuskie sery i włoskie wina.

– No chyba że tak.

Pojechała. Po raz pierwszy od lat nie spędzała urlopu nad ciepłym morzem, wśród palm i kwitnących oleandrów – i już teraz żałowała. Owszem, pięknie, ale co można przeżyć w Lipowie Starym?

Drogą przeturlał się z infernalnym hałasem wyładowany pustymi bańkami na mleko traktor. Kierowca pozdrowił Antonię skinieniem głowy. Nie da się zaprzeczyć, uprzejmi byli ci lipowianie. I uczciwi. Jak zapytała panią Wisię, czy nie mogłaby jej pożyczyć zamka do roweru, kobieta omal nie pękła ze śmiechu.

– W Lipowie chce pani rower zakuwać? Toż ludzie będą panią wytykać palcami! To nie Warszawa, u nas nic nie ginie.

Pod lasem samotny mężczyzna ćwiczył tai chi. Z wdziękiem unosił ramiona, wykonywał w niemym balecie skłony i taneczne ruchy. Proszę, proszę, czego w tym Lipowie nie ma. Kanalizacja, gaz i nawet tai chi. Ale ładnie to wyglądało, więc Antonia przysłoniła oczy ręką i przez długą chwilę mu się przyglądała. Kochała taniec. Zanim poznała Karolka, chodziła nawet do szkoły baletowej, ale w ich związku było miejsce tylko na jednego artystę. Ten drugi musiał zarobić na życie, a tak się jakoś składało, że to ona była zawsze tym drugim.

Spod stóp mężczyzny wyprysnęła nagle ognista strzała i Antonia zrozumiała, że to promień słońca odbił się od klingi kosy. Nieznajomy nie szukał oświecenia za pomocą tai chi, tylko kosił łąkę. Aśka miała rację: Polska, jakiej już nie ma.

A teraz czas na drinka.

W domu panował przyjemny chłód. Whisky i wytrawne martini, a nawet angosturę, znalazła w szafce koło kuchennego pieca z pękatym okapem. To przez ten okap zdun nabawił się kamieni żółciowych: Aśce wciąż nie podobała się jego linia, trzykrotnie musiał rozbijać i lepić na nowo. Antonia zmieszała sobie manhattan w proporcjach na trzy osoby i usiadła w salonie z książką Szalenie Popularnej Autorki, którą promowała. Od tygodni nie mogła się zmusić do jej przeczytania, chociaż termin wydania zbliżał się wielkimi krokami. Popatrzyła na powieść z obrzydzeniem. Nie potrzebowała jej otwierać, żeby wiedzieć, o co chodzi. Jak amen w pacierzu wesołe perypetie porzuconej przez męża kobiety, która po rozstaniu robi zawrotną karierę zawodową i spotyka niezwykle interesującego młodego człowieka, stojącego na czele imperium medialnego. Młody człowiek całuje ślady jej stóp, kompletnie nie zważając na to, że jest od niego dwanaście lat starsza. Ciekawe, skąd Szalenie Popularna Autorka bierze takie pomysły? Bo z prawdziwego życia to chyba nie.

Rzuciła książkę w kąt. Nie, nie będzie czytała, przynajmniej nie dzisiaj. Ze ścian spojrzały na nią surowo fotografie przodków Robcia. Robcio mógł się poszczycić całą kolekcją dekoracyjnych prababek i pradziadków, których uwieczniano na ogół z dubeltówką w ręku i nogą opartą na położonym trupem zwierzu. To po nich odziedziczył pewność siebie, zaciętość i talent do gromadzenia majątku. Antenatów Karolka też można było znaleźć w herbarzu Niesieckiego, ale zostawili mu w spadku przede wszystkim pogardę dla pieniędzy i przekonanie, że człowiek honoru nie para się pracą.

Na co dzień Karolek kazał nazywać się Charlie. Twierdził, że najbardziej czuje się duchowo spokrewniony z tradycją brytyjskiej klasy panującej. Ekscentryczni dziwacy, konie, beagle, perwersyjne zabawy seksualne w internatach, proste życie w zamkach bez centralnego ogrzewania – to by mu odpowiadało. Antonia, której ojciec dostał się na studia wyłącznie dzięki punktom za pochodzenie, odnosiła czasami wrażenie, że Karolek w chwilach roztargnienia traktuje ją jak podkuchenną z tych nieogrzewanych zamków. Kiedy od niego odeszła, pierwszym, co zrobiła, było pogrzebanie Charliego i nazywanie go od tej pory w myślach Karolkiem. Sprowadziło go to natychmiast do normalnych rozmiarów. Jednocześnie przysięgła sobie, że żaden artysta już nie odegra w jej życiu jakiejkolwiek roli, choćby walcował nago do upadłego i w miłosnym akcie sypał z oczu skrami jak ryś. W przyszłości będzie się koncentrowała na statecznych bankierach, poważnych medykach, ewentualnie solidnych absolwentach inżynierii sanitarnej.

Niestety, okazało się, że bankierów, którzy stawali na jej drodze, trzyma w szponach demon kryzysu wieku średniego, lekarze są uporczywie żonaci, a inżynierowie zagrożeni impotencją. Jak to zgrabnie ujęła matka Antonii, niezrównana Królowa Banałów: „Karolek źle jej zaczął".

Co do jednego wszyscy jej kochankowie byli zgodni: spędzili w ramionach Antonii najpiękniejsze chwile swojego życia. Wygładziła im zmarszczki, rozgrzała zziębnięte hormony, ukoiła targane rozterką serca. Opromieniła ich noce i nadała sens ich dniom. Wysłuchała, zrozumiała, pocieszyła. Była ich szczęściem i ich radością, kiedy rozchylała dla nich swoje kolana, otwierał się przed nimi raj.

Niestety, tak się jakoś głupio składało, że nie mogli jej niczego ofiarować w zamian.

Każdy jednak zachował ją we wdzięcznej pamięci. Do tej pory dostawała na urodziny kosze kwiatów, bombonierki wielkości młyńskiego koła i listy, zaczynające się od słów: „Antonio, moja jedyna miłości...”.

Niedawno odwiedził ją Uporczywie Żonaty. Antonia ciepło go wspominała, bo chłop był na schwał i bardzo ją stymulowała urocza przerwa między jego siekaczami, ale żona była z niego niezadowolona i na tym polegał jego problem. Przychodził do Antonii, żeby się poskarżyć. Żona krytykowała, że bez ambicji, habilitacji nie skończył, zarobić nie potrafi, zainteresowań kulturalnych nie ma. Pocieszała się na zmianę w objęciach młodego stażysty i anestezjologa na emeryturze, a Uporczywy bardzo się wstydził, bo ludzie w szpitalu gadali. Brał śpiwór i jechał do Świdra, nocować w domku kempingowym. Domek jednakże postawiony był za wczesnego Gierka, projekt typowy zakładów Zdrój z Mszany Dolnej i nie miał żadnego komfortu: zimą Uporczywy przymarzał do łóżka. Dlatego od października do końca marca intensywnie żalił się na żonę u Antonii, gdzie było ciepło i sucho.

Minęły lata, zanim Antonia zrozumiała, że Uporczywy, choć beznadziejnie nieszczęśliwy, nigdy się nie rozwiedzie. Potrzebował żoninej pogardy jak rybka wody i zbyt wielką przyjemność dawało mu roztrząsanie swojej rozpaczliwej sytuacji. Kiedy najmłodsze dziecko wyprowadziło się z domu i Uporczywy już nie bardzo mógł twierdzić, że poświęca się dla dobra rodziny, Antonia poradziła mu, żeby założył w Świdrze ogrzewanie.

Nie widziała go przez dziesięć lat. Pojawił się na progu jej domu bez uprzedzenia, stał po prostu nagle na słomiance z wiechciem okropnych pomarańczowych lilii i przestępował z nogi na nogę. Ani trochę się nie zmienił, nie postarzał się ani nie roztył, tylko włosy mu trochę posiwiały. Wyglądał z tym jeszcze bardziej interesująco. Błysnął w nieśmiałym uśmiechu szczeliną między siekaczami i powiedział:

– Antonio, Lucyna się wyprowadziła.

– No cóż, robiła to wielokrotnie – odparła uprzejmie Antonia.

– Ale tym razem rozstaliśmy się na dobre.

– Ćwiczyliście to przez dwadzieścia lat, kiedyś musiało się wam w końcu udać.

– Ale Lucyna wniosła o rozwód.

– To pewnie się rozwiedziecie.

– Ale ja wciąż cię kocham.

– Bardzo możliwe, natomiast ja nie kocham cię wcale.

– Ale ja mam MSA i wkrótce umrę.
– Coś ty powiedział?
– MSA. To bardzo, bardzo rzadka choroba. W Polsce jeszcze nie było takiego przypadku. Jeżdżę na leczenie do Berlina, ale i tam nie znają żadnej skutecznej terapii. Za pięć lat będę siedział w wózeczku inwalidzkim.
– Boże, to straszne! A co na to Lucyna?
– Mówi, że to mój problem.
– Potwór!
Właściwie nigdy nie przestała go kochać. Serce jej się krajało, kiedy patrzyła na tak dobrze znajomą szczupłą twarz i widziała w jego oczach strach. Myśl, że to piękne, muskularne ciało miałoby stać się słabe i bezradne, była nie do zniesienia.
– Nie zostawiaj mnie samego, Antonio.
Nie zostawi go, naturalnie nie zostawi, nie była taka jak Lucyna. Otoczy go miłością i opieką, podeprze na duchu, osłodzi każdą chwilę, która mu pozostała. Znajdzie siłę na to, żeby ocierać mu pot z czoła, pielęgnować jego odleżyny i podawać basen. Aż do końca.
Hola, Antonio!
To nie z tobą spędził życie, to nie z tobą chciał mieć dzieci, nie dla ciebie zbudował dom. Zapomniałaś już o wszystkich samotnie spędzonych Wigiliach? Szuka ciebie teraz, kiedy jest mu źle, i chce, żebyś dzieliła z nim jego nieszczęście – szczęście podzielił z kim innym.
– Wybacz, ale przyszedłeś o dziesięć lat za późno.

W czasach, w których umierała z miłości do Uporczywego i każde zbliżające się Boże Narodzenie napełniało ją grozą, zaczęło kiełkować w niej podejrzenie, że życiem kierują tajemnicze prawidłowości. Jedni nieustająco uwikłani byli w wypadki, łamali nogi na skórce od banana i spadały im na głowę cegły, inni wygrywali w totolotka. Aśka należała do tych, którym mężczyźni składali u stóp biżuterię i futra, u stóp Antonii lądowały problemy. Od niej oczekiwano, że ukoi i rozweseli, zabawi i rozproszy. Mężczyźni się zmieniali, bywali starsi, bywali młodsi, wysocy i niscy, herkulesi i wygłodzone kurczaki, ale schemat się nie zmieniał.
Przeznaczenie, jak wiadomo, ma się takie, jakie się dostało, i nic tu zrobić się nie da. Nie można odnieść i poprosić, żeby wymienili na inne, nawet jeżeli jest się z niego niezadowolonym. Antonia była niezadowolona. Nie mając wpływu na rozwój wypadków, postanowiła skorygować swoje nastawienie. Do tej pory to ona była piękną przygodą, teraz poszuka sobie przygód sama. Dawała innym radość i odprężenie, niech teraz oni coś jej dadzą.

Autor Bestsellerów zawdzięczał w dużej mierze swój sukces Antonii. To ona wyrobiła mu odpowiedni profil: smutny, głęboki i tajemniczy, piszący swoje wrażliwe powieści dla kobiet na stole z nieheblowanej buczyny karpackiej w samotnym siedlisku za Kosobudami. Do serii zdjęciowej w „Elle" ubrała go w biały garnitur: marynarka z podwiniętymi do łokci rękawami na gołe ciało, białe pantofle. Skórę czaszki na wyliniałych lekko skroniach osobiście posmarowała lekko czarną farbą, żeby nie prześwitywała. Wyglądał jak młody Janusz Głowacki i tak też się czuł. Czytelniczki wiedziały, że je kocha i rozumie, godzinami stały po autograf.

Na Roztoczu, gdzie miał siedzieć ze względu na publicity, Autor Bestsellerów konał z nudów. Jak tylko mógł, dawał nogę na Majorkę, gdzie na południe od Port d'Andratx posiadał prawdziwą *fincę*. Dorobił się jej, oczywiście, nie na książkach, tylko na katorżniczej pracy przy remontach hoteli w Arenalu, w czasach, kiedy Majorka była jeszcze bajecznie tania i spędzały na niej wakacje niemieckie sprzątaczki. Wtedy dewizy były w Polsce tyle warte, że jak człowiek załapał na rok jakąś robotę, to po powrocie był panisko, więc opłacało się trochę przemęczyć. Za pięć dolarów można było rodzinę zaprosić na obiad i jeszcze zostawało na napiwek dla kelnera. Polscy robotnicy spali w hotelowej kotłowni, dla oszczędności po dwóch na materacu, i wydawali jedynie na wódkę w niedzielę po mszy. Autor Bestsellerów nie pił, tylko rozglądał się po cichutku za jakąś *fincą*. Miał doktorat z ekonomii i wiedział, że najlepiej inwestować w nieruchomości. Miał rację. Dwadzieścia pięć lat później Michael Douglas musiał już dobrze się nagimnastykować, żeby wyrwać tubylcom kawałek skalistej ziemi.

O tym rozdziale swojej biografii Autor mówił niechętnie, a jeżeli już, to nazywał go „twórczym pobytem na Balearach". Dawał w ten sposób do zrozumienia, że dostał hiszpańskie stypendium państwowe i siedział w jakiejś świątyni literatury, na przykład w Villa Massimo. *Fincą* natomiast lubił zadawać szyku: że niby ją ma i w każdej chwili mógłby, ale nie wyobraża sobie życia z dala od ukochanego Roztocza i nieheblowanej buczyny karpackiej. Często uszczęśliwiał w niej czytelniczki, które były tak oszołomione wyróżnieniem i czerwonym winem z Binisalem, że w ogóle nie mogły sobie potem przypomnieć, czy miały orgazm, czy też go nie miały.

Autor Bestsellerów chętnie uszczęśliwiłby też i Antonię – chociażby z wdzięczności za ten pomysł z młodym Głowackim – ale Antonii jeden geniusz w jej życiu, czyli Karolek, całkowicie wystarczył i nie miała najmniejszej ochoty ponownie być czyjąś muzą. Z przyjemnością jednak przyjęła wspaniałomyślną propozycję Autora, żeby skorzystała z jego *finci*, kiedy on będzie przebywał na zesłaniu za Kosobudami.

Wylądowała na Majorce o najpiękniejszej porze roku, w końcu maja, kiedy natura śpieszy się, żeby rozwinąć całe swoje piękno, zanim czerwcowe słońce wypali ostatnie źdźbło trawy. Po kamiennych ścianach *finci* spływały purpurowe kaskady bugenwilli, ogrody tonęły w kwiatach. Dotknięcie powietrza było delikatne jak jedwab i pachniało morzem, piniami i oleandrem.

Antonia już dawno tak dobrze nie wypoczywała. Za dnia czytała, leniwie wyciągnięta w hamaku rozpiętym między pękatymi palmami, podobnymi do wetkniętych w ziemię kolosalnych ananasów, wieczorem schodziła do portu. Omijała szerokim łukiem Bierstraße, gdzie członkowie niemieckich klubów kręglarskich ze sportowym zacięciem pili do upadłego, i szła do Rocamar na końcu promenady, gdzie czekał już na nią Pablo.

– Podwójny manhattan, señorita?

Pablo wyglądał jak młody bóg, miał pięknie wygięte kruczoczarne brwi, nosił białą koszulę rozchyloną prawie do pępka i spodnie tak obcisłe, że chyba musiał je rozpinać, żeby zaczerpnąć tchu. Jak wszyscy tutaj mówił płynnie po niemiecku i zupełnie nieźle po angielsku. Był najlepszym barmanem w całym Andtrax, żonglował shakerem jak David Copperfield. Nawet miał to samo magiczne spojrzenie.

– Podoba się pani Majorka? W sezonie trudno uwierzyć, że my, miejscowi, nazywamy ją *Isla de la Calma*, wyspą ciszy, ale ja pokażę pani zatokę, której turyści nie znają. Będzie pani miała plażę tylko dla siebie, señorita. Jutro może? Jutro mam wolny dzień.

Dlaczego nie? Mogło być jutro, miała czas.

Tajemnicą Cala Luna był brak dostępu od strony lądu. Skały spadały stromo do morza i o ile nie było się jedną z tutejszych dzikich górskich kózek, zejście do zatoczki nie było możliwe. Jedyna droga prowadziła przez nisko sklepioną grotę, w której woda była tak przezroczysta, że widać było każdą muszlę na dnie i przesuwający się cień łódki Pabla. Na wąskim półksiężycu plaży byli zupełnie sami: za plecami masyw gór, przed oczami turkusowa toń, łącząca się na horyzoncie z niebem. Nie dochodził tu ani jeden odgłos z ruchliwego jak żywe srebro portu, uszy wypełniało tylko dzwonienie cykad i krzyk mew. Od strony otwartego morza dobiegał z rzadka terkot powracającego do Andtrax rybackiego kutra.

– Bajecznie tu, Pablo, i rzeczywiście zupełnie pusto. Ani jednego turysty.

– Isla de la Calma, Isla del Luz, señorita. Nie obiecałem pani zbyt wiele: pani *platja particular. Gusta?** Popłyniemy do tej wysepki?

Chociaż jeszcze nie zaczęły się letnie upały, woda w osłoniętej zatoce była przyjemnie ciepła. Ramiona Antonii przecinały ją w szybkim kraulu, obok Pablo parskał jak młody mors, usiłując jej zaimponować eleganckim motylkiem. Na studiach była w reprezentacji uniwersytetu i dotarła do skałek pierwsza, ale brakowało jej kondycji – i dogonił ją w drodze powrotnej. Prawie jednocześnie opadli na piasek, ciężko dysząc, jak dwie wyrzucone na brzeg wielkie ryby. Skórę Antonii głaskał łagodnie lekki wietrzyk, gorące promienie słońca pieściły ją jak pocałunki, serce biło szybko i radośnie. Pablo położył dłoń na jej piersi.

– Ai, zmęczyła się pani, señorita. Przykro mi. My tu rodzimy się w wodzie, umiemy pływać, zanim zaczynamy chodzić, ale dla pani pewnie był to zbyt wielki wysiłek. Serce bije pani jak ptaszek w klatce.

Powietrze było przejrzyste jak kryształ, Antonia widziała wszystko z podwójną ostrością, jakby patrzyła przez soczewkę teleskopu. Poszarpaną grań na tle granatowego prawie nieba, pierzaste pióropusze palm, kraba, próbującego wcisnąć wszystkie swoje odnóża w pustą muszlę, opalone długie nogi Pabla, mokre majteczki kąpielowe wielkości pieluszki, ciemne pasmo owłosienia, rozszerzające się na piersi jak wachlarzyk i ginące pod gumką. No i tę dłoń, unoszoną jej oddechem, dłoń o smukłych palcach i starannie przyciętych paznokciach. Dobrze, że były wypielęgnowane, barman to czysty zawód. Czarne półksiężyce na pewno zepsułyby jej cały nastrój. Przykryła tę dłoń swoją i przyciągnęła do piersi ciemną głowę.

– Jak ci się podobała moja *finca*, Antonio? – chciał wiedzieć Autor Bestsellerów. – Dobrze wypoczęłaś?

– Fantastycznie. Czuję się jak nowo narodzona. Pogodzona z całym światem. Przepiękne miejsce, jesteś wybrankiem bogów, Rafale.

– Wiem – powiedział Autor Bestsellerów skromnie. – Ale też i coś w tym kierunku robię. Proszę, to mój nowy manuskrypt.

– Na pewno odniesiesz znowu ogromny sukces. – Antonia westchnęła. – Twoje czytelniczki już się nie mogą doczekać.

Autor Bestsellerów znosił bestsellery regularnie jak kura jaja i wszystkie były natychmiast rozchwytywane, co szalenie denerwowało jego największego konkurenta, Prawdziwego Poetę. Praw-

---

* Plaża prywatna. Podoba się pani?

dziwy Poeta brał na serio swoje posłannictwo, pisał wiersze, których nikt nie mógł zrozumieć i właśnie dlatego był chwalony pod niebo przez renomowane czasopismo literackie „Pegaz i Ogarek". Krytycy z „Pegaza i Ogarka" nigdy by się nie przyznali, że czegoś nie zrozumieli. Z najbardziej nawet pochlebnych recenzji nie dało się jednak wyżyć i Poeta rozpaczliwie potrzebował nakładów, a nie komplementów. Od Antonii oczekiwał, że mu jakoś te nakłady zapewni. Trzeba przyznać, że dla dobra swojej twórczości i publicity nie cofał się przed niczym. Podtrzymywał legendę, że był w dzieciństwie molestowany seksualnie przez stryja, brał i rzucał narkotyki, fotografował się na grobie zmarłej żony i w empiku pociął szablą stos najnowszych powieści Autora Bestsellerów. Gdyby mu Antonia doradziła samobójstwo, pewnie by je popełnił. W czasach, w których sprzedawało się nie tyle dzieło, ile pisarza, wszystkie te posunięcia nie były głupie, nie przynosiły jednak żadnych rezultatów. Z prostego powodu: Prawdziwy Poeta był okropnie niefotogeniczny.

– Możesz korzystać z mojej *finci*, kiedy tylko chcesz – powiedział Autor Bestsellerów wspaniałomyślnie. – Doradzam koniec lutego. Czas kwitnienia migdałowców, rozumiesz.

– Dziękuję ci, mój drogi, ale w piękne miejsca powinno się jeździć tylko raz. Później już nigdy nie jest tak samo.

Spotykali się w Cala Luna codziennie. Kochali się na plaży nocą, kiedy Pablo kończył pracę, i za dnia, w południowym upale. Pili wino, jedli przywiezione z Rocamaru tapas, czasami piekli na kamieniach złowione przez Pabla małe rybki, natarte dzikim estragonem i rozmarynem. Prawie nigdy nie rozmawiali – szkoda im było czasu.

Po raz pierwszy w życiu nikt od Antonii niczego nie chciał. Pablo nie opowiadał o żonie, która go nie rozumie, o szefie, który go nie docenia, o pracy, która go wykańcza. Nie mówił, jakie wątpliwości nim targają, jakie obawy go dręczą – może ich nie miał? Nie musiała go ani pocieszać, ani podtrzymywać na duchu, stał mocno na swoich długich, opalonych nogach. Nie robił planów, nie obiecywał, nie prosił, nie zaklinał. Milczał – i kochał. Dawał jej rozkosz i radość, ofiarowywał swoje pięknie umięśnione ciało, błysk białych jak śnieg zębów, zapach lata i wyzłoconej słońcem skóry. Podarował jej dwadzieścia jeden dni miłości czystej jak łza. Żadnych rywalizacji, żadnych prób sił, żadnych wyrzutów, żadnych żalów.

Żadnych rozczarowań.

Zimą tego samego roku wydawnictwo Antonii przejęła duża niemiecka spółka, ta sama, która rzuciła na rynek tak popularne pisma kobiece jak „Sonia", „Przyjęcie w Wielkim Świecie" i „Blask Luksusu". „Pegaz i Ogarek" darł już szaty, rozpaczając nad wyprzedażą kultury polskiej, a na pracowników padł blady strach. Spodziewano się brutalnych redukcji i totalnej turbokapitalistycznej komercjalizacji polityki wydawniczej. Tylko Autor Bestsellerów zupełnie się nie przejmował: on już był produktem takiej polityki.

Dzień, w którym pojawił się nowy *Geschäftsführer*, pan Kartoffelkraut, ogłoszono w firmie dniem żałoby narodowej. Antonia poszła na pierwszy ogień.

– Antonia? – ucieszył się pan Kartoffelkraut. – Piękne imię, niemieckie. *Eine Deutsche?*

– Nie, skądże – odparła zaskoczona. – To po...

Chciała powiedzieć „po Karolku", ale opamiętała się w porę i zakończyła:

– ...po babci.

– No mówię właśnie, *deutschstämmig*, niemieckiego pochodzenia. Babcza na pewno była *deutsch.* Antonia, my tu musimy doprowadzić firmę do ładu, żeby funkcjonowała jak w *Deutschland. Deutschland* przed zjednoczeniem, *natürlich.*

– *Natürlich.*

– Obejrzałem sobie wyniki pani działu i widzę możliwości podniesienia efektywności. Odmłodzimy zespół, Antonio. Pani go od tej chwili poprowadzi, a pana Trupszczynsky...

– Krupiński.

– Sama pani widzi. Wyślemy go na wcześniejszą emeryturę. Nie możemy mieć pracowników, których nazwisk nie jesteśmy w stanie wymówić.

Antonia, która nosiła krótkie nazwisko Kruk, podziękowała w duchu za nie Bogu.

Pan Kartoffelkraut okazał się zupełnie niekłopotliwy. Pozostawił jej wolną rękę i prawie się nie wtrącał. Nie mógł czytać książek, które wydawał, więc rozsądnie zdawał się na jej instynkt. Czasami przyglądał się z zainteresowaniem Autorowi Bestsellerów. Na targach przystawał koło jego stolika i obserwował wijącą się w drgawkach kolejkę kobiet, czekających na autograf. Antonia przyłapała go kiedyś w foyer przed lustrem: podwijał rękawy marynarki. Po paru miesiącach zaczął nosić do garniturów czarne T-shirty zamiast koszul i podwyższył jej pensję.

Antonię stać było teraz na własne mieszkanie na Kabatach, GPS w samochodzie i notebook z bezprzewodowym Internetem.

Wyglądała lepiej niż kiedykolwiek, znacznie lepiej niż za czasów Karolka.

Przede wszystkim jednak było ją stać co roku na piękne wakacje. Z każdymi łączyły się wyjątkowe wspomnienia. Malcesine: potężny masyw Monte Baldo, zielone zbocza, porośnięte gajami oliwkowymi i cytrusowymi, powiew wieczornego *ora*, zwieńczony blankami zamek Scaligierich, nierówny bruk uliczek, cappuccino w porcie. No i oczywiście Giancarlo, instruktor w szkole surfingu, którego smagła pierś była gładka i pozbawiona jednego włoska, a muskuły ramion rozsadzały koszulkę w niebieskie paski. Dzięki niemu pod koniec pobytu nareszcie przestała spadać z deski do wcale nie tak ciepłej wody i potrafiła z zamkniętymi oczami odróżnić smak *bardolino* od *valpolicelli*.

Chioggia leżała na południe od Wenecji, do Riva degli Schiavoni można było przeprawić się statkiem. Miasteczko podobało jej się, było tu mniej zgiełku i turystów. Za wypożyczenie kosza plażowego na plaży Sottomarina nie musiała płacić absurdalnie wysokiego haraczu, a *bagnino*, wysoki Rocco z włosami splecionymi w warkoczyk, potrafił pięknie opowiadać o posępnych obrazach Longheny w miejscowej katedrze. Woził ją swoim podrasowanym skuterem po rybackich wioskach i prowadził do małych trattorii, gdzie owoce morza prosto z wody lądowały na talerzu.

Jean-Jacques był instruktorem jeździeckim w Honfleur. Wielu bogatych paryżan posiadało w Normandii piękne domy otoczone starymi parkami i spędzało w nich weekendy. Niektórzy z nich mieli wierzchowce, pyszne araby, angliki i trakeny, które stały w stajni Jean-Jacques'a. Uczył je piruetów, lewad i piafów, a te najzdolniejsze – kaprioli. Jean-Jacques był jednym z czarnych jeźdźców Cadre Noir*, konie były jego życiem, kochał je i myślał jak one. Był niewysokim krzepkim mężczyzną w sile wieku, jego wygarbowana wiatrem i słońcem skóra zdążyła nabrać tego samego odcienia co siodło, na którym siedział, a nogi w bryczesach rzeczywiście krzywe były jak pałąki. Kiedy jednak dosiadał konia, wszystko to przestawało grać jakąkolwiek rolę. Stapiał się ze swoim wierzchowcem, stawał się centaurem, przenosiły się na niego wdzięk i gracja zwierzęcia, jego twarz jaśniała szczęściem i stawał się piękny. Pachniał skórą, sianem, końskim potem – tym wszystkim, czym pachniał dziadek Antonii, który za czasów jej dzieciństwa miał pod Siedlcami gospodarstwo i dwa siwki. W ramionach Jean-Jacques'a wydawało jej się, że choć na chwilę do tych czasów powraca.

---

* Wyższa szkoła jazdy w Saumur.

Tyle było wspaniałych miejsc w Europie! Kamienna Valetta na Malcie, przyciśnięte do skał jak jaskółcze gniazdo Cinque Terre w Ligurii, Tossa de Mar w Katalonii, żyzna dolina Orotavy na Teneryfie... W każdym z nich była pięknie kochana, o każdym myślała z wdzięcznością – i każde opuszczała bez żalu.

– Dużo pani podróżuje, Antonio – zauważył kiedyś pan Kartoffelkraut.

– Interesuję się architekturą i sztuką – odparła z uśmiechem. – Dobrze jeszcze pamiętam czasy, kiedy było nam stąd bardzo daleko do Europy, i ogromnie sobie cenię możliwości, jakie mamy obecnie. Nie wyobraża pan sobie, ile radości daje mi zobaczenie na własne oczy „Pogrzebu hrabiego Orgaza" El Greco w Toledo i „Madonny z Dzieciątkiem" Botticellego w Capodimonte.

– Ach, była pani w galerii Capodimonte! – rozpromienił się pan Kartoffelkraut. – Na pewno wie pani, że właściwie została zbudowana dla zbiorów Farnese. Zupełnie niespodziewanie odziedziczył je Karol III Burbon, kiedy książę Parmy, Antonio Farnese, zmarł bezpotomnie, pozostawiając po sobie niewyobrażalne skarby. Słynny posąg Heraklesa na przykład...

Antonia nie słuchała dalej. Już zdążyła się nauczyć, że Niemcy nie znają większej przyjemności od wygłoszenia małego, zgrabnego referatu na ambitny temat. Jeżeli czymś się interesowali, to dogłębnie. Tam, gdzie Antonia zbierała kolory i zapachy, pan Kartoffelkraut zbierał dane. Jego wspomnienia pełne były przekrojów i rzutów.

– A gdzie się pani wybiera w tym roku? – zapytał znienacka.

– Nad Biebrzę. Moja przyjaciółka ma tam dom.

– Pipsza, Pipsza... to gdzieś przy granicy białoruskiej chyba – zastanowił się pan Kartoffelkraut. – Jest tam coś ciekawego do zobaczenia? Katedry? Dzieła sztuki? Zamki?

– Łosie. Ptaki. Bagna.

– Osie, hmm... – zmartwił się pan Kartoffelkraut. – Czy to na pewno jest dobre miejsce na urlop dla kogoś takiego jak pani?

Właśnie się nad tym zastanawiała.

Wyjrzała przez okno. Kosiarz położył przez ten czas pokotem spore poletko trawy i zbliżył się w swoim statecznym tańcu do jej płotu. Nalała do dzbanka wody, wrzuciła plasterek cytryny i dodała parę kropel martini.

– Halo! – zawołała. – Szklaneczkę wody może? Pewnie pan spragniony.

Przewiesił kosę przez ramię i podszedł do płotu. Koszulę miał mokrą od potu, kosmyki jasnych włosów lepiły mu się do czoła. Czoło miał wysokie, a bary potężne. Pewnie od tej pracy w polu.

– Dziękuję – powiedział. Wypił jednym haustem, otarł usta grzbietem dłoni i kosił dalej.

Następnego dnia Antonia wyciągnęła ze stodoły rower i postanowiła pojechać do sklepu. Placyk przed sklepem stanowił centrum życia w Lipowie Starym. Kobiety gawędziły, kołysząc w wózkach niemowlęta, staruszkowie palili na ławeczce papierosy, na schodkach młodzież piła colę.

– Przynieść coś pani ze sklepu, pani Wisiu? – zawołała przez płot.

– Dwie bułki chleba! – odkrzyknęła sąsiadka, schowana do połowy w przesklepionej kolebką kamiennej piwniczce. W każdym obejściu znajdował się taki wolno stojący, porośnięty darnią loszek, nazywany przez miejscowych „sklepem". Przechowywano w nim przez zimę ziemniaki, warzywa i owoce.

Antonia skinęła głową i wyprowadziła rower za bramę. Na ulicy ogarnęły ją wątpliwości.

– Pani Wisiu, to co mam kupić: dwie bułki i chleb?

– Dwie bułki chleba!

– A jakie mają być te bułki?

Pani Wisia wyłoniła się z piwniczki i przyjrzała Antonii ze zdumieniem.

– Jakie mają być? Normalne.

Antonia już zaczerpnęła tchu, żeby wytłumaczyć, że bywają przecież kajzerki, grahamki, paryskie, maślane i chałki, ale pomyślała sobie, że do Lipowa dociera zapewne tylko jeden rodzaj bułek, i zamknęła usta. Nie będzie się mądrzyła. Powiedziała tylko:

– Aha.

Okazało się jednak, że w sklepie było nie tylko pięć rodzajów bułek, ale i rogaliki, obwarzanki oraz bagietki. Stała teraz nad nimi i pojęcia nie miała, co wybrać. Ona, kobieta bywała w świecie, robiąca zakupy na Champs Élysées i u Harrodsa, nie potrafiła kupić bułek w Lipowie Starym.

– Coś podać? – zachęciła ją sprzedawczyni. Antonia zamknęła oczy i zapytała z desperacją:

– Jeżeli pani Szymaniakowa... jeżeli pani Szymaniakowa mówi, żeby jej przynieść dwie bułki chleba, to jak pani sądzi, co pani Szymaniakowa ma na myśli?

– Dwie bułki chleba – odparła sprzedawczyni bez namysłu i położyła na ladzie dwa bochenki chleba. Antonia przyjrzała im się, jakby widziała po raz pierwszy w życiu pieczywo, i znów powiedziała tylko:

– Aha.

Wręczając je pani Wisi, oświadczyła z dumą:
– Proszę: przyniosłam dwie bułki chleba!

W następnych dniach nic się ciekawego nie działo. Bocianica pogodziła się z losem i siedziała grzecznie na gnieździe, potwornie gruba krowa urodziła cielaczka, a kosiarz kosił jak kombajn. Koło południa wypijał dzbanek wody, który mu przynosiła Antonia, dziękował i wracał do roboty.

– Pani Wisiu, ten młody człowiek, co tak kosi i kosi, to kto? – zapytała w końcu mimochodem.

– Nasz Sławuś – odpowiedziała z dumą Królowa Komanczów. – A kosi, bo musi. Do zawodów się przygotowuje. W zeszłym roku wygrał w konkurencji O Tatową Kosę, w tym roku chciałby jeszcze dostać Wójtową Osełkę.

Sławuś. Widocznie młody Komancz. Antonia przez chwilę zastanawiała się, czy nie byłby to dobry pomysł promocyjny dla Autora Bestsellerów – kobiety lubiły zdrowy zapach potu ciężko pracującego mężczyzny – ale zarówno z Tatową Kosą, jak i z Wójtową Osełką Autor Bestsellerów wyglądałby idiotycznie.

– Ciekawe. Nie wiedziałam, że są takie zawody. Pewnie żeby ludzie nie zapomnieli, jak to się robi, prawda? Furmanki już znikły, pługów i bron też nie ma. Młodzież nawet nie wie, co to jest.

– Nie tylko dlatego. Dla wodniczek trzeba kosić, dla batalionów i dla orlików też. Giną, jak łąki zarastają.

– Te wodniczki i orliki to ptaszki czy kwiatki?

Pani Wisia przyjrzała się Antonii z politowaniem.

– Oj, pani Antosiu, pani Antosiu. Powiem Szymkowi albo Sławusiowi, żeby zabrali panią kiedy traktorem do parku, bo siedzi pani tutaj i nic nie widzi.

Traktorem do parku. Czy to coś w rodzaju konnej przejażdżki po Lasku Bulońskim?

– Bardzo chętnie – zapewniła żarliwie. Jak pojedzie, to już się dowie, o jaki park chodzi. Może Branickich w Białymstoku?

– No to przyjdzie pani do nas jutro rano. O wpół do czwartej. Tylko niech się pani ciepło ubierze.

– Wpół do czwartej? Rano?

– No a kiedy? Zanim słonko z trawy wstanie! Potem nic pani nie zobaczy.

Czyli coś zobaczyć można tylko po ciemku. Brzmi filozoficznie. Ciekawe.

Następnego dnia trzęsła się z zimna pod stodołą Szymaniaków, z której Sławuś-kosiarz wyprowadzał ciągnik. W żadnym miejscu na świecie nie marzła w maju tak strasznie, jak w Lipowie Starym o wpół do czwartej rano. O, gdzie jesteście, łagodne pocałunki pasatów i słodkie muśnięcie *sovera**? Bo że nie ma was nad Biebrzą, to jasne.

– Niech się pani tym owinie – mruknął Sławuś-kosiarz, rzucając jej kurtkę pani Wisi z ortalionu różowego jak niemowlęce śpioszki. – W parku będzie chłodno.

Jakby tu było ciepło.

– Daleko do tego parku? – odważyła się zapytać.

Popatrzył na nią jak na idiotkę.

– Przez mostek – odpowiedział. – Granica parku przebiega wzdłuż rzeki. Myślała pani, że jedziemy do Łazienek?

No tak, jak mogła być tak głupia? Ludzie tu znali tylko jeden park: Biebrzański Park Narodowy. Mieszkali w nim, żyli z niego i inne ich nie interesowały.

Ledwie przycupnęła na przyczepie, ciągnik ruszył z rykiem i musiała chwycić się obydwiema rękami ławeczki, żeby nie wylecieć jak z procy. Rzucało niemiłosiernie. Tunezyjski wielbłąd, którego do tej pory bardzo źle wspominała, wydał jej się nagle wygodny jak kołyska.

Zanurzyli się w morze traw i natychmiast straciła orientację. Nie wiedziała nawet, gdzie kończy się woda, gdzie zaczyna turzycowisko i gdzie szukać nieba. Rzeka dymiła oparami, z których wyłaniały się pokręcone konary wierzb. Płynęli przez zielonkawe mgły jak przez gigantyczne akwarium, pachnące ostro wodorostami i szuwarami. Wszystko było migotliwe i niejasne, jedynym trwałym punktem odniesienia były majaczące przed nią szerokie plecy pogrążonego w milczeniu kosiarza. Antonia podskakiwała jak piłka na twardych deskach, wbijała oczy w plamy na jego panterce i zastanawiała się, jak tu zagaić uprzejmą pogawędkę. Rozmowy z autorami były proste: mówili wyłącznie o sobie. Albo o tym, co właśnie napisali. Albo jak fatalnie pisali inni. Ostatnio Autor Bestsellerów przez bitą godzinę roztrząsał stany swojego ducha, po czym wykrzyknął: „Ach, Antonio! Ja tu cały czas tylko o sobie mówię, pomówmy w końcu o pani: jak się pani podobała moja ostatnia książka?".

O czym można rozmawiać z młodym rolnikiem? O roli? Antonia nic nie wiedziała o roli. Gorączkowo szukała w pamięci fragmentów znanych jej książek. Może w „Chłopach" Reymonta było coś o koszeniu? Ale przypominało jej się tylko kopanie ziemniaków i ta Jagusia, którą „cosik rozbierało". Za to w „Konopielce" było koszenie, na pewno. Kaziuk kosił żyto kosą, a nie sierpem, bo nic

* Lokalny wiatr wiejący nad Lago di Garda od północy do wschodu słońca.

mu święte nie było. A wszystko dlatego, że nauczycielka pokiwała się nad nim rozmodlona jak pod lampą. Rewolucja seksualna w Taplarach. Tak się to pokiwanie Kaziukowi spodobało, że odwagi do nowoczesnych pomysłów nabrał.

Ciekawe, czy taki Sławuś czytał „Konopielkę"? E, chyba nie. Ale może i jemu marzy się czasami miastowa, co to w grzech nie wierzy. Ach, bzdury. Nawet w Mońkach można dzisiaj kupić „Kamasutrę".

– Widzi pani? Są!

Ciągnik zatrzymał się gwałtownie i Antonia zleciała z ławeczki. Co jest? Dookoła były tylko szuwary, powiązane koronkami misternych pajęczyn. Drżały na nich kropelki rosy jak drogie kamienie na welonie Najświętszej Panienki z Sewilli. Ciemne krzaki, za nimi bielejące sztachetki brzózek, jakieś bajorko, dwa wielkie pnie, a może głazy...

Jeden z głazów odsunął się nagle od drugiego i wolno przybliżył. Z mgły wyłonił się absurdalnie przedpotopowy łeb z parą zdumiewająco eleganckich uszu. Łoś.

– Klępa i dwa łoszaki – szepnął Sławuś.

Za wielkim zwierzakiem ukazały się dwa mniejsze. Gapiły się na ciągnik z takim samym zainteresowaniem, z jakim im przyglądała się Antonia. Bardzo możliwe, że były zdania, że wszystko jest dokładnie na odwrót i znajdują się w rezerwacie, w którym czasami można poobserwować ludzi. W końcu to one były tu u siebie.

Mrok wciąż jeszcze był gęsty, ale horyzont zaczynał się rozjaśniać. Mgły się rozstąpiły i już było widać a to lusterko wody, a to kawałek piaszczystej drogi. Jeszcze trochę i zielone morze zapaliło się czerwonym blaskiem i rozdzwonił się pierwszy ptak. Po chwili cały świat się rozśpiewał, rozkrzyczał i roztrzepotał.

– Wodniczka – mówił półgłosem Sławuś. – A te dwa to bataliony. Czaple! Czajki! O, czarny bociek, rzadko się je widuje, bardzo jest ich mało.

Antonia zapomniała o posiniaczonym siedzeniu. Jak z loży operowej przyglądała się z zapartym tchem widowisku, które odgrywało się na jej oczach. Mieszkańcy bagien witali z zapałem nowy dzień, jakby był pierwszym w ich życiu, a ona uświadomiła sobie nagle, że już dawno zapomniała, że ten świat istnieje. Dla niej świt oznaczał terkot budzika i rzut oka na kalendarz. Różnica między dniem i nocą polegała na tym, że w ciągu dnia starała się pokonać termin po terminie, a nocą zbierała na to siły. Jej życie było życiem bez pór roku.

– Nawet pan nie wie, jakie macie szczęście, że tu żyjecie – powiedziała szczerze.

– Wiem – odpowiedział krótko. Była to jego jedyna osobista wypowiedź.

Już nie nudziła się nad Biebrzą. Jeździła ze Sławusiem ciągnikiem na torfowiska, łódką po rozlewiskach i nocą na szczupaki. Kiedy pokazywał jej swoją krainę, jego twarz promieniała dumą, jakby to on sam rozrzucił po łąkach kaczeńce i grzybienie po starorzeczach. Składał u jej stóp bobrowe żeremie, a Antonia, królowa nakładów, obiekt pożądania każdego autora, coraz bardziej odnosiła wrażenie, że nie ma nic, co mogłaby mu ofiarować. Co tu opowiedzieć, żeby jego spojrzenie spoczęło na niej z zainteresowaniem? Czym go zaskoczyć, zachwycić, zadziwić?

Och, całkiem po prostu: co tu, u licha, zrobić, żeby go w końcu zaciągnąć do łóżka?

Olśnienie przyszło nagle. Pani Wisia podała jej przez płot karteczkę i powiedziała:

– To od nowego księdza. Pani przeczyta i powtórzy pani Joasi. A potem da pani przez płot dalej.

– Przez płot dalej?

– No chyba. My tak zawsze, jak jest coś ważnego. Przez płot do sąsiada, żeby się wszyscy dowiedzieli. Działa jak w zegarku.

E-mail! Tak wyglądał e-mail w Lipowie Starym, lokalna poczta elektroniczna! Antonia rozpromieniła się. Przekazywanie informacji było jej specjalnością. Wszyscy mężczyźni kochali technikę, a w kwestiach technicznych Antonia była niezrównana, w końcu nie rozstawała się ze swoim notebookiem, stacją dokującą i kamerą internetową. Do serca chłopa można trafić przez żołądek, ale lepiej przez pendriver. Każdy z nich pozostaje małym chłopcem i przez całe życie marzy o tym, żeby bawić się kolejką elektryczną. Ewentualnie kosą. Albo laptopem. Pobawią się razem laptopem, a potem pobawią się w łóżku.

– Pani Wisiu, jest pani aniołem – powiedziała serdecznie. – Dziękuję pani!

– Za co? – zdziwiła się Królowa Komanczów.

Antonia zastanowiła się.

– Za ten cudowny chleb, który mi pani przyniosła rano – odparła ciepło. – I za twaróg. W ogóle za wszystko.

Następnego dnia wstała świtem i wyniosła na ganek swój kosztowny sprzęt elektroniczny. Zanim słońce na dobre odbiło się od ziemi, rozbudowała pod osikowym dachem stanowisko operacyjne godne Cap Canaveral. Kiedy kable oplotły drewniane podcienia jak bluszcz i ze wszystkich stron łypały do niej kolorowe światełka, zasiadła w wiklinowym fotelu. Przyjęła pozycję niedbałą, a zarazem wdzięczną, rozpięła górne guziczki bluzki, podciągnęła spódnicę, żeby wyjrzało opalone kolano, i czekała na pojawienie się kosiarza.

Podwinięta noga już zaczęła jej cierpnąć, kiedy w końcu wyszedł przed dom. Jak przystało na kandydata do Wójtowej Osełki, z kosą na ramieniu. Spojrzał na ganek i stanął jak wryty.

– Jezusie Nazareński! – powiedział. – Wybiera się pani w podróż kosmiczną?

– Pan wstąpi na momencik, panie Sławku – zagruchała Antonia. – Coś panu pokażę!

Odstawił kosę i ociągając się, wszedł po stopniach. Jego wzrok z niedowierzaniem prześliznął się po elektronicznych skarbach Antonii i spoczął na jej gołym kolanie. Już otwierał usta, żeby coś powiedzieć, ale nagle drukarka zawarczała, wypluwając zdjęcia. Podskoczył i cofnął się.

– No, no, czego to kobieta w dzisiejszych czasach nie potrzebuje w podróży – zauważył.

– To dla pana – zaszemrała Antonia tajemniczo. – Na pamiątkę. Taka mała dokumentacja naszych wycieczek. O, proszę, na tym są łosie. A tu, niechże pan podejdzie trochę bliżej, żeremia bobrowe. Ze zdjęć ze spływu do Białego Grądu zmontowałam film, z podkładem muzycznym. Ślicznie wyszedł.

– Sama pani to wszystko zrobiła?

No nareszcie! Kosiarz stał całkowicie oszołomiony i potrząsał głową. Masz rację, mój kochany, jestem w stanie dostarczyć ci wrażeń, przy których zblednie Tatowa Kosa. Elektronicznych i wszystkich innych.

– Och, każdy to potrafi. Zaraz pana nauczę. Proszę mi podać rękę i kliknąć o, tu. Niech się pan nie boi, myszka nie gryzie.

Ujęła szeroką, spracowaną dłoń i delikatnie ułożyła palce na klawiszach. Ooch, to była uczciwa, męska ręka. Prawdziwy Poeta podawał wilgotną kiść wodorostów, Autor Bestsellerów mięciutkie serdelki, a pan Kartoffelkraut... pan Kartoffelkraut z zasady niczego nie podawał. Na powitanie kiwał głową. Splatał przy tym ręce za plecami i kołysał się na obcasach.

Kosiarz wbijał wzrok w laptop, jakby oczekiwał, że za chwilę wyleci z niego diabeł. Na czoło wystąpiły mu kropelki potu. Słodki prostaczek, dziecię natury. Żeby tylko, psiakrew, nie był taki nieśmiały! Ale przynajmniej przysunął się do niej i czuła ciepło bijące od jego ciała. Bardzo, bardzo interesującego ciała.

– Ten paluszek stawiamy tu i przesuwamy teraz kursor, to znaczy tę strzałkę, na ramkę i...

– Pani Antonio, to bardzo ciekawe – przerwało jej dziecię natury – ale przyszedłem, żeby się pożegnać. Muszę wracać do Białegostoku.

– Och, jaka szkoda – westchnęła, dogłębnie rozczarowana. – Tak świetnie nam szło.

– Ja też żałuję, ale robota czeka.

No tak, mało kto mógł wyżyć z gospodarki. Mężczyźni załapywali się na budowy w Białymstoku albo w Ełku, tu prawie każdy był urodzonym cieślą. Trzecia Rzeczpospolita nie każdemu przyniosła srebrne maserati.

– Niech pan weźmie moją wizytówkę, panie Sławku. Jakby pan kiedy był w Warszawie...

Ale co by kosiarz robił w Warszawie? Nie było tam nic do koszenia.

– Na pewno. Jakbym kiedy był, to na pewno.

Antonia wyjeżdżała z żalem. Nie tylko dlatego, że nici wyszły z letniej przygody. Do tej pory wydawało jej się, że prowadzi życie godne pozazdroszczenia, ale z perspektywy Lipowa Starego nie było czego zazdrościć. Nie widywała w mieście ani gwiazd, ani wschodów i zachodów słońca. Nawet pory roku do niej nie docierały. Tutaj, nad Biebrzą, gdzie nic się nie działo, po raz pierwszy od dawna intensywnie i z miłością obserwowała świat.

– Pięknie tu u was, pani Wisiu. Aż żal wracać.

– Pewnie, że pięknie. Ja tam bym w mieście nie wytrzymała. Tu, jak mi na sercu ciężko, to sobie kanapki robię i na cały dzień na bagna lecę, na łosie popatrzeć. Zaraz mi lżej.

– To pewnie syn też tęskni za Lipowem?

– A tęskni, tęskni, ale co zrobić. Sama pani wie, jak to dzisiaj jest. Ludzie idą tam, gdzie im pracę dadzą. Też bym wolała, żeby to Sławuś został na gospodarce, a nie Szymek. Sławusiowi robota w rękach się pali, czy pole trzeba radlić, czy widłami pomachać. A Szymek tylko by się obijał.

– Może pan Sławek jeszcze wróci.

– E, chyba nie. Dobrze w tym Białymstoku zarabia.

– Można zapytać, co tam robi?

– Na uczelni jest. Profesorem od informatyki.

O święci Pańscy! Akurat od informatyki. Podaj mi rękę, kosiarzu, myszka nie gryzie. Pobaraszkujemy razem w Internecie. A niech to szlag trafi.

– Pani Wisiu, proszę go ode mnie serdecznie pozdrowić. Niech mu pani powie, że dużo się od niego nauczyłam.

– Powiem. Ale, ale, prawie bym zapomniała: pani zapyta pani

Joasi, czy chce mieć stałe łącze. Sołtys mówi, że jak się wielu chętnych znajdzie, to będzie taniej.

– No i jak było nad Pipszą, Antonio? – zapytał pan Kartoffelkraut, kołysząc się na obcasach. Musiały być już kompletnie zdarte. – Osie były?

– Były. Spędziłam tam bardzo interesujący urlop, panie Kartoffelkraut. Ogromnie pouczający.

– Pouczający, bardzo topsze, bardzo topsze. Człowiek nigdy nie powinien przestawać się uczyć.

– Też tak uważam. Myślę, że wkrótce tam znowu pojadę.

To na wypadek, gdyby kosiarz zgubił jej wizytówkę.

Irena Matuszkiewicz

NARZECZONA DIABŁA

Magda dotarła do wczasowiska w samo południe. Nie był to żaden kurort, jak zapewniała pani Celina. Ot, przeciętny grajdołek, tyle że ładnie położony nad jeziorem. Wzdłuż głównej ulicy kioski z mydłem i powidłem, koszmarna buda dyskoteki, jakieś lody, gofry, a na deptaku tłum ludzi: białych, czerwonoskórych, opalonych na czekoladę i mieszańców. Magda należała do tych najbielszych i tęskniła do plaży, nawet tak zatłoczonej jak ta, którą minęła. Na wszelki wypadek zapakowała do torby krem z filtrem, chociaż przyjechała nad jezioro nie z chęci poprawienia karnacji, tylko z konieczności załatania dziury budżetowej. Łudziła się, że jedno drugiemu nie przeszkodzi.

Bez trudu, kierując się jedynie węchem, odnalazła smażalnię pani Celiny. Z przyjemnością patrzyła na kolorowe parasole, na drewniane stoły i ławy. Poczuła przypływ optymizmu.

Pyzata twarz pani Celiny z trudem mieściła się w niewielkim okienku. Kiosk był mały i pasował do urody właścicielki jak skorupa do żółwia. Tylko głos przeczył wyglądowi. Był gromki i wibrujący.

– Karaski proszę!

Rano wszystkie ławy zajmowali młodzi z pola namiotowego. Kupowali tyle, co kot napłakał – głównie frytki i karaski, bo najtańsze. Czas na dorsze i łososie, flądry i okonie morskie nadchodził w porze obiadu, gdy głód dopadał mieszkańców domków letniskowych. Przychodzili z dziećmi, babciami i psami, mościli się wokół stołów, głośno uzgadniali menu i obowiązkowo krzywili się na ceny. Zawsze znalazł się ktoś, komu było za drogo, drożej niż w Łebie czy Ustce.

– A szanowny pan uważa, że okonik morski sam tu, w głąb kraju, przypłynął? – dziwiła się pani Celina i z dumą, choć niekoniecznie zgodnie z prawdą, opowiadała, jak to w nocy okonik jeszcze w morzu figlował, zanim trafił na kuter rybacki, a zaraz potem do jej zielonego volvo. Największy niedowiarek musiał ugiąć się przed siłą argumentu. Ryby, jak wiadomo, powinny być świeże.

Nad całym jeziorem nie było drugiej tak świetnie zaopatrzonej smażalni. Ba, w ogóle nie było drugiej smażalni, więc pani Celina uchodziła za monopolistkę. Jej następny kiosk, szumnie zwany barem, nie wyróżniał się niczym specjalnym – karmił letników bigosem, flaczkami i poił piwem, jak kilka sąsiednich, ostro konkurujących między sobą. Pani Celina nie bała się konkurencji. Mógł sobie Pukliszek wykrzykiwać do woli: „Mamo, mamo, nie bądź taka, kup naleśnik dla dzieciaka!" albo mamić wczasowiczów zapewnieniami, że „nawet piłkarz po boisku lata z pasztecikiem w pysku!", ona swoje wiedziała. Nic tak nie przyciągało głodnych letników, jak dobre jedzenie i ujmujące buzie sprzedawczyń. Pani Celina miała wysokie mniemanie o swojej dojrzałej urodzie, lecz w pracy postawiła na młodość. Zaopatrzenie powierzyła swojemu synowi, w barze zatrudniła Anetkę, rumianą piękność marzącą o artystycznej karierze, do smażalni natomiast przyjęła Magdę, też piękność, tylko w innym, znacznie wytworniejszym stylu. Przy jej dziewczynkach Pukliszek nie miał szans, podobnie jak sprzedawca chińskich dań czy chudzielec od kiełbasek z rożna.

Pani Celina czuła się w smażalni jak ryba w wodzie. Oczywiście żywa ryba, w przeciwieństwie do tych wyciąganych z lodówki, które panierowała w mące, rzucała na głęboki tłuszcz, potem ważyła na tackach.

– Madziu, patrzysz? To patrz uważnie, a przy okazji dokrój chleba!

Nie po to przyjmowała pomocnicę, żeby uczyć ją podstawowych rzeczy, które każda kobieta ma we krwi. Ile można rozprawiać o solankach do moczenia rybich tuszek czy temperaturze tłuszczu? Wiedza raz przekazana powinna zapaść w pamięć i koniec. Pozostawało jeszcze uczenie się na błędach. Za pierwszą przypaloną rybę Magda musiała zapłacić, drugą wystarczyło dosmażyć, a już trzecia wyszła w sam raz.

– Dwie flądry! – pisnęła Magda.

Cienki głosik nie dotarł nawet do pierwszego stolika.

– Dwie fląderki! – wrzasnęła pani Celina w ramach końcowej edukacji.

Gromki krzyk wyrwał z drzemki Pukliszka, trzy kioski dalej.

Rodzina krzyżówek ustawiła się jak do fotografii: z przodu dzieci, z tyłu mama. Wokół nich wiatr delikatnie marszczył białe chmury odbite w wodzie. Magda wstrzymała oddech. Całkiem niepotrzebnie. To były kaczki wychowane na jeziorze okupowanym przez wczasowiczów, przywykłe do wrzasków, oswojone z dyskotekami tak samo, jak z chlebem rzucanym z brzegu. Najwyraźniej była pora darmowej kolacji, dlatego podpłynęły do pomostu na wyciągnięcie ręki.

Wybiegając ze smażalni, Magda miała dość karmienia kogokolwiek, nawet kaczek. Chciała w samotności popatrzeć na zachód słońca, odetchnąć świeżym powietrzem i po dziesięciu godzinach nasiąkania tłuszczem uwolnić się wreszcie od paskudnej woni oleju i ryb. Poczerniały, częściowo zarwany pomost w szuwarach idealnie nadawał się na samotnię. Za sobą zostawiła plażę i całe handlowe city nowego wczasowiska. Jedynie hałasu nie udało się zostawić, bo szedł po wodzie, wiercił w uszach i nie denerwował chyba tylko kaczek.

Na wprost, po drugiej stronie jeziora, rozciągało się stare wczasowisko z niewielkim polem namiotowym i domkami ze sklejki. Kiedyś to tam właśnie kwitło życie, ale z czasem przekwitło jak wszystko, co zbyt siermiężne i niewygodne. Owszem, trafiają się ludzie, którzy wciąż jeszcze deklarują miłość do prymitywu, ale nawet oni wybierają letniska ze światłem, bieżącą wodą i toaletami.

W starym wczasowisku widać było jednak jakieś poruszenie. Ktoś biegał wokół domków, otwierał drzwi i okna. Magda patrzyła bez większego zainteresowania. Miała dość kłopotów po tej stronie jeziora, żeby rozmyślać o tamtej. Czekały ją cztery tygodnie pracy u boku pani Celiny, w dusznej smażalni, a zaraz potem długi skok w nieznane, czyli do Szwecji. Kilka miesięcy wcześniej podjęła decyzję i klamka zapadła. Delikatny wietrzyk znad jeziora odebrała jak powiew wielkiego świata, chociaż wolałaby, żeby tam, gdzie osiądzie, nie zalatywało tak swojsko mułem.

Z niewesołych myśli wyrwało ją głośne chrząknięcie. Podniosła głowę i pożałowała swoich upodobań do zapomnianych pomostów. Na ścieżce, kilka kroków od niej, stał najprawdziwszy cudak. Ręce oparł na kierownicy starego roweru, posapywał głośno i chyba nigdzie mu się nie śpieszyło, bo gapił się na przeciwległy brzeg i na Magdę jednocześnie. Filcowy kapelusz, gęsto wysadzany kapslami od piwa, zasłaniał mu oczy. Żółta, z całą pewnością damska bluzka, na której chwiał się miarowo drewniany krzyż, mocno kontrastowała z zarośniętą twarzą.

– Diabły przyjeżdżają dziś albo jutro – zaskrzeczał cudak. – Tym razem to już koniec. Święty Emeryk przykazał mi, żebym się diabłom przeciwił. Nie porządzą tu długo.

Wyglądał tak niedorzecznie, jakby pod kapslami sam ukrywał diabelskie rogi. Nawet wielki krzyż na metalowym łańcuchu nie uspokajał Magdy.

– Kto przyjeżdża? – wybąkała bardziej zainteresowana ucieczką niż rozmową.

Sękaty brązowy palec wskazał przeciwległy brzeg i stare wczasowisko.

– Te darmozjady, co dziś albo jutro się pojawią, to wcielone diabły – wyjaśnił.

Musiał być miejscowy, bo miejscowi nie lubili wczasowiczów i chętnie nazywali ich darmozjadami. Wbrew pozorom wcale nie zarabiali na ich obecności. Ot, czasem sprzedali mendel jajek za niebotyczną kwotę pięciu złotych i na tym koniec. Wystarczyło popatrzeć na rejestracje samochodów, plączących się po handlowym city, by zrozumieć, że wszystkie smażalnie, bary, sklepy, ba, nawet dawne ośrodki wczasowe należały do przedsiębiorczych mieszkańców wielkich miast, głównie Łodzi i Warszawy. Nikt z miejscowych nie miał nad jeziorem nawet ptasiej budki. Obrotniejsi czasem zdołali podłapać doraźną robotę przy stróżowaniu, sprzątaniu lub wywożeniu nieczystości. Dlaczego więc buntowali się przeciwko wczasowiczom, a nie obcym biznesmenom? Chyba dlatego, że robienie pieniędzy budziło ich szacunek, natomiast wydawanie, i to na przyjemności, uważali za czystą głupotę.

Słońce powoli chowało się za lasem. Magda zeszła z pomostu. Niby się nie bała, ale zatęskniła nagle do letniskowego domku, który dzieliła z Anetką.

– Niech tak nie biegnie, pójdziem razem – zaproponował cudak. – Ćmok się robi, jechać trudno.

Jak na swoje lata ruszał się wyjątkowo żwawo. Posapywał tylko głośno i zatrzymywał się, kiedy chciał coś powiedzieć. A że do powiedzenia miał wiele, stawali co kilka kroków.

– To wszystko było moje. – Zatoczył ręką krąg obejmujący jezioro, kawał lasu, a pewnie też pole za lasem. – Tera przepadło. Córka dobrą ziemię darmozjadom sprzedała, nie zostawiła nawet spłachetka. A ja żenić się będę… I jak to tak, bez ziemi?

– Żenić? – Magda nie kryła zdumienia.

– A co? – Roześmiał się nieoczekiwanie. – Jakbym kawał galantej ziemi miał, to też by mnie chciała? Młoda jest, widać, że gorąca, taką wziąłbym w jednej sukience. Dogadamy się, przepijemy i załatwione.

Chichotał, rozbawiony swoim pomysłem. Magda o nic więcej nie pytała, wolała posłuchać o pewnej Ludwice z sąsiedniej wioski, obdarzonej dwiema zaletami, czyli solidnym biustem i taką samą pupą (on mówił: „wielgachnym zadem i cycami jak dynie") oraz jedną zasadniczą wadą: brakiem ziemi, pieniędzy i czegokolwiek, co można by nazwać majątkiem. Cudak właśnie od niej wracał. Krzywił się trochę, że kobiecina strasznie biedna, ale biust i pupa były nie do pogardzenia. Przemyślał wszystko i razem z Ludwiką zdecydowali, że resztę życia spędzą na jednej przyzbie i w jednym łóżku. Ona szukała opiekuna, on zaś żywego piecyka pod kołdrę, zwłaszcza na zimowe chłody. Całkiem poważnie o tej swojej żeniaczce rozprawiał, zastanawiał się, gdzie mógł zapodziać metrykę chrztu, niezbędną przy zapowiedziach, ale nie zapominał też o Magdzie. Czort go podkusił już na głównej uliczce wczasowiska.

– Jakby co, to ja zawsze wolę młodą niż starą – wypalił. – Niech się za długo nie namyśla. Narzeczonego jeszcze nie ma, bo sama w tatarakach siedzi, a przy mnie głodu nie zazna. Mam galanty emeryt, com go za ziemię dostał.

Odsłonił w uśmiechu pieńki mocno poczerniałe, ale własne, i zachichotał krótko, urywanie.

Magda dosyć miała rozbudzania matrymonialnych nadziei w staruszku, więc pożegnała się śpiesznie.

Oczy pani Celiny przypominały szparki, uszy były schorowane, lecz tym oczom i uszom niewiele zdołało umknąć.

– Czy ty, dziecko, nie boisz się plotek, że nocami spacerujesz po lesie ze starym Świerkiem? – spytała rano, zanim jeszcze Magda przypasała fartuch.

– Przecież to dziadek.

– Ale nie twój! Nie znasz fantazji starego huncwota, więc się pilnuj. Zmyśli, czego nie było, resztę dośpiewa i sam cię na języku po ludziach obniesie.

– Myśli pani, że mu uwierzą?

Pani Celina nie myślała, lecz była pewna, że głupie gadanie milsze jest ludziom niż mądre. Mądrego mogą nie pojąć, z głupiego zaś każdy weźmie to, co akurat będzie mu pasowało. Zechcą miejscowi dokuczyć Magdzie, choćby przez zazdrość, że ma dobrą pracę w smażalni, to zaczną wyolbrzymiać Świerkowe brednie. Zeszłego roku tak właśnie załatwili Zenię z baru, poprzedniczkę Anetki. Niby to Świerkowi nie wierzyli, niby podśmiewali się z męskości dziada, ale suchej nitki nie zostawili na Zeni, nie na starym. Ubzdurali sobie, że jakby była harda, to Świerk po próżnicy nie strzępiłby języka. Kobiecina aż się pochorowała od tej niesprawiedliwości i ledwie dociągnęła w barze do końca sezonu. W tym roku nawet słyszeć nie chciała o pracy i trzeba było Anetkę z Łodzi ściągnąć.

Zapowiadał się kolejny upalny dzień. Mimo że smażalnia stała w cieniu starych sosen, a drzwi były szeroko otwarte, w środku panowała trudna do wytrzymania duchota. Rozgrzana patelnia buchała żarem, tłuszcz skwierczał i pryskał na wszystkie strony. Ruch był niewielki, jak to z rana. Pani Celina wyniosła się na zewnątrz, do stolika sprytnie ukrytego za drzwiami i udawała, że przegląda rachunki. Magda dosmażała właśnie karaski dla chłopaków z pola namiotowego, kiedy leniwą ciszę przedpołudnia rozdarł ryk silników. Wąską żużlówką, w tumanach kurzu, pędziły motocykle. Nic więcej nie dało się zobaczyć poza tym, że było ich kilkanaście, że pędziły stanowczo za szybko i kierowały się do starego wczasowiska. Chłopaki z pola namiotowego zaczęli wykrzykiwać, że harleye przyjechały.

Od trzech, może czterech lat w sierpniu nad jezioro zjeżdżali harleyowcy. Tak ich potocznie nazywano, chociaż dosiadali różnych maszyn, wśród których harleye davidsony trafiały się raczej rzadko. Bez względu na markę były to motocykle z charakterem i wydawały grzmiące dźwięki. Ich właściciele z upodobaniem cisnęli gaz do dechy i przemierzali kawalkadą wiejskie drogi. Wśród miejscowych i wczasowiczów budzili więcej strachu niż respektu. Mówiło się o nich, że wariaci, narwańcy, dawcy narządów i że się doigrają.

Przybywali nad jezioro niewielkimi grupami. Biwakowali krótko, dwa, trzy dni, i wyruszali w dalszą trasę, by wrócić pod koniec sierpnia na zlot. Wtedy zjeżdżało się ich kilkudziesięciu, a w starym wczasowisku nie było gdzie szpilki wetknąć. Upodobali sobie to miejsce ze względu na odosobnienie. Nikt obcy nie zaglądał motocyklom w zęby, nie próbował kraść kasków czy rękawic.

Pierwsza grupa zjechała do ośrodka przed południem. Sami młodzi mężczyźni, opaleni i czarni od kurzu. Ustawili maszyny na placyku i zaczęli ściągać z siebie kaski, kurtki, spodnie, wszystko aż do slipów. Sprawdzili, czy brama zamknięta, i pobiegli do wody.

Dziadek Świerk od świtu czatował w krzakach. Rower oparł o słupek, zdrzemnął się odrobinę, ale obudził go ryk silników. Kucnął przy siatce i czekał cierpliwie, aż głowy motocyklistów na jeziorze osiągną rozmiar łebków od zapałek. Oczy miał sokole, do pozazdroszczenia, tyle tylko, że głów było dużo i trochę mu się plątały. Wyciągnął z torby nożyce, chrząknął, splunął i przeciął siatkę tak, żeby się wygodnie zmieścić. Jeszcze do niedawna forsował podobne płoty górą, ale ból w krzyżu sprawił, że musiał sięgnąć po zdobycze techniki. W zniszczonej torbie, przytwierdzonej do bagażnika, woził nie tylko nożyce do metalu, ale także krótki łom, latarkę i parę innych rzeczy przydatnych w czasie rekonesansu. Baczył tylko pilnie, żeby zostawić trochę miejsca na nieprzewidziane łupy. Nie wszystko wypadało wieźć na ramie lub wciągać na grzbiet. Bluzkę wygrzebaną na śmietniku mógł włożyć, czemu nie, ale już ciuch ściągnięty sąsiadowi ze sznura obowiązkowo chował do torby.

Stary Świerk miał swoje zasady, gorzej było ze skrupułami. Mocując się z siatką, myślał jeszcze o obietnicy złożonej świętemu Emerykowi. Poprzysiągł mu w chałupie, że nie spojrzy na diabelskie dobro, wsypie jeno piachu do benzyny i ucieknie. Za siatką zmienił zdanie. Chałupa została daleko, Emeryk zaś, mówiąc uczciwie, nie był prawdziwym świętym. Dziadek, choć niezbyt bogobojny, bał się zadzierać z prawdziwymi, dlatego na różne okazje wymyślał różnych świętych – a to Mikuna, a to Gamzę. Z pomocą Emeryka miał sprzeciwić się diabłom, więc obiecywał dużo, w każdym razie więcej niż zamierzał dotrzymać.

Dwie pary rękawic i trzy markowe T-shirty od razu upchnął pod żółtą bluzką, skarpetki wpakował pod kapelusz, ale najbardziej nęciły go czarne skóry zdobione srebrnymi ćwiekami. Przymknął oczy, zobaczył siebie w tym pięknym przyodziewku, jak kroczy z narzeczoną po kościelnym dywanie, i pokusa okazała się silniejsza od wszystkich obietnic. Chwycił pierwszą z brzegu kurtkę i próbował naciągnąć na grzbiet. Była nieporęczna i stanowczo za wielka. Zawziął się, zatracił w tym przymierzaniu i nie zauważył, kiedy harleyowcy otoczyli go kołem. Stał w środku z rozdziawioną gębą i tylko patrzył, w jakim kierunku pójdzie ich zaskoczenie, czy przemieni się w złość, czy raczej w śmiech. Ledwie zaczęli klepać się po mokrych udach, nazywać go dziwolągiem i odmieńcem, uznał, że najgorsze minęło. Pogratulował sobie, że zaczął wizytę od grzebania w ciuchach, a nie w motorach. Uspokojony, pozwolił się popychać i oglądać ze wszystkich stron. Obrał sprawdzoną taktykę uporczywego milczenia, żeby wyjść nie tylko na dziwaka, ale też na niemowę. A oni ryczeli z uciechy na widok kapelusza wysadzanego kapslami i damskiej bluzki z trudem opinającej dziwnie wielki brzuch chudzielca. Zajrzeli mu do tego fałszywego brzucha i wyłuskali swoje koszulki i rękawice. Któryś wpadł na pomysł, żeby rozebrać dziadka do naga i sprawdzić inne skrytki.

Nad starym Świerkiem zawisło widmo publicznego striptizu. Obydwiema rękami chwycił krzyż, smętnie zwisający na piersi i tym krzyżem próbował odstraszyć napastników. Stał między nimi chudy, żałośnie stary i niepewny, czy tym razem rzeczywiście się wywinie. Jak nic zdarliby z niego portki i bluzkę, gdyby nie pojawił się jeszcze jeden mężczyzna, najwyższy wzrostem i chyba pozycją w grupie. Wyszedł z jeziora ostatni, ociekał wodą i nie bardzo chwytał, co się dzieje. Rozbawieni kumple pokazywali mu, gdzie staruch upchał rękawice, gdzie skarpety.

– Miałeś, Krystek, wspólnika do kurtki. Staremu do pięt sięgała, ale brał jak swoją.

Harleyowiec nazwany Krystkiem nie wydawał się ubawiony pomysłem, żeby wypuścić dziadka na drogę jedynie w cudacznym kapeluszu.

– Przyszedł pan tutaj, żeby nas okradać? – spytał z niedowierzaniem. – Nie wstyd panu?

Wygłosił jeszcze parę uwag o siwych włosach, rychłym grobie i lepkich rękach, które nie pasują do krzyża na piersi, co zabrzmiało poważniej niż kazanie. Kumplom ręce opadły na takie zakończenie zabawy, a i Świerk wcale nie był zadowolony. Oczywiście poszedł precz, jak mu Krystek przykazał, lecz w duszy niósł urazę. Do śmiechów i wyzwisk zdążył przywyknąć. Sam je zwykle prowokował, bo łatwiej mu się żyło z etykietą dziwaka. Nie znosił natomiast, gdy ktoś wywyższał się i próbował sprowadzać go na drogę cnoty. Poczuł straszną złość na Krystka, o wiele większą niż na jego kumpli.

Teoretycznie, czyli zgodnie z ustną obietnicą szefowej, Magda kończyła pracę o siódmej wieczorem, w praktyce zaś nie wychodziła ze smażalni przed ósmą. Pani Celina była mistrzynią w wynajdywaniu dodatkowych zadań, a że po raz pierwszy przyjęła pomoc do smażalni, więc rękami Magdy próbowała odrobić kilkutygodniowe zaległości higieniczne. Kazała zdrapywać stary brud z podłogi, szorować lodówkę, wagę, jednym słowem, pucować do połysku, co się tylko dało.

Po zamknięciu budy Magda biegła prosto na stary pomost, gdzie czekało na nią kacze stadko. Miała wreszcie swoje pół godziny, aż do zachodu słońca. Z przyjemnością patrzyła, jak w zachłannych kaczych dziobach giną nadwyżki czerstwego chleba ze smażalni, wciągała głęboko w płuca zapach mułu i czuła się jak prawdziwa wczasowiczka, tyle że samotna. Na przeciwległym brzegu harleyowcy palili ognisko. Już trzeci dzień siedzieli nad jeziorem, parę razy przemknęli obok smażalni w tumanach kurzu, widać jednak ryby nie były ich ulubionym przysmakiem.

Skrzypienie kół na ścieżce i charakterystyczne chrząkanie uprzytomniło Magdzie, że po raz drugi podpadnie szefowej za spacery po lesie z dziadkiem Świerkiem.

– Gdzie diabły, tam i ogień piekielny – zagadał bez zbędnych powitań.

– Jakie tam diabły! – Dziewczyna roześmiała się i zeskoczyła z pomostu. – Chłopaki palą ognisko.

– Jutro o tej porze będzie dzień sprawiedliwości. Zawczoraj popędziłem im kota na próbę, jutro popędzę jeszcze barzy – zapewnił.

Rozmowa o diabłach nudziła Magdę, wolała posłuchać o narzeczonej. Na wspomnienie Ludwiki dziadek sposępniał. Diabły to było wielkie wyzwanie, o takim wyzwaniu warto gadać, a co mógł powiedzieć o narzeczonej? Zaczął rozważać głośno, czy warto brać sobie na kark kobitę chorowitą, nieznającą się na kuchni, do tego strasznie pazerną na gościńce.

– Wszystkiego jej mało – mruczał poirytowany. – Ciuch zawiozę, mało. Siekierkę, też mało. Pomidory jej za zielone... Po nocy rwałem, to i zielone były. Co to za kobita, co nie daje się obłapić? Krzyczy, że po ślubie. Przecie narzeczeństwo to prawie jak ślub.

– Widocznie pani Ludwika jest innego zdania – wtrąciła Magda, z trudem powstrzymując śmiech.

– Życie to wielkie gówno – zauważył filozoficznie Świerk. – Samemu ciężko na świecie, ale z marudną babą jeszcze ciężej.

Chwilowe pretensje do życia tak go przytłoczyły, że zamilkł na dobre i nawet się nie pożegnał.

Harleyowcy zajechali przed smażalnię rano, tuż po otwarciu. Najwidoczniej opuszczali stare wczasowisko, bo do motorów przytroczyli bagaże. Nie byli ani głośniejsi, ani bardziej oklęci od chłopaków z pola namiotowego, zamawiali duże porcje najdroższych ryb, jednak pani Celina nie mogła się do nich przekonać.

– Jeden łysy, drugi z kitą, wszyscy na czarno jak żałobnicy – mamrotała pod nosem, ale z okienka wystawiała twarz przyjazną, pogodną.

Przyjmowała zamówienia i poganiała pomocnicę, szczęśliwa, że ma wyrękę. Ostatnie dwie porcje łososia osobiście zaniosła do stołu, bo goście krzyczeli, że im śpieszno w drogę do Wilna. Magda wreszcie mogła odetchnąć. Sięgnęła po serwetkę i przyłożyła do spoconego czoła. Ledwie zauważyła, że ktoś podszedł do okienka. Drgnęła dopiero na dźwięk głosu.

– Szefowa mówiła, że znajdę tu sól. – Bardzo wysoki mężczyzna uśmiechnął się do niej przez szybę. Patrzyli na siebie sekundę, może dwie. – Magdułka? Co ty tu...

– Krystian? – szepnęła, bo zaskoczenie odebrało jej głos.

Prowizoryczna solniczka, zmajstrowana ze słoika po majonezie, stoczyła się na podłogę i roztrzaskała w drobny mak.

– Nieszczęście – wybąkała.

– Znalazłem cię po tylu latach, a ty mówisz o nieszczęściu?! – wykrzyknął.

– Rozsypałam sól – szepnęła.

Obiegł budę i wyciągnął ją ze smażalni. Nie słyszał cichego fukania pani Celiny, nie spojrzał nawet na stygnący filet z łososia, tylko złapał Magdę za ramiona, jakby miała mu lada moment uciec. Wiedział już, dlaczego wtedy nie przyszła, ale chciał znać szczegóły, jak najwięcej szczegółów. To „wtedy" było bodaj ważniejsze od „teraz". On pytał, ona pytała i na odpowiedzi zabrakło czasu. Przez dziesięć krótkich minut nie dało się nadgonić sześciu długich lat. Coś tam sobie jednak powiedzieli, coś wyjaśnili, szczęśliwi, że nie wszystko stracone. Łosoś wystygł, harleyowcy skończyli śniadanie i zbierali się do odjazdu. Hałasowali trochę, zapuszczali motory, ale żaden nie próbował Krystiana poganiać.

– Magdułka, powiedz, że już mi nie znikniesz, że poczekasz trzy tygodnie! Wracam dwudziestego ósmego w niedzielę.

– Poczekam – obiecała. – Dwudziestego ósmego powinnam wyjechać, ale... poczekam do wieczora.

– Przyjadę wcześniej, wieczór i noc muszą być nasze!

Odprowadziła go do żużlówki. Uśmiechała się, chociaż gardło miała ściśnięte.

– Nawet nie mam twojego adresu, gdyby coś, to...

Zamknął jej usta krótkim, mocnym pocałunkiem.

– To tylko trzy tygodnie – powiedział. – Obiecuję ci, że wszystko nadrobimy, każdą straconą minutę.

Była przerażona – jeszcze go na dobre nie odzyskała, a już znowu traci. Przez płot pokazała mu swój domek, drugi z brzegu, cały zielony, łatwy do zapamiętania.

– Przyjadę! – krzyknął z siodełka i jeszcze raz mocno ją do siebie przygarnął.

Ruszył ostro i po chwili widziała tylko wielki kurz i wyłażącego z kurzu dziadka Świerka z nieodłącznym rowerem.

– To nie może być, żeby oni już odjechali – zagadał zmartwiony. – Nie mieli prawa przed sądnym dniem.

– Przyjadą pod koniec miesiąca – powiedziała.

– Ano, co się odwlecze, to nie uciecze. – Świerk poweselał, spojrzał na dziewczynę i dokończył innym, zgryźliwym tonem: – Widziałem, jak najgorszego z diabłów obłapiała. – Splunął z obrzydzeniem. – Wielki grzech, wielki.

– Głupstwa pan plecie! – zdenerwowała się Magda. – Taki z niego diabeł, jak z pana. To mój narzeczony.

Stary wybałuszył oczy z wielkiego zdziwienia i wielkiej ciekawości.

– Kiedy niby się spiknęli? I co, ruchał ją?

Zostawiła plującego dziadka na drodze i wróciła do smażalni. Stary Świerk obrzydł jej doszczętnie.

Przez resztę dnia Magda pracowała ze zdwojoną energią, żeby za dużo nie myśleć o figlach losu, a także nie podpadać szefowej. Pani Celina była mocno niezadowolona z publicznych amorów pod smażalnią. Kilka razy próbowała delikatnie pociągnąć Magdę za język, niestety, tłum zgłodniałych letników narzucał zupełnie inne tematy, bardziej przyziemne: o rybkach, fryteczkach i chlebusiu. Przerzedziło się dopiero pod wieczór.

– Obiecałam twojej ciotce, że się tobą zajmę jak własnym dzieckiem – zaczęła uroczyście pani Celina.

– I obie zapomniałyście, że nie jestem już dzieckiem.

Takie wykręty nie robiły na pani Celinie wrażenia. Była zaprzyjaźniona z Magdy ciotką i z tego tytułu, a także z wrodzonej ciekawości chciała wiedzieć więcej, niż powinna. Matczyna intuicja podpowiadała jej, że wieczorne znikanie Magdy miało związek z harleyowcem. Wietrzyła romantyczne schadzki w którymś z obskurnych domków starego wczasowiska i nie dałaby głowy, czy prowizoryczne narzeczeństwo nie zostało spełnione wbrew kościelnym przykazaniom. Była jednak kobietą delikatną i nie chciała wypytywać zbyt obcesowo.

– Nie znasz go – mówiła – a patrzyłaś jak zakochana podfruwajka. Przystojny jest, nie powiem, tylko skończony wariat. Jeżdżenie na motocyklu to nie jest zawód dla poważnego mężczyzny.

– Ten wariat z zawodu jest architektem!

Pani Celina aż się żachnęła na taki bezmiar naiwności.

– A ja jestem primabaleriną! – Mrugnęła znacząco. – Mężczyznom się nie wierzy, zwłaszcza przystojnym, rozumiesz? Jakby ci obiecał małżeństwo, też byś uwierzyła?

– Już raz mi obiecał – powiedziała Magda. – I kto wie, czy dzisiaj nie jechałabym z nim do Wilna, gdyby nie jeden podpity kierowca, jedna złośliwa pielęgniarka, popsuty zegarek i bałagan w papierach. Spóźniłam się na ostatnie spotkanie, on musiał lecieć do Londynu i pogubiliśmy się jak dzieci we mgle. Ale zaręczyn nigdy nie zerwaliśmy.

Pani Celina przysiadła na stołku z ciężkim westchnieniem.

– Nic z tego nie rozumiem! Mów po ludzku, a najlepiej po kolei – zażądała.

Magda, jeśli nadal chciała pracować w smażalni, nie mogła wykręcić się byle jaką historyjką. Wrażliwa z natury kobiecina oczekiwała melodramatu i na zapas siąkała nosem.

Początek historii był raczej normalny i nie skłaniał do płaczu. Cóż bowiem może być normalniejszego od miłości dwojga młodych ludzi, do tego pięknych, zdrowych i wykształconych. Jednak miłość potrzebuje choć trochę spokoju, a u nich wszystko potoczyło się szybciej niż na karuzeli. Potrzebowali czterech miesięcy, żeby pierwsza fascynacja zmieniła się w pewność, że ona jemu, a on jej są przeznaczeni na całe życie. Gdzieś w gwiazdach musiał być taki zapis, musiał, i koniec. Łączyło ich prawie wszystko: poglądy, zainteresowania, nawet upodobania kulinarne, różnił jedynie temperament. Ona była spokojna, zrównoważona, on szalony i trochę narwany. Los tak to urządził, że spotkali się w niewielkim mieście, w którym nie zdążyli jeszcze zapuścić korzeni. Byli elementem napływowym i przelotnym. Po prostu wykształceni ludzie muszą gdzieś pracować, więc ona leczyła w przychodni zagrypionych i wzdętych pacjentów, on przerzucał papiery w magistracie i walczył z zalewem architektonicznych koszmarków. Oboje jednakowo nie lubili tego miasta: zapuszczonego rynku, brzydkich sklepów przypominających bunkry ani pretensjonalnej restauracji Paradyz. Całkiem poważnie myśleli o wyniesieniu się w inne, ciekawsze miejsce.

Szczęście bywa zmienne, jednak od czasu do czasu uśmiecha się do właściwych ludzi. Na kilkanaście wysłanych ofert Krystian dostał jedną propozycję, i to od razu wymarzoną. Duże miasto, duża pracownia urbanistyczna, a na początek krótka praktyka w Londynie. Wyjeżdżał pierwszy. Po dwu miesiącach mieli już zamieszkać razem w nowym mieście.

Krystian kupił bilet na samolot, spakował walizkę i zaprosił Magdę na pożegnalną kolację do Paradyzu. Kolacja miała być w niedzielę wieczorem. W sobotę poszli na długi spacer brzydkimi ulicami brzydkiego miasta. Byli narzeczeństwem spacerowo-kinowym, nie mieszkali razem, nie mieli wspólnego stołu ani tapczanu. On wynajmował pokój u miasteczkowej dewotki, ona u pielęgniarki z przychodni – zakompleksionej, starszawej panny. Pielęgniarka była uczulona na Magdę, na jej urodę, wykształcenie, a niewykluczone, że na narzeczonego również, tylko w nieco inny sposób.

Nadeszła niedziela. Rano jeszcze nic nie zapowiadało zwariowanej komedii pomyłek. Zapukała właścicielka mieszkania. „Słuchaj, Magda, tak i tak, ciocia dzwoniła, wujek zachorował, powinnaś pojechać". Magda też pomyślała, że powinna. Pięćdziesiąt kilometrów to nie wyprawa. Co drugą niedzielę wyjeżdżała rano, wracała po południu, więc czemu tym razem miałoby być inaczej. Czy mogła przewidzieć, że w niezawodnym dotąd zegarku zdechnie bateria? Nie mogła. Zasiedziała się w szpitalu dłużej niż powinna i autobus odjechał bez niej. To jeszcze nie był powód do rozpaczy. Wybiegła na drogę i złapała okazję. Skąd mogła wiedzieć, że kierowca opla okaże się skończonym idiotą? Jeździło tylu normalnych, a przy niej zatrzymał się podpity postrach szos. Dachowali w połowie trasy. Magda więcej nie pamięta. Ocknęła się w obcym mieście i w obcym szpitalu. Był wtorek. Krystian wyleciał do Londynu w poniedziałek.

– I co? Tak sobie poleciał, zamiast cię szukać? – gorączkowała się pani Celina.

Zdążyła już zrobić użytek z trzech chusteczek higienicznych i właśnie sięgnęła po czwartą. Nie chlipała, jedynie ocierała nadmiar wilgoci z czoła i z oczu.

– Na szukanie miał wieczór i noc. Gdyby moja gospodyni umiała sobie przypomnieć adres, telefon czy choćby nazwisko ciotki, byłoby mu łatwiej. Baba wykazała mnóstwo przebiegłości i złej woli, żeby zablokować informacje w obie strony. Kiedy po miesiącu pojechałam po rzeczy, nie wspomniała słowem, że on codziennie wydzwaniał, że podał swoje namiary.

– Patrzcie ludzie, jaka żmija! – zdenerwowała się pani Celina. – Też znam takie, nie myśl sobie. Pewnie pokraczna i brzydka, co?

– Mniej więcej. – Magda roześmiała się. – Ale to nie koniec. Dzisiaj mi powiedział, że po powrocie z Londynu był w tym mieście, odwiedził przychodnię i dostał mój adres za jeden uśmiech. Tyle tylko, że zamiast ulicy Polnej ktoś w rejestrze wpisał Rolną i żaden list nie dotarł.

– Serial można by nakręcić, słowo daję! Nigdy nie przypuszczałam, że takie historie mogą się zdarzyć naprawdę! – wykrzyknęła pani Celina. – Wiesz, co ci powiem? Ja na twoim miejscu sama bym go poszukała.

Tym razem Magda ciężko westchnęła. Szukała, tyle że po omacku. Gdyby mieszkali razem, gdyby mieli wspólną skrytkę na papiery, pewnie zapamiętałaby polsko-angielską nazwę firmy, dość dziwaczną zresztą. Dzwoniła do wielu podobnych, za każdym razem nie tam, gdzie powinna.

– Tak widać było zapisane w gwiazdach. A ten twój Krystian wciąż wolny?

– Powiedział, że wolny, chociaż, wie pani, mężczyznom się nie wierzy, zwłaszcza przystojnym.

Pani Celina zbyt była przejęta śledzeniem głównego wątku, by łowić aluzje.

– Co prawda, to prawda – przyznała – ale jemu tak jakoś dobrze z oczu patrzyło. Od razu to zauważyłam.

W życiu Magdy pojawiła się nowa cezura: dzień odnalezienia się Krystiana. Od tego dnia odliczała wszystkie następne. Wieczorami biegła na stary pomost i patrzyła na przeciwległy brzeg. Było to całkiem inne patrzenie niż dotąd. Z obojętnego obserwatora zmieniła się w stęsknioną dziewczynę, co ją samą mocno zastanawiało. Owszem, wariowała z tęsknoty i rozpaczy, ale sześć lat temu. Wtedy myślała o nim dniem i nocą, buntowała się przeciwko bezmyślnemu przeznaczeniu, które zrobiło wszystko, by ich połączyć, a zaraz potem jeszcze więcej, by rozdzielić. Jednak tak już w życiu jest, że nawet największe łzy kiedyś obsychają. Powoli przebolała stratę i próbowała żyć normalnie. Chyba jej się to udało, bo w końcu zyskała pewność, że po wielkim uczuciu zostały jedynie piękne wspomnienia, szrama na głowie i cichy żal, z każdym rokiem jakby nieco mniejszy. Myliła się, i to bardzo. Wystarczyło, że Krystian się pojawił, nazwał ją Magdułką i cały spokój licho wzięło. Nie mogła sobie darować, że zmarnowała, zaprzepaściła trzy dni. Przychodziła na pomost, gapiła się na obóz harleyowców, a jej babska intuicja nawet nie drgnęła. Żadnego przeczucia, żadnego znaku, kompletna pustka. Zamiast tulić się do Krystiana, spacerowała po lesie z obleśnym Świerkiem i słuchała bredni o diabłach.

Gdyby to od niej zależało, gdyby mogła popchnąć czas, dwudziesty ósmy sierpnia właśnie by się zaczynał.

Dziadek Świerk rzadko zachodził do smażalni. Głośno rozpowiadał, że luksusy są dla darmozjadów, nie dla ludzi ciężkiej pracy. Prawda była taka, że unikał spotkań z właścicielką. Nie żeby się bał, bo nie bał się nikogo, złościło go jedynie gadulstwo pani Celiny. Co się odezwała, to jakby czytała w jego duszy. Nie dała się nabrać na kapsle, krzyż ani układne miny.

– Wy tu, Świerk, nie węszcie! – krzyknęła, ledwie zdążył oprzeć rower o słup i usiąść przy stole. – Nic tu do wyniesienia nie ma. Czego chcecie?

– Ano, żenić się będę – wyjaśnił z dumą.

– W mojej smażalni?

– W kościele ma się rozumieć, przed ołtarzem najświętszym. Sprawię sobie garnitur z czarnej skóry.

– Trele-morele – parsknęła drwiąco. – Który to raz: piąty, dziesiąty? Córka pewnie ręce zaciera z uciechy, że będzie musiała opiekować się waszą babą? Zresztą nic mi do żeniaczki, byleście wynieśli się od mojego stołu. To są miejsca dla konsumentów.

Dziadek Świerk uniósł się, ale tylko honorem: kupił u Anetki małe piwo i siedział dalej. Udawał, że interesują go wyłącznie ludzie spacerujący po żużlówce, zwłaszcza młode dziewczyny, którym słał uśmiechy. Wszystko dla zmylenia Celiny. Tak naprawdę czekał na odpowiedni moment, żeby zabrać spod drzwi smażalni prawie nową wycieraczkę, dokładnie taką, jakiej potrzebowała Ludwika.

Przy okienku zrobiło się pusto. W smażalni Celina klarowała coś Magdzie, tak klarowała, że mógł Świerk drzwi z zawiasów wyjąć i też by nie zauważyła. Przez moment nawet się zawahał, ale Ludwika miała już jakieś tam drzwi, więc zwinął tylko wycieraczkę i odjechał.

Dni mijały. Upalne lato, tak łaskawe tego roku dla wczasowiczów, powoli gasło. I choć nad jeziorem wciąż było tłoczno, w powietrzu czuło się koniec sezonu.

Do starego wczasowiska zjechała właśnie ostatnia przed zlotem grupa harleyowców, na oko znacznie młodsza od wcześniejszych, na ucho dużo bardziej hałaśliwa. Po pierwszym dniu chłopaki zaleźli za skórę wszystkim wiejskim kundlom, a kilka kur przypłaciło życiem chwilę nieuwagi na drodze. Wieś pomstowała, jednak nie było silnego, który chciałby dyskutować z młodymi szaleńcami. Ludziska woleli cierpliwie czekać do września, aż spokój sam wróci.

Jedynie dziadek Świerk nie zaniechał rozprawy z diabelskim nasieniem. Poprzysiągł, że wypędzi ich raz na zawsze, nie pozwoli, by dniem i nocą bezkarnie hałasowali na drogach, straszyli ludzi i zwierzynę. Wytłumaczył świętemu Emerykowi, że najrozsądniej będzie poczekać do zlotu i za jednym zamachem dać nauczkę wszystkim diabłom. Mówił o wszystkich, myślał zwłaszcza o tym Krystku czy chłystku, który nazwał go „człowiekiem stojącym nad grobem". A skąd wiadomo, komu ile na tej ziemi pisane? Świerk był podwójnie na Krystka cięty: za ten grób i za dziewczynę ze smażalni. Ogólnie bab nie cenił, uważał, że nadają się do roboty i do ruchania, do niczego więcej, ale ta ze smażalni była młoda, smakowita i nijak nie pasowała na narzeczoną diabła. Ktoś musiał ją pomścić.

Szykując się do decydującej rozprawy, Świerk wybrał plan najprostszy z możliwych. W krzakach przy bramie starego wczasowiska ukrył tuzin solidnych kołków, kilka kawałków drutu i łopatę, żeby w odpowiedniej chwili zadziałać z zewnątrz. Do odwiedzin w obozie stracił serce. Owszem, gdyby tak święty Emeryk stanął na czatach, to można by dosypać piasku do benzyny czy poprzecinać opony, czemu nie, ale Świerk mógł liczyć wyłącznie na siebie. Przy kołkach nie potrzebował pomocy, miał jeszcze, chwalić Boga, więcej krzepy niż niejeden młodzik. Sam najlepiej wiedział, jak głęboko wbijać i gdzie. Po pierwsze nie za blisko drogi, żeby się nie rzucały w oczy, po drugie z dala od bramy, żeby motory zdążyły nabrać prędkości. Wszystko sobie dokładnie obmyślił.

Przez cały miesiąc ustawił zaledwie pięć kołków: dwa po jednej stronie drogi, trzy po drugiej. Ustawiłby więcej, lecz głowę miał zaprzątniętą innymi sprawami. Sierpień wyraźnie mu nie sprzyjał. Córka i zięć dowiedzieli się skądś o Ludwice i w chałupie nastały sądne dni. Że jawnie kpili z jego jurności, to jeszcze nic, że dokuczali i wypominali poprzednie narzeczone, to też nic. Świerk ładował w uszy kłęby waty i mało co słyszał z tego gadania. Dopiero kiedy zamknęli go na stryszku, wściekł się na dobre. Zarzucali mu, że ściągnął z suszarki i wywiózł do Ludwiki kilka poszewek i reformy córki. Wywiózł, nie wywiózł, to nie był powód do zamykania. Wytrzymał kilka godzin, zagroził, że podpali chałupę, i dopiero wtedy wrócili mu wolność, tyle że mocno okrojoną. Gdziekolwiek się ruszył, zawsze w bezpiecznej odległości jechał za nim lub szedł któryś z wnuków. Pilnowali go lepiej niż prezydenta, więc nie mógł nawet myśleć o szykowaniu pułapek na diabły.

Magda pracowała do soboty. Wieczorem wysprzątała smażalnię i z poczuciem dobrze spełnionego obowiązku czekała na pieniądze. Rachunek wydawał się całkiem prosty: dwadzieścia siedem dni pomnożone przez dziesięć godzin dziennie, a to pomnożone przez pięć złotych za godzinę dawało razem tysiąc trzysta pięćdziesiąt złotych. Spodziewała się trochę więcej, choćby za przepracowane niedziele i święto. Pani Celina liczyła prawie tak samo jak Magda, lecz kwota wyszła jej mniejsza o całe dwieście siedemdziesiąt złotych.

– Jeżeli w kraju obowiązuje ośmiogodzinny dzień pracy, Madziu, to jak ja mogę ci płacić za dziesięć godzin!? – powiedziała z wyrzutem. – Zresztą bądź sprawiedliwa, zawsze wymykałaś się po siódmej.

Magda patrzyła na poczciwą kapitalistyczną twarz szefowej i poza wątłymi słowami protestu nie miała innych argumentów. Nie miała nawet umowy. Wyszła ze smażalni rozżalona i wściekła. W jej sytuacji, kiedy choroba wujka pochłonęła wszystkie oszczędności, liczyło się każde sto złotych. Nie mogła wyjechać do Szwecji z pustymi rękami, musiała mieć trochę grosza na początek, żeby wystarczyło przynajmniej do pierwszych poborów w szpitalu. Gdyby było inaczej, na pewno nie poświęciłaby urlopu na pracę w smażalni.

Ochłonęła dopiero pod prysznicem. Trzy razy zlewała włosy szamponem, by raz na zawsze wywabić z nich paskudny rybi zapach. To dla Krystiana chciała być taka wonna i piękna. Wspomnienie Krystiana zdecydowanie poprawiło jej humor.

W niedzielę poszła na śniadanie do Pukliszka. Widział ją Patryk, syn pani Celiny, widziała Anetka, i o to właśnie chodziło.

Pukliszek wyglądał jak ostatnie nieszczęście. Na głowie zawiązał piracką chusteczkę, na gołym i wydatnym brzuchu wymalował wielki napis: „Piweczko". Wszystko z myślą o klientach, żeby ich rozbawić i przyciągnąć. Magdzie gotów był nieba przychylić, chciał ją sadzać przy służbowym stoliku tuż obok baru. Ledwie się wywinęła od tych czułości. Wybrała miejsce jak najbliżej ogrodzenia, żeby mieć widok na drogę.

Wczasowisko jeszcze się nie obudziło, odsypiało nocne dyskoteki. Jedynie dziadek Świerk, wystrojony odświętnie w kraciastą koszulę i granatowe spodnie, jechał gdzieś na rowerze. Zatrzymał się obok Magdy. Chciałaby udać, że go nie widzi, ale nie mogła. Wydawał się mizerniejszy niż kiedyś i jakby niższy.

– Co tam słychać u pani Ludwiki? – zagadnęła.

– Wywieźli ją gdzieś, sam nie wiem gdzie – wyjaśnił markotnie.

– Kto wywiózł?

– A kto, jak nie rodzone dzieciaki! Żeniaczka im była nie w smak, i to, że miałem się do niej wynieść. Moje dzieci, jej dzieci… po jednych pieniądzach.

– Wielka szkoda – wybąkała Magda, zdjęta nagłą litością.

– Co tam! – Wzruszył ramionami. – Narzeczeństwo bez ruchania nie jest ważne. Szkoda tylko prezentów, com jej nawoził. Wycieraczka, poszewki, majtki galante… Szkoda. Jak już się z diabłami policzę, rozejrzę się za jakąś inną narzeczoną. Mało to bab do wzięcia.

Ruszył przed siebie, a ona pomyślała, że dość żałośnie skończyło się babie lato dziadka Świerka.

Pierwsi harleyowcy pojawili się na żużlówce przed obiadem. Przejechali w wielkim pędzie, w kaskach na głowie, z twarzami osłoniętymi od kurzu. Magda ustawiła leżak przed domkiem i rozpoczęła wyczekiwanie.

Czekał też dziadek Świerk. Po południu zjawił się w smażalni i od razu kupił u Anetki małe piwo, żeby nie dawać pani Celinie powodu do gadania. Ale i tak oberwało mu się za wycieraczkę. Celina krzyczała, a on tylko skulił się i udawał, że nie ma z tymi krzykami nic wspólnego. Pił piwo, za które zapłacił, więc miał prawo siedzieć przy stole i patrzeć na drogę.

– Jesteście, Świerk, gorsi od Cygana, bo Cygan swoich nie okrada! – denerwowała się pani Celina.

– A od kiedy to jesteście moja? – zakpił dziadek.

Pani Celina machnęła ręką i wróciła do roboty. Rozmowa ze starym Świerkiem przypominała gadanie do obrazu. Czasem słuchał, czasem nie, a jak zaczynało się robić niebezpiecznie, świecił w oczy żółtymi papierami. Owszem, wyrobił sobie takie papiery, i to dość dawno temu, ale nie był wariatem, tylko cwaniakiem jakich mało.

O siódmej przejechała jeszcze jedna grupa, bodaj już ostatnia. Mijając smażalnię, jeden z motocyklistów zamachał gwałtownie ręką.

– Narzeczony Magdy! – wykrzyknął syn pani Celiny.

– Bo zamachał?

– Poznałem czerwone kawasaki. Zobaczysz, zaraz wróci.

Poderwał się, gotów biec z wiadomością do Magdy.

– Siedź! – zarządziła matka. – To on powinien do niej biec, nie ty.

– Prowadzi grupę, musi złożyć meldunek! – gorączkował się chłopak. Jego niezdrowe zainteresowanie rajdami coraz bardziej niepokoiło panią Celinę.

Dziadek Świerk odstawił szklankę, otarł usta i bez słowa wsiadł na rower. Najwidoczniej piwo mu służyło, bo pedałował wyjątkowo energicznie.

– Stary jest nie do zdarcia – westchnęła pani Celina. – Osiemdziesiąt pięć lat skończył, za babami się ugania, o śmierci nie myśli... Ciekawe, czy on zamierza żyć wiecznie?

Pod stare wczasowisko Świerk dotarł po zachodzie słońca. Noc była ciemna, pochmurna, dokładnie taka, jaką sobie wymarzył. Nie musiał się bać, że diabły go dojrzą. Usłyszeć też nie mogły, bo same hałasowały. Wśród śpiewów i śmiechów ktoś szukał klucza od bramy, krzyczał, że wyjeżdża do baru. Świerk śpieszył się, ale działał planowo. Wyciągnął z krzaków drut zakończony pętlą i powlókł go tam, gdzie stały pierwsze kołki. Zdążył założyć pętlę, kiedy diabły otworzyły bramę. Skulony w pół przebiegł drogę i wymacał drugi kołek. Drżącymi rękami usiłował zamotać drut. Motał byle jak, byle zaczepić, bo silnik ryczał coraz bliżej, a światła reflektorów raziły oczy. Ukłuł się boleśnie, zaklął i w tym momencie jakaś wielka siła powaliła go na ziemię. W ostatnim przebłysku świadomości zobaczył obok siebie trzech świętych: Emeryka, Mikuna i Gamzę. Odwrócili się do niego plecami, a wtedy zapanowała ciemność i cisza.

Harleyowcy z krzykiem pędzili do przewróconych motocykli.

Magda siedziała przed domkiem do późnego wieczora. Kiedy radosne oczekiwanie zmieniło się w smutną pewność, że Krystian nie przyjdzie, wyciągnęła z szafy torbę i wzięła się do pakowania swoich rzeczy. Myślała tylko o tym, że rano musi złapać pierwszy autobus, bo inaczej nie zdąży na pociąg, i że w domu czeka ją wielkie pakowanie przed wyjazdem do Szwecji.

Wygarnęła z szafy ubrania. Niewiele tego przywiozła, jeszcze mniej nosiła. Krem do opalania z filtrem też leżał nienaruszony. Pomyślała, że równie pracowitego urlopu jeszcze nie miała. Za jedyną rozrywkę mogła uznać karmienie kaczek i, od biedy, zaloty dziadka Świerka. A jednak, gdyby los po raz drugi nie pomieszał jej planów, ten urlop byłby najpiękniejszy i niepowtarzalny. Miała żal do losu, nie do Krystiana. Wierzyła, że chciał przyjechać, może nawet bardzo chciał, tyle że nie wyszło. Z telefonem i adresem też nie wyszło, bo uparł się, że zdąży wrócić.

Kładła się do łóżka w miarę spokojna. Sześć lat rozłąki zrobiło swoje. Myślała o powrocie do domu, o Szwecji i swojej pracy. Jechała karetką do chorego, bała się, że nie zdążą, i kazała kierowcy włączyć sygnał. Nagle okazało się, że wcale nie jadą do chorego, tylko prosto na prom do Finlandii. Krzyczała, że ona nie chce do Finlandii, że nie może. Kierowca śmiał się i płakał jednocześnie. Poznała go po tym głupim śmiechu. To był ten sam wariat, który sześć lat temu o mały włos jej nie zabił. Musiała krzyknąć, bo do pokoju wbiegła Anetka wystrojona jeszcze dyskotekowo i niesamowicie przejęta.

– Harleyowcy się pobili albo co – paplała jednym tchem. – Tak krzyczeli, że zagłuszyli orkiestrę, dasz wiarę? A przed chwilą policja jechała i karetka na sygnale… Jakaś straszna draka.

Posiedziały, pogadały i Magda zasnęła dobrze po pierwszej. Nie usłyszała cichego pukania do drzwi, a potem do okna w pokoju Anetki. Ocknęła się pod delikatnym dotknięciem gorącej ręki na policzku. Tuż nad sobą zobaczyła zmęczone oczy Krystiana. Przygarnął ją gwałtownie i przez chwilę trzymał w ramionach.

– Straszna noc – szepnął wreszcie. – Jeden osiemnastolatek ciężko ranny, mój przyjaciel Antek nie żyje… Ja miałem jechać pierwszy, rozumiesz, Magdułko? Ja… Tylko kask mi się zapodział.

– Jakiś wypadek w drodze? – spytała przejęta grozą i jednocześnie szczęśliwa, że widzi go całego i zdrowego.

Ze ściśniętym sercem słuchała opowieści o starym człowieku i jego pułapkach.

– Nikt inny tylko świętej pamięci dziadek Świerk – powiedziała Anetka.

– Jakiej on tam świętej pamięci! – mruknął Krystian. – Jednego człowieka zabił, drugiego ranił, a sam tylko omdlał. Guz na czole, skaleczona ręka, to wszystko.

– Szefowa dobrze mówi, że stary jest nie do zdarcia. – Anetka pokiwała głową. – Ma żółte papiery i nic mu nie zrobią.

Rozsiadła się na krześle i ani myślała odchodzić. Jak już przełamała strach i otworzyła drzwi nieznajomemu, to przynajmniej chciała pogadać, niekoniecznie o wypadku. Żeby nie zakłócać jej snu, Magda z Krystianem wynieśli się na twarde ławki Pukliszka. Z długiej romantycznej nocy uratowali zaledwie kilka ostatnich godzin do odjazdu autobusu.

– Mówisz, Magdułko, że to tylko rok? – spytał.

– Tylko – przytaknęła. – Będziemy dzwonić, przesyłać maile, pisać...

Oboje w tym samym momencie wsunęli ręce do kieszeni, żeby sprawdzić, czy nie zgubili kartek z adresami. Zawsze działali na tych samych falach i żadna rozłąka nie zdołała tego zmienić.

Bartosz Łapiński

KOCUREK

Dla Ber

Często tak bywa, gdy jakiś skarb znajdzie się
w niebezpieczeństwie: ktoś musi się go wyrzec, utracić,
by inni mogli go zachować.

Frodo Baggins
(J.R.R.Tolkien, „Władca Pierścieni")

Nigdy jeszcze nie całowałem tak zmysłowych i delikatnych ust. Jeśli wcześniej nie wiedziałem, jak to jest być w siódmym niebie, to właśnie tego wieczoru zostałem olśniony. Byłem największym szczęściarzem, jakiego można sobie wyobrazić: początek sierpnia, cieplutko, Świnoujście, najpiękniejsza plaża na polskim wybrzeżu, na plaży najpiękniejsza dziewczyna, jaką znałem, właścicielka tych niesamowitych ust, a do tych ust przyklejony ja.

Moje ręce, równie szczęśliwe, wędrowały sobie po najbliższych okolicach, którym w przeciwieństwie do plaży daleko było do płaskości. W sumie to nie panowałem nad rękoma, cały mój organizm zawarł tej nocy przymierze i każda jego cząstka cieszyła się na własną hm... rękę, maksymalnie wykorzystując sytuację. A ja mogłem na razie spokojnie skupić się na tych cudownych ustach. Właśnie dlatego początkowo nie zwracałem uwagi na moją prawą rękę. Dopiero kiedy powoli zaczęły do mnie docierać urywki rzeczywistości, jak przez gęstą mgłę poczułem, że coś tu jest nie tak.

Chciałem jak najszybciej pozbyć się uczucia niepokoju, dlatego szybko zrobiłem w myślach przegląd całego ciała. Mojego ciała tym razem. Wszystko było w jak najlepszym porządku, od góry do dołu nie odkryłem niczego dziwnego. Poza prawą ręką. No właśnie... Co z tą prawą ręką, do cholery, pomyślałem i skupiłem się na niej. Okazało się, że w dłoni trzymam drugą dłoń. Oczywiście nie moją drugą dłoń, bo moja akurat była zupełnie gdzie indziej. Początkowo uznałem, że wszystko jest jak trzeba, ale po chwili zmieniłem zdanie. I nie chodziło wcale o to, że ta druga dłoń była jakaś taka chłodna, jakaś taka mało dziewczęca i jakoś tak mało ruchoma. Chodziło o to, że obie dłonie dziewczyny wyraźnie czułem na sobie. Skupiłem się na tym fakcie i stwierdziłem, że mam rację. Paznokcie jej lewej dłoni delikatnie wbijały się w plecy pod moją koszulką, a druga czule obejmowała mój kark.

W tym momencie dotarło do mnie, że zdecydowanie coś tu jest nie tak. Sytuacja była dość niezręczna. Nie chciałem jednak psuć nastroju, dlatego udając namiętność (szczerze mówiąc, nie musiałem ani trochę udawać), zostawiłem jej usta i wciąż całując, zjechałem na szyję, skąd miałem doskonałą pozycję obserwacyjną w kierunku mojej prawej ręki.

Tak jak się spodziewałem, zobaczyłem, że ściskam jakąś dłoń. Coraz mniej mi się to podobało. Żeby rozwiać wszelkie wątpliwości, skierowałem wzrok wzdłuż ręki. W jednej chwili wyszarpnąłem swoją i wzdrygnąłem się tak mocno, że aż mną rzuciło.

– Co...? – usłyszałem czuły szept.

Z całych sił starałem się nie ulec panice, ale nie mogłem oderwać wzroku od tego, co zobaczyłem tuż obok.

– Eee... nic, nic – wykrztusiłem. – Wszystko okej...

– No to całuj mnie dalej! Szło ci całkiem nieźle, łobuzie...

Znowu przylepiłem się do smukłej szyi, ale robiłem to automatycznie, a w głowie miałem chaos. Minęła już północ, dookoła było całkowicie ciemno, ale kształt, który ujrzałem pół metra od nas, rozpoznałem bezbłędnie, w czym na pewno pomogła mi ta zimna, sztywna dłoń. Martwa dłoń. Tak samo jak należące do niej ciało.

W życiu nie widziałem martwego człowieka, ale na pierwszy rzut oka było widać, że ten nie żyje. Mogłem być tego pewien. Nie powiem, mocno mnie to ruszyło. Na szczęście w tych pierwszych chwilach zadziałał mój instynkt samozachowawczy. Albo może jakiś inny instynkt. W każdym razie szybko się opanowałem i pierwsza myśl, jaka mi przyszła do głowy, to że nie chcę zmarnować takiej okazji. Na Roksanę miałem apetyt od dawna – żaden trup nie miał prawa pokrzyżować moich planów. Wiem, że było to trochę egoistyczne myślenie, ale przecież jemu było już wszystko jedno, a każdy, kto by zobaczył Roksanę, na pewno by mnie zrozumiał. Poza tym wiedziałem, że ona uległa tego wieczoru chwilowej słabości i na następną taką noc szanse miałem niewielkie.

Starając się zachować jak najbardziej normalny głos, szepnąłem do jej ucha:

– Może przeniesiemy się kawałek dalej?
– Co? – odparła odrobinę nieprzytomnie. – Dlaczego?
– No wiesz... – zawahałem się. – Tam pod wydmami jest taki fajniejszy piasek, bardziej miękki.
Jej ręce znieruchomiały; odsunęła mnie trochę i spojrzała mi w oczy.
– Miłosz! O co ci chodzi? Nie podoba ci się tutaj?
– Podoba, oczywiście że podoba! – odparłem żarliwie. – Ale tam naprawdę będzie przyjemniej.
Mimo że bardzo starałem się nad sobą panować, nadal czułem lęk spowodowany dodatkowym towarzystwem, które tak nieoczekiwanie wkroczyło w tę romantyczną chwilę. Dlatego wzrok co chwila uciekał mi w tamtą stronę i niestety nie umknęło to uwadze Roksany.
Zerknęła w lewo, potem znowu spojrzała na mnie, szeroko otwierając swoje śliczne oczy. Zachwycił mnie ten widok, ale ona odwróciła głowę. Po chwili dotarło do niej to, co zobaczyła. Głośny krzyk wdarł się do moich uszu; w tymże momencie poczułem, że padam na piasek. Kiedy się podniosłem, Roksana kilka metrów dalej klęczała, zatykając usta i oddychając ciężko. Podszedłem do niej niepewnie, ale nie wiedziałem, co powiedzieć, więc tylko klęknąłem obok i pogłaskałem ją po głowie.
– Zobaczyłem go dopiero przed chwilą. Nic nie mówiłem, bo nie chciałem cię wystraszyć.
Ku mojemu zdziwieniu Roksana szybko się uspokoiła i spojrzała na mnie wściekle.
– Tak, jasne! Już ci wierzę!
– Naprawdę... – Kłamanie nie wychodziło mi dobrze, więc nie chciałem tego ciągnąć. – Przepraszam... Ale wiesz, ja też się wystraszyłem...
– Już dobrze – powiedziała i rozejrzała się po otaczającej nas ciemności. – Musimy się zastanowić, co dalej. Nie możemy tego tak zostawić. Masz telefon?
– Nie.
– Jak to nie? Zapomniałeś?
– Nie, ja w ogóle nie mam komórki.
Westchnęła. Spojrzałem na leżącą obok na piasku jej torebkę.
– Ale ty przecież masz...
– Zapomnij! – przerwała mi. – Nie będę z mojego numeru dzwoniła na policję. Nie mam ochoty tracić wakacji na takie rzeczy.
Zdumiałem się, ale nie chciałem jej więcej denerwować.
– To co, idziemy na promenadę poszukać automatu? – spytałem niepewnie. – Albo policjanta?
– Poczekaj, szkoda czasu – odparła, wstając. – Może on ma telefon.

Poczułem dreszcz na plecach, ale poszedłem za nią. Dopiero teraz mogłem lepiej się przyjrzeć ciału; mimo ciemności widać było, że facet miał nie więcej niż trzydzieści lat. Ubrany był w dżinsy, koszulkę i skórzaną kurtkę. Na oczach miał przeciwsłoneczne okulary.

– Jak myślisz, co mu się stało? – spytałem.

– Nie wiem, i wcale mnie to nie ciekawi – odparła.

– Może słońce mu zaszkodziło... Ostatnio ciągle mówią, żeby nie siedzieć długo na słońcu...

Roksana zignorowała mój żart i wskazała palcem na faceta.

– Skoro już jest ci tak wesoło, to sprawdź, czy ma telefon!

Od razu przeszła mi ochota na śmiech.

– Ja? Czemu ja?

– Bo ty go znalazłeś! A teraz musisz spełnić obywatelski obowiązek i zadzwonić na policję!

Przypomniałem sobie dotyk jego zimnej dłoni i nogi się pode mną ugięły. Powoli zrobiłem krok w tył, potem następny i następny.

– Ja... – wybełkotałem – ja chyba nie chcę... Nie, na pewno nie chcę. Nie mogę! To już wolę iść na promenadę!

Spojrzała na mnie z niesmakiem.

– Boże, same ciapy wokół mnie. Gdzie ci mężczyźni, do cholery, orły, sokoły, no gdzie?!

Ze zdumieniem patrzyłem, jak klęka przy trupie i sprawdza jego kieszenie. Wyciągnęła coś z kieszeni kurtki, ale nie widziałem co, bo była odwrócona plecami do mnie, potem dalej szukała. Trwało to dobrą chwilę.

– Nie brzydzisz się? – spytałem.

– E tam, różne rzeczy już się przeżyło – usłyszałem. – Żebyś wiedział, co mój durny brat potrafi włożyć do zamrażarki.

Nagle wstała i wyciągnęła do mnie rękę z telefonem.

– Widzisz? Miałam rację. A teraz dzwoń!

To wszystko zaczynało mnie przerastać – najbardziej zachowanie Roksany. Co prawda nie znałem jej dobrze, ale zawsze myślałem, że jest taką śliczną, delikatną, wymagającą opieki dziewczynką. Tymczasem, mimo że byliśmy w tym samym wieku, dyrygowała mną jak jakiś kapral. Co prawda zdążyłem już poczuć, że ma temperament, ale nie sądziłem, że aż taki z niej kocurek. Jednak odpowiadało mi to, bo sam nie umiałbym podjąć teraz żadnej decyzji.

– Mówisz...?

– Dzwoń! Tylko pamiętaj: ani słowa o mnie! Mnie tu nie było! Zrozumiałeś!

– Nie było cię...?

– Głuchy jesteś? Nie było mnie! Ja mam wakacje, nie mogę się stresować takimi rzeczami, a ty masz wakacje cały rok, więc weź to pod uwagę i zrób wreszcie coś pożytecznego, dobrze?!

– No... dobrze...

– Super! – ucieszyła się. – Dasz sobie radę! To ja spadam. Na razie, Miłosz.

Podeszła i dała mi długiego, słodkiego całusa, aż nogi znowu mi zmiękły. Potem ruszyła do najbliższego wyjścia z plaży.

– Poczekaj! – krzyknąłem cicho.

– Tak? – Zatrzymała się i obejrzała ze zniecierpliwieniem.

– Masz jeszcze papierosy? – spytałem.

Znowu westchnęła. Cofnęła się, pogrzebała w torebce i rzuciła mi całą paczkę marlboro light.

– Weź wszystkie.

– Dzięki... – Uśmiechnąłem się niepewnie.

– Spoko. Aha, jeśli chcesz, to możesz jutro do mnie zadzwonić. – Też się uśmiechnęła.

I poszła sobie. Patrzyłem, jak znika w ciemności, i czułem się coraz bardziej głupio i niepewnie. Na szczęście przypomniałem sobie, że trzymam w ręku telefon. Wybrałem numer, wyjaśniłem, o co chodzi, i obiecałem zostać na miejscu. Nie bardzo mi się to podobało, ale cieszyłem się, że policjanci zaraz będą. Odszedłem parę metrów od ciała, usiadłem na piasku i zapaliłem papierosa. Słuchałem szumu morza i starałem się zebrać myśli, ale one wciąż krążyły wokół ust Roksany. Po kilku minutach daleko z prawej strony, tam gdzie był wjazd dla samochodów, zobaczyłem jasne reflektory i migające niebieskie światełko. Odetchnąłem z ulgą i pstryknąłem niedopałkiem w ciemność.

Kiedy się obudziłem, było już bardzo jasno. Sądząc po ilości słońca w pokoju, mogło już być blisko południa. Normalnie wstaję wcześniej, ale tej nocy mało spałem. Policjanci nie trzymali mnie długo na plaży, ale potem poszedłem na promenadę, żeby się uspokoić i poszukać Roksany, co w sumie zajęło mi kilka godzin.

Obróciłem się na bok i ujrzałem długie brązowe włosy. Uśmiechnąłem się, przypominając sobie końcówkę tej nocy. Wyciągnąłem rękę i pogłaskałem Roksanę po głowie. Zamruczała cichutko i obróciła się powoli w moją stronę. Przesunąłem rękę w dół na jej ramię. Jej skóra była chłodna. Bardzo chłodna. Zanim zdążyłem cofnąć rękę, zobaczyłem obracającą się w moją stronę twarz – bladą, zarośniętą, skrywającą oczy za ciemnymi okularami. Wrzasnąłem przerażony i wtedy naprawdę się obudziłem.

Rozejrzałem się nerwowo po pokoju – stwierdziwszy, że jestem sam, opadłem z ulgą na poduszkę.

– Jezu... – szepnąłem. – Co za durny sen... A mogło być tak pięknie...

Zerknąłem na zegarek. Dochodziło południe i nagle przypomniało mi się, że obiecałem policjantom o dwunastej być na komendzie. Zerwałem się z łóżka, szybko wykąpałem i bez śniadania wybiegłem z domu. Mieszkałem sam; mama wyjechała do Szwecji i nie planowała szybkiego powrotu, a starszy brat przeprowadził się do dziewczyny i rzadko tu zaglądał. W sumie pasowało mi to, ale ostatnio czułem się coraz bardziej samotny i coraz poważniej myślałem o wyjeździe do Irlandii, na co namawiał mnie mieszkający tam kumpel. Nie brałem tego wcześniej pod uwagę, bo nic nie ruszyłoby mnie z Polski przed Przystankiem Woodstock, ale właśnie parę dni temu wróciłem stamtąd i już nic mnie tu nie trzymało. No, może tylko jeszcze myśl o Roksanie. Ta dziewczyna bez problemu mogła mnie tutaj zatrzymać.

Na komendę dotarłem kilka minut po dwunastej, ale i tak musiałem jeszcze chwilę czekać. Przyjął mnie facet po cywilnemu. Był całkiem sympatyczny; drobny stres, jaki mi towarzyszył przy tej wizycie, szybko się ulotnił. Powtórzyłem mu to samo, co policjantom na plaży – że byłem na promenadzie, miałem ochotę się przejść na plażę i tam natknąłem się na to ciało. Policjant słuchał mnie uważnie i widać było, że mi wierzy. Dowiedziałem się też, że znaleziony facet nie był miejscowy, był za to poszukiwany przez policję. W jego krwi znaleziono mnóstwo kokainy i alkoholu – dlatego dali mi spokój, mimo że uznali pomysł szukania u niego telefonu za „niezbyt rozsądny".

Na zewnątrz czekała dziennikarka lokalnego dziennika, która koniecznie chciała ze mną porozmawiać. Chętnie opowiedziałem jej moją przygodę, pomijając oczywiście, z pewnym żalem, wiadome fragmenty, za to koloryzując inne, aby dodać sobie chwały. Z każdą chwilą coraz bardziej to wszystko mi się podobało i nawet trochę zacząłem czuć się jak bohater. Na koniec pozwoliłem się sfotografować i cały szczęśliwy pobiegłem na promenadę do Dagmary. Chciałem się pochwalić koleżance nocną przygodą, ale i śniadanie było ważnym powodem. Dagmara prowadzi przy jednym z wejść na plażę smażalnię „Złota Rybka". Dla mnie jest to rybka znosząca złote jajeczka, bo zawsze mogę liczyć tam na porcję ryby, a czasami nawet na piwo.

Po chwili siedziałem najedzony i rozleniwiony w mgiełce chwały, ale moje myśli powoli zajmowało co innego. Roksana. Cholera jasna – pomyślałem z rozpaczą – powiedziała, żebym zadzwonił, a przecież ja nie mam do niej numeru telefonu. Nawet nie wiem, jakie ma nazwisko! Wszystko, co o niej wiedziałem, to że jest siostrą

Larsa – totalnego świra, ale najlepszego kumpla Szymona. A Szymon to mój dobry kumpel, więc choć nie przepadałem za Larsem, musiałem go tolerować. Niestety, Szymon po Woodstocku pojechał do Holandii, więc nie mogłem liczyć na jego pomoc. Nagle mnie olśniło. Przecież Lars to także przyjaciel Dagmary!

Kilka minut później wracałem do domu podwójnie szczęśliwy. Z pełnym żołądkiem i adresem i numerem telefonu Roksany w kieszeni. Nuciłem na głos „Out of Time" Stonesów, ale w tej mocniejszej wersji w wykonaniu The Bates. Tekst co prawda tylko częściowo pasował do sytuacji, ale radosna melodia jak najbardziej. Świat był po prostu piękny!

W domu piękno świata odrobinę zblakło. Po wybraniu numeru miły głos poinformował mnie, że abonent ma wyłączony telefon lub jest poza zasięgiem. Cholera! Co ty chrzanisz, paniusiu, pomyślałem, nie zdajesz sobie sprawy z powagi sytuacji! Ale nic nie powiedziałem. Za pierwszym razem nic. Bo gdy piąty raz w ciągu dziesięciu minut próbowałem się dodzwonić i po raz piąty usłyszałem ten tekst, nie wytrzymałem i kazałem się zamknąć głupiej krowie.

Na szczęście chwilę później zadzwonił kumpel, bo już miałem ochotę rozwalić telefon o ścianę. Pracował w firmie wywożącej śmieci i czasem zabierał mnie na fuchy. Akurat potrzebował kogoś do pomocy przy rozbiórce jakiegoś budynku. Chwilę się wahałem, bo jeszcze nie zaplanowałem tego dnia, ale pomyślałem o bilecie do Irlandii i od razu się zgodziłem. Mieszkanie i rachunki były opłacane, jedzenia mi nie brakowało, ale na inne rzeczy pieniądze musiałem kombinować sam. Dlatego do późnego wieczora waliłem młotem w cegły i wrzucałem je na ciężarówkę. Przynajmniej tak się wyżyłem, że kiedy wróciłem do domu i w telefonie znów usłyszałem znajomy tekst, po prostu odłożyłem słuchawkę i poszedłem spać.

Tuż po ósmej obudził mnie telefon. Dzwonił brat z wiadomością, że zobaczył mnie w gazecie. Ucieszył się i pytał, czy u mnie wszystko w porządku. Od wczoraj zdążyłem już zapomnieć o wywiadzie, ale od razu wstałem i poszedłem do kiosku. Moja opowieść została nieco skrócona, ale i tak brzmiała nieźle. Zdjęcie nie było duże, ale dobrze wyszedłem. Naprawdę mi się podobało. Wróciłem do domu, zjadłem śniadanie i włączyłem komputer. Kajtek z Irlandii był akurat na gadu-gadu. Napisałem mu, że decyzja o wyjeździe zależy od tego, czy się zakocham, i że na pewno zapadnie wkrótce. Potem spróbowałem dodzwonić się do Roksany. Bez rezultatu. Postanowiłem więc pójść do niej do domu, bo zacząłem podejrzewać, że po prostu ma jakiś problem z telefonem.

Po dwudziestominutowym spacerze z radością zobaczyłem przed domem jej srebrnego matiza i odnalazłem nazwisko na domofonie. Nikt się nie zgłosił, ale usłyszałem brzęczenie zwolnionej blokady. Uradowany wbiegłem na pierwsze piętro z przekonaniem, że zobaczyła mnie z okna, ale w drzwiach omal nie zderzyłem się z jej bratem.

– O, Lars... – Trudno było mi ukryć rozczarowanie, ale się uśmiechnąłem. – Cześć.

– Mhm – mruknął. – Szymona nie ma, jest w Holandii.

– Aaa... no wiem – odparłem. – Ale ja wcale go nie szukam. Jest Roksana?

Lars spojrzał na mnie podejrzliwie, a ja uśmiechnąłem się niewinnie.

– Nie ma jej, wyszła z psem. Ale wejdź do środka – chwycił mnie nagle za ramię – zapraszam!

Zaciągnął mnie do swojego pokoju, gdzie nadziałem się na kolejny podejrzliwie-ironiczny wzrok. W fotelu siedział z butelką tyskiego i paczką toruńskich pierników Czarek, kumpel Larsa i Szymona. On też zawsze traktował mnie jak gówniarza, ale przyzwyczaiłem się do tego i w ogóle nie przejmowałem.

– O, cześć – powiedziałem. – Kiedy przyjechałeś? Na długo? – Wiedziałem, że teraz mieszka w Anglii.

– Wczoraj. – Czknął głośno. – Na trzy tygodnie.

– Fajnie. – Pokiwałem z uznaniem głową. – Dobrze wybrałeś, sierpień w Świnoujściu to świetny pomysł!

– Wiem – powiedział, wyciągając ze stojącej obok skrzynki następne piwo. – W to lato planuję się zakochać, chyba że tyskie i bosman pokrzyżują mi plany. – Zaśmiał się. – Chcesz browara?

– Eee... – Zawahałem się, ale przypomniałem sobie, po co tu jestem. – Nie, dzięki. Ja tylko szukam Roksany.

– No właśnie – wtrącił się nagle Lars. – Czego od niej chcesz?

– Niczego – odparłem niepewnie. – Tak tylko...

– Jak to niczego? Nie wciskaj mi Miłosz kitu! Może ci się nie podoba, co?

– No co ty?! – oburzyłem się. – Jasne, że mi się podoba! Przyszedłem, bo... bo obiecała mi pożyczyć jakąś fajną książkę.

– To ty czytasz książki? – udał zdziwienie. Roześmieli się razem z Czarkiem.

– No, czasem mi się zdarza. – Zignorowałem ich śmiech. – Więc powiesz mi, gdzie mogę znaleźć Roksanę?

– Myślisz, że wiem? – Tym razem on sięgnął do skrzynki i otworzył piwo. – Ta gówniara nic mi nie mówi, a od rana jakoś dziwnie się zachowuje. Zakochała się czy co?

Serce zabiło mi mocniej i szeroki uśmiech nieświadomie pojawił się na twarzy.

– Nie ciesz się tak – zgasił mnie Lars. – Od matki słyszałem, że jutro albo pojutrze jedzie do Poznania.

– Po co? – zdziwiłem się. – Przecież dopiero środek wakacji!

– Bo to jest wyjątkowa dziewczyna! Jeszcze się nie zorientowałeś? Widocznie ma jakieś sprawy. Myślisz, że wszyscy się opieprzają tak jak ty?

Albo tak jak ty – pomyślałem. Ale nic nie powiedziałem. Zrobiłem tylko minę, jakbym nie wiedział, o co chodzi.

– Wiesz co – powiedziałem smutnym głosem do Czarka – mogę jednak dostać tego browara?

– Jasne. – Schylił się do skrzynki. – Rozsądna decyzja.

– Siadaj. – Lars wskazał mi drugi fotel.

Siadając, odruchowo spojrzałem na sufit i zdziwiłem się.

– Czy tu nie wisiała kiedyś taka duża flaga bacardi? – Wskazałem palcem w górę.

– Wisiała. Ale dałem ją Szymonowi – odparł Lars z dziwnym uśmiechem. – To mówisz, że chcesz jakąś fajną książkę? – spytał. – Mogę coś ci polecić, jeśli chcesz mieć o czym później gadać z Roksaną. Chcesz?

– Aha – odparłem. – Pewnie.

– To ci się powinno spodobać. – Wyciągnął z półki gruby tom i podał mi. – Nie patrz na grubość, szybko się czyta.

– Okej. – Wziąłem książkę i obejrzałem okładkę. – Dżejms Jo... Jojs?

– Dżojs. Dżejms Dżojs. „Ulisses". Świetna książka, nie słyszałeś?

– Nie. To o tym amerykańskim okręcie?

– Nie. – Lars roześmiał się. – To opis życia w dawnej Irlandii. Wszystko się dzieje w ciągu jednego dnia. Mówię ci, fajne klimaty.

– O Irlandii? – ucieszyłem się. – Ja właśnie się zastanawiam, czy tam nie wyjechać. Kumpel mnie namawia.

– No widzisz, jak ci dobrze wybrałem! Możesz ją pożyczyć, tylko nie trzymaj długo, bo często wracam do tej książki.

– Dobrze. Dzięki, Lars.

Kurczę, pomyślałem, jednak fajny z niego gość, jak go bliżej poznać.

Wychodząc, ze zdziwieniem zauważyłem, że samochód Roksany zniknął. Westchnąłem ciężko i poczłapałem do domu, zastanawiając się, co począć dalej z tym tak ciężko rozwijającym się uczuciem.

Już sam nie wiedziałem, co o tym wszystkim myśleć. Szczerze mówiąc, jeszcze nie zakochałem się aż tak, żeby mieć złamane serce, ale Roksana była naprawdę niesamowita. Prawdziwy skarb. Miała w sobie jednocześnie dziewczęcą niewinność Avril Lavigne i zmysłowość tańczącej sambę Shakiry. A urodą biła je obie na głowę, promieniując radosną pewnością siebie z dużych, ślicznych oczu. Taki intrygujący, zmiękczający serce kocurek. Była dziewczyną, którą na sto procent chciałbym mieć jako moją dziewczynę. Dlatego było mi troszkę smutno, bo zrozumiałem, że ona nie czuje tego co ja i raczej nic z tego nie wyjdzie.

W takim zamyśleniu wszedłem do klatki schodowej i ruszyłem piechotą na czwarte piętro; dopiero w połowie trzeciego piętra zorientowałem się, że ktoś za mną idzie, ale nie przejąłem się tym. Otworzyłem kluczem drzwi i nagle jakaś siła pchnęła mnie mocno do środka. Zanim upadłem na podłogę, poczułem na udach, a raczej na pośladkach przeszywający ból. Zdążyłem tylko jęknąć, bo kiedy obróciłem się na plecy, usta zapchał mi czubek bejsbola. W tym samym momencie trzasnęły drzwi wejściowe. Jeden typ stał nade mną, wciskając mi kijem język do gardła. Kątem oka widziałem, że drugi sprawdza, czy w mieszkaniu nie ma jeszcze kogoś.

– Będziemy krzyczeć? – spytał ten nade mną, przyciskając mnie mocniej do podłogi.

– Nnyy-eee – wybełkotałem, kręcąc z trudem głową.

Typ powoli cofnął kij, gestem kazał mi wstać, spytał, gdzie jest mój pokój, i kazał tam iść. Poczułem pchnięcie i wylądowałem na łóżku. Zapiekło mnie z tyłu, kiedy usiadłem, ale przed nosem znowu zobaczyłem czubek kija i zapomniałem o bólu. Przede mną ujrzałem dwóch facetów, na oko po czterdzieści parę lat.

Zdziwiłem się, bo wyglądali tak jakoś normalnie, a nawet trochę frajersko. Ten z kijem nosił okulary i śmieszną koszulę, jakby dopiero co zdjął krawat, a drugi na białej koszulce miał kamizelkę – zupełnie jak wędkarz. Nie wiedziałem, co myśleć, w ogóle nie miałem pojęcia, co się dzieje, ale szybko przestałem się bać, bo goście bardziej wyglądali na nauczycieli niż na przestępców. Jeden z nich wyciągnął dzisiejszą gazetę, zajrzał do środka i spojrzał na mnie.

– To on – powiedział.

Pokazał gazetę koledze.

– On – potwierdził drugi.

Potem skierowali papier w moją stronę. Zobaczyłem znajomy artykuł i swoje zdjęcie.

– To ja – przytaknąłem.

– Zamknij się! Wiemy, że to ty! – krzyknął ten z kijem. – Gdzie to masz?

Trochę mnie wystraszył, ale w jego zachowaniu było coś nieprawdziwego – jakby udawał, że jest taki zły.

– Co mam? – zdziwiłem się.
– Nie wkurzaj mnie, gnojku! Gdzie to masz? Gdzie masz mapę?
Szeroko otworzyłem oczy.
– Mapę? Jaką mapę?!
Facet chyba naprawdę się zdenerwował, bo znowu zaczął krzyczeć. Drugi tylko mi się przypatrywał. Ja też zacząłem się denerwować i podniosłem głos, tłumacząc, że nie wiem do cholery, o co chodzi. Po chwili po prostu kłóciliśmy się, krzycząc jeden przez drugiego. Ucichłem, dopiero kiedy tamten zamachnął się kijem.
– Poczekaj! – odezwał się ten stojący z boku. – On chyba naprawdę nic nie wie.
Facet patrzył mi uważnie w oczy, a ja pomyślałem, że chyba zaczynam go lubić.
– Widzi pan? Proszę posłuchać kolegi, on ma stuprocentową rację! Naprawdę nie wiem, o co wam chodzi!
Bejsbolista spojrzał ze złością na mnie, potem na towarzysza. Tamten kiwnął na niego i wyszli do przedpokoju. Szeptali chwilę, nie spuszczając mnie z oka. Gorączkowo zastanawiałem się, o co tu chodzi, ale żadna rozsądna odpowiedź nie chciała mi przyjść do głowy.
Wrócili do pokoju. Ten spokojniejszy usiadł na krześle przy biurku, drugi stanął pod szafą. Wyglądali na zdezorientowanych i zrezygnowanych.
– I co teraz zrobimy? – padło pytanie.
– Może herbatę? – zaproponowałem nieśmiało.
Ten z kijem spojrzał na mnie wściekle.
– Albo kawę – dodałem szybko – jeśli nie lubi pan herbaty.
Facet przy biurku uśmiechnął się.
– Niezły pomysł. Ja poproszę herbatę, a ty, Krzysztof?
Krzysztof opuścił kij.
– Ech... – westchnął. – Wiesz co, Mieczysław, chyba nie nadaję się do tej roboty. Idź, młody, zrób dwie herbaty. I coś dla siebie, jeśli masz ochotę.
– Oki – powiedziałem wesoło. – Czyli trzy herbaty.
Kiedy byłem w kuchni, Krzysztof wciąż mnie obserwował, ale w ogóle już się nie bałem. Co prawda tyłek mnie bolał, ale coraz bardziej mnie to wszystko intrygowało. Po chwili postawiłem na biurku trzy szklanki i ostrożnie przysiadłem na łóżku. Zapanowało krępujące milczenie, więc jako gospodarz postanowiłem je przerwać.
– Przepraszam, panowie z mafii? – zagadnąłem.
– A gdzie tam. – Mieczysław machnął ręką. – Z uniwersytetu.

Ze zdumieniem wysłuchałem ich historii. Aż tak bardzo się nie pomyliłem – moi niedoszli oprawcy rzeczywiście byli nauczycielami, tylko że na jednym z największych uniwersytetów. Jakiś czas temu z uniwersyteckiej biblioteki zginęło kilka bardzo starych książek, bezcennych zabytków. Mówili nawet o tym w telewizji. Była to duża strata i w oczach uczelni upokorzenie, bo zdarzyło się to nie pierwszy raz. Uniwersytet rozpoczął nieoficjalne śledztwo na własną rękę. I poszło im całkiem nieźle, namierzyli gang, do którego przez jednego ze studentów te książki trafiły. Wtedy przekazali sprawę policji, która zrobiła nalot na gangsterów. Niestety, okazało się, że dzień wcześniej jeden z bandziorów zdradził swoich kamratów i uciekł. Wraz z nim zniknęła duża gotówka i inne cenne rzeczy, w tym wspomniane białe kruki.

Profesorkowie ponownie wkroczyli do akcji – i znowu im się poszczęściło. Namierzyli uciekiniera; ślady prowadziły na wyspę Uznam. I tak się znaleźli w Świnoujściu. Wiedzieli, że gdzieś musiał schować łupy i że ma przy sobie jakąś mapę. Poprzedniej nocy byli już bardzo blisko; gangster ostro imprezował w jednej z dyskotek na promenadzie, ale zniknął im z oczu. Odnalazł się nieco później. Na plaży.

Zamyślony kiwałem głową, wszystko zaczęło mi się układać w logiczną całość. Od policji dowiedzieli się, że wśród przedmiotów znalezionych przy ciele nie było żadnej mapy. Ale dowiedzieli się też o dość nietypowych okolicznościach znalezienia zwłok. Profesorowie wyglądali może niepozornie, ale potrafili dobrze kombinować. Skoro umieli namierzyć gang, to namierzenie mnie było dla nich małym piwem. Wystarczyło kupić gazetę.

Ale nie o tym myślałem. W pewnej chwili zacząłem kręcić głową z niedowierzaniem. Przypomniałem sobie dokładnie jedną scenę z tamtej nocy na plaży. I nie była to jedna ze scen romantycznych.

– To cwana bestia – szepnąłem. – Cholerny cwany kocur...

Krzysztof i Mieczysław spojrzeli na mnie zdziwieni.

– Panowie – powiedziałem pewnym głosem. – Chyba wiem, kto może mieć tę mapę. Pomogę wam, ale chcę mieć wolną rękę. Zaufacie mi?

Krzysztof niepewnie spojrzał na kolegę, który westchnął ciężko.

– Wiesz co, Miłosz – powiedział. – Od kilku tygodni tkwimy w tym popapranym środowisku. Wszystkich dookoła podejrzewamy i babramy się w tym przestępczym gównie. Dzisiaj nawet już nie poznaję Krzyśka. – Głos mu się łamał. – Macha bejsbolem jak gangster, krzyczy, przeklina. Boże, mam już tego dosyć! Nie pamiętam już, kiedy ostatnio komuś zaufałem...

Zamilkł i ukrył twarz w dłoniach. Krzysztof wpatrywał się w podłogę. Spojrzał na swoją rękę, w której wciąż trzymał kij. Rozejrzał się po pokoju i odłożył pałę na półkę z książkami. Potem spojrzał na mnie.

– Przepraszam – szepnął.

Zrobiło mi się go żal, ale nic nie powiedziałem, bo tyłek nadal piekł mnie jak cholera.

– To jak będzie? – spytałem. – Zrobimy teraz po mojemu?

Pokiwali z ulgą głowami, jakby zrzucili z siebie ciężar. W sumie to sam siebie zadziwiałem – nigdy jeszcze nie byłem w takiej sytuacji, ale podobało mi się. Czułem, że robię coś wyjątkowego.

– Dobra, robimy tak – rozkręcałem się coraz bardziej. – Zostawcie mi swój numer telefonu. Ja się zorientuję, co jest grane, i dam wam znać. Może będę potrzebował waszej pomocy, chociaż wydaje mi się, że sam sobie poradzę. A wy tymczasem idźcie na plażę, poopalajcie się, popływajcie, napijcie się zimnego piwa. I czekajcie na telefon.

Pół godziny później wpatrywałem się z daleka w okna mieszkania Roksany. Przed domem nie było ani jej samochodu, ani białego malucha Larsa. Przebiegłem przez ulicę, wcisnąłem przycisk domofonu i szybko cofnąłem się kilka kroków, podnosząc wzrok w stronę okien. Nie byłem pewien, który pokój jest który, ale w jednym z okien poruszyła się firanka. Jednak domofon milczał. Po chwili byłem pewien, że ktoś się ze mną brzydko bawi. Rozejrzałem się dookoła. Wtedy przypomniałem sobie, że klatka schodowa ma tylne wyjście na podwórko z ogródkami i garażami.

Obiegłem budynek i znalazłem się na wjeździe dla samochodów. Zbliżyłem się do krańca domu i już miałem wyjrzeć, ale szybko cofnąłem głowę. Jakiś instynkt kazał mi się położyć na ziemi i dopiero wtedy spojrzeć znowu. Ostrożnie wyjrzałem zza rogu. Roksana wrzucała akurat na tylne siedzenie swojego matiza ciemny koc i dużą sportową torbę. Nie umknęło mojej uwadze, że wygląda ślicznie, ale byłem na nią zbyt wściekły, żeby się tym zachwycać. Potem podeszła do bramy jednego z garaży. Otworzyła ją kluczami i zniknęła w środku.

Błyskawicznie podjąłem decyzję. Podbiegłem do samochodu i wlazłem do środka. Z trudem wcisnąłem się między tylną kanapę a przednie fotele i przeklinając koreańską motoryzację, skuliłem się na podłodze i nakryłem kocem. Zastanawiałem się, czy dobrze robię; może powinienem po prostu z nią porozmawiać. Ale po namyśle stwierdziłem, że wolę się przekonać, co ona kombinuje.

Usłyszałem, że zamyka garaż, i zamarłem bez ruchu. Podeszła do auta; nagle poczułem mocne walnięcie w głowę i usłyszałem głośny, pusty huk. Gdybym nie był pod kocem, na pewno pociemniałoby mi przed oczami. Byłem pewien, że mnie odkryła, ale ona zamknęła tylne drzwi i wsiadła za kierownicę. Usłyszałem jej śmiech.

– Zupełnie jakby ktoś walnął Larsa w jego pusty łeb – powiedziała.

Auto ruszyło, a ja ostrożnie wyjrzałem spod koca. Na tylnym siedzeniu ujrzałem łopatę i już wiedziałem, czemu zawdzięczam ból głowy. Roksana włączyła radio. Nie chciało mi się akurat słuchać muzyki, ale nie miałem wyjścia – śpiew Roksany bez przeszkód docierał nawet pod koc. Nie mogłem się nadziwić, że taka piękna dziewczyna ma tak fatalny głos. Byłem pewien, że jest bez wad, ale z satysfakcją stwierdziłem, że jest inaczej, i humor od razu mi się poprawił. Nie znałem tej płyty, ale po chwili rozpoznałem, że to Sita, holenderska wokalistka. Wiedziałem, że to ona, bo Szymon kiedyś się w niej podkochiwał, a ja się z niego nabijałem.

Nie miałem nic innego do roboty, więc wsłuchałem się w tekst. Dziewczyna cieszyła się, że chłopak ją opuścił, i takie różne pierdoły. I że kiedyś chciała od niego wyjaśnień, a teraz wszystko, czego chce, to jej płyta Patsy Cline. I refren, który z tego wszystkiego najmniej mi się podobał:

– *You jerk, you jerk, you are such a jerk...* – śpiewała Roksana z wyraźną satysfakcją.

Nie mogłem oprzeć się wrażeniu, że śpiewa o mnie, ale tylko zacisnąłem zęby i nakryłem się szczelniej kocem. W końcu samochód zwolnił, a Roksana ściszyła radio i zamilkła. Ostrożnie wyjrzałem. Byliśmy na przystani i wjeżdżaliśmy na prom. Spokojnie przyjąłem do wiadomości, że jedziemy na drugą stronę miasta, i obserwowałem Roksanę. Zaparkowała auto na promie i zaczęła szperać w torebce. Wyciągnęła coś i omal nie zagwizdałem ze zdumienia. Wredna gówniara! – pomyślałem, zapominając, że jesteśmy w tym samym wieku. Przed oczami mignęła mi popisana długopisem mapa.

Patrzyła na nią przez chwilę, a potem ku mojej radości rzuciła ją na tylne siedzenie. Rozsiadła się wygodnie w fotelu i znowu zaczęła nucić. Ostrożnie sięgnąłem po mapę. To był plan Świnoujścia i okolic. Zwykły plan, jaki można kupić w każdym kiosku albo księgarni. Ale moją uwagę przyciągnęło pismo, które pokrywało część mapy. Trochę cyfr, jakieś strzałki i parę zdań. Nie zdążyłem jednak się w nie wczytać, bo nagle poczułem na sobie dłoń. Zdrętwiałem i spojrzałem na Roksanę, spodziewając się jej zdumionego wzroku. Ale ona nadal patrzyła przed siebie i wyciągniętą do tyłu ręką po omacku szukała mapy. Uprzejmie wetknąłem papier w zbliżającą się do mojej głowy dłoń i ręka cofnęła się. Dziewczyna znowu wczytała się w zapiski.

Samochodem zatrzęsło, gdy prom dobił do przystani. Roksana odłożyła mapę na fotel obok siebie i włączyła silnik, a ja, zawiedziony, nakryłem się kocem i pozwoliłem wieźć się w nieznane.

Kilka minut później zwolniliśmy. Roksana uważnie wpatrywała się w drzewa po prawej stronie i zerkała na rozłożony obok plan.

– Bingo! – zawołała nagle i skręciła w las.

Jechaliśmy jeszcze dłuższą chwilę i samochód stanął. Poczułem, że cofa i wreszcie silnik zgasł. Roksana wysiadła i otworzyła tylne drzwi. Uznałem, że najwyższy czas się ujawnić.

– Ha!!! – krzyknąłem, zdzierając z siebie koc.

Roksana z wrzaskiem odskoczyła od samochodu. Otworzyła szeroko oczy i stała chwilę nieruchomo. Akurat tyle czasu potrzebowałem, żeby wygramolić się z auta. Rozejrzałem się; byliśmy na środku leśnej drogi, niedaleko majaczył wśród drzew bunkier – poznałem las na wysokości Przytoru. Było tam kilka dużych bunkrów i resztki torów kolejki wąskotorowej. Spojrzałem na Roksanę z satysfakcją.

– I co teraz? – spytałem złowieszczo.

– Ach, to ty – powiedziała jakby nigdy nic. – Co za głupoty ci chodzą po głowie? Czemu mnie straszysz?

– Dobrze wiesz czemu! Dawaj mapę!

Doskonale potrafiła udać zdziwienie.

– Jaką mapę? Miłosz, co ci jest? Mówiłam ci, żebyś nie przesadzał z tymi tanimi nalewkami. Pomieszało ci się od nich w głowie, biedaku...

– Myślisz, że jestem taki głupi? Pamiętam, jak coś wyciągnęłaś tam na plaży! Widziałem mapę przed chwilą w samochodzie, więc przestań udawać idiotkę! Gdzie ją masz?!

Zajrzałem do samochodu, ale nic nie znalazłem. Ruszyłem ostro w jej kierunku i z radością wyobraziłem sobie, jak ją przeszukuję.

– Poczekaj! – zawołała i sięgnęła do torebki.

Wyciągnęła mapę i pomachała mi nią przed oczami. Poczułem się zawiedziony, bo zdecydowanie wolałbym zrobić jej rewizję osobistą, ale mimo to uśmiechnąłem się z satysfakcją. Zrobiłem krok w jej stronę i stanąłem jak wryty, a uśmiech spełzł mi z ust. Szybko schowała mapę i wyciągnęła mały pojemniczek przypominający dezodorant. Zachęcająco wyciągnęła go w moją stronę, uśmiechając się miło, a jej palec wskazujący spoczął na główce sprayu. Zerknąłem za siebie, na leżącą na tylnym siedzeniu łopatę.

– Odsuń się od samochodu! – krzyknęła Roksana. – Tylko powoli!

Odruchowo uniosłem ręce w górę i przesunąłem się kilka kroków w bok. Roksana podeszła do auta i wrzuciła torebkę do środka. Kombinowałem, jak ją wykiwać i zaatakować, ale nic mi nie przychodziło do głowy, ona tymczasem wyciągnęła łopatę i teraz stała z gazem w jednej ręce i uniesioną łopatą w drugiej. Długą chwilę mierzyliśmy się wrogim wzrokiem. Wtedy dotarło do mnie, jak komicznie musimy wyglądać. Chyba zobaczyła to w moich oczach, bo parsknęła śmiechem. Po chwili oboje śmieliśmy się jak starzy przyjaciele.

– Cholera, nie doceniłam cię – powiedziała.

– I vice versa – odparłem.

Wskazałem palcem na łopatę.

– Odłożysz to? – spytałem. – Nie pasuje do koloru twoich oczu.

Roześmiała się i rzuciła narzędzie na ziemię.

– A to? – Spojrzałem na pojemniczek gazu. – Masz zamiar tego użyć?

– A będziesz grzeczny?

Pokiwałem głową.

– No dobrze. – Cofnęła rękę. – Ale będę go miała przy sobie. Pamiętaj o tym! – Spojrzała na mnie znacząco.

– To co, znowu przyjaźń? – spytałem.

– Przyjaźń – przytaknęła i wskazała na leżącą na ziemi łopatę. – Ktoś przecież musi pracować w tym związku.

– Nie ma sprawy. – Wzruszyłem ramionami. – To co, idziemy szukać skarbu?

– Idziemy. – Wyciągnęła z samochodu torebkę i dużą torbę, zamknęła auto i ruszyła w las. – Tędy.

Poszedłem za nią. Obejrzała się i poczekała, aż się z nią zrównam.

– Jak się domyśliłeś? – spytała.

Opowiedziałem jej o wizycie profesorków. Milczała chwilę, marszcząc brwi w zamyśleniu.

– Czyli zależy ci tylko na tych książkach?

– No... nie wiem – odparłem. – To zależy, co tam jeszcze znajdziemy. Ale książki musimy oddać.

– Okej – zgodziła się.

Szliśmy przez las dłuższą chwilę; w końcu Roksana zatrzymała się i rozłożyła mapę. Wpatrzyła się w nią, mrucząc coś do siebie. Spróbowałem zajrzeć jej przez ramię.

– Gdzie? – ofuknęła mnie. – Trzeba było być takim ciekawym wtedy na plaży!

Złożyła dokładnie mapę i śmiejąc się, pacnęła mnie nią w czoło.

– No nie rób takiej urażonej miny! Chodź, to już niedaleko.

Przedarliśmy się przez gąszcz krzaków i kilkanaście metrów dalej stanęliśmy przed zarośniętym zielskiem bunkrem. Przed nami zionęło wilgotną czernią wąskie wejście.

– To tutaj... – szepnęła Roksana.

– Tu? – Poczułem się nieswojo. – W środku?

– Aha – przytaknęła. – Boisz się?

– Ja? No co ty!

Staliśmy tak i patrzyliśmy w czarną dziurę. Roksana rozejrzała się uważnie.

– Spoko. Myślę, że nikogo oprócz nas tu nie ma. – Rozpięła torbę i wyciągnęła z niej dwie latarki. – Wchodzimy do środka czy wolisz wrócić do domu?

Bez słowa wziąłem jedną latarkę od Roksany i spróbowałem dać jej pstryczka w nos. Uchyliła się ze śmiechem.

– No to jazda.

Włączyliśmy światełka i ostrożnie zanurzyliśmy się w ciemne brzuszysko bunkra. Budowla z zewnątrz wyglądała dość niepozornie, dlatego zdziwiła mnie mnogość korytarzy wewnątrz, istny labirynt. Na szczęście Roksana prowadziła pewnie, świecąc to na mapę, to na ściany i dyrygując: „w lewo", „w prawo", „nie tam, cymbale, prosto" i tak dalej. Kluczyliśmy korytarzami, uważając zwłaszcza na nogi, bo ziemia zasłana była kamieniami, gałęziami i różnymi śmieciami, jak to w starych bunkrach. Nagle Roksana zatrzymała się i zbliżyła mapę do oczu.

– Hm...

– Coś nie tak?

– Kurczę, nie wiem, o co chodzi w tym miejscu... Zobacz – wskazała palcem na bazgroły na mapie. – „Czy korki"?

– No, „czy korki" – przeczytałem.

– Cholera, teraz to zgłupiałam. O jakie korki chodzi, przecież tu nie ma prądu.

– Czekaj, czekaj... – zastanowiłem się. – Nie chodzi o korki, tylko o kroki!

– „Czy kroki"?

– Nie „czy kroki", tylko „trzy kroki"! – triumfowałem.

– Aha. – Roksana zignorowała moją radość. – Rzeczywiście.

Poszła do końca korytarzem, obróciła się w lewo i zrobiła trzy duże kroki. Stanęliśmy przed zwaloną pod ścianą dużą kupą kamieni i betonowych kloców. Serce zabiło mi mocniej. Wcześniej tego dnia poczułem zapach przygody, a teraz tętniła ona radośnie w moich żyłach i niemal pozbawiała tchu. Ułożyliśmy latarki na ziemi tak, żeby oświetlały kamienie, i bez słowa zabraliśmy się za przerzucanie. Niektóre z bloków musieliśmy przesuwać we dwójkę, ale szło nam bardzo sprawnie. Nie ma to jak porządna motywacja.

Kwadrans później światło padło na jasny, czysty piasek. Byłem zmęczony, ale od razu chwyciłem łopatę i zabrałem się do roboty. Po kilkunastu minutach stałem w półmetrowym szerokim wykopie. Wtedy łopata trafiła na coś miękkiego. Podświadomie wyobrażałem sobie, że szukam jakiejś skrzyni, i ta miękkość mnie wystraszyła, bo wyobraziłem sobie, że to ciało. Otrząsnąłem się z niemądrych myśli i delikatnie odgarnąłem piasek. Roksana stała nade mną z latarkami skierowanymi w dół.

– Ostrożnie – szepnęła.

Spod piachu wyłoniła się niebieska folia. Zobaczyłem wypchany worek z grubego plastiku, taki na śmieci. Ale byłem pewien, że w środku nie znajdziemy śmieci. Pracowałem dalej i wkrótce obok wykopu leżały cztery duże pakunki. Jeden z nich trochę mnie zaskoczył, bo wyglądał jak duży, bardzo duży karton od pizzy. Zajrzeliśmy po kolei do wszystkich, chciwie świecąc latarkami do środka. W jednym były książki, kilkanaście tomów, grubszych i cienkich. Przy następnym aż jęknęliśmy oboje z zachwytu, widząc pozwijane w grube rulony banknoty; mignęły mi przed oczami euro, dolary i złotówki. Kolejny worek nas wystraszył; kilka paczek wypełnionych białym proszkiem nie spodobało nam się ani trochę. Za to przy tym kanciastym humory nam się zdecydowanie poprawiły. Zwłaszcza Roksanie.

W środku była walizka z matowego metalu – bardzo duża, prawie metrowej długości, płaska. Zupełnie jakby do przenoszenia obrazów – pomyślałem. Roksana drżącymi rękoma otworzyła ją i rzeczywiście wyjęła jakiś obraz owinięty dodatkowo w bąbelkową folię. Rozwinęła ją i jęknęła tak słodko, że poczułem się zazdrosny.

– O Boże... – szepnęła. – Nie wierzę...

Przyznaję, że byłem rozczarowany, bo patrząc wcześniej na wymiary pakunku, prędzej spodziewałem się plazmowego telewizora, ale reakcja Roksany zaintrygowała mnie. Drżącymi rękoma podała mi obraz.

– Zobacz...

Spojrzałem i wzdrygnąłem się.

– O rany, a cóż to za paskudztwo?!

Popatrzyłem na Roksanę. Miała łzy w oczach.

– Jak to? Nie wiesz, co to jest? – spytała.

– Czy ja wiem? Wygląda znajomo. Ja bym go nazwał „Łojezuniu!" albo „Jeju jeju gdzie moja renta" – zachichotałem.

– Oddawaj, pacanie! – Delikatnie wyjęła go z moich rąk. – I na kolana, ignorancie!

Wzruszyłem ramionami.

– No co? Nie znam się na sztuce. Jeśli to takie cenne, to mi powiedz, co to jest, a nie tylko wzdychasz i wzdychasz.

– To jest „Krzyk" Edwarda Muncha – powiedziała łamiącym się głosem. – Ma ponad sto lat...

– Edward ma ponad sto lat? – spytałem.

Spojrzała na mnie z wyrzutem.

– Edward Munch nie żyje, idioto. Obraz ma ponad sto lat.

– Hm... „Krzyk" mówisz? – Coś zacząłem kojarzyć. – A Edward to ten Norweg, tak?

Roksana pokiwała głową, palcami gładząc czule twarz postaci na obrazie.

– Aaa, no to teraz już wiem – ucieszyłem się. – Ale, zaraz, zaraz... Czy przypadkiem ten obraz nie został w zeszłym roku... – zatkało mnie. – O cholera...

Roksana uśmiechnęła się do mnie. Jeszcze nigdy nie widziałem tak szczęśliwej dziewczyny.

– I myślisz, że to... Że to właśnie ten?

– Nie wiem, nie jestem fachowcem. Ale... – wzięła głęboki oddech – ale zważywszy na okoliczności, w jakich go znajdujemy, można mieć nadzieję, że to oryginał.

– No to nieźle. – Pokiwałem z uznaniem głową. – Polak rzeczywiście potrafi...

Roksana zapakowała obraz z powrotem w folię i zamknęła w walizce. A ja wrzuciłem worki z pieniędzmi i książkami do sportowej torby.

– A narkotyki? – spytałem. – Też zabieramy?

– Jasne – odparła. – Przecież nie zostawię ich tutaj, żeby jakieś dzieciaki znalazły. I osobiście spuszczę je dzisiaj w łazience. A co, masz może inne plany co do nich? – Spojrzała na mnie podejrzliwie.

– Nie. – Pokręciłem głową, pakując ostatni worek. – Kibel to najlepszy pomysł.

– Nie wyrażaj się! – Pacnęła mnie lekko w tył głowy. – I zróbmy lepiej porządek z tym dołem, zanim pójdziemy.

Zasypałem dziurę piaskiem, a potem jeszcze przerzuciliśmy część kamieni z powrotem pod ścianę. Z korytarza obok przyniosłem różne papiery i inne śmieci i porozrzucałem dookoła. Wszystko wyglądało jak w innych częściach bunkra. Roksana wzięła walizkę z obrazem, ja chwyciłem torbę, w drugą rękę łopatę i poszliśmy. Do wyjścia trafiliśmy bez problemu.

Dochodziła siedemnasta, ale słońce było jeszcze dość wysoko i przenikało do nas poprzez drzewa. Rozejrzeliśmy się, nasłuchując. Roksana kiwnęła głową i szybko ruszyliśmy w stronę samochodu. Cały czas czułem radość; nawet nie myślałem o tym, co niesiemy. Wystarczyło mi po prostu, że robimy coś tak niesamowitego.

Samochód stał tam, gdzie go zostawiliśmy, i mimo że nie lubię tych koreańskich bobków, ucieszyłem się na jego widok. Roksana też szła uśmiechnięta, ale myślami była bardzo daleko. Bagażnik matiza nie mógł pomieścić naszych bagaży, więc torbę wrzuciłem na tylne siedzenie. Roksana ostrożnie umieściła tam obraz i nakryła wszystko kocem.

– Mogę tym razem jechać z przodu? – spytałem. – Tam na podłodze było mi ciut niewygodnie.

– Jasne. – Roześmiała się. – Wsiadaj!

Odpaliła silnik, przygazowała, ale auto stało w miejscu.

– Cholera, chyba się zakopaliśmy! – Piłowała dalej bez rezultatu. – Popchniesz?

– Pewnie – powiedziałem i wyskoczyłem z samochodu.

Zaparłem się mocno butami w ziemię i z całej siły pchnąłem auto. Ostro ruszyło do przodu. Nawet trochę za ostro, jak na zakopane – straciłem równowagę i upadłem na kolana. Ale nie podniosłem się od razu, bo matiz wcale się nie zatrzymał, przeciwnie – oddalał się ode mnie. Coraz szybciej. Oddalał, oddalał, aż zniknął za drzewami.

Klęczałem wciąż z otwartymi ustami – nie wierzyłem własnym oczom! Czułem się jak ta postać z obrazu, który odjechał samochodem razem z pieniędzmi, książkami i tym cholernym zdradzieckim kocurem.

– AAAAAAAA!!! – wydarłem się wreszcie dziko i rozpaczliwie. – AAAAAAAA!!!

To dopiero był prawdziwy krzyk. Gdyby Munch go usłyszał, na pewno namalowałby coś lepszego niż to, czym zachwycała się ta podła gówniara. Opadłem twarzą w trawę i zacząłem wściekle walić pięściami w ziemię.

– O psia dupa! O psia dupa! – wrzeszczałem w ziemię. – Głupi! Głupi! Głupi Miłosz!

Jeszcze nigdy nie byłem tak wściekły. I wcale nie chodziło o pieniądze czy książki; w ogóle o nich nie myślałem. Po prostu czułem się zdradzony i upokorzony jak nigdy. I wszystko to wykrzyczałem prosto w serce Matki Ziemi. Nie wiem, ile to trwało, ale przestałem, dopiero kiedy całkiem opadłem z sił. Obróciłem się na plecy i spojrzałem w błękitne niebo, widoczne między koronami drzew. I nagle ze zdziwieniem uświadomiłem sobie, że mimo wszystko cieszę się tą chwilą i jest mi całkiem dobrze. Przecież byłem cały i zdrowy, równie dobrze ta jędza, ta przeklęta modliszka mogła mnie zdzielić łopatą w głowę i zakopać w tym bunkrze.

W końcu uznałem, że leżąc, nic nie zdziałam. Wstałem i śmiejąc się z siebie, poczłapałem w stronę szosy drogą, którą odjechał matiz. Żeby ukoić nerwy, wyobrażałem sobie, w jaki sposób zemściłbym się na Roksanie. Ale nie wychodziło mi to nawet w marzeniach. Po pierwsze, głupio by było krzywdzić siostrę kumpla, zwłaszcza że wiedziałem, że Szymon też ją lubi. A po drugie, cóż... ja też ją lubię. Nie ma co ukrywać, podziwiałem ją jak cholera. To była dziewczyna z charakterem i z... jajami. Zaśmiałem się głośno.

– Ech! – Machnąłem ręką. – Są w życiu ważniejsze sprawy niż worek pieniędzy czy stuletni obraz, niechby nawet Muncha.

Szkoda mi tylko było profesorków. Ale nie traciłem nadziei. Postanowiłem nie odpuszczać gówniarze. Musiałem tylko ją dorwać. Chociażby przez telefon. W ostateczności mogłem postraszyć ją, że pójdę na policję, chociaż to naprawdę byłaby ostateczność.

Nagle wśród drzew mignęło mi coś srebrnego. Schyliłem się odruchowo i schowałem za najbliższym drzewem. Wysiliłem wzrok. Jakieś trzydzieści metrów ode mnie stał matiz, a Roksana jakby nigdy nic stała oparta o niego i paliła papierosa. W jednej chwili odzyskałem siły. Przeskakując od jednego drzewa do drugiego, zacząłem zbliżać się do samochodu.

– Widzę cię, Miłosz! – usłyszałem nagle. – Nie wygłupiaj się i wyjdź na drogę! Niepotrzebnie tylko depczesz jagody!

Faktycznie musiałem głupio wyglądać, czając się za drzewami. Wyszedłem na drogę i ruszyłem w stronę Roksany. Znowu poczułem wściekłość.

– Stój! Proszę cię, nie podchodź bliżej niż na dziesięć metrów i wysłuchaj mnie.

– Ani myślę! – wrzasnąłem i biegiem ruszyłem w jej stronę.

Nim zdążyłem dobiec do auta, ona wsiadła do środka i ostro ruszyła. Przyspieszyłem, jak tylko mogłem, ale matiz nawet na leśnej drodze nie dał mi szans. Zatrzymałem się i ciężko dysząc, wściekle patrzyłem przed siebie. Roksana zahamowała, cofnęła trochę, ale zatrzymała się w bezpiecznej odległości. Otworzyła drzwi i wychyliła głowę.

– Wybacz, ale wolę nie wysiadać – zawołała. – Nie gniewaj się, ale tak będzie lepiej.

Nie odzywałem się. Rozejrzałem się tylko za grubszym kijem albo kamieniem.

– Proszę, uspokój się – kontynuowała tymczasem Roksana. – Wszystko ci wyjaśnię. Tylko przez chwilę mnie wysłuchaj, dobrze?

Wściekłość nadal mnie nie opuszczała, ale kiwnąłem głową.

– Wiem, że jesteś na mnie zły, ale chcę to rozegrać po swojemu. Dobrze to przemyślałam i wiem, że robię dobrze. Te pieniądze to są złe pieniądze i powinny być wydane w dobrej sprawie.

– Jasne! – zawołałem. – I ty się tym zajmiesz, tak? Wystarczy ci na waciki?!

– Przestań – odparła spokojnie. – Ty byś je wydał na imprezy, tego jestem pewna. No sam przyznaj!

– Wcale nie – zaprzeczyłem odruchowo, ale nie wyszło to szczerze. – No... No może i tak... Ale na pewno nie wszystko!

– Sam widzisz. A ja mam lepszy pomysł. I wiem, że dobrze robię – powtórzyła. – Zadzwonię do ciebie za kilka dni i wszystko ci wyjaśnię. Narkotyki zniszczę, jak tylko wrócę do domu. A tym...

Wysiadła z auta. Przezornie zerkając na mnie, otworzyła tylne drzwi, sięgnęła pod koc i wyjęła z torby jeden z worków. Zajrzała do środka i położyła go na leśnej drodze.

– A tym ty się zajmiesz!

Wsiadła za kierownicę i spojrzała na mnie z uśmiechem. Ja też się uśmiechnąłem, choć dobrze wiedziałem, że nie mam szans na przejażdżkę i że umyka mi sporo gotówki. Zamknęła drzwi, ale zanim ruszyła, otworzyła okno i pomachała mi.

– Poczekaj! – krzyknąłem.

– Tak?

– Masz jeszcze papierosy?

Pokręciła z niesmakiem głową, ale sięgnęła w głąb auta i rzuciła obok niebieskiego worka paczkę marlboro.

– Weź wszystkie! – zawołała i odjechała, machając mi ręką.

– Dzięki... – mruknąłem.

Popatrzyłem, jak dojeżdża do szosy i skręca w stronę Świnoujścia. Podszedłem do worka, zajrzałem do środka i uśmiechnąłem się na widok książek.

– No, nie jest tak źle – powiedziałem. – Czas do domu, białe kruczki.

Zarzuciłem worek na plecy niczym Święty Mikołaj, potem schyliłem się po papierosy. Zapaliłem i raźno pomaszerowałem w ślad za samochodem.

Ponad godzinę zajął mi spacer do przystani promowej. Czekając na prom, zadzwoniłem z automatu do profesorków i umówiłem się z nimi przed moim blokiem. Gdy tam dotarłem, zobaczyłem ich siedzących w peugeocie partnerze z logo uniwersytetu na drzwiach. Uśmiechnąłem się z daleka i pomachałem workiem. Wysiedli z auta i z niedowierzaniem wpatrywali się we mnie. Wręczyłem książki Mieczysławowi; zajrzał do środka i pokiwał głową z podziwem.

– Tylko żadnych pytań! Macie książki i jesteśmy kwita – powiedziałem od razu. – Jest wszystko?

– Hm... – Mieczysław podrapał się w głowę. – Nawet więcej...

– To chyba nie problem? Jestem pewien, że oddaję to w dobre ręce.

Obaj sprawiali wrażenie zakłopotanych, ale też bardzo uradowanych.

– Dziękujemy ci, Miłosz... – powiedział Mieczysław. – Nie wiem, jak to zrobiłeś, i nawet nie będę pytać, ale to naprawdę niesamowite.

– Nie ma sprawy – odparłem. – Czyli między nami kwita?

– O nie! – zaprzeczył. – Teraz jesteśmy twoimi dłużnikami.

– E tam... – Machnąłem ręką. – Rzadko zdarza mi się zrobić coś pożytecznego, więc naprawdę nie ma sprawy.

– Mówię poważnie, Miłosz. Jakbyś czegoś potrzebował, to daj znać. – Uśmiechnął się. – A może... może masz ochotę dokopać Krzysztofowi, co?

Krzysztof cofnął się i spojrzał na mnie niepewnie. Przypomniałem sobie, że tyłek nadal mnie piecze, ale tylko się roześmiałem.

– W szkole często dostawałem lanie od nauczycieli, więc to nic nowego dla mnie. A powiem wam, że czasem warto dostać w dupę, to sprowadza na ziemię. Poza tym chyba wasz kij został u mnie w domu; chcecie go?

– Uff. – Krzysztof odetchnął z ulgą. – Nie, mam nadzieję, że już nigdy nie będę musiał go użyć. Poza tym... może tobie się teraz przyda...

– No właśnie... – wtrącił Mieczysław. – Myślę, że powinieneś pomyśleć o wyjeździe stąd na jakiś czas. Bo wiesz, skoro my do ciebie trafiliśmy, to kumple tego gościa z plaży też pewnie tu się pojawią. Co prawda jestem prawie pewien, że nikt oprócz nas nie wiedział o mapie, ale pomyśl o tym.

– Okej, dzięki. – Byłem im wdzięczny za radę i za to, że nie pytali o nic więcej.

Pożegnali się ze mną uściskami dłoni i odjechali. Poszedłem do domu, wyjąłem z lodówki piwo i zacząłem myśleć. Słowa Mieczysława zasiały we mnie niepokój. Martwiłem się głównie o siebie, ale o Roksanę, mimo wszystko, też. Chyba jednak dobrze, że wyjeżdża do Poznania, pomyślałem. Stałem w kuchni kilka minut, analizując ostatnie dwa dni i całe moje obecne życie. Nawet nie ruszyłem piwa, tak mnie to zajęło. Nagle podniosłem butelkę do ust i wypiłem duszkiem połowę. Podjąłem decyzję.

Podszedłem do telefonu i wybrałem numer, który miałem zapisany na leżącej obok kartce.

– Cześć, Kajtek. Tu Miłosz. Jadę do ciebie.

W Internecie zarezerwowałem na następny dzień bilet na autobus do Dublina. Myślałem o samolocie, ale najlepsze połączenie prowadziło z Berlina przez Londyn i kosztowałoby ponad tysiąc złotych. Poza tym bałem się latać. Autobus ze Szczecina miał mnie zawieźć na miejsce w dwadzieścia osiem godzin za pięćset złotych. Wyciągnąłem wszystkie pieniądze, jakie miałem. Było tego niewiele ponad trzysta złotych. Nie zastanawiałem się długo, tylko zadzwoniłem do brata i poprosiłem o pomoc. Od dawna popierał pomysł wyjazdu, więc ucieszył się i obiecał pożyczyć mi jutro trochę pieniędzy.

Dochodziła dwudziesta, nie chciałem siedzieć sam w pustym mieszkaniu. Poszedłem na plażę, wykąpałem się i potem siedziałem tam do zmierzchu, paląc papierosy od Roksany. Cieszyłem się wyjazdem, ale zrobiło mi się smutno. Nie tylko z powodu dziewczyny; zostawiałem to miasto, plażę i inne miejsca, gdzie przeżyłem tyle wspaniałych chwil. I nawet nie wiedziałem, kiedy tu znowu przyjadę.

Nie chciałem zagłębiać się w tym sentymentalnym klimacie. Poszedłem na promenadę i w ulubionej kafejce spotkałem znajomych – Keja była otwarta specjalnie dla nas prawie do rana.

Następnego dnia obudziłem się w południe. Wykąpałem się, zrobiłem kanapki na drogę i zacząłem pakowanie. Zabrałem tylko najpotrzebniejsze rzeczy, a po chwili namysłu wrzuciłem też do plecaka „Ulissesa". Po piętnastej wyszedłem z domu i najpierw poszedłem do brata po obiecane pieniądze; zostawiłem mu też klucz od mieszkania i pożegnałem się. Obyło się bez scen, każdy z nas miał już swoje życie; życzył mi szczęścia i uściskał mocno.

Słonko świeciło radośnie, kiedy szedłem przez miasto w stronę promu. Smutek zniknął; czułem, że moje życie kroczy do przodu, i bardzo mi się to uczucie podobało. Zbliżając się do przystani, wpatrywałem się w port; te widoki nigdy mi się nie nudziły. Z zamyślenia wyrwał mnie znajomy głos:

– Hej, kawalerze!

Spojrzałem w stronę czekających w kolejce samochodów. Roksana stała oparta o matiza i śmiała się. Stanąłem w miejscu i chwilę wpatrywałem się w nią, mrużąc oczy z udawaną nienawiścią. Potem też się roześmiałem i podszedłem do niej.

– Dokąd to? – spytała.

– Na dworzec. Jadę do Szczecina, a potem do Irlandii.

– Ooo? – zdziwiła się. – Jednak się zdecydowałeś... Cieszę się, wiesz?

Opowiedziałem jej o rozmowie z profesorkami. Spoważniała.

– A ty dokąd? Pewnie na zakupy, co? – Zabarwiłem głos ironią. – Trzeba było wziąć większy samochód.

– Przestań... – Spojrzała na mnie poważnie. – Nie jadę na zakupy. Jadę do Poznania. Dobrze wiesz, że tam studiuję.

– Przecież dopiero środek wakacji.

– Wiesz co? – Otrząsnęła się z zamyślenia. – Wsiadaj, zawiozę cię do Szczecina.

– Ooo? – Tym razem ja się zdziwiłem. – Jak miło...

– Połóż plecak z tyłu, bagażnik już jest zapchany.

Na tylnej kanapie też było kilka toreb, ale plecak jeszcze wcisnąłem.

– Nie wracasz do domu przed końcem wakacji?

– Nie wiem, jeśli będę miała czas, to tak.

Uruchomiła silnik i razem z innymi samochodami wjechaliśmy na prom.

– Zniszczyłaś narkotyki? – spytałem podejrzliwie.

– Od razu jak wróciłam. Wysypałam wszystko do wanny, napuściłam wody i...

– I wzięłaś kąpiel!

– Miłosz, przestań się wygłupiać! – Zdenerwowała się. – Rozpuściłam to wszystko i spuściłam wodę.

– Jak myślisz, co to było?

– Hm... Sądząc po zachowaniu psa... kokaina.

– Co?! Dałaś Kanabisowi kokainę?!

– Zamknij się, barania głowo! To nie było tak! – oburzyła się. – Niechcący wysypałam trochę na podłogę i jak poszłam po ścierkę, to Kanabis wszedł do łazienki, chciał powąchać, co to jest, i wciągnął część nosem...

Patrzyłem na nią z przerażeniem.

– Modliszka... – szepnąłem.

– Ale on od razu zaczął kichać i parskać, więc większość wypluł! Naprawdę. Mówię ci, nic mu nie jest. Dzisiaj był tak samo zdrowy jak wczoraj. Tylko proszę cię, nie mów nic Larsowi... – Zrobiła słodką minę. – Dobrze?

– No dobrze... – Pokręciłem z niesmakiem głową. – Niech ci będzie... Ale i tak jesteś popieprzona!

Dłuższą chwilę nic nie mówiliśmy, ale kątem oka widziałem, że jest jej głupio. Odezwała się, dopiero kiedy byliśmy już na trasie do Międzyzdrojów.

– Wiesz, chciałam cię przeprosić za wczoraj. I w ogóle, za wszystko. Te ostatnie dni były dla mnie bardzo zakręcone.

– Okej... – mruknąłem. – Nie ma sprawy. Tylko, wiesz... Już nie gniewam się za wczoraj, ale... po prostu myślałem, że coś między nami zaiskrzyło...

– Bo tak było. – Uśmiechnęła się szczerze. – I nie żałuję ani jednej chwili z tamtego wieczoru z tobą. Ale sam zobacz, nasze drogi w tej chwili biegną w przeciwnych kierunkach. Poznań – Dublin, tego nie da się pogodzić.

– Spoko. – Pokiwałem głową. – Przez te dwa dni na tyle cię poznałem, że Dublin to idealna odległość od ciebie.

– No wiem... – Z trudem przełknęła mój żart. – To co, przyjaźń?

– Koalicja – odparłem po namyśle.
– Koalicja? Może być – ucieszyła się i wyciągnęła rękę.
Uścisnąłem ją i postanowiłem zmienić temat.
– Masz tu obraz? – spytałem, zerkając na bagaże.
– Nie. – Pokręciła głową. – Powiesiłam go w moim pokoju.
– Żartujesz?!
– Nie, naprawdę.
– Nie boisz się?
– Czego? Przecież nikt nie pomyśli, że to oryginał. Poza tym to tylko na trochę... Chcę się nim nacieszyć, a potem, w grudniu, odeślę go do tego muzeum w Norwegii. Zrobię im niespodziankę na Boże Narodzenie! – Zachichotała radośnie.
– Niezły pomysł. Słuchaj, a wiesz, ile on może być wart?
– Jakieś kilkadziesiąt milionów...
Aż gwizdnąłem z wrażenia.
– O psia dupa... – szepnąłem.
– Dolarów... – dodała.
– O psia dupa!
– Ale przecież i tak byśmy go nie sprzedali, zresztą po co nam tyle pieniędzy.
– No właśnie, à propos pieniędzy. – Spojrzałem na nią znacząco. – Ile tego jest?
– Nie wiem, nie miałam kiedy policzyć. Ale na pewno sporo.
– I co z nimi zrobisz?
– Właśnie o tym chciałam powiedzieć ci przez telefon za kilka dni. Ale mogę zrobić to teraz.
– Zamieniam się w słuch.
– No więc tak... – zaczęła z entuzjazmem. – Mama Ani, mojej przyjaciółki ze studiów, prowadzi w Poznaniu fundację zajmującą się prawami zwierząt. Wiesz, robią tam bardzo wiele rzeczy...
Zaczęła opowiadać o bezdomnych psach, hodowli gęsi, transporcie koni i o innych cierpiących zwierzętach. Widziałem, że gdyby mogła, to pomogłaby wszystkim. Miałem ochotę spytać, czy będzie też wypuszczać sardynki z puszek z powrotem do morza, ale nie zapytałem, bo po prostu miło było patrzeć na jej entuzjazm.
– I wiesz – mówiła dalej – w tym roku zaproponowała Ani i mnie, żebyśmy przejęły część obowiązków. Dlatego już dawno planowałam ten dzisiejszy wyjazd do Poznania. A teraz, z tymi pieniędzmi, będziemy mogły zrobić jeszcze więcej dobrych rzeczy! Zobaczysz! Jak wrócisz do Polski, to musisz przyjechać do Poznania, wszystko ci pokażę. Ja mówiłam wczoraj poważnie, że te pieniądze zostaną dobrze wydane. Wierzysz mi? – spytała z nadzieją.

– Wierzę, Roksanko. – Pogłaskałem ją po głowie. – Wierzę. Ale mam jedną prośbę do ciebie...

– Tak? Możesz prosić o wszystko. No, prawie o wszystko.

– Obiecaj mi – powiedziałem – że już więcej nie będziesz dawać zwierzętom narkotyków.

Spojrzała na mnie zdziwiona.

– Dobrze! – Roześmiała się. – Obiecuję!

Zwolniła, włączyła kierunkowskaz i zjechała na stację benzynową.

– Trzeba zatankować. – Wyciągnęła z portfela stówę i wcisnęła mi w rękę. – Możesz zapłacić? A ja naleję benzyny.

Spojrzałem na nią podejrzliwie, ale przyznaję, że trochę udawałem.

– Idź, tym razem nie odjadę – powiedziała wesoło. – Obiecuję!

Rzeczywiście czekała na mnie, kiedy po kilku minutach stania w kolejce wyszedłem na zewnątrz. Reszta drogi minęła nam na wesołym przekomarzaniu się. Trochę za szybko. Zakłuło mnie serce, kiedy wjechaliśmy do centrum Szczecina, a Roksana spytała:

– Gdzie cię wyrzucić?

Dochodziła osiemnasta, do odjazdu autobusu miałem jeszcze dwie godziny.

– Przy Bramie Portowej – zdecydowałem. – Tylko najpierw się zatrzymaj.

– Mówisz? – udała zawiedzioną. – No dobrze, zatrzymam się.

Serce zakłuło mnie jeszcze bardziej, kiedy naprawdę się zatrzymała, wjeżdżając wbrew przepisom na chodnik; wcale nie chodziło mi o przepisy. Spojrzała na mnie; dostrzegłem w jej oczach odrobinę smutku i odzyskałem humor. Nachyliła się, pocałowała mnie mocno w policzek i przytuliła się.

– Powodzenia, Miłosz – szepnęła. – I do zobaczenia.

– Powodzenia, Roksanko – szepnąłem jej w ucho. – Do zobaczenia.

Zacisnąłem zęby, wysiadłem z auta, wyciągnąłem plecak i ruszyłem chodnikiem przed siebie.

– Poczekaj! – usłyszałem.

Cofnąłem się i nachyliłem tak, żeby ją widzieć.

– Masz jeszcze papierosy? – spytała.

Pokręciłem głową.

– Łap – rzuciła mi przez okno nieotwartą paczkę. – Weź wszystkie.

Zanim odjechała, wyraźnie zobaczyłem łezki w jej oczach.

– Dzięki... – powiedziałem, patrząc, jak płynnie włącza się w gęsty sznur samochodów. Po chwili całkiem zniknęła mi z oczu.

Autobus przyjechał punktualnie. Z plecaka wyjąłem kanapki, butelkę wody i książkę. Dopiero wtedy pozwoliłem jednemu z kierowców włożyć plecak do bagażnika. U drugiego zapłaciłem za bilet i odnalazłem wskazane miejsce. Fotel obok nie był zajęty, więc umieściłem na nim prowiant i rozsiadłem się wygodnie przy oknie. Lubię Szczecin, dlatego aż do wyjazdu z miasta z uśmiechem wpatrywałem się w mijane budynki i ludzi. Potem sięgnąłem po książkę. Ucieszyłem się, bo to było stare i trochę zniszczone wydanie, z pożółkłymi stronami. Takie najbardziej lubię czytać.

– „Ulisses" – przeczytałem z dumą i otworzyłem na chybił trafił.

Roześmiałem się głośno, widząc zdanie, które pierwsze wpadło mi w oczy na sześćdziesiątej czwartej stronie: „To byłaby dobra łamigłówka, przejść Dublin, nie napotykając knajpy". Coś czuję, że spodoba mi się ta książka, pomyślałem, i Dublin też. Odłożyłem ją jednak na bok i sięgnąłem po foliową torebkę z kanapkami. Zanurkowałem w niej dłonią i poczułem coś dziwnego. Cofnąłem rękę, zajrzałem do środka i zdębiałem.

Wśród opakowanych w aluminiową folię kanapek leżał spięty gumką rulonik banknotów. Rozejrzałem się. Zamrugałem nerwowo i ponownie zajrzałem do torebki. Rulonik był tam nadal. Ostrożnie wyjąłem go i obejrzałem ze wszystkich stron. Miałem go w rękach, ale wciąż nie wierzyłem. Nachyliłem się tak, żeby nikt nie widział, co robię, i zdjąłem gumkę. Rozwinąłem banknoty i powoli przepuściłem ich brzegi między palcami. Co najmniej kilkadziesiąt sztuk samych setek. Euro. Wypuściłem powietrze, które od paru chwil trzymałem w sobie, i szybko policzyłem w pamięci.

– Kilka tysięcy... – szepnąłem. – O psia dupa...

Wziąłem głęboki oddech i otrząsnąłem się. Zwinąłem pieniądze i z powrotem włożyłem między kanapki. Oparłem się wygodnie i zamyśliłem, patrząc na ciemnopomarańczowe słońce, mrugające do mnie spomiędzy mijanych drzew. Na plaży w Świnoujściu na pewno zaczynał się piękny zachód słońca, ale moje myśli były skierowane w przeciwną stronę – na autostradę, którą w kierunku Poznania pruł właśnie srebrny matiz.

– Skubany kocurek... – szepnąłem i uśmiechnąłem się.

Katarzyna Leżeńska

LUBCZYK

To był najlepszy hotel w miasteczku. Tak zapewniał wiozący ich z dworca taksówkarz. W każdym razie tyle domyślili się z jego gestykulacji, bo nic a nic nie rozumieli z potoczystych komentarzy, choć podobno ten język miał sporo wspólnego z francuskim.

Marzena obudziła się, kiedy promień słońca minął wąską bordową zasłonę i dotarł do jej lewego oka. Zanim zdążyła cokolwiek pomyśleć, poczuła swędzenie na rękach i nogach. Czuła to już we śnie, ale tam wydawało jej się, że to szorstkość rozgrzanego piasku. Na jawie nie było złudzeń – wystarczyło rzucić okiem na nogę wystającą spod zmiętego prześcieradła. Najlepszy hotel w mieście mógł się poszczycić najbardziej bezczelnymi pluskwami, jakie kiedykolwiek zdarzyło im się spotkać, a mieli w tym względzie bogate doświadczenia.

Przez chwilę próbowała jeszcze znaleźć pozycję, w której udałoby się jej złagodzić zbyt gwałtowne przebudzenie, ale na próżno. Bez względu na pozycję wiedziała już, że cała wściekłość, z jaką położyła się spać, obudziła się wraz z nią, wypoczęta i gotowa dalej kąsać.

Nie bądź niewolnicą własnych planów, powiedział jej w nocy Łukasz, kiedy okazało się, że pociąg, który miał ich dowieźć do celu, kończy bieg w połowie trasy, a następny jest... no, jest kiedyś. Ktoś dowcipny zachlapał tablicę z rozkładem jazdy granatową farbą, a o pierwszej w nocy nie znaleźli nikogo zdolnego udzielić informacji, poza taksówkarzem śpiącym snem sprawiedliwego na tylnym siedzeniu przechodzonej dacii.

Witaj, nowy dniu, spróbowała ugodowo, w nadziei, że siłą woli obudzi w sobie radość z gorącego letniego poranka w hotelu przy głównej ulicy rumuńskiego miasteczka. Ale wściekłość okazała się czujna i wierzgnęła natychmiast, tłumiąc wszelki ślad entuzjazmu.

Trudno. Marzena skapitulowała i powlokła się do łazienki. Może długi chłodny prysznic zdoła spłukać z niej wczorajszy dzień i wczorajszą złość.

Zapewne zdołałby, gdyby działał tak, jak się tego naiwnie spodziewała. Bo właściwie to działał aż za bardzo i tylko cudem uniknęła poparzenia. Kiedy ukrop chlusnął po dłuższej chwili wahania, właśnie z rezygnacją przyglądała się swemu odbiciu w łazienkowym lustrze. Ręce i nogi, trudno, ale pluskwy zostawiające potrójne wizytówki na twarzy?! Do tego natrysk buchający wrzącą wodą – same radości o poranku!

Udało jej się ochlapać nieco w umywalce oferującej – dla odmiany – niemrawy strumyczek lodowatej wody. To wystarczyło, by się doprowadzić do porządku. Wystarczyło, by wyszła z łazienki gotowa do awantury.

– Będziesz teraz gnić do południa, tak? – zapytała bardzo spokojnie Łukasza śpiącego błogo na gołym materacu pośród splątanych prześcieradeł.

Albo nie spał tak mocno, jak się wydawało, albo ten spokojny głos budził go nawet z kamiennego snu, bo natychmiast otworzył oczy.

– Już południe? – zdziwił się.

Nie było jeszcze jedenastej, ale nie zamierzała czekać w rozgrzanym upałem pokoju, aż łaskawca raczy się wyspać. Od dawna na to nie czekała, w przeciwnym bowiem razie każdy jej dzień zaczynałby się od popołudnia.

– Nie, ale może dobrze byłoby zainteresować się rozkładem jazdy pociągów, autobusów, czegokolwiek. Nie wyjechaliśmy po to, żeby dać się zagryźć pluskwom w jakiejś dziurze.

– Pluskwy? – zainteresował się Łukasz. – A tak, rzeczywiście. – Przyjrzał się swoim nogom. – Bidulko, ciebie też pogryzły? Co za chamki!

Uniósł prześcieradło zapraszającym gestem.

Marzena odwróciła się i przystąpiła do najzupełniej zbędnego, ale jak zawsze starannego zaścielania swojego łóżka. Za nic w świecie nie wróci już do tego zapluskwionego wyra! Nie ma też zamiaru wślizgiwać się pod prześcieradło Łukasza. Jego łóżko jest z całą pewnością w równym stopniu zapluskwione – powiedzmy, że to najważniejszy powód.

– Dobra – westchnął i z ostentacyjną rezygnacją powlókł się do łazienki.

Nie odezwała się ani słowem. Przysiadła na łóżku i spokojnie czekała.

– Kurwa! – ryknął Łukasz, całkowicie już rozbudzony solidną dawką ukropu.

Chwilę później wyłonił się z łazienki, mamrocząc grubsze przekleństwa. Ubrał się błyskawicznie, jak na niego. Oczywiście w te same ciuchy, w których podróżował przez ostatnie dwie doby.

– Może jednak zmienisz koszulkę? – rzuciła Marzena, udając, że nie patrzy w jego stronę. Może trzeba było naprawdę nie patrzeć, wtedy nie zobaczyłaby, jak ukradkiem obwąchuje pstrokaty T-shirt. – Przestań, bo się porzygam.

– Mnie też miło cię widzieć od rana – odgryzł się już bez uśmiechu.

W milczeniu zeszli do recepcji, by dowiedzieć się, że najlepszy hotel w mieście nie oferuje śniadania ani w cenie noclegu, ani za dopłatą, z tej prostej przyczyny, że nie posiada ani jadalni, ani kuchni. Jakoś nie mieli ochoty na śniadanie w hotelowym barze, oferującym jedynie bogaty wybór miejscowych i zamiejscowych trunków.

Marzena ruszyła z powrotem na górę, by dokończyć pakowanie. Łukasz wdał się w dłuższą dyskusję z recepcjonistą, który stanowczo się upierał, że mówi biegle po angielsku. Zamykała właśnie swój plecak, kiedy Łukasz wpadł do pokoju.

– Pospiesz się, mamy pociąg o dwunastej.

Spakował się dwoma ruchami, zarzucił plecak na ramię i już go nie było.

– I co teraz? Bieg z obciążeniem? – sapnęła Marzena, doganiając go na schodach.

– Spokojnie, zamówiłem taksówkę. – Triumfalnym gestem zdobywcy wskazał znajomą dacię, czekającą przed wejściem do hotelu.

Zatrzasnęła drzwi niemal w biegu i ruszyli, trzęsąc się na wybojach, jakby samochód był pozbawiony resorów. Przez to podskakiwanie i ryk silnika miało się wrażenie, że rozwijają jakąś kosmiczną szybkość, ale rzut oka na okrągły wskaźnik sprowadzał na ziemię: jechali kosmiczną pięćdziesiątką.

Marzena uśmiechnęła się po raz pierwszy tego dnia.

Zajechali z fasonem przed stacyjkę, która w promieniach południowego słońca wyglądała jeszcze żałośniej niż w litościwym mroku nocy. Wyciągniętym kłusem ruszyli w stronę zamkniętego na głucho okienka kasy. Łukasz zastukał zdecydowanie w drewnianą zastawkę.

Po dłuższej chwili z pomieszczenia obok wyjrzał mężczyzna w niemożliwie wyszmelcowanym kolejarskim uniformie. Spokojnie przyjrzał się Łukaszowi i wysłuchał jego przemowy po angielsku, wzbogaconej o stukanie palcem w mapę i machanie portfelem. Z leniwym zainteresowaniem zlustrował Marzenę od stóp do głów, a raczej do biustu, uwydatnionego przez szerokie paski plecaka. Pokiwał głową chyba z aprobatą, po czym odpowiedział równie potoczyście, choć z dziwnym, chrapliwym przydechem, we własnym języku. Trudno powiedzieć, w jakim konkretnie. Kolejarze na zapomnianych przez Boga i ludzi stacyjkach rzadko prezentują wzorcową wymowę, a w tej dziwnej krainie pomieszanych ludów i języków nie sposób było zgadnąć, co jest dla kogo mową macierzystą, a co językiem obcym.

Łukasz wysłuchał go z bezradnym uśmiechem, a kolejarz zrobił to, co robią miejscowi na całym świecie: powtórzył wszystko dużo wolniej i głośniej, żeby nawet głupi zrozumiał.

Łukasz, nadal z uśmiechem, pokręcił głową i poddał się, rozkładając ręce w uniwersalnym geście.

– On mówi, że pociąg będzie o dwudziestej – odezwała się milcząca dotąd Marzena.

Obaj mężczyźni spojrzeli na nią z takim zaskoczeniem, jakby z nagła przemówiła odrapana kolumna, podpierająca centralnie dach stacyjki.

– Pociąg będzie dopiero o ósmej wieczór – powtórzyła Marzena dużo wolniej i głośniej, żeby nawet głupi zrozumiał.

– Skąd wiesz? – zdziwił się Łukasz.

– Ten język ma wiele wspólnego z francuskim – wyjaśniła. Niepotrzebnie, bo mężczyzna wyciągnął z kieszeni pomiętą kartkę, wypisał koślawą dwudziestkę wygrzebanym z drugiej kieszeni długopisem i podsunął papier Łukaszowi pod sam nos.

– To mamy osiem godzin w plecy – podsumował Łukasz z miną dziecka, które jest już pewne, że kara go nie minie, nie wie tylko jeszcze, jak bardzo będzie bolało.

– Mamy drugi dzień w plecy! – syknęła Marzena bliska płaczu.

Trudno było mieć pretensje do recepcjonisty biegłego inaczej w angielskich liczebnikach. W niczym nie zawinił kolejarz ani taksówkarz. Jedyny winowajca w zakłopotanym milczeniu zapinał pas w swoim plecaku.

Romantyczny pomysł jazdy nad Morze Czarne przez Ukrainę i całą Rumunię okazał się tym, czym był zapewne od początku: kretyńskim pomysłem. Przynajmniej dla kogoś, kto ostatni raz był w tym kraju dwadzieścia pięć lat temu z rodzicami i orbisowską wycieczką. Podejrzewała to już na dworcu autobusowym w Przemyślu, pośród tłumu ludzi, setek toreb w kratkę, pakunków obwiązanych sznurkiem i kartonów. Zmusiła Łukasza, by ustawił się w pierwszej linii szturmu na autobus do Suczawy. Udało mu się zająć miejsca tuż za kierowcą, dzięki czemu uniknęli podróży wśród ruchomych stosów cudzego bagażu. Jednocześnie jednak skazali się na przymusowe wysłuchiwanie ulubionych taśm kierowcy przez kilkanaście następnych godzin. Gdyby skończyło się na wiązance przebojów biesiadnych, byłoby jeszcze pół biedy. Nikt jeszcze nie umarł od „Białego misia dla dziewczyny aaa" ani od „Czerwone i bure i bure". Ale kierowca nade wszystko ukochał „Biełyje rozy", od kilkunastu lat niepokonany przebój bazarów wzdłuż całej Ściany Wschodniej. Zadawał sobie wiele trudu, by co jakiś czas przewinąć taśmę i puścić raz jeszcze i jeszcze raz kultowy kawałek. Przy refrenie nieodmiennie wtórował głębokim sznapsbarytonem wokaliście o głosie zmęczonego kastrata, choć przychodziło mu to z trudem, bo jednocześnie palił jednego za drugim.

Cały zresztą autobus palił – może nie wszyscy pasażerowie naraz, ale właściwie bez przerwy. Akurat tego towaru było pod dostatkiem. Nawet jeśli nie byli jedynymi niepalącymi w autobusie, to z całą pewnością jako jedyni nie przewozili papierosów na sprzedaż.

Marzena spędziła większość podróży w maseczkach z rumiankowych chusteczek do higieny intymnej na twarzy. Kupiła je rzecz jasna w zupełnie innym celu, ale użyte w ten niebanalny sposób dawały jej złudzenie ochrony przed lotnymi ciałami smolistymi i smrodem. Na ogół była nieprzejednana w obronie praw niepalących, ale nawet ona zdawała sobie sprawę, że w tych okolicznościach nie ma co wszczynać dyskusji ani protestować. Siedziała więc całkowicie zamaskowana, gapiła się w okno i w miarę możliwości unikała rozbawionych spojrzeń współpasażerów.

Mimo jej gniewnych pomruków Łukasz wybrał zupełnie inną strategię przetrwania i za którymś razem po prostu przyjął życzliwie oferowanego papierosa. W odwecie Marzena wykopała go z miejsca i kazała iść do nowych kolegów, co uczynił chętnie, bo przecież był z natury otwarty na nowe znajomości.

Mniej więcej od Stanisławowa wsiąkł całkowicie w życie towarzyskie w środkowej części autobusu. Marzena, trochę zirytowana, ale w sumie chyba nawet zadowolona (do końca podróży miała dwa miejsca dla siebie), jednym uchem łowiła odgłosy ożywionej konwersacji. Jak większość pasażerów, Łukasz dyskutował po rosyjsku. Przychodziło mu to nie bez kłopotu, bo jego od dwudziestu paru lat nieużywany szkolny rosyjski z całą pewnością nie zawierał zwrotów niezbędnych w gorącym sporze o istotę i sens pomarańczowej rewolucji. Współpasażerowie wykazywali jednak duże zrozumienie, co jakiś czas proponując uniwersalny środek na rozwiązanie języka w poręcznym kieliszku przechodnim.

Dopiero na granicy ukraińsko-rumuńskiej zrozumieli, dlaczego tak łatwo udało im się zająć świetne miejsca za kierowcą. Dali się wystawić jak dzieci. Rumuński celnik nie pofatygował się nawet do środka autobusu. Stanął na pierwszym schodku, rzucił parę powitalnych warknięć w stronę stałych klientów, przyjrzał się ze znawstwem nowym twarzom, po czym kiwnął palcem na siedzących najbliżej pasażerów za kierowcą. W końcu ktoś musiał sprawdzić dokładnie.

Tyle dobrego, że w obliczu rewizji osobistej Łukasz wytrzeźwiał w sekundę.

Dlaczego po prostu nie polecieli samolotem! Wylecieliby o świcie, a w południe moczyliby się już w zielonkawym Morzu Czarnym, myśląc o niebieskich migdałach. Nie była dwudziestoletnią studentką etnografii. Była kobietą w średnim wieku, która na wakacje wyjeżdżała po święty spokój!

Nie bądź niewolnicą planów, powiedział wczoraj, a raczej powtórzył swoją ulubioną mantrę, kiedy na peronie dworca w Suczawie zobaczyli znikające światła pospiesznego do Konstancy. Autobus przyjechał z kilkuminutowym zaledwie opóźnieniem, ale Łukasz musiał dokończyć rozmowę i pożegnać się ze swoimi nowymi kolegami. Potem okazało się, że w przeciwieństwie do dworca autobusowego, dworzec kolejowy położony jest poza centrum miasta. Kiedy już dotarli na miejsce, przypadkowo napotkani polscy turyści powiedzieli im, że właściwie lepiej było usiąść na tyłku i zaczekać na autobus do Konstancy. Niestety, stało się to już po tym, jak Marzena odpękała pół godziny w niewłaściwej kolejce, a Łukaszowi udało się kupić bilety na najbliższy pociąg nieobjęty rezerwacją miejsc. Nikt ich nie uprzedził, że to najtańszy *personal* o urodzie polskich pociągów podmiejskich i zrywie osobowego z Bielska do Hajnówki. W każdym razie przez resztę dnia jechali z szybkością żółwia na walerianie, zatrzymując się przy każdym większym krzaku.

Nie bądź niewolnicą planów.

Słyszała to. Nieraz. Najczęściej wtedy, kiedy kolejna niecierpiąca zwłoki sprawa Łukasza albo coś, co nieoczekiwanie strzeliło mu do głowy, krzyżowało lub unieważniało jej plany na wieczór, weekend, wakacje, święta. W gruncie rzeczy ta idiotyczna sytuacja nie różniła się niczym od tysięcy innych. Tyle że do domu było nieco dalej, a najbliższy pociąg był za osiem godzin i nie dało się ostentacyjnie oddalić w przeciwnym kierunku.

Wyszli na rozgrzany skwerek przed stacją.

– To co? Śniadanko? – Łukasz uśmiechnął się w ostatniej próbie uniknięcia burzy.

Nic z tego. Bez słowa skinęła głową i odwróciła twarz w drugą stronę.

– Marzenko!

– Zostaw! – Wzdrygnęła się i przeszła na zacienioną stronę głównej ulicy miasteczka.

Łukasz bez słowa ruszył za nią.

Ludzie siedzący na ławkach i schodkach, przechodnie i rowerzyści przyglądali im się z nieskrywanym zainteresowaniem. Niektórzy wypowiadali jakieś uwagi, a że uśmiechali się przy tym życzliwie, Marzena przyjmowała je za dobrą monetę. Parę głębokich wdechów pomogło jej powstrzymać łzy.

Po dłuższym spacerze dotarli do czegoś w rodzaju gospody rozłożonej drewnianymi stołami wokół cienistego patio. Bez zwyczajowych dyskusji zajęli pierwszy z brzegu stolik. W milczeniu pogrążyli się w studiowaniu menu. Ktoś zadał sobie dużo trudu, by wypisać je ozdobnie w szesnastokartkowym zeszycie o posklejanych starannie stronach, tworzących twarde, odporne na zniszczenie cztery kartki.

– Wygląda mi to raczej na lanczyk niż śniadanko – odezwał się Łukasz. – Masz na coś ochotę?

– Mam ochotę przegryźć ci gardło – odpowiedziała Marzena zupełnie szczerze i rzuciła z trzaskiem swój zeszyt na środek stołu. – Nie wiem, zamów cokolwiek, popatrz, co ludzie jedzą.

– Ludzie piją – odpowiedział równie szczerze, bo bliższe i dalsze stoliki okupowali mężczyźni w różnym wieku, którym upał nie przeszkadzał w powolnym upijaniu się na wesoło lub smutno. – Właściwie, czemu nie?

– No pewnie! – nie wytrzymała. – Teraz się narąbię jak stodoła i będę, pobekując, do wieczora leżeć pod tym stołem! Właśnie o takiej podróży marzyłam: pod stół i do rygi!

– Chciałem zamówić po szklaneczce domowego wina.

– Nie mam zamiaru pić alkoholu na czczo, w środku dnia, w tym upale. Ale ty, proszę bardzo, zrób sobie dobrze, do wieczora może wytrzeźwiejesz.

– Nie umiesz odpuścić, prawda? – zapytał Łukasz raczej ze znużeniem niż ze złością. – Nie umiesz rozejrzeć się i ucieszyć tym, co widzisz? Od rana wrzenie i gaz do dechy, bo miało być jakoś, a jest inaczej?

– Miało być tak, jak było zaplanowane. A jest „jakoś". Byle jak, byle gdzie i bez sensu!

– Marzenko...

– Pogryzły mnie pluskwy! Tracę czas w jakiejś spelunce, bo uparłeś się, żeby wsiadać do najbliższego pociągu! Pytałam, czy sprawdziłeś, gdzie i kiedy jest ta przesiadka. Ale ja jestem przecież drobiazgowa i upierdliwa, tylko że jak ja nie załatwię, to po prostu jest niezałatwione. Z czego mam się niby cieszyć, co?

Łukasz znał ją na tyle, by wiedzieć, że przy tego typu pytaniach jedyne, co mu pozostaje, to milczeć w mniej lub bardziej tępym stuporze, bo i tak wszystko, co powie, zwróci się przeciwko niemu. Dłuższą chwilę wodził palcem wzdłuż słojów drewna na blacie, by w końcu mimo wszystko się odezwać:

– No trudno, kasjerka w Suczawie rzeczywiście coś mówiła, ale jak dla mnie, równie dobrze mogła mówić o pogodzie. Za to teraz siedzę przy pięknym, ręcznie ciosanym stole, pod dachem z dzikiego wina, ale rozumiem, że to wszystko nic. Nie istnieje. Bo ty zawiesiłaś się na pluskwach i do wieczora nic cię nie zrestartuje.

Marzena już otwierała usta pod naporem cisnących się nadal żab, węży i ropuch, ale po lewej wyrósł znikąd bardzo z siebie zadowolony i nieco już pijany kelner, by przyjąć zamówienie.

Po chwili Łukasz łykał młode wino, a Marzena łykała łzy, bo teraz, kiedy już wywaliła najcięższy kaliber, dotarło do niej w pełni, jak bardzo jest skrzywdzona i poszkodowana. Płakała, ale przecież nie z żalu. Płakała tym najlepiej znanym jej rodzajem płaczu, który mężczyźni zastępują fangą w nos albo walnięciem talerzem o beton, albo jakimś równie słusznym aktem agresji. Płakała, bo już wiedziała, że nie tylko nie wykąpie się szybko w Morzu Czarnym, ale straciła całą chęć na ten wyjazd. Łukasz spieprzył trasę wycieczki, a ona całą resztę. Jeszcze dwa zdania i mogą spokojnie zacząć się rozglądać za czymkolwiek, co jedzie w przeciwne strony.

Tymczasem pogwizdujący radośnie kelner postawił przed nimi dwa talerze pachnącej mieszanki warzyw z mamałygą. Zapewne strącenie tego jednym ruchem na zaśmieconą podłogę byłoby widowiskowym gestem, ale Marzena poczuła nagle, że od wczorajszego popołudnia nie miała nic w ustach.

Złość działa na wiele sposobów. Najczęściej osadza się kamieniem w żołądku, nie pozwalając przełknąć nic, z wyjątkiem kawy i tabletek na uspokojenie. Czasami jednak przysysa się boleśnie gdzieś w środku. Wtedy zaczyna się jeść i jeść, nie czując sytości, choć żołądek już dawno ma dosyć. W skrajnych przypadkach kończy się to wyzwalającym pawiem, częściej jednak – trawieniem w mękach.

Marzena zmiotła zawartość talerza, zanim Łukasz doszedł do połowy swojej porcji. Następnie wychyliła niemal duszkiem szklankę młodego wina, którego nie zamierzała nawet tknąć o tej porze. Widać Łukasz znał ją lepiej niż ona siebie, bo nie skomentował tego ani słowem, tylko przywołał kelnera i odważnie zamówił jeszcze dwie szklaneczki oraz dwie kawy.

Czy to młode wino, czy trudy trawienia, czy może smolista ciecz podana im jako kawa, dość, że złość wierzgająca od rana przyczaiła się, a może nawet przysnęła znużona. Teraz było już tylko smutno i nie wiadomo, co powiedzieć.

Zegar na kościelnej wieży wybił pierwszą. Zapłacili i wyszli na rozprażoną ulicę, gdzie nie było śladu cienia. Wszystko, co żyło, skryło się po drugiej stronie zamkniętych na głucho bram, na zacienionych podwórzach lub w domach o ślepych ścianach szczytowych. Wlekli się, nie bardzo wiedząc, co ze sobą zrobić. Hotel, w którym spędzili noc, stał przy drodze wylotowej na drugim końcu miasteczka. Sądząc z tego, co zobaczyli, jadąc taksówką, był rzeczywiście najlepszy, bo jedyny. W poszukiwaniu miejscowych atrakcji mogli co najwyżej zawrócić do tawerny, którą właśnie opuścili, bo nawet ciasne sklepiki były zamknięte na głucho, jak to przy sjeście.

Łukasz skręcił w boczną, minimalnie zacienioną uliczkę. Stojące po obu stronach domy nawet nie udawały miejskiej zabudowy. Drewniane ogrodzenia zbiegały się ku wysokim na jakieś dwa metry rzeźbionym bramom, zwieńczonym daszkami z gontów, gdzieniegdzie z łukowatymi okienkami wielkości otworów strzelniczych. Parę domów dalej uliczka gładko przechodziła w ścieżkę, a kończyła się – niestety – zarośniętą na wysokość człowieka zakurzoną łąką, za którą szarzał kolejowy nasyp.

Doszli do ślepego wylotu i, nadal bez słowa, zrzucili ciążące coraz mocniej plecaki. Rozsiedli się, a raczej przycupnęli na wąskim murku drewnianego ogrodzenia w cieniu dojrzewającej śliwy.

Marzena wyciągnęła butelkę cytrynowego schweppsa, którą kupiła, wychodząc z tawerny. Nie mogła się powstrzymać na widok obłej buteleczki, która lata temu była żelaznym punktem jej dnia na rumuńskiej plaży. Codziennie dostawała od rodziców leje na schweppsa lub loda i prawdę mówiąc, była to jedyna przyjemność, jaką mogli jej sprawić w czasach wyjazdów na książeczkę zwaną szumnie walutową. Szczęśliwie nie zdawała sobie z tego sprawy. Liczył się tylko gorący piasek, ciepłe morze i słońce, którego w tamtych czasach nikt jeszcze o nic złego nie podejrzewał.

Otworzyła butelkę, zaproponowała nawet Łukaszowi, ale odmówił ruchem głowy. Wypiła pierwszy łyk...

To nie był smak magdalenki przywołującej błogie wspomnienia. To były słodkie jak ulepek gazowane rozcieńczone landrynki czy inna ohyda – musiałaby naprawdę konać z pragnienia, żeby zmusić się do drugiego łyku. Nawet schwepps nie chciał być taki, jaki miał być. A do pociągu jeszcze tyle godzin!

Było tak gorąco, że nie miała siły dalej wyrzekać ani podejmować normalnej rozmowy. Odstawiła prawie pełną butelkę na murek.

I wtedy skrzypnęły niskie drewniane drzwiczki w bramie po drugiej stronie uliczki. Drobna staruszka w obowiązkowej czerni machnęła ku nim z uśmiechem. Marzena odwzajemniła uśmiech, ale nie wiedziała, co dalej. Łukasz nie miał widać wątpliwości, bo z miejsca chwycił plecak, podszedł ku starej kobiecie, a po sekundzie już przywoływał Marzenę.

Wstała, ociągając się. Ostatnie, o czym teraz marzyła, to zawieranie kolejnej przygodnej znajomości z kimś, z kim nie da się dogadać w żadnym cywilizowanym języku.

Stanęli w bramie. Podwórko przywitało ich cieniem i gęstwiną dzikiego wina, zwieszającego się niemal na wysokość wyciągniętej ręki z drewnianej kratki położonej poziomo od bramy aż do ściany budynku.

– *Bună ziua* – przywitała się grzecznie Marzena.

Staruszka odpowiedziała radośnie i całkowicie niezrozumiale. Na szczęście przemawiając, ruchem ręki pokazała sad brzoskwiniowy w głębi ogrodu, gdzie pod dachem z gałęzi spokojnie zieleniła się miękka sierpniowa trawa. Kobieta weszła do domu, a po chwili wyszła, niosąc koc i – naprawdę – dwie wielkie białe poduszki, które ułożyła pod najdorodniejszym drzewem, nim zdążyli zaprotestować słowem czy gestem.

– *Merci* – wystękała Marzena z rumuńska po francusku.

Ruszyli grzecznie w stronę legowiska, zostawiając plecaki przy bramie.

Tuż za rogiem budynku w cieniu obsypanego owocami drzewa morwowego stała drewniana ogrodowa ławeczka. Zajmował ją niemal w całości starzec, a właściwie staruszek, bo czyż starzec może być malutki, niemal okrągły i łysy jak kolano?

– *De unde sunteţi*? – zapytał, a właściwie tym pytaniem zakończył dłuższą uprzejmą, acz zupełnie niezrozumiałą wypowiedź powitalną.

– *Polonia* – odpowiedziała Marzena.

– *From Poland* – dodał Łukasz, szczęśliwy, że wreszcie coś samodzielnie zrozumiał.

Staruszek pokiwał głową i wypowiedział parę uwag, zapewne związanych z jego wiedzą o Polsce, ale nie czuli się na siłach kontynuować tematu. Ukłonili się oboje jak na komendę, Marzena z przyklejonym uprzejmym uśmiechem, Łukasz po prostu z uśmiechem. Najwyraźniej nie widział nic dziwnego ani krępującego w całej sytuacji, bo wyciągnął się na kocu i spokojnie umościł na śnieżnobiałej poduszce.

Marzena usiadła, nie wiedząc, czy uśmiechać się dalej, czy podjąć kolejną próbę jakiejś kurtuazyjnej rozmowy – na przykład na migi – ze staruszkiem, a może z kobietą? Siedziała więc wyprostowana jak kołek, ale nikt z obecnych nie zwracał już na nią uwagi. Łukasz wpatrywał się w koronę brzoskwiniowego drzewa, staruszek patrzył w jakąś sobie wiadomą dal, a kobieta wróciła do wyszywania kawałka płótna. Zapewne przerwała w pół ściegu, by uratować ich przed udarem.

Igła błyskała miarowo. Marzena nerwowo obciągała przykrótką letnią spódnicę. Łukasz położył jej rękę na ramieniu i łagodnie pociągnął w dół. Opierała się lekko i już chyba tylko dla zasady, ale w końcu opadła na poduszkę, pachnącą krochmalem i czymś jeszcze.

Cykady na łące za płotem darły się wniebogłosy. Słońce prześwitujące wśród gałęzi z tej perspektywy zdawało się raczej czule muskać, niż prażyć bez miłosierdzia. Staruszka bezszelestnie postawiła przy nich dwie szklanki z grubego szkła. Marzena uśmiechnęła się z wdzięcznością i już miała wypić wodę duszkiem, ale była tak lodowata, jak lodowata bywa tylko woda z głębokiej studni w upalny dzień. Dawała się sączyć tylko małymi łyczkami. Odwróciła się jeszcze do Łukasza, który leżał na wznak z zamkniętymi oczami, po czym odnalazła swoją ulubioną pozycję na brzuchu i przymknęła oczy.

Żadne z nich nie mogło widzieć, że staruszek – bo jako się rzekło: nie starzec – przywołał kobietę do siebie i powiedział jej parę słów, przytrzymując przez chwilę jej dłoń w swojej dłoni. Kobieta parsknęła leciutkim śmiechem i ruszyła w głąb ogrodu. Po chwili wróciła, niosąc dwie zielone gałązki. Spojrzała jeszcze na męża, który bez słowa pokiwał głową, podeszła ku śpiącym na kocu i delikatnym ruchem położyła po gałązce na białych poduszkach...

Monotonne kłótnie cykad nie dawały szansy na drzemkę, ale w niczym nie przeszkadzały pamięci. Teraz, kiedy już opadło napięcie, przygniatające jak kamień od samego rana, Marzena bez trudu przypomniała sobie to, o czym od kilkunastu godzin udawało jej się nie pamiętać. Ich ubiegłoroczny wyjazd do Władysławowa, zaplanowany i opłacony już w lutym. Bezpardonową walkę o każdą piędź wolnego miejsca na rozdeptanej plaży. Wijące się nerwowe kolejki do smażalni ryb, pizzerii, zapiekanek, wszystkiego, co zachowywało choćby pozór jadalności. Codzienną dyskotekę do czwartej nad ranem w ośrodku po drugiej stronie ulicy, o którym ani słowem nie zająknął się ani folder biura turystycznego, ani folder pensjonatu. I własne solenne postanowienie: nigdy więcej wakacji w miejscowości żyjącej z turystów.

Przypomniała sobie, jak od lutego opowiadała w pracy o „spotkaniach z prawdziwymi ludźmi", „drodze w nieznane", „zakątkach ukrytych przed oczami turystów", o wolności i niezależności... Dupa kwas! Była tak zachwycona sobą i zdumieniem w oczach znajomych, którzy „tylko na Mazury" albo „tylko do Egiptu", albo „tylko ze Scan Holiday", że przez następnych parę miesięcy udało jej się nie zadać sobie pytania, czy tego właśnie chce: podróży w nieznane przez najbardziej zapadłą część Europy?

Od rana łykała wściekłość i łzy, zmuszona spędzić dzień w mieście, które z całą pewnością było „zakątkiem ukrytym przed oczami turystów". Wczoraj wieczorem myśleli, że jadą do Konstancy, a dojechali w nieznane. Czyżby chodziło jej o jakieś jeszcze bardziej nieznane? To może trzeba było jechać w głąb Czarnego Lądu, a nie nad Morze Czarne! Tam z pewnością nie byłoby pluskiew!

Gdzie właściwie zamierzała szukać „prawdziwych ludzi"? Czyżby współtowarzysze podróży do Suczawy byli jeszcze nie dość prawdziwi? A staruszkowie, którym przyszło do głowy zaprosić obcych ludzi do swego cienistego sadu? To prawda, wyglądali jak z bajki, ale przecież nie są z bajki, tylko z rumuńskiego miasteczka.

Tokując o wolności, niezależności i romantycznej podróży w nieznane, zapomniała, że wszystkie te odważne plany dotyczyły jej samej. A ona przede wszystkim nienawidziła nieznanego i niespodzianek (jej osobisty limit tego typu zdarzeń w zupełności wyczerpywały dzieci). Przez parę miesięcy entuzjastycznie rozprawiała więc o podróży autobusem przez Ukrainę i pociągiem przez Rumunię, ale z jakichś tajemniczych powodów założyła, że spędzi ją równie przyjemnie, higienicznie i gładko jak podróż Intercity do Krakowa. Zresztą nie zastanawiała się nad wygodami podróży, bo przede wszystkim wyobrażała sobie tę barwną i dowcipną opowieść, którą zachwyci i zaskoczy znajomych nawykłych do Intercity.

Łukasz się mylił. Nie była niewolnicą planów. Była niewolnicą swoich wyobrażeń i nawyków. Jeżeli „tu i teraz" nie odpowiadało temu, co sobie wyobraziła, albo przynajmniej temu, co już znała, po prostu odwracała się plecami. Dlatego wymarzona podróż w nieznane była dla niej tak męcząca, irytująca i trwała tak długo. Rzeczywistość była zbyt wielobarwna, obca, zmieniała się zbyt szybko, by wypielęgnowane wyobrażenia mogły za nią nadążyć. Spóźnione, zasapane, spocone jak ona, wołały głośno, a ona wraz z nimi: „Nie tak miało być!". Co oznaczało za każdym razem: „Nie tak to sobie wyobrażałam!".

Odgłos powolnych głuchych uderzeń przywołał Marzenę z płytkiej drzemki do rzeczywistości. Dźwięk rozlegał się miarowo wśród zupełnej ciszy. Rozgrzane powietrze pachniało. Leżała jeszcze przez chwilę, nie otwierając oczu, w końcu przewróciła się na bok. Poczuła łaskotanie na policzku. Uniosła głowę trochę przestraszona, że to znowu jakieś żyjątko, i zobaczyła na poduszce gałązkę o podwójnych, mocno powcinanych listkach, zakończoną baldaszkiem niepozornych żółtozielonkawych kwiatów.

Lubczyk, pomyślała, przeciągając palcem po gałązce. Poczuła słodkawy zapach, który na ogół kojarzył się jej z kostką bulionową, ale był przecież od zawsze zapachem, „co znamienne skutki czyni w małżeństwie i niezgody w nim równa". Ni mniej, ni więcej.

Miejsce obok było puste, tylko na kocu leżała identyczna, trochę zmięta gałązka lubczyku. Marzena usiadła. Rozebrany do pasa Łukasz rąbał drewno w głębi podwórza. Stara kobieta zbierała polana i powoli znosiła do rozpadającej się szopy. Staruszek nadal siedział na ławce, do której dostawiono stół przykryty obrusem haftowanym w czerwony wzór, identyczny jak ten na odłożonej do koszyczka robótce. Pośrodku stołu królował garnek z parującą zawartością.

Marzena wstała i bez słowa przyłączyła się do noszenia polan.

– Przepraszam – mruknęła dopiero, gdy oboje z Łukaszem myli się przy studni.

– Za co? – zdziwił się Łukasz.

– No wiesz, to co mówiłam rano… i potem…

– Nie ma sprawy. Po prostu trochę nie nadążałaś za sytuacją – powiedział, zupełnie jakby znał ją równie dobrze jak ona jego.

To był cały Łukasz.

Z całą pewnością nie był niewolnikiem planów, bo na ogół żadnych nie miewał, przynajmniej takich, które wybiegałyby dalej niż do następnego ranka. Kwalifikował ciuchy do prania przez staranne obwąchiwanie. Nagminnie używał jej szczoteczki do zębów i miał całe mnóstwo innych wad. Ale jedno trzeba było mu przyznać: bez słowa przechodził do porządku dziennego nad wszystkimi burzami, których wzniecanie było w tym małżeństwie specjalnością Marzeny. I może jeszcze to, że z równym zapałem realizował swoje, jak i jej pomysły, nawet jeśli jedne i drugie były do bani. W końcu to nie on rok temu chciał jechać do Władysławowa i nie on marzył o romantycznej podróży na rumuńskie wybrzeże przez Ukrainę.

Od strony nasypu dobiegł gwizd nadciągającego z wysiłkiem pociągu.

– *Trenul* – poinformował ich uprzejmie gospodarz.

Łukasz machnął ręką, objął Marzenę ramieniem i oboje podeszli do stołu. Usiedli ostrożnie na rozklekotanych drewnianych zydlach. Stara kobieta zamieszała chochlą zupę, która niepokojąco przypominała flaki.

– *Ciorbă de burtă* – powiedziała, potwierdzając ponure domysły Marzeny.

Szczęśliwie w misce obok czerwieniała sałatka z papryki i pomidorów. Na płóciennym ręczniku leżał wyrośnięty biały chleb. Obok stała pękata, ciemna butelka.

– Palinka? – zapytał Łukasz.

Gospodarze gwałtownie zaprzeczyli i oboje naraz zaczęli coś szczegółowo wyjaśniać. Kobieta chwyciła butelkę i podsunęła im pod nos, zapewne po to, żeby zobaczyli pływające w środku listki lubczyku. Staruszek z uśmiechem podsunął Marzenie niewielki kieliszek z rżniętego szkła.

Może to jest jakiś pomysł, pomyślała. Podobno Kaligula oszalał po nalewce z lubczyku, ale on, jak wiadomo, w niczym nie znał miary. Może odrobina nalewki z lubczyku to właśnie ta brakująca odrobina szaleństwa. Potrzebna wszystkim tym, którzy – jak ona, Marzena – najchętniej poznają to, co już znane. Po to, by bez obawy wyjść na spotkanie tego, co naprawdę nowe i jeszcze niepoznane.

Już miała upić elegancki łyczek, kiedy Łukasz wstrzymał jej rękę.

– Musisz wypić za kogoś – szepnął.

– Nie rozumiem.

– Musisz wznieść toast za kogoś z nas. Potem nalejesz i podasz kieliszek temu, za kogo wypiłaś.

– A skąd ty to wiesz?

– Piłem tak w autobusie, całe Karpaty tak piją.

Marzena wstała, chrząknęła i rozejrzała się po ogrodzie w poszukiwaniu natchnienia.

– *Noroc!* – podpowiedział jej Łukasz półgłosem.

– Co?

– Na zdrowie.

Już miała mu odpalić złośliwie, ale w tej samej chwili odskoczyła jej kolejna klapka w pamięci. Powróciły długie wieczory w rumuńskim kurorcie, tak różne od codziennych, zwyczajnych wieczorów. Rodzice i mała Marzena spędzali je najczęściej na spacerach albo w tanich knajpkach z tańcami, gdzie i tak było ich stać co najwyżej na wodę mineralną. Czasami rodzice siadywali z butelką pliski na hotelowym tarasie w towarzystwie przygodnych znajomych z wycieczki. Wtedy co jakiś czas padało wśród śmiechów to rumuńskie słowo.

O tym, by wypić łyk czegokolwiek z Rumunami, nie było mowy. Ci, z którymi rodzice mieliby nawet ochotę spędzić miły wieczór, bali się pokazywać w towarzystwie cudzoziemców gdziekolwiek poza plażą. Na towarzystwo tych, którzy się tego nie bali, rodzice jakoś nie mieli ochoty. Marzena nigdy nie zapytała ich dlaczego; musiało minąć kilkanaście lat, by sama do tego doszła.

– *Noroc!* – zawołała, kłaniając się gospodyni.

Opróżniła kieliszek jednym haustem i dech jej zaparło.

To nie było młode wino. To była nalewka z lubczyku, która przywiodła Kaligulę do szaleństwa.

A kiedy odzyskała oddech i usiadła na chwiejącym się stołku, poczuła, że z trudem, bo z trudem, ale w końcu dogoniła swoje „tu i teraz". W końcu odnalazła Łukasza i samą siebie w wymarzonej podróży, która być może zawiedzie ich również nad Morze Czarne. Ale na razie byli tutaj, a zachodzące słońce zaglądało właśnie przez łukowate okienka w wysokiej bramie wprost do ich talerzy z zupą.

Jutro też będzie jakiś pociąg, a gdyby cokolwiek poszło nie tak… wiedzieli już przecież, gdzie jest najlepszy hotel w miasteczku.

Magdalena Kordel

KOGEL-MOGEL, CZYLI PECHOWE PRZYPADKI FLORENTYNY

Dzięki ci, Panie Boże, że nie urodziłam się Kopciuszkiem. Gdyby tak się stało, z pewnością nie miałabym przypisanej do siebie żadnej dobrej wróżki. Albo na schodach pałacowych tuż przed dwunastą zrobiłby się ogromny korek, uniemożliwiający ucieczkę. Ewentualnie zegar by się późnił i książę zobaczyłby mnie skompromitowaną i obdartą (chociaż doprawdy nie wiem, jakie miałoby to znaczenie, skoro potem latał jak wariat po wszystkich domach z pantofelkiem w dłoni i tak czy owak widział Kopciuszka w stroju roboczym). Zresztą, skoro tak się poświęcał, to widać zakochał się w dziewczynie, a nie w sukni. Inna sprawa, że gdybym się urodziła jako Kopciuszek, na pewno nie wytrzymałabym szykan wyrodnych siostrzyczek i macochy. Prędzej na pierwszą propozycję wybierania grochu z popiołu wybuchłabym gromkim śmiechem, a gdyby usiłowano mnie zmuszać, obawiam się, że prędzej udusiłabym mamuśkę i lube siostrzyczki, niżbym się dała zapędzić do tak beznadziejnej roboty. I cała przyszłość, rysująca się przede mną we wspaniałych barwach, prysłaby jak bańka mydlana. Bo który książę chciałby ożenić się z morderczynią?

No, ale dzięki Bogu nie urodziłam się Kopciuszkiem, nie miałam złych sióstr ani macochy. Przeciwnie, byłam i jestem jedynym dzieckiem rodziców, którzy, jak przypuszczam, żywili do mnie ogromną niechęć. Nie mam pojęcia dlaczego, bo przez całe moje dwudziestoparoletnie życie byli dla mnie dosyć mili i nie próbowali mnie zabić ani okaleczyć. Dbali o moje zdrowie psychiczne i fizyczne, kupowali modne ciuchy i służyli w potrzebie pomocną dłonią. Ale musieli odczuwać do mnie jakąś antypatię – w innym wypadku nie nadaliby mi przecież takiego kretyńskiego imienia. Florentyna! To dobre imię, nie przeczę. Dla pralki, odkurzacza albo innego sprzętu gospodarstwa domowego. Ale kto nazywa tak własną córkę? Nic dziwnego, że moje życie upływa pod znakiem pecha i niefortunnych zdarzeń. I samotności. Większość moich koleżanek założyła rodziny, porodziła dzieci, a ja nadal pozostaję wolnym strzelcem i spędzam wieczory samotnie na kanapie, sypiam z pilotem od telewizora, a posiłki jadam w barze mlecznym, ewentualnie chodzę na niedzielne obiady do rodziców. Ale właściwie nie powinnam narzekać. Mogłoby być gorzej. Na przykład mogłabym nie mieć pracy. A mam. I to dobrze płatną. Oczywiście i tu można znaleźć minusy (chociażby szefowa wariatka), ale jak ktoś mądry powiedział: jak się nie ma, co się lubi, to się lubi, co się ma. A jak już się lubi, co się ma, to w żadnym wypadku się nie wybrzydza.

No i wykrakałam sobie. A ktoś tam kiedyś mówił, żeby się zbytnio nie cieszyć i do życia podchodzić z pokorą. Cholera, a ja, idiotka, nigdy pokorna nie byłam, to i dostałam za swoje.

Zaczęło się od samiutkiego rana. I gdybym choć trochę wierzyła w znaki, to zrezygnowałabym z pójścia do pracy i w ogóle zamknęłabym się na cztery spusty w domu. I może przeczekałabym pechowy czas bez większej szkody.

Obudziłam się wcześnie, bo wieczorem zapomniałam zaciągnąć zasłony i wścibskie słońce zaraz wepchało mi się pod powieki. No cóż, w końcu jest środek lata. Z niechęcią spojrzałam prosto w landrynkowy błękit nieba i wywaliłam język na brodę. Nie żebym lata nie lubiła, ale na myśl o pójściu do pracy i spotkaniu z szefową dostawałam mdłości i kurczów żołądka. Zresztą, jak ktoś ma to nieszczęście i pracuje w biurze, które mieści się w piwnicach starego budynku, to absolutnie nie cieszy go piękna pogoda. Taki ktoś zielenieje raczej z zazdrości na myśl o tych, którzy w tym czasie leżą sobie na ciepłych plażach albo zdobywają niezdobyte do tej pory szczyty. Nietrudno zgadnąć, że tym ktosiem jestem ja. Powinnam jeszcze dodać, że ktosiem niespodziewającym się urlopu, bo firma dostała nowe ogromne zlecenie.

Z takim podejściem do życia oczywiście stałabym się raz-dwa zrzędliwą i zgorzkniałą starą panną, czyli typem, którego chronicznie nie znoszę. Jedynym wyjściem była zmiana spojrzenia na świat. Tak więc kolejnych 10 minut poświęciłam na przekonywanie siebie, że życie jest piękne, a chłodne piwnice w trzydziestostopniowym upale również mają swój urok. Widocznie mam dar perswazji, a może jestem łatwowierna? – bo podniosłam się z wyrka w dużo lepszym nastroju i nawet nabrałam ochoty na świeże bułeczki. Ledwo jednak zamknęłam drzwi od mieszkania (świeże bułeczki trzeba było kupić), poczciwy los zaczął dawać mi ostrzegawcze znaki. Najpierw skrzypnęły drzwi u sąsiadki naprzeciwko i ukazała się w nich jej mała zasuszona twarzyczka z małymi i wścibskimi oczami. Doprawdy nie wiem, jak ona to robi, chyba nie jada, nie pija i nie sypia – zawsze jest na posterunku.

Kiedyś nawet sprawdzałam i w samej bieliźnie wyszłam w środku nocy z mieszkania, stąpając na paluszkach. Nie wiem, co mnie podkusiło, żeby włóczyć się po klatce półnaga, chyba podświadomie się spodziewałam, że pani Wandzia musi mimo wszystko kiedyś sypiać. Myliłam się, oczywiście. Wypadła na mnie jak rozgniewany borsuk ze swojej nory i gniewnie zapytała, gdzie się tak skradam. Nie zrobiła tego poufnym szeptem, tylko głośnym skrzekiem, który odbił się od ścian naszej starej kamienicy echem i obudził innych mieszkańców, którzy wylegli natychmiast na korytarz, sprawdzić, kto się nie daj Boże niemoralnie prowadzi. Wyszło na to, że ja. Bo cóż mogłam robić innego na klatce, w seksownej koronkowej bieliźnie? Całym sercem żałowałam, że czasy wychodków mieszczących się na zewnątrz dawno minęły. Gdyby było inaczej, mogłabym utrzymywać, że to pilna potrzeba wygnała mnie nieprzyzwoicie nieodzianą z zacisza domowego. Z perspektywy czasu i tak się cieszę, że nie wylazłam na tę klatkę zupełnie naga. Bo to też mogło się zdarzyć. Chociaż, z drugiej strony, mój były, który odszedł jakiś czas temu, twierdził, że taka bielizna to gorzej, niż gdybym nic nie miała na sobie.

Pani Wandzia nie poprzestała na zlustrowaniu mnie wzrokiem, ale wylazła w całości na klatkę, ukazując małą figurkę opakowaną szczelnie w błękitny szlafroczek.

– A gdzie to się Florcia wybiera tak z samego rana, co? – zapytała, mlaskając co drugie słowo. Widocznie nie zdążyła się jeszcze uzbroić w sztuczną szczękę, którą trzymała w szklance na komodzie w przedpokoju. Zwykle ludzie trzymają toto na szafce przy łóżku, ale właściwie jeżeli ktoś sypia pod drzwiami z okiem w wizjerze, to taki wybór miejsca jest w pełni uzasadniony.

– Do piekarni – odpowiedziałam, gmerając kluczem w zamku.

– Pieczywo będzie Florcia kupować, tak? – Pani Wandzia postąpiła krok naprzód, a ja zauważyłam, że na nogach ma błękitne bambosze w kształcie królików.

– Tak, pani Wando, zwykle po to chodzę do piekarni.

– A wie Florcia, że bardzo niezdrowo jest jeść samemu? – zapytała, celując we mnie kościstym palcem.

Zamarłam. Chce się wprosić na śniadanie czy jak?

– Nic mi nie będzie – zapewniłam ją, jednocześnie tyłem robiąc kilka kroków w kierunku schodów.

– Każdy tak mówi! – huknęła pani Wanda, wypinając przywiędłą pierś. – A potem dzieją się tragiczne rzeczy, Florcia wspomni moje słowa – dokończyła złowróżbnie.

– Eeyhm – mruknęłam niewyraźnie. – Muszę już iść, pani Wando, bo może jedzenie w samotności jest niezdrowe, ale niejedzenie w ogóle z całą pewnością jest jeszcze gorsze.

– Florcia chyba mnie w ogóle nie słucha – powiedziała groźnie.

– Bardzo uważnie słucham – jęknęłam z rozpaczą. – No dobrze, jeżeli pani tak zależy, kupię sobie jakiegoś kota czy coś.

– Kota, też wymyśliła – powiedziała pani Wanda z pogardą. – Czy ja bym rozmawiała z tobą o kocie, moje dziecko? Ja mówię o mężu.

– O mężu? – Ze zdziwienia znieruchomiałam. – O jakim mężu?

– No rzecz jasna o twoim. – Pani Wanda patrzyła na mnie jak na kretynkę.

– Ależ ja nie mam męża – powiedziałam, zastanawiając się, czy to na pewno nie sen, bo cała ta rozmowa była jakaś surrealistyczna.

– No właśnie! – Pani Wanda pokiwała potępiająco głową. – A kiedy Florcia zamierza go mieć?

– No wie pani... – sapnęłam z oburzeniem. – A co panią nagle naszło na tak bezczelne wtrącanie się w moje życie? Nie wystarcza już pani podglądanie zza drzwi?

– Ja tylko staram się uratować przyszłość naszego świata – odrzekła z godnością, wpijając we mnie wścibskie oczka.

– A co do przyszłości świata ma mój potencjalny mąż?

– No jak to? Nie powie Florcia, że nie słyszała o niżu demograficznym?

– Oczywiście słyszałam, ale nadal nie rozumiem – odparłam, nerwowo zerkając na zegarek. Jeżeli zaraz nie wyjdę do sklepu, będę musiała obejść się smakiem i zapomnieć o śniadaniu przynajmniej do następnego ranka.

– To mnie wcale nie dziwi, wcale nie oczekiwałam zrozumienia. – Pani Wandzia zrobiła minę, która potwierdzała, jak mniemam, jej najgorsze domysły co do mojej inteligencji. – Ja tylko wypełniam misję. Ksiądz ostatnio mówił, że jest bardzo mała świadomość, jeżeli chodzi o te sprawy, i prosił, by w miarę możliwości to zmieniać.

– No więc dobrze – powiedziałam, ostrożnie stawiając nogę na stopniu prowadzącym w dół. – Pani mi o tym powiedziała, moja świadomość wzrosła i mamy to z głowy, czy tak?

– Nie – żywo zaprzeczyła pani Wandzia. – Poza świadomością musi Florcia wyjść za mąż...

– Jeżeli o mnie chodzi, wolałabym to jednak zrobić świadomie – mruknęłam pod nosem.

– ...i mieć dzieci – dokończyła niezrażona niczym upiorna sąsiadka. – Najlepiej trójkę.

– Wielce pani łaskawa – wycedziłam. – Tylko trójkę? Dlaczego nie szóstkę albo dziesiątkę?

– No, trójkę: za siebie, za męża i za tych, którzy dzieci mieć nie mogą.

– A dlaczego za męża? Niech sobie sam urodzi. A w ogóle po co mi mąż? Mogę mieć tę zgraję dzieciaków bez męża!

– Co też Florcia mówi!? – Pani Wanda złapała się za głowę. – Bez męża? To przecież grzech!

– Grzech, grzech – mamrotałam, wciskając z powrotem klucz w drzwi. – Jak to jest grzech, to ja pani coś powiem – wypaliłam w przystępie natchnienia. – Pani to dopiero grzeszy, pani Wando!

– Ja?!

– A pani, pani – potwierdziłam groźnym głosem. – Taka pani religijna, mszy słucha i w ogóle, a nie słyszała pani nowego przykazania?

– Nowego przykazania? – Pani Wanda, zdezorientowana, zamrugała oczami. – Jakiego przykazania?

– Nie obserwuj bliźniego swego, spójrz najpierw na siebie samego – wyrecytowałam i zatrzasnęłam za sobą drzwi.

O śniadaniu mogłam zapomnieć i na dodatek durna pani Wanda zajęła mi tyle czasu, że w perspektywie miałam spóźnienie do pracy, ewentualnie gonienie do niej z wywieszonym jęzorem.

Z dwojga złego wybrałam to drugie, rezygnując z makijażu i modelowania włosów. Byłam już na dole, gdy na parterze cicho skrzypnęły drzwi i ukazała się w nich postać doktora Kuwety z małą psiną. Doktor jest emerytowanym ginekologiem, ale mimo to nadal prowadzi prywatną praktykę.

– Pst, pst – zapsykał na mój widok i zamachał ręką.

Przystanęłam zaintrygowana, bynajmniej nie psyknięciami pana doktora, ale tym, że prawie na sto procent zobaczyłam, jak jego pies kątem pyska też do mnie psyka. Potrząsnęłam głową i zapewniłam się, że to halucynacje.

– Pani Floro – zaszeptał konspiracyjnie doktor Kuweta. – Niechcący słyszałem pani rozmowę z panią Wandzią...

– A, po prostu pan podsłuchiwał – uściśliłam, raz po raz zerkając na psinę, która anemicznie podlewała jedyny krzaczek rosnący tuż przed klatką. Nie mogłam oprzeć się wrażeniu, że w małych psich oczkach widzę drwinę i potępienie.

– Od razu podsłuchiwał – oburzył się doktor. – Wietrzyłem mieszkanie, no i tego… Zresztą nieważne, bo…

– Rzeczywiście nieważne, bo ja bardzo, ale to bardzo śpieszę się do pracy – powiedziałam stanowczo, zastanawiając się, co ich wszystkich dzisiaj naszło.

– Ależ niech pani posłucha. – Doktor zadreptał w miejscu, opierając się zamiarom psiny, która uparcie dążyła ku trawniczkowi. – Są rzeczy ważne i ważniejsze. Zawsze panią lubiłem i no, ten tego, pani dobro bardzo leży mi na sercu. I dlatego czuję się w obowiązku panią przestrzec. To nie jest dobry pomysł.

– Jaki pomysł? – zapytałam rozpaczliwie, myśląc, że moja szefowa właśnie wchodzi do mrocznej piwnicy i widzi moje biurko puściutkie.

– No, skoro on nie chce się żenić, a chce mieć tyle dzieci, to zapewne jakiś oszust – powiedział z westchnieniem doktor Kuweta i podkręcił wąsa. – Powinna pani wybrać kogoś bardziej odpowiedzialnego.

– Kto się nie chce żenić? – jęknęłam, czując, że nie mogę zebrać myśli i że wszyscy powariowali. Przypuszczalnie jakiś wirus zaatakował mieszkańców kamienicy i pozbawił ich zdolności logicznego myślenia.

– No ten, który chce mieć z panią całą gromadkę potomstwa – wyjaśnił cierpliwie doktor Kuweta. – Sugeruję, żeby pani jednak przemyślała, czy nie warto rozejrzeć się za kimś innym. Nawet znam jednego kandydata. Miły, co prawda starszy, ale z pozycją zawodową, wdowiec i nie chce mieć dzieci. – Tu doktor Kuweta dumnie wypiął pierś i spojrzał na mnie gorejącym wzrokiem.

Boże, to nie może dziać się naprawdę – pomyślałam i na chwilę przymknęłam oczy, mając nadzieję, że gdy je otworzę, koszmarny doktor zniknie. Niestety, gdy je otworzyłam, od razu zobaczyłam drwiącą minę psiny.

– Mam to traktować jak oświadczyny? – zapytałam słabym głosem.

– A nie, nie. – Doktor wykonał dłonią wielkopański gest. – Żenić się to ja nie chcę. Nie wspomniałem pani, moja droga Florentyno, że ja jestem bardzo nowoczesny i jako taki nie mam nic przeciwko wolnym związkom.

Na moment zaniemówiłam, a gdy już odzyskałam głos, doszłam do wniosku, że przedłużanie tej odrażającej konwersacji nie ma najmniejszego sensu.

– Pan mnie obraża – powiedziałam tylko i spiesznie odeszłam, przeklinając wścibskich sąsiadów, którzy nie dość, że podsłuchują, to jeszcze robią to niedokładnie.

– Pani Florentyno, niech pani chwilkę poczeka! – krzyknął za mną, a gdy się obejrzałam, zobaczyłam, że pędzi przez trawniczek, ciągnąc za sobą oporną psinę.

– Czego? – zapytałam niegrzecznie.
– A może pani ma jakiś problem, bo jeżeli tak, to mogę przecież pomóc. Wie pani, że jestem ginekologiem, prawda? Niejedno już w życiu się robiło. Więc jeżeli trzeba coś usunąć, to możemy się dogadać. Opłatę ustalimy dogodną dla obu stron, no, co pani na to? – zapytał i pogłaskał mnie po ramieniu.
Odskoczyłam jak oparzona.
– Nie wiem, czy już ktoś panu powiedział... – szepnęłam słodko i zawiesiłam głos.
– Tak? – zapytał, przybliżając się i lubieżnie uśmiechając.
– ...że jest pan obleśnym starym dziadem – dokończyłam tym samym zamszowym tonem. – I radzę, by pan trzymał się ode mnie z daleka, bo jak nie, to zawiadomię kogo trzeba o pana propozycji i to nie pan coś usunie, ale ktoś usunie pana – dodałam, odwracając się i szybko maszerując przed siebie.
Nie musiałam się oglądać, żeby wiedzieć, że tkwi nadal na tym samym miejscu i przetrawia informacje, które właśnie ode mnie usłyszał. Nie musiałam również widzieć jego miny, żeby mieć świadomość, że właśnie załatwiłam sobie jednego wroga więcej. Ale w tej chwili zupełnie się tym nie przejmowałam. Jedyna rzecz, która zajmowała moje myśli, to to, że już dawno powinnam być w pracy.

Problem z Larwą – tak nazywaliśmy naszą szefową – polegał na tym, że wszelkie jej humory uzależnione były od poczynań dorastającego syna i psa. Rzeczony czworonóg nieustająco cierpiał na depresję i był leczony u Bóg wie ilu psich psychologów. Jego złe samopoczucie nieuchronnie skutkowało tym, że wszyscy pracujący w firmie kwalifikowali się do odbycia wizyty u specjalisty od głowy. Kiedy rozpoczęłam tam pracę, bardzo bawiła mnie myśl, że wszyscy uzależnieni są od nastroju jakiejś psiny. Bardzo szybko jednak ochota do śmiechu mi przeszła, a psina okazała się nie byle jakim rasowym bydlęciem. Gdy stan bydlęcia się pogarszał, Larwa była nie do wytrzymania, ale zaciskałam zęby, bo głupio by było stracić dobrze płatną pracę z powodu poobgryzanych pazurów psa. Bo słodki czworonóg cierpiał na zaburzenia psychiczne, które objawiały się tym, że obgryzał sobie pazury aż do krwi. Z jednej strony trudno było mu się dziwić. Gdybym była na jego miejscu, skazana na ciągłe towarzystwo Larwy, kto wie, czy nie obgryzłabym sobie całych łap. Dobrze przynajmniej, że z rozpaczy nie zaczął jeszcze walić łbem o ścianę. Ale wszystko przed nim, może niedługo zacznie. Z drugiej strony, skoro jest taki nieszczęśliwy, to ja mu z dobrego serca życzę, żeby popełnił samobójstwo. Ulżyłoby i jemu, i wszystkim pracownikom firmy Całusek sp. z o.o., i wszystkim naszym klientom. Zostałby tylko synalek szanownej szefowej, na którego ewentualnie można by było nasłać płatnego mordercę. Synalek wprawdzie depresji nie miewał, ale za to niewątpliwie miał siano we łbie. I okres buntu, który przechodził nad wyraz gorliwie. Jak na niego patrzyłam, odechciewało mi się posiadania dzieci. Zresztą Larwa też poprzestała na tym jednym. Cóż, prototyp się nie udał, to ryzykownie było próbować dalej.

Mając to wszystko na uwadze, zawsze trzeba było spodziewać się najgorszego. Nic więc dziwnego, że stwierdziwszy, iż moje spóźnienie przekroczyło czterdzieści minut, cała trzęsłam się ze zdenerwowania. Gdybym była mądra, zamiast do pracy, udałabym się do mojej pani doktor, która bez słowa wypisałaby mi zwolnienie na ten dzień oraz kilka następnych, jeżelibym tylko sobie zażyczyła. Ale, niestety, mądra nie byłam. Wpadłam do biura zgrzana, potargana i czerwona jak burak. Z takim wyglądem po prostu musiałam zwrócić uwagę Larwy, która z gradową miną krążyła wśród biurek.

– Pani Florentyna, no co ja widzę! Zdecydowała się jednak pani przyjść do pracy. Cóż za łaskawość – powiedziała, stając nad moim biurkiem i z ironią patrząc, jak w szybkim tempie rozkładam zapiski i uruchamiam komputer.

– Bardzo przepraszam – zmusiłam się do przybrania skruszonego tonu – zaspałam, ale to się już nie powtórzy…

– Oczywiście, że się nie powtórzy. – Larwa uśmiechnęła się złośliwie. – Właśnie chciałam panią poinformować, że jest pani zwolniona.

– Słucham? – Nie wierzyłam własnym uszom. – Przecież zdarzyło mi się to po raz pierwszy…

– No i o raz za dużo. Nie będę inwestować w pracownika, na którym nie mogę w stu procentach polegać. Niech pani pozbiera swoje rzeczy i natychmiast opuści naszą pracownię!

Po tych słowach zapadła cisza. Umilkło stukanie w klawiatury, szuranie myszek po biurkach. W odleglejszej części sali nadal słychać było normalne odgłosy dnia pracy, ale mnie otoczył złowrogi kokon ciszy. Nagle od sąsiedniego biurka podniósł się Piotr, wysoki blondyn, z którym codziennie zamieniałam parę słów.

– Chciałbym zauważyć, że Florentyna jest w trakcie realizacji dużego projektu. Z całym szacunkiem, ale zabierać jej go właśnie w tej chwili nie jest najmądrzejszym posunięciem. Klient już się do niej przyzwyczaił i to ona najlepiej zna jego oczekiwania.

– Czyżbyś próbował mnie pouczać? – Larwa odwróciła się z szybkością błyskawicy.

– Nic takiego nie robię – powiedział Piotr niewinnie. – Po prostu jako pracownik przywiązany do firmy dbam o nią, jak umiem.

– Wy wszyscy sobie ze mnie kpicie! – krzyknęła Larwa, odwracając się jednocześnie w moją stronę. Coś w jej twarzy spowodowało, że uznałam, iż oczekuje odpowiedzi na to niby pytanie, niby stwierdzenie. I to odpowiedzi przeczącej. Na to jednak nie mogłam się zdobyć. Tym bardziej że doznałam jakichś zawiłych skojarzeń z macochą Kopciuszka, która to postać tkwiła w mej podświadomości od czasu rozmyślań nad tą znaną bajkową postacią. I teraz właśnie Larwa w moim przekonaniu kazała mi wybierać groch z popiołu.

– No cóż, nawet pies nie może z panią wytrzymać – powiedziałam, unosząc głowę. – Trudno w takim wypadku mówić o poważnym traktowaniu. Nikt tego pani nie powie, bo wszystkim zależy na pracy, ale mnie i tak pani wyrzuciła.

– Ciebie wyrzuciłam i wszystkich wyrzucę! – wrzasnęła Larwa, czerwieniejąc jeszcze bardziej. W pewnym momencie zaczęłam nawet się zastanawiać, czy powiedzenie „pęknąć ze złości" może okazać się prawdziwe. – I jego też zwalniam! – wskazała wyciągniętym paluchem Piotra. – Wynoście się oboje, i to już!!! A wy co się gapicie? – Larwa omiotła wściekłym spojrzeniem całą salę. – Wracać do swoich zajęć!

Patrząc na nią, uznałam, że jedynym rozsądnym wyjściem jest zejście jej z oczu. Nie chciałam, by przeze mnie poleciały jeszcze jakieś głowy. I tak miałam wyrzuty sumienia z powodu Piotra. Szybko zgarnęłam swoje rzeczy do małego tekturowego pudełka, a potem wyszłam z ciemnej piwnicy w pełen blask ciepłego słońca.

Ledwo uszłam parę kroków, dogonił mnie Piotr.

– Poczekaj, gnasz jak oszalała – wysapał.

– Strasznie mi przykro, Piotrze – powiedziałam i westchnęłam.

– No coś ty – wzruszył ramionami – gdybym nie chciał, tobym się nie odezwał. Co będziesz teraz robić?

Dobre pytanie.

– Teraz? – Potarłam ręką czoło. – Teraz wrócę do domu i wypiję mocną kawę – zdecydowałam po namyśle. – A co później, nie mam pojęcia. Na razie nie jestem w stanie wybiegać w tak daleką przyszłość. Tak naprawdę nie wiem nawet, co będę robić po południu, nie mówiąc już o jutrze i tak dalej.

– Też bym się napił – powiedział Piotr, mrużąc intensywnie niebieskie oczy. Ładny miał ten kolor, w piwnicy jakoś tego nie zauważyłam.

– To chodź do mnie, przynajmniej w ten sposób ci się zrewanżuję – powiedziałam, uśmiechając się do niego.

Poszliśmy. Gdy wchodziliśmy na klatkę schodową, na parterze skrzypnęły drzwi i wyjrzała zza nich najpierw ciekawska mordka psiny, a tuż za nią ukazała się nadęta twarz doktora Kuwety.

– Tak więc wygląda typ matrymonialnego naciągacza – powiedział w przestrzeń obrażonym głosem – a uczciwie stawiającego sprawę człowieka traktuje się jak ostatnie popychadło...

Zamilkł, spoglądając na psinę, która milczkiem przysunęła się do Piotra z jawnym zamiarem ugryzienia go w nogę.

– Jeżeli natychmiast nie zabierze pan tego psa – wrzasnęłam – to jak mi Bóg miły odgryzę mu ucho albo ogon! Co mi się pierwsze nawinie!

– Wariatka – odwrzasnął doktor, jednocześnie łapiąc kundla.

– Proszę nie obrażać tej pani – zwrócił się do niego Piotr, w którym widocznie obudziły się rycerskie instynkty – bo to ja panu coś obgryzę!

Doktor Kuweta widać nie spodziewał się takiej odpowiedzi, bo najpierw kilka razy bezgłośnie poruszył ustami, a potem coś w nim formalnie zabulgotało. Ostatnio taki dźwięk słyszałam w filmie traktującym o brutalnym traktowaniu indyków. Korzystając z oszołomienia upiornego doktorka, szybko pociągnęłam Piotra na schody.

– Kto to, u licha, był? – zapytał szeptem. – I co on bredził o jakichś oszustach?

– O, to bardzo skomplikowane – odszepnęłam i trafiona nagłą myślą, przystanęłam na półpiętrze. – Muszę cię uprzedzić, że to jeszcze nie koniec. Ale cokolwiek by się działo, niczemu się nie dziw. Wytłumaczę ci wszystko u mnie.

– Nie wiem wprawdzie, o co ci chodzi, ale skoro mówisz, to chyba wiesz.

I miał rację. Niestety, wiedziałam.

Ledwo stanęliśmy przed moim mieszkaniem, drzwi naprzeciwko się otworzyły i wychynęła z nich pani Wandzia. W czasie mojej nieobecności zdążyła pozbyć się szlafroczka i teraz przyodziana była w moherowy sweterek w kolorze buraczków.

– To Florcia już wróciła? – zapytała inteligentnie, wpatrując się w Piotra drapieżnym wzrokiem.

– Nie, nadal mnie nie ma – mruknęłam, nerwowo szukając kluczy. Jak zwykle w takich wypadkach moja mała damska torebeczka zdawała się nie mieć dna.

– No, muszę Florci przyznać, że wygląda całkiem, całkiem... – Pani Wandzia podeszła bliżej, a ja kątem oka dostrzegłam, jak Piotr cofa się z lekkim przerażeniem w oczach. – A zdrowy jest?

– zainteresowała się, obchodząc Piotra dookoła. Brakowało tylko, żeby jak koniowi zajrzała mu w zęby.

– Pani Wando, niech pani da spokój – zaapelowałam, z ulgą wsuwając klucz do drzwi.

– To ważne, Florciu, bo jak jest zdrowy, to wiesz, będzie miał zdrowe...

– Piotrze, zapraszam – przerwałam jej w pół słowa, otwierając na oścież drzwi. Gdy je zamykałam, rzuciłam mojej drogiej sąsiadce takie spojrzenie, że gdyby wzrok mógł zabijać... Niestety, mój najwyraźniej nie mógł.

Zostawiłam zszokowanego Piotra w saloniku, a sama poszłam do kuchni zaparzyć kawę i oddać się konstruktywnej refleksji na temat mojego życia. Wnioski wyciągnęłam takie, że albo zabiję panią Wandzię i doktora, albo sprzedam mieszkanie i się przeprowadzę, albo wyjadę byle gdzie i przeczekam pechowy czas. Pierwsze rozwiązanie odpadało z przyczyn oczywistych, drugie mogłam zrealizować, ale szkoda mi było przestronnego mieszkania w przedwojennej kamienicy, nad trzecim postanowiłam zastanowić się później. Stojąc nad parującym czajnikiem, zdałam sobie jasno sprawę z tego, kim jestem. Bankrutem życiowym, niestety. Bez pracy, bez pieniędzy, bez rodziny, bez szans na zwyczajność. Jak dobrze pójdzie, zostanę miłą starą panną, jak pójdzie gorzej, wylezie ze mnie wcielenie takiej pani Wandzi, która nie mając swojego życia, żyje życiem innych. Wizja, której w tej chwili doświadczyłam, zmroziła mi krew w żyłach. Ujrzałam mianowicie oczami wyobraźni siebie w przyszłości, odzianą w przyciasny błękitny szlafroczek, z króliczkowymi papuciami na nogach, mlaszczącą i wlampiającą się w wizjer. Wizja była tak sugestywna, że natychmiast pobiegłam do łazienki i umyłam twarz zimną wodą. Wycierając się puszystym ręcznikiem, pomyślałam, że oto nadeszła wielka chwila. Po prostu, najwyższy czas na zmiany.

Piotra zastałam siedzącego przy dużym stole. Na całe szczęście wyraz osłupienia zlazł mu już z twarzy.

– Wiesz, ja może nie powinienem pytać – zaczął, gdy postawiłam przed nim kubek z parującą kawą – ale bardzo mnie ciekawi, o co chodziło tej miłej – tu wstrząsnął nim wyraźny dreszcz – pani, która mówi do ciebie jakoś tak bezosobowo, jak do służącej...

– O potomstwo – odpowiedziałam.

– O jakie potomstwo? – Piotr popatrzył na mnie z lekką obawą.

– O nasze! – Prychnęłam śmiechem i opowiedziałam mu poranną historię. – No i widzisz – zakończyłam – na razie skończyło się wylaniem z pracy, ale co będzie dalej? Przecież nie ma nawet południa. A taki dzień musi coś jeszcze przynieść. Czuję, że to tak się nie skończy...

Nagle poczułam, że mówię to w złą godzinę. Jakbym ściągała na siebie przekleństwo na własne życzenie. A potem nie myślałam już w ogóle, bo nawet nie wiem, kiedy i jak znalazłam się w ramionach Piotra, który niepojętym sposobem w ogóle nie miał problemu z trafieniem do sypialni, choć przecież był u mnie pierwszy raz. Cóż, widać posiadał niesamowitą intuicję. Biedak nawet nie miał pojęcia, jak mu jej zazdrościłam!

Po kilku godzinach siedziałam na moim wielkim łóżku i obgryzałam paznokcie. Myślałam, że w gruncie rzeczy nie wiem, dlaczego to zrobiłam, że właściwie nie znam faceta, który teraz spokojnie śpi w mojej satynowej pościeli, i że z przedpołudnia zrobił się wieczór i jak na dzień, w którym straciłam pracę, to właściwie przebiegł zupełnie przyjemnie. Miał nawet szansę zakończyć się w miarę optymistycznie. O ile nigdzie nie będę wychodziła. Ale nie było to rozwiązanie na dłuższą metę. Przecież nie mogłam do końca życia siedzieć zamknięta w mieszkaniu. W końcu i tak bym w nim umarła z głodu. Chyba żebym nauczyła się odżywiać energią z kosmosu. Kiedyś oglądałam program, w którym zasuszona kobieta opowiadała, jak to owa energia dobrze jej służy. Co można powiedzieć o tym sposobie odżywiania, to można, ale niewątpliwie był ekonomiczny.

– Chyba jednak wyjadę – powiedziałam głośno, zapominając o śpiącym Piotrze, który natychmiast się obudził i usiadł na baczność, podciągając wstydliwie kołdrę pod brodę.

Skromność zbyteczna, zważywszy, że jakiś czas temu widziałam go takim, jakim Pan Bóg (lub ewolucja, jak kto woli) go stworzył. Piotr siedział przez chwilę w milczeniu, potem spojrzał na mnie z ukosa.

– Chryste Panie – jęknął i odwrócił głowę w drugą stronę.

No tak, pomyślałam, nie ma to, jak zrobić na kimś piorunujące wrażenie. Ale swoją drogą mógłby być trochę sympatyczniejszy, burek jeden. Mogłam wprawdzie od razu, jak się tylko obudziłam, polecieć do łazienki, zrobić makijaż i przeczesać włosy. Ale zawsze uważałam, że u kobiety ważna jest naturalność.

– No co jest? – zapytałam oschle.

– Boże, Florentyna, bardzo cię przepraszam – wydukał słodki Piotruś. – Nie wiem, jak to się stało, ja zazwyczaj tak się nie zachowuję. I do tego sam się na tę kawę wprosiłem i pomyślisz, że cały czas tylko o tym myślałem. Ale jesteś taka pociągająca! Zupełnie straciłem głowę.

A więc to o to chodziło. Po prostu wyrzuty sumienia. Świadomość, że to nie mój brak urody, tylko jego poczucie winy wywołało te trwożne okrzyki, wprowadziła mnie w szampański humor. Sam przecież przed momentem powiedział, że działa na niego mój zwierzęcy magnetyzm. No, może ujął to trochę inaczej (co to za określenie: pociągająca), ale sens był ten sam.

– No coś ty – poklepałam go po ramieniu – przecież się nie opierałam. Było miło i tak trzeba na to spojrzeć.

– A ja zawsze myślałem – rzekł Piotr w zadumie – że chronicznie nie lubię nowoczesnych kobiet.

– I co? – zapytałam, zarzucając na siebie szlafroczek.

– I w zadziwiająco krótkim czasie zmieniłem zdanie. – Pokiwał głową. – Tak się zastanawiam – podjął po chwili, patrząc na mnie z wyraźnym upodobaniem – ale nie wiem, czy to wypada…

– Nie krępuj się – zachęciłam go, przerywając zawiązywanie paska od szlafroka. Po co miałam go supłać, skoro za chwilę zdejmę.

– No cóż, trochę mi głupio – sumitował się – ale wiesz, ciekawy jestem, czy nie masz przypadkiem jajek.

– Jajek? – zapytałam bezbrzeżnie zdziwiona.

– Podobno robię świetną jajecznicę – wyznał skromnie – a poza tym cechuję się wilczym apetytem.

– No tak – powiedziałam, z trudem dochodząc do siebie. – A ja przepadam za mężczyznami cechującymi się wilczym apetytem. Choć każde z nas inaczej to stwierdzenie rozumie – dokończyłam pod nosem.

– Co mówisz? Nie dosłyszałem.

– Żebyś sprawdził w lodówce – warknęłam, zaciskając na Bogu ducha winnym pasku szlafroka morderczy węzeł.

Piotr wyszedł ode mnie późnym wieczorem. Pani Wanda, która najwyraźniej bardzo zaangażowała się w swój chytry plan zaludnienia świata, natychmiast zmaterializowała się przed drzwiami.

Boże, znowu się zacznie – pomyślałam z rozdrażnieniem. Ale tym razem moje prorocze wizje nie sprawdziły się ani trochę, bo zanim pani Wandzia zdołała otworzyć usta, Piotr podszedł do niej i robiąc zaaferowaną minę, poklepał ją po ramieniu.

– Robimy, co się da – zakomunikował scenicznym szeptem – ale to bardzo ciężka praca. Należy mieć tylko nadzieję, że uda się mieć od razu bliźniaki. To by przyspieszyło całą procedurę. Ale jak nie wyjdzie – Piotr w geście bezradności rozłożył ręce – to trudno. Będziemy nadal pracować w pocie czoła. Dobro świata jest najważniejsze. Ach, jeszcze jedno. Co do mojego zdrowia, to mam wszystkie szczepienia, choroby zakaźne już przeszedłem, a przypadków choroby psychicznej w rodzinie nie odnotowano. Miło mi było. – Tu Piotr zgiął się w ukłonie przed oniemiałą panią Wandzią, następnie odwrócił się do mnie, puścił szelmowsko oko i zbiegł na dół.

– Florciu, a kiedy ślub? – zapytała pani Wandzia słabym głosem.

– Jutro, w grudniu po południu – odpowiedziałam roztargniona, bo właśnie intensywnie się zastanawiałam, gdzie jest mój plecak. – Tak, muszę wyjechać – powiedziałam głośno i zamknęłam drzwi przed oniemiałą panią Wandą.

Jak postanowiłam, tak zrobiłam. Bladym świtem wsiadłam do pociągu, starając się o niczym nie myśleć. Na stację zostałam odprowadzona przez zaniepokojonych rodziców, którzy koniecznie chcieli wiedzieć, jak zamierzam poradzić sobie w zaistniałej sytuacji – to po pierwsze. Po drugie, czy przypadkiem nie powinnam zostać i szukać nowej pracy, po trzecie, czy naprawdę powinnam jechać sama, bo skoro w życiu mi się skomplikowało, to zapewne jestem w nie najlepszej formie psychicznej. Oczywiście nie byłam w stanie udzielić im żadnych krzepiących odpowiedzi, bo sama zadawałam sobie owe pytania, do których doszło jeszcze jedno, mianowicie, czy wczoraj miałam dni płodne czy nie. Powinnam tu jeszcze dodać, że całą tę głośną troskę wyrazili moi kochani rodziciele już w przedziale, do którego bezceremonialnie wpakowali się za mną, mówiąc, że do odjazdu jest jeszcze dużo czasu, i nie bacząc, że naprzeciwko siedzi przystojny facet, który z rozbawieniem przysłuchuje się naszej rozmowie.

– Mamo, tato, na pewno coś wymyślę – powiedziałam słabo – ale mam wrażenie, że odpoczynek dobrze mi zrobi. Na koncie mam jakieś oszczędności…

– „Jakieś" to bardzo nieprecyzyjne określenie – uświadomiła mi mama, sprawdzając po raz kolejny, czy na pewno ma klucze do mojego mieszkania.

– Może ja pojadę z tobą? – zaproponował tata z godnym podziwu poświęceniem; chronicznie nie znosił gór.

– Kochani, dam sobie radę – zapewniłam ich i stanowczo wypchnęłam z przedziału.

– Wyjrzyj przez okno – poleciła mi mama. – Pomachamy ci z tatą.

– Dobrze, wyjrzę – obiecałam, potulnie poddając się pożegnalnym buziakom.

Gdy w końcu poszli sobie, odetchnęłam z ulgą. Jednak moja radość okazała się przedwczesna, bo po chwili w drzwiach przedziału ponownie ukazała się mama i zwróciła się do mężczyzny siedzącego naprzeciwko:

– Przepraszam – zaczęła, uśmiechając się uprzejmie – ale czy może mi pan powiedzieć, dokąd pan jedzie?

– Mamo!!!

– Ależ niech się pani nie denerwuje – powiedział do mnie mój współpasażer. – A pani już odpowiadam – dodał, spoglądając na moją mamę. – Jadę do Kłodzka.

– To się świetnie składa – ucieszyła się mama – bo ja mam do pana prośbę: gdyby pan mógł rzucić okiem na Florentynę…

– Mamo... Ja mam już prawie trzydzieści lat!

– No i co z tego, moje dziecko? Myślisz, że pana interesuje twój wiek?

– Nie wiem, co interesuje pana – jęknęłam. – Po prostu uświadamiam ci, że mogę już zostać w pociągu bez opieki.

– Ależ spokojnie. – Mój współpasażer zmrużył brązowe oczy w uśmiechu. – Oczywiście, że mogę zwrócić uwagę na wszystko, czego panie sobie zażyczą. Na przykład popilnuję bagażu, gdy pani będzie musiała iść do toalety.

– Widzisz, jaki rozsądny młody człowiek? – Mama aż się rozpromieniła. – A podróż jest długa, na pewno będziesz musiała iść na siusiu albo…

– Mamo, ja cię bardzo proszę!

– Ja cię, kochanie, zupełnie nie rozumiem – wyznała mama. – Myślisz, że ten pan nie wie, że sikasz i…

– Mamo, możemy zmienić temat?!

– Florentyno, nie podnoś głosu. Chciałam powiedzieć, że…

Boże, nic jej nie powstrzyma, zaraz zacznie opowiadać, jak to kiedyś, jak miałam trzy latka, rozchorowałam się w pociągu na żołądek i co wtedy robiłam w łazience i poza nią.

– …że w tak długiej podróży będziesz zapewne chciała się odświeżyć – dokończyła mama spokojnie, ucałowała mnie w głowę i uśmiechając się do mojego współpasażera, wyszła z przedziału.

Gdy pociąg ruszał, stali wiernie na peronie i zawzięcie machali apaszką, którą mama zdjęła z szyi. Dobrze, że tata nie wziął ze sobą swojej wielkiej płóciennej chusteczki – pomyślałam, wychylając się przez okno i z rozrzewnieniem myśląc, że mimo ich wszystkich dziwactw strasznie ich kocham.

Mój współpasażer okazał się cudownym człowiekiem. Był rozmowny, czarujący, opiekuńczy i umiał słuchać jak nikt inny. To znaczy, jak żaden inny mężczyzna. Miał najwspanialsze czarne włosy i głębokie brązowe oczy. I co tu dużo mówić, pomógł mi nie myśleć o Piotrze, z którym wczoraj wspólnie doszliśmy do wniosku, że był to wyskok jednorazowy, że pozostaniemy tylko przyjaciółmi itd., itp. Czyli tak zwane gadki szmatki. Zgodzić się z nimi zgodziłam, ale jakoś tak nie mogłam Piotrusia wyrzucić z myśli. A tu proszę, jak na zamówienie znalazł się mężczyzna, który w niespełna godzinę powalił mnie na kolana (w sensie przenośnym rzecz jasna) i sprawił, że poczułam się jak zakochana nastolatka. I patrzył z takim zrozumieniem i ciepłem. Nie mogłam oprzeć się wrażeniu, że gdzieś już widziałam takie spojrzenie. Co więcej, Adam (tak miał na imię) mówił bardzo melodyjnym głosem, który też z czymś mi się kojarzył. Ale zafascynowana samym rozmówcą, dałam sobie spokój z rozwiązywaniem zagadki ewentualnych podobieństw. Gdy dojechaliśmy do Kłodzka, byliśmy już zżyci, umówieni na kawę i na wspólne zwiedzanie twierdzy. Nawet nie przyszło mi przez myśl wspomnieć, że właściwie to miałam jechać dalej w głąb Sudetów. W myślach już widziałam wspaniale spędzony czas z tym niebywale przystojnym facetem. Ostatecznie wyjechałam na urlop i jeżeli trafiała się okazja na miłą zabawę, trzeba było ją wykorzystać. Potem będzie można miło wspomnieć takie letnie zauroczenie. A kto wie, może z tego wyjdzie coś więcej? Tu wyobraźnia spłatała mi figla, bo zobaczyłam siebie wracającą do domu z Adamem, siebie przyjmującą od niego pierścionek i siebie opowiadającą gromadce naszych czarnowłosych i brązowookich dzieci, jak to wakacyjna miłość przerodziła się w uczucie na całe życie. Wprawdzie wiedziałam, że wakacyjne miłości z reguły do niczego nie prowadzą, ale kto wie? Najważniejsze, że mu się podobałam. A to akurat wiedziałam doskonale, bo po co w innym wypadku chciałby się ze mną umawiać?

– No to jak, jesteśmy umówieni? – zapytałam radośnie, kiedy stanęliśmy na kłodzkim rynku.

– Tak, zostaję tu ponad tydzień, z tym że czas będę miał trochę zajęty, w sobotę moi przyjaciele biorą ślub, zresztą specjalnie dla nich tu przyjechałem. Mam im go udzielić.

– Udzielić? – zapytałam, przystając.

– No tak, przecież w końcu ci nie powiedziałem. Jestem księdzem.

– Cholera, księdzem, powiadasz? – Z trudem dochodziłam do siebie, starając się jednocześnie utrzymać na twarzy pogodny wyraz.

– A co, nie lubisz duchownych? – Adam przyglądał mi się uważnie.

– No coś ty, stary, uwielbiam wprost pasjami! – zakrzyknęłam entuzjastycznie. – A czemu nie masz swojego służbowego umundurowania?

– Dziś jestem po cywilnemu – powiedział pogodnie, po czym zapytał, czy mam gdzie spać.

– Jasne, jasne – potwierdziłam szybciutko.

Tylko tego brakowało, żeby dowiedział się, że w tym cholernym Kłodzku wysiadłam tylko dla niego i że pojęcia nie mam, gdzie się zatrzymam. Teraz już wiedziałam, z czym kojarzyło mi się to dobre spojrzenie i charakterystyczny głos. Cholerni księża, powinni mieć obowiązek chodzenia w sutannach, żeby nie mogli podstępnie maskować się w normalnych ubraniach.

– To może cię odprowadzę – zaproponował uczynnie.

– Nie ma mowy – zaprotestowałam stanowczo. – Przecież oboje jesteśmy zmęczeni. Musimy wypocząć. Ja na pewno trafię, przecież Kłodzko nie jest dużym miastem.

– Jesteś pewna?

– Oczywiście – powiedziałam, modląc się, by w końcu sobie poszedł, bo za chwilę uśmiech, który przykleiłam do twarzy, zostanie tam na zawsze.

No i wymodliłam. Poszedł, a ja obrałam za cel dokładnie przeciwną stronę. Gdy tylko znikł w którejś z bocznych uliczek, zawróciłam i przysiadłam na ławeczce, by przemyśleć dalsze poczynania. Jechać dalej nie było sensu, bo zbliżał się wieczór, trzeba było znaleźć nocleg. Że też musiałam się tak głupio wpakować. Też nie miałam się w kim zadurzyć, tylko w księdzu! Jeszcze chwilę ponarzekałam pod nosem na cały świat i gdy już zdecydowałam się ruszyć na poszukiwanie miejsca do spania, zauważyłam tabliczkę „Wróżka Henrietta". Pod spodem wymalowana była fantazyjna strzałka z wylegującym się na niej czarnym jak węgiel kotem.

Ha – pomyślałam – to zapewne los znów daje mi znak.

A ja od momentu zwolnienia z pracy postanowiłam nigdy już nie lekceważyć podobnych omenów. Nie pozostało mi więc nic innego, jak podążyć za znakiem i pójść w kierunku, który wskazywała strzałka. Załadowałam więc ciężki plecak na plecy i podążyłam na spotkanie z przeznaczeniem.

Wróżka Henrietta przyjmowała w przestronnym pomieszczeniu w suterenie starego budynku. Wchodząc tam, doznałam nieprzyjemnych skojarzeń z byłą pracą, ale uznałam, że skoro już powiedziałam A, to trzeba powiedzieć B. Zresztą nigdy dotąd nie byłam u wróżki, a podobno wszystkiego trzeba w życiu spróbować. Na moje delikatne puk, puk nikt nie odpowiedział, więc nieśmiało nacisnęłam mosiężną klamkę staroświeckich drzwi. Podświadomie spodziewałam się ujrzeć dziwnie przyodzianą starszą damę ze szklaną kulą na kolanach, stadkiem nietoperzy i ropuchami wyglądającymi z kątów. Nic więc dziwnego, że na widok młodej dziewczyny całkiem normalnie ubranej doznałam uczucia zawodu.

– Przepraszam, szukam wróżki Henrietty – powiedziałam, łudząc się, że to może tylko jakaś jej pomocnica.

– To ja. – Uśmiechnęła się do mnie, jednocześnie rozwiewając wszelkie złudzenia. – Była pani umówiona?

– Nie, właściwie jestem tu przejazdem – odpowiedziałam zgodnie z prawdą.

– Tak czy inaczej mogę panią przyjąć. Dziś jest wyjątkowo mały ruch. Proszę, niech pani zdejmie plecak. Z czego mam powróżyć? Z kart zwykłych, kuli, tarota?

– Tarota poproszę – mruknęłam, odstawiając plecak do kąta i wymyślając sobie od idiotek. Też wykombinowałam, znak!

– Proszę usiąść przy stole – poleciła nowoczesna wróżka, nakrywając blat zielonym suknem i gasząc światło. – Proszę przełożyć – powiedziała, a kiedy to zrobiłam, zaczęła rozkładać karty.

A potem nastała cisza.

– Zadziwiające – szepnęła w pewnym momencie, popatrując na mnie z zaskoczeniem. – Po prostu zadziwiające.

– Co zadziwiające?

– No cóż – wróżka Henrietta oderwała wzrok od kart i spojrzała mi głęboko w oczy – zapewne zdziwi panią to, co teraz powiem, ale niczego się pani ode mnie nie dowie.

– Co takiego? – Spojrzałam na nią zaskoczona. – A to niby dlaczego?

– Nic nie mogę wyjaśnić – odpowiedziała stanowczym głosem, znów nachylając się nad kartami.

– Boże, to jest aż tak źle? – zapytałam, czując, jak coś dławi mnie w gardle. – Umrę, tak?

– Wprost przeciwnie, wprost przeciwnie – mruknęła, wodząc szczupłym palcem po nic mi niemówiących symbolach.

– Jak to, wprost przeciwnie? – zdenerwowałam się. – To może narodzę się na nowo? Przyszłam do pani po wróżbę, a co dostaję? Nic. I jeszcze pewnie muszę pani zapłacić?

– Nie musi pani, wystarczy grosz. Żeby wszystko było tak, jak powinno.

– Nic nie jest, jak powinno – uświadomiłam ją, idąc do drzwi.

– A, jeszcze jedno... – Wróżka Henrietta oderwała wzrok od kart. – Może to panią zainteresuje. Pani Anna ma wolne pokoje. Tu jest jej adres. – Nabazgrała coś szybko na kartce i podała mi ją.

– Naprawdę? – ucieszyłam się i mimo wszystko poczułam do niej coś na kształt sympatii. – Życie mi pani uratowała, bo myślałam, że będę dziś spać pod mostem.

– To stanowczo jednak polecam pokój u pani Anny. Mosty wprawdzie mamy urocze, ale nie aż tak, żeby od razu się pod nimi zadomawiać.

Z wdzięcznością przyjęłam podawany papierek i powędrowałam szukać pensjonatu o znaczącej nazwie Nadzieja. Może z tej Henrietty była kijowa wróżka, ale z pewnością rekompensowała to uczynnością. I nagle uderzyła mnie pewna myśl. Przecież nawet nie wspomniałam o tym, że szukam noclegu! Nie pisnęłam pół słówka na ten temat! Musiała zobaczyć to w kartach! Więc jednak nie była kijową wróżką. Widocznie zobaczyła coś, czego nie chciała mi powiedzieć. Kiedyś słyszałam, że wróżki nie chcą przepowiadać śmierci. Więc wszystko jasne: niedługo umrę. Stanęłam spanikowana. Że też musiałam tam iść. Żyłabym sobie nieświadoma niczego i przynajmniej nie czekałabym, aż ktoś lub coś lada moment mnie zabije. Chociaż z drugiej strony, skoro już wszystko wiem i niczego gorszego nie mogę się spodziewać, przynajmniej mogę używać życia. Ponadto – przekonywałam siebie – może to wcale nie była śmierć. Może ona rzeczywiście nic w tych kartach nie zobaczyła poza tym, że chwilowo jestem bezdomna, i musiała wyjść z sytuacji z twarzą. Szczerze mówiąc, dużo bardziej podobała mi się ta druga możliwość. No cóż, pożyjemy, zobaczymy – pomyślałam filozoficznie. W tej chwili głowę miałam skołataną i chciało mi się jedynie spać i nie myśleć o paskudnych mężczyznach, którzy proponują przyjaźń, o podstępnie zamaskowanych księżach, wróżkach i zagadkach. A biorąc pod uwagę to, że właśnie stanęłam przed pensjonatem Nadzieja, szanse na zrealizowanie moich pragnień wyraźnie wzrosły.

Zanim jednak położyłam się do łóżka, zadzwoniłam do rodziców. Zameldowałam, że żyję, że chwilowo zatrzymałam się w Kłodzku i że pewnie zostanę tu przez kilka dni i korzystając z okazji, zwiedzę, co jest do zwiedzenia. Zapewniłam tatę, że czuję się bardzo dobrze, że wcale nie jestem załamana i że naprawdę nie muszą sobie robić wyrzutów, że puścili mnie samą w taką podróż. Potem odpowiedziałam na niezliczone pytania mamy, u której zdziwiła mnie niezwykła dociekliwość i uparta chęć dowiedzenia się dokładnego adresu pensjonatu, w którym się zatrzymałam. Telefon jej nie wystarczył. Chciała znać nazwę ulicy, numer domu, a nawet pokoju. Dla świętego spokoju podałam wszystkie żądane informacje i stanowczo zakończyłam rozmowę. Następnie zdjęłam buty, padłam półżywa na łóżko i chyba natychmiast zasnęłam. Śniły mi się niezliczone mosty, pod którymi z uporem maniaka usiłowałam zamieszkać, ksiądz, który chował się w krzakach i potem pytał, czy dobrze się maskuje, oraz wróżka, która goniła mnie z wielką rózgą, diabolicznie przy tym chichocząc. Na koniec pojawił się przede mną Piotr z ogromnym czarnym kotem na głowie. Kot powiedział do mnie ludzkim głosem, że jestem niebywale głupia. Bzdurny zwierzak. Mógł sobie darować, bo akurat tyle to sama doskonale wiedziałam.

Następnego dnia wstałam i z premedytacją ignorując myśl, że nie chce mi się żyć, postanowiłam oddać się czynnej turystyce. Byłam wprawdzie samotna i bezrobotna, ale należało nauczyć się z tym żyć. I to godnie. I o ile pracę zapewne w końcu znajdę, to z czynnym szukaniem drugiej połówki zdecydowałam dać sobie spokój. Po prostu zdam się na los i tyle. Jeżeli jest mi sądzone staropanieństwo, zostanę starą panną, a jeżeli nie, to zapewne wszystko się samo poukłada w inny sposób. Dokonawszy tak ważnych postanowień, zeszłam na dół, gdzie okazało się, że większość gości już sobie poszła, a ja zaspałam na śniadanie. No cóż – pomyślałam zrezygnowana – widać nie mam szczęścia do tego posiłku. Jednak pani Anna miała na ten temat inne zdanie, bo nie słuchając moich mętnych tłumaczeń, że doprawdy nie musi robić sobie kłopotu, że to przecież ja nie zeszłam o czasie, kazała mi po prostu usiąść do stołu. Miałam zamiar jeszcze protestować, ale wystarczył jeden rzut oka na twarz pani Anny, bym zmieniła zdanie i poczuła, jak potulnieję. Bo co tu dużo mówić, miała klasę. Mimo starszego wieku dumnie wyprostowana, z uniesioną majestatycznie głową budziła ogromny respekt. Po prostu dama w każdym calu.

– Śniadanie – powiedziała spokojnie – to posiłek święty. Trzeba go zjeść, nawet gdyby się paliło i waliło.

Ogólnie się z nią zgadzałam, ale swoją drogą chciałabym zobaczyć, jak uświadomiłaby to wczoraj kochanej pani Wandzi, która uniemożliwiła mi skutecznie spożycie tego świętego posiłku.

– Zjemy razem – ciągnęła dalej pani Anna, narzucając na ramiona wełnianą chustę. – Będzie przyjemniej.

Ku mojemu zaskoczeniu miała rację. Nawet nie wiem kiedy i dlaczego, opowiedziałam jej wszystko o pani Wandzie i doktorze Kuwecie, o szefowej, utracie pracy, Piotrze, a gdy w końcu doszłam do zamaskowanego księdza, obie pokładałyśmy się ze śmiechu. Dopiero teraz dotarł do mnie komizm sytuacji, a ponadto pod dobrym i lekko surowym wzrokiem pani Anny wszystko nabrało innych proporcji. Na koniec opowiedziałam jej o dziwnej wróżbie, a właściwie jej braku.

– Myśli pani, że ona widziała w tych kartach coś złego? – zapytałam, podświadomie oczekując, że pani Anna stanowczo zaprzeczy.

– Nie przypuszczam. Gdyby widziała śmierć albo chorobę, ostrzegłaby cię na pewno. Henrietta zna swój fach. To musiało być coś innego. Ale co? Nie mam pojęcia. Zwykle goście przychodzą zauroczeni jej znajomością ich życia, a tu zupełna nowość. Ale skoro nie chciała nic powiedzieć, widocznie miała swoje powody. A teraz, moja droga Fauno, Floro, czy jak cię tam zwą, powiedz mi, co zamierzasz dziś robić?

– Zwiedzić twierdzę – odparłam zgodnie z prawdą.

– No to biegnij, nie ma na co czekać. Szkoda marnować taki ładny dzień.

Miała rację. Dzień był przepiękny i żal by było dać mu tak po prostu uciec. Pobiegłam więc, by dogonić umykający czas i maksymalnie go wykorzystać.

Grupa chcących zwiedzić twierdzę kłodzką okazała się nadspodziewanie liczna. Staliśmy gromadą przed wejściem do podziemi i czekaliśmy na przewodnika. Pomyślałam, że aż żal nie wykorzystać słońca, więc umilając sobie oczekiwanie, wystawiłam twarz do ciepłych promieni. Przez rozgrzaną głowę przemknęła mi rozleniwiona upałem myśl, że po prażeniu się na tej patelni wyskoczy mi mnóstwo piegów, ale z rozmysłem ją zignorowałam. Bo właściwie co mi przeszkadzają piegi? Niech sobie żyją, w końcu to też twory Boże. Gdy przewodnik się zjawił, wszystko potoczyło się błyskawicznie. Nagle, nie wiem jak, znalazłam się na przodzie grupy, oślepiona słońcem, ze świadomością, że za mną masa ludzi czeka na zejście. Trzeba się pospieszyć – pomyślałam, zrobiłam krok naprzód i poczułam, że spadam. A jednak – zdołałam jeszcze pomyśleć – teraz zginę. Potem zdawało mi się, że ktoś krzyczy moje imię, a później zapadłam w miłą ciemność.

Gdy się ocknęłam, wszędzie było biało, a ja leżałam na twardej leżance. Przypomniałam sobie, że umarłam, i natychmiast skonstatowałam, że jak na martwą to potwornie wszystko mnie boli, ze szczególnym uwzględnieniem łuku brwiowego. I ten kolor! Że też nie mogli się w tym niebie trochę postarać! Nie znosiłam białego. Ale widać jak za życia, tak i po śmierci. Jak pech, to pech. Za białą kotarą nagle coś się poruszyło i wyszedł stamtąd ni mniej, ni więcej Piotr. I bynajmniej nie święty, tylko mój Piotr, z którym mieliśmy na wieki zostać przyjaciółmi. Też w tym niebie się ich żarty trzymają – pomyślałam i nagle uderzyła mnie pewna myśl: a może to nie niebo, tylko czyściec, w którym będę pokutować za grzechy? Nie do końca miałam świadomość, jak to wygląda, bo za życia nie byłam zbyt religijna. To zapewne jakaś zjawa – pomyślałam i uprzejmie się uśmiechnęłam. Zjawa nie zjawa, miłym być nie zaszkodzi.

– O, już się obudziłaś – przemówiła zjawa głosem Piotra.

– Chyba tak – zgodziłam się ostrożnie. – Ładnie tu u was – ciągnęłam tonem lekkiej konwersacji.

Zjawa Piotr pochyliła się nade mną.

– Dobrze się czujesz?

– Jak to po śmierci – błysnęłam dowcipem; zjawa wyraźnie się zaniepokoiła.

– Zaraz wracam – powiedziała i popędziła w nieznanym kierunku.

No cóż, może tutaj nie znają się na żartach – pomyślałam i odetchnęłam głębiej. Zapach unoszący się w powietrzu wydał mi się jakiś znajomy. Dopiero teraz rozejrzałam się uważniej po pomieszczeniu. Jednak zanim wyciągnęłam wnioski, do sali wpadł Piotr i jakaś inna istota płci męskiej.

– Ona majaczy, niechże pan coś zrobi – zaapelował rozpaczliwie Piotr.

– Niech pan nic nie robi – poradziłam istocie męskiej drugiej życzliwie, bo w mojej bolącej głowie zaczęło coś świtać. – Niech mi pan lepiej powie, gdzie jestem? – To było pytanie, od którego powinnam zacząć.

– Jest pani w szpitalu. Pamięta pani, co się stało?

– Oczywiście. Spadłam do podziemi, potem obudziłam się tutaj, przez chwilę myślałam, że nie żyję i że rozpoczęłam nową egzystencję po śmierci – udzieliłam precyzyjnej odpowiedzi.

– No to być może panią rozczaruję – mężczyzna, który zapewne był lekarzem, uśmiechnął się kątem ust – ale w najbliższym czasie nie przewiduję pani zgonu. Ma pani zszytą brew i trochę siniaków, ale od tego się nie umiera.

– Nie powiem, żebym czuła się zawiedziona – powiedziałam – ale jednego nadal nie rozumiem.

– Czego? – zainteresował się uprzejmie doktor.

– Skąd on tu się wziął – powiedziałam, spoglądając na Piotra.

– Ten pan wytargał panią na powierzchnię, poczekał na karetkę, a potem tu przyjechał. Mówił, że panią zna.

– No, tylko nie wytargał – oburzył się Piotr. – Co najwyżej wyniósł. Florentyna jest lekka jak piórko.

– Taaa... – Mina doktora wyraźnie sugerowała zwątpienie. – To, skoro jednak się znacie, pozwolicie, że ja wrócę do swoich zajęć. Pani za pół godziny, może godzinę, będzie gotowa do wyjścia.

– No to czekam na wyjaśnienia – powiedziałam, gdy za doktorem zamknęły się drzwi. – Co ty tu, do licha, robisz?

– Przyjechałem i jak widzisz, z miejsca noszę cię na rękach. Nie każdej kobiecie trafia się taka gratka.

– Skąd wiedziałeś, gdzie jestem? – zapytałam, siląc się na spokój.

– No cóż – Piotr westchnął i potarł ręką czoło. – Wczoraj po południu poszedłem do ciebie, bo chciałem porozmawiać. Ledwo zapukałem, a już na klatkę wylazło to wścibskie babsko i obrzuciło mnie czujnym spojrzeniem. Wtedy drzwi twojego mieszkania otworzyła jakaś miła pani, która kazała się twojej sąsiadce zająć wreszcie czymś pożytecznym zamiast obrzydzać innym życie, a mnie zapytała, czego sobie życzę. Muszę ci powiedzieć, że zgłupiałem zupełnie i zacząłem nieskładnie wyjaśniać, po co przyszedłem. W końcu okazało się, że to twoja mama. Porozmawialiśmy i obiecała dowiedzieć się dokładnie, gdzie się zatrzymałaś, no i jak widzisz, dotrzymała słowa. Gdy rano dotarłem do twojego pensjonatu, już cię nie było, ale właścicielka powiedziała mi, gdzie cię mogę znaleźć. No to pognałem do tej twierdzy i wpadłem dokładnie w tym momencie, kiedy spadałaś.

– Ach, to dlatego mama przeprowadziła wczoraj to drobiazgowe śledztwo – mruknęłam do siebie. – Po to był jej mój numer pokoju i dokładny adres. Ale to nie zmienia faktu, że nadal nie wiem, czemu gnałeś do mnie przez pół Polski.

– Bo widzisz, ja właściwie nie mam ochoty być twoim przyjacielem. Wcale a wcale. Przyszedłem ci to wczoraj powiedzieć, a jak dowiedziałem się, że wyjechałaś, pomyślałem, że to tym lepiej.

– Lepiej... – Popatrzyłam na niego jak na wariata. – Dlaczego lepiej?

– Bo fajnie będzie móc opowiedzieć przyjaciołom, że tak naprawdę zakochaliśmy się na wakacjach. Nie sądzisz, że brzmi to dużo lepiej niż opowieść o wyrzuceniu z pracy? A tak góry, miły pensjonat...

– Wakacyjna miłość – wpadłam mu w słowo – zachody słońca i kolacje przy świecach...

– No właśnie. – Piotr pochylił się nade mną. – Czyli rozumiem, że nie mówisz nie?

– Musiałabym oszaleć, żeby powiedzieć nie facetowi, który przejechał dla mnie taki szmat kraju – powiedziałam, patrząc mu w oczy i myśląc, że zdanie się na los wcale nie było takim głupim pomysłem.

Gdy jakieś dwie godziny później spacerowaliśmy po kłodzkim rynku, jedna myśl uparcie nie dawała mi spokoju.

– Muszę coś załatwić – powiedziałam w końcu do Piotra. – Dosłownie za pięć minut wracam, a ty idź może zamów jakąś pizzę albo coś. Aby nie za dużo, bo pani Anna będzie na nas czekała z obiadem – dorzuciłam jeszcze, a potem szybkim krokiem poszłam za strzałką z wylegującym się na niej czarnym kotem. Tak jak poprzednio zeszłam w dół po schodach, zatrzymałam się przed staroświeckimi drzwiami, zapukałam i nie doczekawszy się odpowiedzi, nacisnęłam mosiężną klamkę. Wróżka Henrietta dokładnie tak jak przedtem siedziała przy wielkim stole, ubrana w zwykły podkoszulek z krótkim rękawem i kolorową indyjską spódnicę.

– Dzień dobry – powiedziałam, stojąc w drzwiach. – Przyszłam zadać pani jedno pytanie. Muszę wiedzieć, dlaczego nie chciała mi pani zdradzić, co mówiły karty.

– Bardzo się cieszę, że pani przyszła. Proszę usiąść – zaprosiła mnie gestem. – Widzę, że miała pani wypadek...

– Tak, spadłam ze schodów do podziemi – powiedziałam, dotykając opatrunku.

– Dlatego nic nie mogłam powiedzieć. – Wróżka Henrietta pochyliła się nad stołem i splotła ręce. – Przecież gdybym powiedziała, że widzę ten wypadek, nigdy pani by tam nie poszła. A niekiedy pozornie przykre rzeczy są początkiem czegoś dobrego i oczekiwanego. Gdyby pani nie poszła do twierdzy, ktoś by pani nie znalazł i nie wiem, co by było dalej. Tego już nie widziałam. Może byście się spotkali, a może nie. Ale po co było ryzykować?

No tak, gdybym nie poszła zwiedzać podziemi, to pewnie bym się spakowała i wyjechała, a Piotr by mnie już tu nie zastał. Ale właściwie gdyby mu zależało, to chyba mógłby poszukać dalej? Ale z drugiej strony obyło się bez zbędnych komplikacji. Ponadto otumanienie środkami przeciwbólowymi spowodowało, że zrobiłam to, co mi dyktowało serce. I ani trochę tego nie żałowałam.

– Jeżeli pani chce – wróżka Henrietta uśmiechnęła się do mnie – mogę teraz postawić karty.

– Nie, stanowczo dziękuję – powiedziałam, kręcąc głową. – Nie chcę znać przyszłości. Niech będzie niewiadomą. To dziwne, ale wcale nie odczuwam potrzeby odkrywania jej wcześniej... – W tym momencie w torebce rozdzwoniła mi się komórka. – Przepraszam bardzo, ale muszę odebrać. To pewnie mama albo tata chcą wiedzieć, czy jeszcze żyję – oznajmiłam i przytknęłam telefon do ucha.

– Słucham? – powiedziałam, podświadomie oczekując głosu któregoś z rodziców.

– Dzień dobry, czy rozmawiam z panią Florentyną? – zapytał ktoś, kto z całą pewnością nie był ani moją matką, ani moim ojcem.

– Tak, to ja – potwierdziłam, jednocześnie czując, jak ogarnia mnie dziwne uczucie oczekiwania na coś przyjemnego.

– Bardzo się cieszę, że się do pani dodzwoniłem. Pani prowadziła nasz projekt w firmie Całusek i...

– Bardzo mi przykro – przerwałam – ale ja już tam nie pracuję. Proszę zadzwonić do firmy, na pewno powiedzą panu, kto teraz zajmuje się państwa sprawą.

– Ale ja właśnie dlatego dzwonię. Dyrektorzy, z którymi omawiała pani szczegóły pracy, bardzo cenią sobie pani wiedzę i kompetencję. A tak się złożyło, że zwolniło się w naszej firmie stanowisko dyrektora do spraw marketingu... Główny dyrektor chętnie widziałby panią w tej roli. Chyba że ma pani ciekawsze propozycje? Ale proszę pamiętać, że zawsze można negocjować.

– Oczywiście, jestem zainteresowana – powiedziałam, z trudem zbierając myśli. – Tyle tylko, że ja teraz jestem na urlopie, ale jeżeli trzeba...

– Niech pani sobie spokojnie odpoczywa, zbiera siły do pracy, a na dogadanie warunków umówimy się za dwa tygodnie; może być?

– Wspaniale! – zakrzyknęłam entuzjastycznie, powstrzymując się, by z radości nie ucałować telefonu.

– To do zobaczenia. Miłego odpoczynku.

– Boże, mam pracę – powiedziałam i poczułam, że najchętniej zatańczyłabym jakiś dziki radosny taniec. – Dziękuję pani – zwróciłam się do wróżki Henrietty – ale teraz muszę już iść...

– Niech pani chwilkę poczeka! – krzyknęła za mną. – Chciałam tylko powiedzieć, że pani szczęście ma kolor niebieski.

Nie musiała mi tego mówić. W końcu oczy Piotra były w najpiękniejszym odcieniu błękitu, jaki w życiu widziałam. Kiedy biegłam przez kłodzki rynek, dopadła mnie jeszcze jedna prawda. Zrozumiałam mianowicie, że od dziś Florentyna znaczy szczęśliwa.

Jarosław Klejnocki

PROSTE ZLECENIE

Lipiec tego roku był wyjątkowo upalny. Lekki chłód nadchodził dopiero o zmierzchu, ale nawet po zachodzie słońca można było chodzić w T-shirtach i nie było zimno.

Pracownicy Genco Oil Company Ltd. pocili się jednak w garniturach, bo firma miała dość konserwatywny regulamin i nawet w piątki nie pozwalano na przychodzenie do biura w bardziej swobodnym stroju. Na dodatek dyrektorka polskiego oddziału tego koncernu, Irena Kałuża-Owczarska, niemal nie wychodziła z pracy i najwidoczniej oczekiwała tego samego od swoich podwładnych. Zawsze była pracoholiczką, ale teraz sprawy przybrały naprawdę wymiar niemal patologiczny. Atrakcyjna i zadbana pięćdziesięciolatka, rozwiodła się niedawno z mężem i wyglądało na to, że wieczorami nie ma wcale ochoty wracać do pustego domu.

– Ech, pogrillowałby człowiek w weekend jak należy – westchnął znad komputera Stefan Kopeć, assistent manager, ślęczący właśnie nad raportem o sprzedaży, którego opracowanie szefowa zleciła mu na już, mimo że termin rozliczenia mijał dopiero w przyszłym tygodniu.

– Chłopie, ty tu o grillu, o odpoczynku, a ja od tej roboty spać nie mogę – wybuchnął poirytowany Roman Ostaszewski, ekstrawertyczny grubas z wiecznymi plamami po keczupie na koszuli. – Przychodzę do domu, od razu otwieram browar. Już nawet jeść mi się nie chce. Włączam TVN 24, żaden tam Bloomberg, rozumiesz, chcę odpocząć – a tam, kurwa, „Bilans"! I znowu akcje, rynki, kredyty, kursy. Czyli w domu też mam pracę. No i ci zapraszani eksperci! Ty oglądasz „Bilans", Stefan?

– No co ty, ja mam małe dziecko...

– No widzisz. To ty nie wiesz, co zyskujesz. A ja oglądam. Rzygać mi się chce, ale oglądam. Więc ci eksperci... No *sorry*, rozumiesz? Patrzę, a połowa to ci faceci, z którymi mam do czynienia na co dzień. Ale jak zobaczyłem Szefową, to jednak nie zdzierżyłem i wyłączyłem.

– Co ty, Szefowa w telewizji?! Przecież ona dwóch zdań nie umie porządnie sklecić!

– A widzisz! A w telewizji jak znalazł. Mówię ci, medialna jest. Spoko. Gdybym jej nie znał, toby mi się nawet spodobała... Ech. No ale o czym to ja... A, że spać nie mogę. *Shit!* Kładę się, rozumiesz, a wywaliłem wcześniej ze trzy browary, żeby było łatwiej – i nic. Przewracam się, przekładam, liczę, staram się nie myśleć o robocie, a tu, kurwa, same tabelki przed oczami migają. Jak te zielone znaczki w „Matriksie"!

– A może ty byś przestał nam tu pierdolić, bo ja się skupić nie mogę – odezwał się spod okna Edgar Stasiński. – Nie możesz spać, to się poonanizuj trochę. Na pewno pomoże.

– Chyba nie rozmawiacie panowie publicznie o TYCH SPRAWACH? I to w dodatku w pracy! – Szefowa stała w drzwiach. Musiała słyszeć co najmniej ostatnie zdania.

W pokoju zapadła przykra cisza. Panowie skulili się nad klawiaturą swych komputerów, ale Szefowa uparcie nie odchodziła.

– Mam nadzieję, że te pogaduszki nie przeszkodzą wam w sporządzeniu wszystkich niezbędnych sprawozdań w terminie – powiedziała po chwili i popatrzywszy jeszcze z wyrzutem na cały dział, poszła, kołysząc, jak to miała w zwyczaju, biodrami.

– No to dupa, będziemy tu teraz siedzieć do usranej śmierci – jęknął po chwili Jurek Umiastowski, znany z tego, że w rozmowie prywatnej nadzwyczaj rzadko sięga po wulgaryzmy. Ale teraz sytuacja go przerosła. – Nie, no tak nie może być! – Walnął pięściami w klawiaturę. – Coś z tym trzeba w końcu zrobić!

– Co zrobić, co zrobić? – przedrzeźniał Jurka Stefan. – Masz jakiś pomysł na to wszystko? Ja też bym chętnie do domu wrócił, z dzieciakiem się pobawił. Cały tydzień go nie widzę. Jak wychodzę, jeszcze śpi, jak wracam, już śpi!

Zapadło kłopotliwe milczenie. I kiedy wydawało się już, że cała sprawa rozejdzie się po kościach, a napięcie ostatecznie opadnie, ni stąd, ni zowąd odezwał się milczący zazwyczaj Edgar:

– A mnie właśnie coś świta. Trochę już o tym myślałem. I powiem wam, że to całkiem dobra myśl!

– Noooo?! – odezwali się, niemal chórem, koledzy z pokoju.

– Nie, nie, teraz nie będziemy o tym gadać – odrzekł Edgar, wymownym ruchem wskazując palcem sufit. W firmie chodziły słuchy, że dyrekcja jakiś czas temu założyła podsłuch. Pewnie to była plotka, ale jednak wszyscy mieli się trochę na baczności. O sprawach naprawdę ważnych nie rozmawiano głośno, a drobne przytyki pod adresem kierownictwa traktowano jako swoisty, nieco ekstremalny sport. – Skończmy to gówno i chodźmy na piwo. Wtedy wam wszystko objaśnię.

Morgan's Free Pub był ulubionym lokalem korporacjonistów. Mieścił się w samym centrum miasta, obok turystycznego szlaku wiodącego jedną z zabytkowych ulic, na zapleczu znanego hotelu śródmiejskiego, wątpliwej zresztą reputacji i standardu. Dziwaczne połączenie szkła i rustykalnego wystroju w drewnie. Ale było to modne miejsce, głównie ze względu na lokalizację. Przed południem królowali tu co prawda studenci z pobliskiego uniwersytetu, których kusiła zniżka na piwo obowiązująca do szesnastej, ale wieczorem knajpę brali w posiadanie wygarniturowani samuraje rodzimego biznesu spod znaku Wielkich Firm. Kiedyś w końcu trzeba się odstresować, prawda?

O tej porze było już dość gwarno i tłoczno. Na szczęście udało im się znaleźć wolny stolik. Jak się okazało, Edgar miał znajomego kelnera, który pełnił tego wieczora dyżur u piwo- i wódopoju. Posadził ich w ciemnym rogu, tam gdzie zawsze było zarezerwowane. Dla kogo, nie wiadomo. Tym razem wyszło, że dla nich. Kelner wziął pięćdziesiąt złotych. Zrzucili się solidarnie. Nie grymasili, usiedli grzecznie i każdy wziął browca, który sponsorował tę knajpę.

– No dobra, Edgar, wal, bo już nie wyrabiam. Jestem *out of nerves, capisci?* Jaki jest ten twój pomysł? – rzucił Stefan, jak tylko kelner oddalił się do kolejnych obowiązków.

– Zaraz, chwila. – Edgar wcale się nie spieszył. – Łyknijmy za zdrowie i na pohybel konkurencji. Szefowa z pewnością pochwaliłaby taki toast.

Wypili więc. Ale czuć było napięcie i Edgar doszedł do wniosku, że nie ma co zwlekać.

– Okej. Już nadaję. – Zniżył konfidencjonalnie głos, a wszyscy pochylili się nad stolikiem, jakby co najmniej planowali napad na bank. Tak się zresztą czuli. Jak uczestnicy jakiejś konspiracji. – Więc...

– Nie zaczyna się zdania od „więc" – strofował Stefan.

– Daj spokój, do jasnej cholery! Więc – Edgar był prowokacyjnie nieustępliwy – mam taki plan. Czego potrzeba naszej Szefowej, żeby się wyluzowała i nie siedziała w tej pieprzonej robocie do nocy, no czego?

Powiódł triumfującym wzrokiem po zgromadzonych, z których żaden nie przejawiał chęci do podjęcia rozmowy. Nie przyszli tu myśleć, tego mieli nadmiar w pracy – przyszli tu wysłuchać jakiegoś pomysłu dającego im nadzieję na zmianę położenia.

– Chłopa, jej, kurwa, trzeba, chłopa! Prawdziwego mena! Żeby się nią zajął, żeby zabierał na kolacyjki, przysyłał kwiatki do biura, organizował wypady weekendowe. Ona usycha, rozumiecie? Jest w depresji, czy jak to się tam nazywa, jest zdesperowana. Nie ma co robić w domu, czuje się odrzucona, gorsza i samotna. Zauważcie: wszystko zmieniło się od rozwodu. Całą dobę siedzi w biurze, wymyśla tylko problemy, nadgania z robotą, chociaż nikt tego od niej nie wymaga. A my, chłopaki, jesteśmy tylko ofiarami.

– Jak to sobie wyobrażasz? Mamy pobawić się w swatki i znaleźć jej gacha?

– Właśnie tak, mistrzu, właśnie tak. Trzeba jej znaleźć faceta, i to takiego, za którym oszaleje, kapujecie? Takiego, co ją dopieści. Ale tak naprawdę, bez picu.

– No co ty, chyba w pliszki sobie lecisz? Mamy poszukać jej prawdziwego absztyfikanta? A jak to sobie wyobrażasz? Co ty, agencję matrymonialną chcesz założyć?

– A po co od razu matrymonialną? – Edgar uśmiechnął się sprytnie. – Wystarczy, że znajdziemy kogoś przekonującego. Ale to, niestety, będzie trochę kosztowało. Jesteście gotowi na pewne finansowe wyrzeczenia?

Wieczór minął całkiem przyjemnie. Wypili jeszcze po kilka piw, planując ruchy na przyszłość. I umówili się, że w poniedziałek Edgar ze Stefanem pójdą porozmawiać gdzie trzeba.

A poniedziałek był bojowy. Jakiś nalot ważniaków z Centrali, jakiś problem na Bliskim Wschodzie, który, jak przewidywali analitycy, mógł mieć znaczenie dla środkowoeuropejskiego regionu, więc domagał się pewnych posunięć na naszym rynku, wreszcie awaria sieci komputerowej. Edgar ze Stefanem ledwie się wyrwali, wymawiając się spotkaniem z klientami. Szefowa marszczyła nos, ale w końcu zaakceptowała ich wcześniejsze wyjście z pracy. Ale musieli obiecać, że jeszcze wrócą. Edgar już wcześniej zadzwonił do agencji Efebos i umówił się z jej szefem na rozmowę.

Wzbudzali zaufanie. Obaj w garniturach, uprzejmi, skropieni dobrą wodą kolońską. Ale tak naprawdę pachnęli wielkimi, a jeśli nie wielkimi, to chociaż dużymi pieniędzmi. Szef kazał sekretarce nie łączyć żadnych rozmów telefonicznych, zaproponował kawę, a gdy odmówili, zapalił papierosa i zasiadł za biurkiem.

– Powiemy bez ogródek: mamy nieco nietypową sprawę – zagaił Edgar.

– Tutaj niemało spraw jest nietypowych – wtrącił z uśmiechem szef, bo słyszał już wiele takich gadek, a potem zazwyczaj okazywało się, że to, co klienci określali jako „nietypowe", było po prostu wstydliwe.

– Niemniej jednak przyzna pan nam rację, jak skończę – z delikatnym naciskiem na koniec zdania wycedził Edgar.

– Oczywiście. Przepraszam i słucham panów – zmitygował się szef.

I rzeczywiście, po kilku minutach, kiedy Edgar przestał mówić, szef musiał przyznać rację swoim gościom. To była nietypowa sprawa, nawet jak na firmę, którą prowadził.

– Hmm, jak to panom powiedzieć? Właściwie nie realizujemy takich zleceń. Szczerze mówiąc, nasz cennik nawet nie obejmuje podobnej usługi...

– Ale w dobie bezlitosnej konkurencji obowiązuje chyba dewiza „klient nasz pan"? – Edgar uśmiechnął się fałszywie. Tylko on mówił, Stefan siedział na brzeżku fotela i wciąż nerwowo rozglądał się po gabinecie. Widać było, że cała ta sytuacja jest dla niego wysoce niekomfortowa.

– Wie pan, są wakacje, część pracowników mam na urlopach. Ruch w interesie niezbyt wielki...

– Tym bardziej powinien pan być zadowolony z naszego zlecenia. Jesteśmy przygotowani na godziwą zapłatę, pokrycie kosztów organizacyjnych, na przykład rachunków z lokali. Oczywiście w granicach rozsądku. A jeśli będziemy zadowoleni z usługi, to może pan liczyć jeszcze na bonus. Extra money. To jak?

– Noo tak... – Szef wciąż nie mógł się zdecydować, choć już go trochę podekscytowała niekonwencjonalna prośba tych dwóch najwyraźniej nadzianych klientów. Wreszcie podjął decyzję, uderzywszy, dla otuchy, dłonią w blat biurka. – Niech będzie! Przyjmujemy! Ale, ale – zaniepokoił się – panowie rozumiecie, że my pracujemy bez umowy, wszystko odbywa się tu na zasadzie wzajemnego zaufania.

– Oczywiście. Bez zaufania ani duży, ani mały biznes, ani nawet małżeństwo nie ma szans powodzenia. Tak to chyba opisywał Fukuyama w tej swojej książce „Trust", prawda, Stefan? – Wyraźnie rozluźniony Edgar postanowił wciągnąć kolegę do rozmowy. Ten zaś zarumienił się jeszcze bardziej i wydusił z siebie kilka nieartykułowanych dźwięków.

Na dworze królowały słońce i błękit, niezakłócony najmniejszym obłoczkiem.

– Jak, kurde, w jakimś Marrakeszu. – Edgar odetchnął pełną piersią.

– Myślisz, że nie nawali? Że wszystko się uda? – Stefan dreptał pośpiesznie za kolegą.

– Pewnie. Ile czasu zajmie mu zarobienie tego, cośmy mu zaoferowali za jedną sprawę? Chłopie! Sam powiedział, między wierszami, że ma mniejsze zyski w miesiącach wakacyjnych. Spadliśmy mu z nieba i jak wszystko jeszcze raz przemyśli i przeliczy, to żyły sobie wypruje, byleby rzecz załatwić po naszej myśli.

– Mam nadzieję, że się nie mylisz. – Stefan westchnął. – I że ta kasa, którą zebraliśmy, nie będzie stracona.

– Spokojna głowa! Mogę się z tobą założyć. Chcesz?

Stefan tylko machnął ręką. Wsiedli do samochodu i pojechali do biura. Szefowa z pewnością już się niepokoiła.

Na ten wieczór, jak zresztą na większość minionych wieczorów i większość wieczorów, które miały dopiero nadejść, Irena Kałuża-Owczarska nie miała niczego w planach. Zrobi wieczorne zakupy, a w domu zje lekką sałatkę. Irena dbała o linię. Jej wiek chwały już dawno przeminął, ale mimo że skończyła pięćdziesiąt lat jakiś czas temu, wciąż trzymała się nieźle. Była szczupła, miała długie nogi, których nigdy nie ukrywała pod spódnicami, a jeśli już wkładała spodnie, to tylko od wielkiego dzwonu. Ubiór to była zresztą słaba strona Szefowej. Nie miała dobrego gustu, a jej wyobrażenie o własnej atrakcyjności spełniało się w mniemaniu, że strój winien tylko podkreślać to, co w kobiecie ponętne. Zdarzało się więc, że przychodziła do pracy ubrana jak na imprezę i to taką z gorszej półki. I chociaż na ciuszki wydawała fortunę, to często wyglądała tak, jakby zakupy robiła na bazarze. Latem, kiedy bywało naprawdę ciepło, tak jak teraz, zakładała nieprzyzwoicie krótkie mini i jakieś półprzezroczyste bluzeczki na cienkich jak żyłka wędkarska ramiączkach. Od swoich podwładnych, wszystkich bez wyjątku, wymagała natomiast zachowania nijakiego garniturowo-garsonkowego stylu, w zależności od tego, czy sprawa dotyczyła mężczyzn czy kobiet. W korytarzach sarkastycznie żartowano, że chce się po prostu wyróżniać na tle innych kobiet w biurze, zwłaszcza tych młodziutkich lasek zaraz po studiach i praktykach, które w ten sposób musiały skrywać swoje wdzięki. Ale zdarzało się jej przesadzić i raz, kiedy niemal zderzyła się ze Stefanem wychodzącym z kawą z kantorka kuchennego, ten niemal zachłysnął się, widząc dekolt Szefowej nieledwie odsłaniający sutki. Co ciekawe, nikt ani z klientów – głównie zresztą podstarzałych mężczyzn, co rzecz by jakoś tłumaczyło – ani też z zagranicznego kierownictwa firmy nie miał nic przeciwko tym ekstrawagancjom. Dość powszechnie mniemano, że swoją pozycję Szefowa zawdzięcza zarówno protekcji byłego męża, jak i rozmaitym romansom z ustosunkowanymi dziś facetami, o których plotki aż huczały w biurowych korytarzach. Bo w końcu nie jest to normalne, że ktoś, kto zaczynał swą karierę jeszcze w PRL jako „kalkulator-chronometrażysta" w spółdzielni inwalidów produkującej metalowe wiadra, dochrapał się za wolnej Polski takiego stanowiska. Coś musiało tu być na rzeczy, gdyż Szefowa rzeczywiście nie sprawiała wrażenia osoby lotnej i nieraz zadawano sobie pytanie, jak ktoś, kto ma kłopoty z podstawami tak zwanej ogólnej wiedzy o świecie, potrafił tak długo utrzymać się na tak eksponowanym stanowisku. Szefowa miała jednak jedną zaletę, co przyznawali nawet mocno niechętni jej pracownicy. Dysponowała mianowicie zadziwiającą intuicją rynkową, która podpowiadała jej decyzje z pozoru nieracjonalne i dziwaczne, ale z czasem przynoszące zyski albo chroniące firmę od dramatycznych strat, jakie ponosiła konkurencja. Jurek Umiastowski ujął to kiedyś brutalnie bon motem, że najwyraźniej natura wynagrodziła w ten sposób Szefowej niedostatki inteligencji, wiedzy i wykształcenia, niejako w ramach zachowania równowagi w naturze. Powiedzonko szybko zyskało sobie popularność i zaczęło funkcjonować niemal jak opinia.

Tego wieczoru więc Szefowa, pakując papiery do eleganckiej skórzanej torby od Wittchena („trzeba popierać rodzimy przemysł", miała w zwyczaju powtarzać), jak zwykle z melancholią myślała o końcu dnia. Zje lekką sałatkę, poskacze po programach telewizyjnych, popijając ulubionego drinka (zwyczajny dżin z tonikiem, *nothing sophisticated*), wreszcie, gdy odczuje już wyraźne zmęczenie, weźmie krótką kąpiel, a w łóżku doczyta kilka stroniczek kolejnej książki Danielle Steel. Tak to mniej więcej wyglądało już od dłuższego czasu. Dzieci, dorosłe i usamodzielnione, miały swoje życie. Marek pracował w JP Morgan na Manhattanie i do Polski przyjeżdżał tylko na Boże Narodzenie. Joasia miała własną rodzinę, zajmowała się dwójką dzieci, a jej mąż zasuwał w Price Waterhouse Coopers jako bardzo ceniony audytor. Dlatego zaoferowano mu dwa lata temu stanowisko w Londynie. Do dzieci dzwoniła czasami, ale nie za często, zazwyczaj w weekendy, kiedy czuła się bardziej niż zwykle samotna. Rozpad małżeństwa był dla niej szokiem. Nic na to nie wskazywało, ale mąż oczywiście znalazł sobie jakąś niemal małoletnią siksę, na punkcie której oszalał. Cały proces rozwodowy przeprowadził w ekspresowym tempie, biorąc winę na siebie, a także zostawiając byłej już żonie spory majątek, sobie zachowując jedynie zawartość osobistego konta w banku. Nawet nie to ją ubodło, że się po tylu latach rozstali, ale to, że się Waldiemu znudziła. To było jak zanegowanie jej własnego poczucia atrakcyjności. To było jak wyrok.

Po rozwodzie rzuciła się w wir pracy. Dopóki była w biurze, komenderowała, zarządzała, wydawała polecenia, dopóki instruowała, krytykowała, opieprzała – nie musiała myśleć o sobie. O swoich samotnych wieczorach i nocach, o braku perspektyw. Bo żyła, nie do końca żyjąc, widziała siebie jedynie jako kogoś, kto już do emerytury będzie snuł się po gabinetach, kto już zawsze będzie albo Szefową, albo, jeśli straci swoją intratną pozycję, jeszcze jednym z wielu trybików w bezosobowej machinie. Czuła się wtedy jak zombi. I, tak naprawdę, nie wiedziała, co z sobą zrobić. Czas biegł więc z dnia na dzień. Czysty automatyzm. Poddała się tej rutynie, którą doskonale znała. Po prostu trwała.

Zjechała windą na podziemny parking, odnalazła swojego służbowego saaba 9000. Stał spokojnie tam, gdzie zwykle – na miejscu zarezerwowanym dla ścisłego kierownictwa firmy. Zawsze się bała, że któregoś dnia go nie odnajdzie. Że go ukradną albo że jego brak zakomunikuje jej zmiany zawodowe. Ale był. Nie zauważyła mężczyzny, który stał w półcieniu niedaleko windy i bacznie przyglądał się jej, porównując to, co widział, ze zdjęciem, które trzymał w dłoni.

Zrobiła zaplanowane zakupy w nocnych delikatesach niedaleko domu. W ramach przyjemności nabyła kilka kolorowych pism do poczytania w wannie. A pod domem kłębił się jak zwykle cały tłum samochodów, oczywiście źle zaparkowanych. Wjazd do podziemnego garażu to był dla niej zawsze problem – architekt źle zaplanował podjazd i zazwyczaj zabierało jej chwilkę zmieszczenie wozu w stanowczo zbyt wąskiej bramie. A teraz te wszystkie auta dodatkowo utrudniały zwyczajową procedurę. No i stało się to, o czym wiedziała, że któregoś dnia musi się stać. Dała wsteczny, zapomniała zerknąć w lusterko i bach! Poczuła wstrząs, rzuciło ją na kierownicę, ale uderzenie było zbyt delikatne, żeby uruchomić poduszki powietrzne. Dzięki Bogu chociaż za to! Ale wypadek to było doprawdy to, czego jej teraz brakowało!

– Proszę się nie denerwować, nic się nie stało. Czy z panią wszystko w porządku? – Mężczyzna, który otworzył drzwi jej samochodu, wyglądał na przejętego. Był trochę podobny do Krzysztofa Krawczyka, którego piosenek z zamiłowaniem słuchała w młodości.

– No tak, mnie nic nie jest. Ale uderzyłam w pana, prawda?

– Ależ, droga pani, to tylko drobna stłuczka. Żaden problem. Prawdę mówiąc – mężczyzna na chwilę zawiesił głos, bacznie się jej przypatrując – mógłbym nawet mówić o szczęściu. Jeśli już coś takiego ma się przytrafić, to lepiej, kiedy sprawczynią jest tak piękna kobieta. Proszę – podał jej rękę, by pomóc wydostać się z wozu.

Formalności dopełnili u niej, przy kawie. Poszkodowany kierowca okazał się człowiekiem wyrozumiałym i uprzejmym. Nie robił wyrzutów, nie narzekał i powstrzymał się od opinii na temat kobiet kierowców, tak chętnie wypowiadanych przez facetów. Wypił kawę, pokonwersował, wypełnił wszystkie niezbędne druczki i zostawił swoją wizytówkę na odchodnym. *Mieczysław Kender, Area Director*, przeczytała. Był miły, delikatny i wciąż ją pocieszał. Kiedy wychodził, umówili się na telefon, żeby zakończyć sprawę. Irena, rozkoszując się później gorącą kąpielą, nie mogła powstrzymać się od ciągłego myślenia o nim.

– Słuchajcie, to chyba działa! – wykrzyknął Edgar, wchodząc do biura kilkanaście dni po feralnej przygodzie Szefowej. – Widzieliście jej grafik na dzisiaj? Znów lunch, między czternastą a szesnastą! Tyle czasu? Nigdy do tej pory tak się nie zachowywała. A teraz największa bomba! Wiecie, co mi powiedziała Justyna z sekretariatu? Że Szefowa kazała jej iść do domu wcześniej niż zwykle, bo sama też wychodzi.

– Wcześniej niż zwykle, czyli co, po dwudziestej? – gderliwie odpowiedział Jurek, jak zwykle wpatrzony w ekran komputera.

– Nie narzekaj. I nie po dwudziestej, tylko – uwaga, uwaga! – po osiemnastej! – Edgar triumfująco potoczył wzrokiem po kolegach.

Zelektryzowani wiadomością, zwrócili spojrzenia na Edgara.

– Myślisz, że to to, co mamy na myśli? – W głosie Stefana słychać było nutki nadziei.

– A jakże by inaczej! Chłopaki! Robimy grilla w piątek. Zapraszam do siebie na siódmą.

– No co ty! Wydostaniemy się z tego bajzlu, żeby zdążyć?

– Pewnie! Jak dwa i dwa jest cztery. Chce się ktoś ze mną założyć?

Nikt nie podjął rękawicy.

I słusznie, bo Szefowa rzeczywiście wyglądała na odmienioną. Zaczęła ubierać się bardziej stonowanie, pozwalała sobie na przedłużające się lunche, a co najważniejsze, naprawdę zaczęła wychodzić z biura o przyzwoitych porach. Chłopcy tymczasem bezwstydnie wykorzystywali sytuację.

– No i co, dobry pomysł miałem? – Edgar rozkoszował się piwem Beck's, zerkając na skwierczącą karkówkę i rumieniące się paróweczki cielęce na solidnym murowanym grillu, stojącym w ustronnym miejscu ogrodu. Impreza weekendowa trwała w najlepsze. – Warto było dać tę kasę?

– A odzywałeś się ostatnio do tego gościa? – odezwał się z pewnym zaniepokojeniem milczący zwykle Jurek.

– A po co? On robi swoje, a my korzystamy.

– Ale, Edgar, słuchaj, może warto by było wszystko skontrolować? – Stefan podzielał wątpliwości Jurka.

– Niby jak? Chcesz zobaczyć, z kim się spotyka? Bo że się spotyka, to nie ma dwóch zdań, nie? – odparł Edgar, lekko zniecierpliwiony. – Chcesz zobaczyć, jak im idzie? A to proszę bardzo. Jak pójdzie na kolejny lunch, to po prostu ją poobserwuj. My ci damy jakieś alibi w firmie, gdyby trzeba było. Idziesz na to, Stefan?

– Ja? Mam śledzić Szefową? No co ty, jak mam to zrobić? – Stefan był wyraźnie zbity z tropu.

– Normalnie, chłopie, pójdziesz za nią, a potem opowiesz nam, coś widział, okej? A jakbyś zobaczył za wiele, to tym bardziej nam opowiesz. Co nie, chłopaki?

Ogólny rechot zagłuszył wezwanie żony Edgara, żeby siadać do stołu, bo wszystko już gotowe do kolacji.

W kolejny poniedziałek po weekendzie Stefan, zdopingowany przez kumpli, wymknął się za Szefową kilka minut po tym, jak wyszła na lunch. Ponieważ nie wzięła samochodu, domyślił się, że pójdzie do Orange City, wielkiego kompleksu handlowo-rozrywkowego tuż obok ich biura. Były tam i ekskluzywne restauracje obok chińskich i wietnamskich fast foodów. Przeczucia go nie zawiodły. Ale to, co zobaczył, było jednak niespodzianką.

– Słuchajcie, słuchajcie! – wykrzyczał, wpadłszy z impetem do pokoju. – Widziałem ich!

Wszyscy poderwali się z miejsc.

– I co, i co?

– Nie zgadniecie, kurczę, nie zgadniecie, choćbym się z wami założył!

– Dawaj, nie przedłużaj! – Edgar niemal podskakiwał przy biurku.

– Więc wyobraźcie sobie...

– Nie zaczyna się zdania od „więc”... – napomniał Jurek.

– Juuuurek!

– No więc wyobraźcie sobie, że ona się spotyka z szefem tej agencji, z którym rozmawialiśmy wtedy razem z Edgarem. To ten sam gość, nie ma dwóch zdań!

Zapadło milczenie.

– No i co z tego? – przerwał ciszę Edgar. – Najważniejsze, że wszystko gra, nie?

A wszystko rzeczywiście grało. I to koncertowo.

Area Director okazał się człowiekiem subtelnym. Sprawę stłuczki wziął na siebie i dokonał wszelkich formalności. Irena była zachwycona. Na pierwsze spotkanie Mieczysław przyniósł wypełnione druki do podpisu i wielki pęk czerwonych róż. Przepraszał, choć w całym zdarzeniu nie było jego winy, zaproponował drinka i bawił Irenę kunsztowną, nadzwyczaj miłą rozmową. Opowiedział trochę o sobie. O żonie, która go porzuciła dla młodszego gacha z branży reklamowej, jakiegoś seksownego typka robiącego kasę na billboardach. O dzieciach, które wyszły z domu i niechętnie podtrzymywały kontakt z rodzicami. Napomknął wreszcie o samotności, która jest dla niego utrapieniem. Irena poczuła się tak, jakby słuchała własnej historii. Było jej z tym dobrze, a poza tym Mieczysław podobał się jej. Nawet nie chodziło o to, że był, na swój sposób, atrakcyjnym facetem. Ujęła ją jego opiekuńczość, dystans i wyrafinowane słownictwo.

– Pani Ireno, pozwoli pani, że zaproszę ją na kolację. Proszę nie odmawiać! Ta drobna nieprzyjemność, na którą los nas skazał, nie powinna zakłócić naszych stosunków. To co, jutro w Sheratonie, o dziewiętnastej, dobrze?

– No nie wiem, nie wiem, mam dość uciążliwą pracę, wie pan...

– Ależ! Praca nie zając, nie ucieknie. Czyli zgoda, tak?

Dalej poszło jak z płatka. Mieczysław odzywał się regularnie. Zapraszał na kolacje, do teatru, raz wybrali się nawet do opery, chociaż Irena nigdy tam wcześniej nie była i trochę bała się tego, co może ją spotkać. Ale zrobiły na niej wrażenie toalety pań, dystyngowani mężczyźni, oprawa całego wieczoru. O czym traktowało przedstawienie, nie bardzo pamiętała. Chodziło chyba o miłość, jak doczytała się później w programie zakupionym przez Mieczysława. „Rycerskość wieśniacza" Mascagniego. Rzecz o sile uczucia, zazdrości i przemocy. Młody Sycylijczyk zabija starego konkurenta do ręki swej wybranki. Jakie to romantyczne!

Szefowa w operze, a jej sprytni podwładni gdzie?

– Fajnie wreszcie odpocząć od tej nudnej roboty, prawda? – Edgar, z piwem w dłoni, wodził rej na przyjęciu u Jurka. – A kiblowalibyśmy w pracy, gdyby nie mój geniusz! Przyznajcie to!

– Przyznajeeemy!

– Warto było zainwestować w tę inwestycję?

– Waaarto!

– No widzicie! Szefowa pewnie dziś spędza wieczór, a może i noc...

– Ooooo!

– ...a może i noc z panem Mieczysławem, a my możemy za to balować. Do dzieła! – zakrzyknął Edgar, wyciągając z pojemnika pełnego lodu kolejną butelkę Beck'sa.

Jurek był jednak trochę zaniepokojony. Przy pierwszej okazji wyciągnął Edgara na spytki.

– Słuchaj – zapytał, gdy usiedli w living-roomie, z dala od hałasu. – A ciebie to nie niepokoi, że ona z tym szefem, no wiesz...?

– Co ty!? A jaka to różnica? Nie miał pracowników, to sam poszedł. W końcu za jedno, żigolak czy sam alfons...

– Coś ty? Skąd to wiesz?

– A byłem u niego. Owszem. Poszedłem w tajemnicy przed wami, niby w ramach roboty. Trochę się sumitował. Tłumaczył, że to nasze zlecenie było szalenie atrakcyjne, a on nie miał kim robić, rozumiesz.

– No dobra, a ciebie nie martwi to, że ona się w to wszystko chyba nieco zaangażowała? – Stefan wyglądał na prawdziwie zaaferowanego.

– A co to szkodzi?

– No wiesz... A jak odkryje, że to na niby? Rozumiesz, przejrzy nasz plan?

– To było wliczone w ryzyko inwestycji, prawda? Jakby był jakiś pospolity koleś, to też by mogło wyjść na jaw. Liczyliśmy się z tym.

– Ale wiesz, afera będzie większa – nie ustępował Stefan.

– Jaka afera, jaka afera? No, rozczaruje się kobita i tyle.

– A co będzie z nami, jak się dowie?

– A co ma być? Mordy w kubeł i nikt niczego nie powie. Najwyżej wróci stare i będzie jak dawniej. Będziemy siedzieć w robocie do końca świata i jeden dzień dłużej.

– Ale ja się już przyzwyczaiłem do wieczorów z dzieciakiem...

– No to się będziesz musiał odzwyczaić.

Na długi weekend, związany ze świętem państwowym i kościelnym, przypadającym na połowę sierpnia, Mieczysław zabrał Irenę do luksusowego pensjonatu w Kotlinie Kłodzkiej. Sauna, masaże, zabiegi pielęgnacyjne wliczone w koszt pobytu. Pogoda wciąż dopisywała. Chodzili na długie spacery, rozmawiali przy winie w sympatycznych knajpkach mieszczących się przy samym deptaku uzdrowiska. Irena czuła się jak za młodu. Znów była adorowana, znów o nią ktoś dbał. A poza tym Mieczysław był sprawnym, pełnym energii mężczyzną, świetnie radzącym sobie w sytuacjach intymnych. Już niemal zapomniała o byłym mężu, do którego przestała się odzywać. Ciekawe, jak mu się tam wiedzie z tą młodą laską? Dzieci odnotowały, że mama w rozmowach telefonicznych przejawia zadziwiający i niespotykany ostatnio optymizm. Co też nastrajało je pozytywnie do świata. Marek nawet zwierzył się żonie, czego nie miał w zwyczaju, że mama musiała chyba sobie kogoś znaleźć, taka jest ostatnio radosna i nieskora do narzekań.

Weekend w Kotlinie był boski. Irena wróciła do domu zrelaksowana, odprężona i ciekawa przyszłości. Dawne depresje i melancholijne nastroje odeszły w dal. Związek z Mieczysławem najwyraźniej jej służył.

Jej podwładni planowali tymczasem urlopy.

– Chyba pojedziemy w tym roku tam, gdzie w zeszłym. – Jurek, z nogami na stole, leniwie przeglądał foldery pism turystycznych. – Jesienią są solidne zniżki, a my jesteśmy stałymi klientami.

– To znaczy? – rzucił bez wyraźnego zainteresowania Roman, który właśnie pokłócił się z żoną o wakacje.

– Na Kretę. Mamy takie fajne lokum, z dala od cywilizacji. Przyjeżdżamy, wypożyczamy samochód – drogo, ale trudno – i tyle nas widzą. Dwa tygodnie luzu, ciszy, bez turystów i zgiełku. Tylko plaża, drinki, piwo... Z dzieciakiem bawią się hostessy, a my odpoczywamy. Zero myślenia o czymkolwiek, jakaś sensacyjna książka. Wyluzowany seks dwa razy dziennie. Prawdziwy *paradise*, mówię wam.

– Myślicie, że nic szczególnego się nie wydarzy? – jak zwykle defetystycznie wtrącił Stefan.

– A co ma być? Co ma być? – rzucił się Edgar. – Ja też planuję wypad. Na Dżerbę albo do Maroka. To teraz modne miejsca. I mówią, że nie najdroższe.

– Co ty, Dżerba jest droga jak cholera. I niewarta tego. To już lepiej do Maroka – odezwał się Jurek, wciąż kartkujący kolorowe strony folderów.

Do pokoju wpadła roztrzęsiona asystentka Szefowej.

– Chłopaki, coś się dzieje! Zadzwoniła do mnie na komórkę, zapłakana – rozumiecie – i powiedziała, że dzisiaj nie przyjdzie, bo ma problemy rodzinne.

Potoczyła spanikowanym wzrokiem po pokoju, a ponieważ nie było żadnej reakcji, pobiegła dalej z elektryzującą wiadomością.

– *Houston, we have a problem* – wymamrotał wreszcie Jurek, odłożywszy folder. – No i co teraz? Edgar?

– Co teraz, co teraz?! Kurwa, nie wiem, co teraz. – Edgar zaczął nerwowo przeszukiwać szuflady biurka z nadzieją znalezienia papierosa. Palił rzadko i tylko w wyjątkowych sytuacjach.

– Chyba trzeba będzie skontaktować się z szefem agencji... – nieśmiało zaproponował Stefan.

– A skąd wiesz, że to o to chodzi? Może rzeczywiście jakieś kłopoty z dziećmi czy wnukami? – Edgar pocieszał siebie i innych, sam nie bardzo wierząc w to, co mówi. Wreszcie wściekł się ze zdenerwowania już nie na żarty. – To ty do niego zadzwoń, jak jesteś taki mądry!

– Nie, kochaniutki. Stefan nigdzie nie będzie telefonował. Ty porozmawiasz z panem Mieczysławem, alfonsem jednym, bo to był twój pomysł! – naciskał Roman. – Wymyśliłeś to wszystko, to teraz działaj!

Edgar zadzwonił. Wyszczekał kilka pytań, potem długo słuchał, wreszcie cisnął słuchawką aparatu o widełki.

– Ubieraj się – warknął do Stefana. – Jedziemy!

Szef agencji był wyraźnie przybity. Spoglądał na Edgara i Stefana ze smutkiem. Nawet nie zaproponował kawy.

– Pan zrelacjonuje wszystko mojemu koledze, bo jak ja opowiem, to nie uwierzy. – Edgar zachowywał się prowokacyjnie i arogancko. Ale nie wyprowadził tym szefa z równowagi.

– A co tu dużo mówić, panie! – Mieczysław Kender westchnął z typowym dla ludzi prostych autentyzmem. – No nie zdzierżyłem i w końcu wyznałem jej calutką prawdę jak na spowiedzi.

– Czyś pan z byka spadł? Czy rozumiesz, człowieku, co się z nią teraz dzieje? I jakie to będzie miało reperkusje? – Edgar aż zerwał się z fotela.

– A dajże pan spokój. – Szef machnął ręką. – Po jakiego gwinta ja się na to zgodziłem? Teraz ona płacze, ja ledwie żyję, a panowie są wściekli...

– Ależ człowieku! Co ci przyszło do głowy? To było przecież proste zlecenie...

– Proste zlecenie, proste zlecenie! – Tym razem szef podniósł się z fotela. Zaczął krążyć po gabinecie, nerwowo zapalając papierosa. – Potraktowałem rzecz profesjonalnie – podjął po chwili. – Sam się za to wziąłem, bo miałem do dyspozycji samych młodziaków. Oni są dobrzy dla niezaspokojonych lasek, ale to jest kobieta z klasą. Rasowa. Wspaniała. Od razu to wiedziałem, jak tylko popatrzyłem na zdjęcie, które mi panowie przynieśli. Ona nie potrzebowała gibkiego kochasia, tylko kogoś, kto by się nią zaopiekował. I, tak jak chcieliście, woziłem ją po różnych miejscach, organizowałem kolacyjki, dbałem o nią. I zaczęło mi to z czasem sprawiać prawdziwą przyjemność. To jest niezwykła babka. Ona jest szalenie delikatna, rozumiecie?

– O Jezu! – Edgar złapał się za głowę. – Chyba nie chcesz nam powiedzieć, człowieku, że się zakochałeś?

– A i owszem! Zakochałem się! To coś złego? – Szef zatrzymał się bezradnie na środku gabinetu.

– Ale pan? – Edgar nie mógł uwierzyć własnym uszom.

– Niby co? Jak prowadzę agencję, to już nie mam prawa do normalnych uczuć? Panie, ja tu tyram od świtu do nocy. Załatw transport dla jednego, zajmij się drugim, którego klient pobił, uspokój gościa, co się po pijanemu awanturuje w numerze, a nie jest byle kim, tylko jakąś szychą z Sejmu, tyle że lubi chłopców! Żona ode mnie odeszła dwa lata temu, bo nie mogła znieść tego biznesu. Ale kasę to lubiła, owszem! Wypruła mnie do ostatniej złotówki...

– Dobra, darujmy sobie te sentymentalizmy – warknął Edgar. – Coś pan jej powiedział?

– No co? Spotkaliśmy się w restauracji Ułańskiej, to miała być nasza rocznica, bo minął już przecie miesiąc. Postanowiłem się zwierzyć, bo już ciężko mi było. Opowiedziałem o waszej wizycie...

– Ja pierdolę! – wyrwało się Edgarowi.

– ...ale powiedziałem też, że przez te dni naprawdę ją polubiłem. I jeszcze, że chciałbym, żeby ze mną była, bo naprawdę ją kocham. Znaczy, że z początku chciałem tylko wypełnić zlecenie, ale później ona stała się ważniejsza od wszystkich zobowiązań. Nawet nie chcę waszych pieniędzy. O, zwracam resztę, po doliczeniu kosztów wstępnych...

– O Jezu! – Tym razem nie wytrzymał Stefan.

– I co, skończyło się awanturą, tak? – Edgar starał się panować nad twarzą.

– A nawet nie. Jak jej powiedziałem, to się rozpłakała i nie chciała dalej słuchać. Wybiegła po prostu i tylem ją widział. – W zdenerwowaniu szef nie potrafił zapanować nad językiem.

– No to klops! Jeden wielki, zajebisty klops! – Edgar aż się uderzył rękami po udach. – Kurwa, co teraz zrobić, co tu zrobić? – Zaczął chodzić po pokoju, rozczesując nerwowo fryzurę. Szef, milcząc, dopalał papierosa. Minęła dobra chwila. Stefan przez cały czas nawet nie drgnął w fotelu.

– Dobra! – Edgar klasnął w dłonie. – Jakie są pańskie plany? Ma pan jakiś pomysł?

– Nie wiem, naprawdę nie wiem. Myślałem, że może kupię kwiaty, pojadę do niej... Może mnie przyjmie i porozmawia?

– To nie telenowela! Tylko tam wszyscy ze wszystkimi bez ustanku rozmawiają! Pytałem, czy ma pan jakiś pomysł?

– ...

– No tak! Ale zależy panu na niej, szczerze pan to wszystko mówił?

– Jak Boga kocham! – Szef uderzył się w piersi.

– No to może rzeczywiście niech pan spróbuje. Cholera, sam nie wiem. Stefan! A co ty myślisz?

– Ja... tego... no nie umiem.. Bo... eee... z drugiej strony...

– Jak zwykle, kurde flak! Zupełnie nie można na tobie polegać! – Edgar wciąż chodził nerwowo po pomieszczeniu. Wreszcie przemógł się, wyprostował, jakby podjął decyzję. Poprawił włosy, potem strzepnął niewidzialny pyłek z garnituru i stanął przed szefem. – Trudno. Musimy pchać to dalej. Pan powinien jednak jeszcze raz spróbować. Odezwać się do niej... Może rzeczywiście ten pomysł z kwiatami nie jest taki najgorszy... Tak... Skoro, jak pan twierdzi, eee tego... zakochał się, to powinien pan, eee, jak to się mówi, walczyć o nią, tak? No, Stefan – zniecierpliwił się – rusz dupę wreszcie, pomóż mi!

– Daj spokój! Przestań go wreszcie męczyć! – Stefan zerwał się z fotela z niespotykaną u niego energią i determinacją. – Panie Mieczysławie! – zwrócił się z nagłą serdecznością do ich wyraźnie cierpiącego gospodarza. – Niech pan idzie za głosem serca. Jeśli pan nie spróbuje teraz, to potem nigdy pan już sobie tego nie wybaczy...

– A jeśli ona... – zaczął niepewnie szef.

– A jeśli mimo wszystko odrzuci pana, to przynajmniej wszystko będzie jasne. A pan nie będzie miał wyrzutów sumienia, że nie poszedł na całość.

– Rany boskie! Co to za farsa?! Stefan, gadasz jak w telewizorze. Mówię wam, to nie jakieś pierdoły, tylko realne życie. Chodzi też w końcu o naszą robotę. Bo jak ona się naprawdę na nas wkurwi, to... Więc musimy coś konkretnego wymyślić, żeby...

– To sobie wymyślaj, Edgar! – Stefan był wyraźnie wkurzony. – I wyszło szydło z worka! Teraz to o posadkę się boisz, co? Chojraku jeden! A pan, panie Mieczysławie, niech zrobi to, co mówiłem. On – wskazał na kolegę – pojedzie do naszych kumpli i opowie, do czegośmy doszli. No i żeby się przygotowali, w razie czego... A ja... Ja idę dać na mszę!

Do końca dnia nic się już nie wydarzyło. Wszyscy siedzieli jak na rozżarzonych węglach. Nie było mowy o żadnej konkretnej robocie. Nawet Jurek, zwykle taki spokojny, wyszedł na papierosa. Roman natomiast palił więcej niż zwykle. Wbrew praktyce ostatnich tygodni zostali w pracy do wieczora, niepewnie oczekując, że może Szefowa jednak wpadnie. Koło dziewiątej stało się jasne, że jednak nie. Najgorsze, że nie wiedzieli, co się dzieje. Komórka Mieczysława milczała. Dzwonili do niego kilka razy, ale natychmiast zgłaszała się poczta. A to znaczyło, że telefon jest wyłączony. W minorowych nastrojach pożegnali się więc tuż przed dziesiątą. Umówili się, że następnego dnia przyjdą o siódmej, tak na wszelki wypadek. Edgar w drodze do domu kupił sobie pół litra cytrusowej Finlandii. Stefan walnął się natychmiast do łóżka, nie zamieniwszy nawet dwóch zdań z żoną i nie zajrzawszy do śpiącego dzieciaka. Roman wydzwonił kumpli i poszedł do knajpy, a Jurek zabrał się przed telewizorem do wertowania notesu z telefonami, rozmyślając, do kogo uderzyć z prośbą o pracę.

Poranek był pogodny. Lato tego roku zdawało się naprawdę wyrozumiałe. O świcie wszystkie ulice były przejezdne, ani śladu korków. Po pierwsze – wczesna pora, po drugie – urlopy. Stefan zwykle lubił te wczesne godziny. Dobrze się jechało, a on lubił prowadzić. Tego dnia jednak ruszał do pracy jak na ścięcie. Kiedy wstał, żona i dzieciak jeszcze smacznie spali. Wyszedł, nie robiąc hałasu, nie wypiwszy nawet zwyczajowej kawy. Ale dalej była mordęga. W biurze pojawił się pierwszy. Zaraz po nim przyszedł Jurek. Rzuciwszy zdawkowe „cześć!", odpalił komputer i zagłębił się w studiowanie tabelek, jakby nic więcej go nie interesowało. Potem pojawił się Edgar z wyraźnymi objawami kaca i lekko pojękując, od razu rozpuścił sobie w szklance KC24. Ostatni przytoczył się Roman, posapując, jeszcze bardziej niechlujny niż zwykle. Nikomu nie chciało się gadać. Tak mijały minuty, biuro zaludniało się pomału. Na korytarzach i w pokojach narastał normalny, codzienny gwar. Minęła ósma, a Ireny wciąż nie było. O pół do dziewiątej nerwowość sięgnęła zenitu. Przed samą dziewiątą Roman nie wytrzymał.

– Edgar! Słuchaj! Kurde, co jest grane? Dzwoniłeś dzisiaj do tego całego Mieczysława?

– Odwal się! Chcesz dzwonić, to dzwoń. Ja już mam dosyć. Nie będę się więcej nadstawiał.

– Chłopaki, przestańcie się kłócić! – odezwał się Stefan. – Może jednak zadzwońmy, kurczę... To niepodobna... Może coś się stało?

– A co się mogło stać, do cholery! Przecież jej nie zamordował?! – rzucił się Edgar. – Nie ma się co podniecać. Pewnie go pogoniła, a teraz siedzi w kadrach i właśnie zleca wypisanie naszych wymówień. – Roześmiał się z lekka histerycznie.

– Myślisz? – zaniepokoił się Jurek.

– Nic nie myślę. – Edgar machnął ręką. – Po prostu chciałbym, żeby coś się wreszcie wyjaśniło.

– To może jednak zadzwońmy? – nieśmiało ponowił propozycję Stefan, ale nie spotkał się z żadnym odzewem.

Siedzieli tak kolejną godzinę. Była już niemal dziesiąta. Roman poszedł do asystentki Szefowej, żeby ją podpytać, ale wrócił z niczym. Ona też nic nie wiedziała i równie jak oni była zaniepokojona. Zwłaszcza że dzwonił ktoś z Centrali i pieklił się, że nie może porozmawiać z panią dyrektor. Asystentka ją kryła, wymyślając na poczekaniu jakąś wymówkę z nagłą wizytą u lekarza. Roman, powiedziawszy, czego się dowiedział, natychmiast uciekł na papierosa. Jurek starał się zachować stoicki spokój i udawał, że pracuje. Stefan gapił się w okno, a Edgar łaził uporczywie po pokoju, przekładając bez sensu jakieś papierzyska.

Nagle zadzwonił telefon na biurku Stefana. To mógł być tylko ktoś z biura. Stefan odebrał, powiedział tylko: – Słucham, dział rozliczeń – i zamilkł. Stopniowo bladł, a po chwili wolnym ruchem odłożył słuchawkę.

– Słuchajcie, to ona!

– Co?

– Dzwoniła Szefowa... – Roztrzęsionymi rękoma zaczął szukać papierosów w kieszeniach marynarki przewieszonej na biurowym krześle.

– Mów, do jasnej cholery! No!

– Nic. Była lodowato uprzejma. Rozmawiała z komórki, z samochodu. Powiedziała tylko, że tu jedzie i że chce natychmiast porozmawiać z naszym działem, więc prosi, byśmy się nigdzie nie rozchodzili.

– No to kicha! – Edgar zamachał dramatycznie dłońmi. – Jurek! Zostaw ten pieprzony komputer i idź natychmiast po Romana. Musi tu być, kiedy ona przyjdzie.

Jurek rzucił się do wyjścia. Po chwili wszyscy siedzieli grzecznie przy swoich biurkach.

– Tylko pamiętajcie, trzymać fason! Żeby nie było tu żadnego skomlenia! – Edgar podtrzymywał siebie i innych na duchu.

Zaległa złowroga cisza. Czekali w napięciu, udając, że są zajęci bieżącymi sprawami firmy. W głębi duszy każdy z nich zastanawiał się jednak, co teraz będzie.

Wreszcie stało się.

Szefowa była ubrana na czarno. Tylko na piersiach wisiał dyskretny srebrny krzyżyk. Wyglądała nadzwyczaj elegancko, jak nie ona. No to kaplica! – pomyślał Edgar, kiedy tylko ją zobaczył.

Od razu weszła do ich pokoju. Wszyscy poderwali się z miejsc, jak na zawołanie. Szefowa nie zamierzała niczego owijać w bawełnę.

– Wiem, co zrobiliście – przeszła od razu do rzeczy. – Wiem, bo Mietek niczego przede mną nie ukrywał. I powiem wam bez ogródek, że to było dla mnie bardzo, bardzo trudne. Chcę, żebyście to wiedzieli.

– Pani dyrektor! My... – zaczął niezdarnie Edgar, ale zamilkł pod ciężarem wzroku Szefowej.

– Tak. Przez was spotkały mnie nieoczekiwane wzruszenia – kontynuowała Irena. – Nie byłam na nie przygotowana i nie zniosłam ich najlepiej. Niemniej doceniam wasz wysiłek. Skądinąd to miłe, że pomyśleliście o mnie tak bezinteresownie. I że zdecydowaliście się przeznaczyć na ten cel całkiem przyzwoitą sumkę, o której wiem, że pochodzi ze składki. Czyż nie?

– Eee... no tak, zaiste – plątał się Edgar, który spontanicznie wziął na siebie rolę rzecznika grupy. Był spanikowany i nie bardzo wiedział, do czego przełożona zmierza.

– Mietek mówił, że martwiliście się o mnie. I że chcieliście sprawić mi niespodziankę, a także zabezpieczyć mi trochę rozrywki. To rzeczywiście miłe z waszej strony – mówiąc te słowa, Szefowa odwróciła się – Mietek! Pozwól tu do nas. Bardzo proszę!

W drzwiach pojawił się Mieczysław Kender, ubrany w ciemny, gustowny garnitur. W butonierce miał wetknięty fioletowy kwiatek. Podszedł do Ireny i wziął ją bezpretensjonalnym gestem za rękę.

– Chciałabym wam zatem zakomunikować, panowie, że postanowiliśmy z Mietkiem spróbować wspólnego życia. Mamy nadzieję, że nam się uda!

Pierwszy, po chwili ciszy, zaczął klaskać Jurek. Potem, nieco zbyt teatralnie, Edgar. Wreszcie, jak zwykle opóźnieni, Stefan z Romanem. Z innych pokoi zaczęli wyglądać zaciekawieni pracownicy. Po paru minutach na korytarzu zgromadził się tłum. Klaskano, wiwatowano. Brakowało tylko konfetti.

A kiedy przebrzmiały już emocje i zrobiło się nieco ciszej, Szefowa zwróciła się z konfidencjonalnym uśmiechem do swoich czterech muszkieterów.

– Ale bez obaw, panowie. Mietek zgodził się na nasz związek na moich zasadach. Zatem tutaj wracamy do codzienności. Od jutra – normalny tryb! Czekam o ósmej piętnaście na wasze sprawozdania. O szesnastej macie briefing z wysłannikiem Centrali, zainteresowanym wynikami waszego działu w ostatnim kwartale, a o wpół do ósmej zaplanowałam odprawę w związku z wdrożeniem nowego projektu inwestycyjnego, o jakim pewnie czytaliście w naszym wewnętrznym newsbiuletynie. Powodzenia!

Manula Kalicka

RYCERZ W LŚNIĄCEJ ZBROI

Była parna sierpniowa noc. Po cichutku wymknęłam się z chaty, przebiegłam przez sad i znalazłam się na piaszczystej drodze. Słychać było szczekanie kundli zaniepokojonych moimi krokami.

Sierpień to na wsi pora ciężkiej pracy. We wszystkich oknach było ciemno. Niby jakaś Laura biegłam na randkę, tylko że nie pod jaworem, lecz w starym zameczku. Jacka znałam od dzieciństwa. Razem wdrapywaliśmy się na drzewa, zjeżdżaliśmy po strzesze naszej stodoły na rozłożone siano. To dopiero była jazda! Miejskie dzieciaki mogą o niej sobie tylko pomarzyć. Gdy wracałam po wakacjach do miasta i opowiadałam, co robiliśmy, buzie wszystkim dzieciakom się otwierały z podziwu. No, mocno to wszystko podbarwiałam, ale naprawdę było fajnie. Niestety, w tym roku nie bawiłam się tak doskonale jak kiedyś.

Dorosłam. Wszyscy pracowali, a ja obijałam się z kąta w kąt, czytałam książki, opalałam się. Moi dziadkowie zdali gospodarstwo za rentę i zostawili sobie tylko niewielki ogród i sad. Nudziłam się, nudziłam, nudziłam. Na szczęście w ostatnią sobotę urządzono zabawę taneczną w remizie. Było świetnie. Grała fajna kapela – taka trochę disco polo, ale dobrze się tańczyło. Miałam wzięcie, miejska panienka, super odstawiona, nie opuszczałam ani jednego tańca. Przekładało się to na duży dochód miejscowej straży pożarnej, bo za każdy taniec trzeba było płacić. Odbywało się to tak, że gdy zespół przestawał grać, wzdłuż sali przechodzili ze sznurem strażacy. Wszyscy musieli wyjść, a potem przepuszczano przez ten sznur tych, którzy zapłacili dwa złote.

Pełna egzotyka, czyż nie? Kosztowałam Jacka ładnych parę złotych, ale przetańczyliśmy całą noc i umówiliśmy się na romantyczną randkę w zamczysku.

Pędziłam zdyszana. Bałam się spóźnienia, ale nie mogłam wymknąć się wcześniej. Babci chytre oczka cały czas mnie obserwowały. Dopiero przed dwunastą usłyszałam, że miarowo oddycha. Znałam dobrze teren, gnałam więc jak szalona, pędzona strachem, że może już Jacek poszedł.

Taka właśnie rozpędzona wpadłam w obręb murów zamkowych i z całej siły walnęłam w coś twardego i błyszczącego. Otworzyłam szeroko oczy i zamarłam.

W blasku księżyca stał przede mną rycerz w lśniącej zbroi.

Boże, to niemożliwe, pomyślałam. To mi się śni!

– Czego tu szukasz po nocy, dzieweczko?! – odezwał się rycerz przyjemnym, trzeba przyznać, barytonem.

No cóż, trudno powiedzieć, że nie jestem normalnie wygadana, tym razem jednak mnie zatkało. Coś zagulgotałam, prychnęłam, odwróciłam się na pięcie i usiłowałam dać nogę. Rycerz był jednak szybszy.

Złapał mnie za rękę i powtórzył:

– Czego tu szukasz, dzieweczko?

Zaciął się czy co?

– No, ten, tego... Przyszłam na spacer – wyjąkałam i podjęłam jeszcze jedną próbę ucieczki, tym razem kopiąc rycerza z całej siły, dokładnie tak, jak uczono mnie na kursach samoobrony. Zadźwięczało przeraźliwie. Boże! TAM też był zakuty!

– Co czynisz, głupia niewiasto?

Boże, ratuj! – jęknęłam w duchu, a głośno powiedziałam:

– Bardzo proszę, niech mnie pan puści. Babcia czeka w chałupie i będzie się martwić.

Księżyc odbijał się w jego przyłbicy, cała postać robiła wrażenie posągu.

– Niechże mnie pan puści, proszę!

Rycerz milczał.

Boże, ja jestem chyba chora, biorę go poważnie, a przecież to nie może być żaden duch – myślałam intensywnie. – Przez duchy noga przechodzi, o ile mnie pamięć nie myli. A tu zadźwięczało tak, że pewnie we wsi słychać było. No i strasznie mnie boli. To jakiś kawał Jacka. Tylko skąd wziął taką zbroję?

– Jacek, nie wygłupiaj się... – zaryzykowałam. – To było zabawne, ale już nie jest. Puść mnie. Skąd wziąłeś to żelastwo?

Dłoń zacisnęła się mocniej na moim przedramieniu.

– Będę miała siniaki. Puść mnie w tej chwili! – wydarłam się strasznie i tupnęłam nogą. Zabolało.

Cholera, zostanę inwalidką przez tego idiotę.

– Cichaj waćpanna – powiedział rycerz.

– Jacek, daj spokój – poprosiłam ugodowo. – To naprawdę nie jest zabawne.

– Kto to Jacek?

– Chłopak, z którym się tu umówiłam.

– A... Widziałem, zmykał niby zając, gdym zadźwięczał przyłbicą.

– Zmykał!?

– Aż się kurzyło.

No tak, daję się w to wciągnąć. Konwersuję z widmem. Nie, to nie może być naprawdę. Doznałam na pewno urazu głowy od uderzenia.

– A ciebie jak zowią, dzieweczko? – wyszeptał zakuty miłym barytonem.

O Boże! Na romanse mu się chyba zebrało.

– Maria – odparłam skromniutko, by uśpić jego czujność.

– Piękne imię. A gdzie mieszkasz?

Ciekawski ten duch. Pokazałam mu jednak grzecznie chatę dziadków, widoczną w oddali.

– Toś waćpanna prosta włościanka – skonstatowało wstrętne widmo.

– Teraz jest równość. Wszyscy są równi – poinformowałam łopatologicznie zakutego.

– Jacy równi?

– No, nie ma już panów, włościan, chłopów i szlachty. Nie ma też rycerzy. Wszyscy są równi!

Rycerz zadumał się.

– A król? – zapytał po jakimś czasie.

– Króla nie ma. Ostatniego zdetronizowano w osiemnastym wieku.

– Zde... co?

– Pozbawiono tronu.

– Aha, w osiemnastym wieku, powiadasz? To który jest teraz wiek?

– Dwudziesty pierwszy – powiedziałam surowo. Niech wie, że jest przeżytkiem. – A ty z którego jesteś wieku? – zainteresowałam się. No tak, daję się w to wciągnąć.

– Zginąłem, broniąc tego grodu, roku Pańskiego tysiąc dwieście dziewięćdziesiątego czwartego.

– Jesteś strasznie stary, będziesz miał już, czekaj, niech policzę... siedemset jedenaście lat!

– No, spędziłem jako duch tyle lat, ale jako mąż przeżyłem tylko dwadzieścia i trzy wiosny! – uniósł się ambicją zakuty.

– Miałeś żonę?

– Nie, ale mąż nie znaczy, że żeniaty, tylko że mąż.

– Rozumiem. – Rozumieć, to rozumiałam, choć było zawikłane, ale przyjąć do wiadomości, że konwersuję z siedemsetletnim duchem, było trudno. Ciągle biłam się z myślami. Duch to czy nie duch. Tymczasem rycerz wyraźnie się rozkręcał.

– Ty, dziewko, zwracaj się do mnie z szacunkiem, nie tykaj mnie, bom nie twój druh!

– Co takiego?

– Z waćpanny prosta włościanka, a jam na rycerza pasowan. Pochodzę ze starożytnego rodu Górków i waćpannie tykać mnie się nie godzi.

– No to jak mam do pana mówić? – Chyba zaczynało mnie to bawić.

– Łaskawy panie, wielmożny panie, jaśnie panie – wyrecytował bez zająknięcia i wstydu.

Zatkało mnie. Bezczel z niego kompletny! Ale się przezwyciężyłam i powiedziałam:

– Dobrze, łaskawy panie, ale przypominam ci, że mamy wiek dwudziesty pierwszy i panuje równość!

– No coś tam Maryśka brechtałaś, alem nie słychał.

– Jaka Maryśka? – Parsknęłam śmiechem. – Nie jestem dla ciebie żadną Maryśką.

– Nie? A jak mam cię wołać, jeśliś włościanka?

Boże, ratuj, zabiję go za chwilę!

– Może być ta waćpanna!

– Tytuł waćpanny nie przystoi zwykłej włościance. Maryśka, tak się mówi do niewiast twego stanu o tym imieniu – wyrecytował. Chyba powinnam zmienić temat, bo za chwilę eksploduję ze złości. Potwór, zwykły potwór. Podjęłam jeszcze jedną próbę wyszarpnięcia ręki uwięzionej przez tego upiora. Bezskuteczną. Postanowiłam go zagadać.

– A jak jasny pan ma na imię? – Spytałam grzecznie acz jadowicie.

Rycerz wyprostował się i rzucił dumnie:

– Jam Prandota z rodu Górków herbu Janina...

Korciło mnie, by zapytać, co też ma pod przyłbicą. Czy jest tam ciemność i pustka, trupia czaszka, czy fosforyzujące oczodoły? Widziało się tych parę horrorów.

– Jasny panie, czy byłbyś łaskaw okazać mi swoje oblicze, ukryte pod tą przyłbicą? – ozwałam się dwornie.

– W rzeczy samej kapcan ze mnie – oznajmił i w tej samej chwili podniósł przyłbicę.

Żadna ciemność, żadna czaszka. Patrzyły na mnie śliczne chabrowe oczy umieszczone w najurodziwszej twarzy, jaką kiedykolwiek widziałam.

Jęknęłam, a taki widać zachwyt objawił się na moim obliczu, że Prandota rzekł z przechwałką:

– Gładki był ze mnie mąż!

Co on ciągle z tym mężem? Byłoby go szkoda.

No tak. Dostaję obłędu, bez dwóch zdań.

– Prawda – potwierdziłam z entuzjazmem. – A dlaczego straszysz w tym zamku?

– Bom zginął z ręki zdradzieckiej i moja dusza nie może zaznać spokoju!

– No to wszyscy, którzy polegli w tej bitwie, powinni w takim razie tutaj straszyć.

– Jam zginął nie z wrażej ręki, ale druha mego serdecznego Zdobysława!

– Mam rozumieć, że w czasie bitwy ów Zdobysław cię zamordował?

– Tak właśnie było. Chmara tatarskiej hołoty dostała się na lewą flankę. Rzuciłem się na pomoc, gdy siła jakaś niezwyczajna kazała mi się obejrzeć i żem zobaczył Zdobka, jak mierzy we mnie z kuszy. W tym samym momencie ugodziła mnie strzała. Śmiertelna. Widziałem radość w jego oczach, a potem już tylko ciemność.

– To straszne. A wiesz chociaż, dlaczego ten Zdobek ci to zrobił?

– Za Halszkę z Rohatyna, co była jego dziewką umiłowaną, a jak mnie obaczyła, to już nikogo widzieć nie chciała, jeno mnie.

– Czy ty aby nie jesteś zarozumiały?

– Jaki?

– No, zadufany, za pewny siebie.

– Niewiasty miłowały mnie bez pamięci. A Halszka co noc wabiła do swojej komnaty. Nie wiedziałem jednak, że Zdobek zwiedział się o tym. Psubrat przeklęty!

– I z tego powodu pałętasz się po murach przez siedemset lat?

– Co to jest pałętać się?

– No, chodzisz, straszysz, grzechoczesz tą przyłbicą...

– Straszenie to już mi się znudziło kilka wieków temu. Tak sobie chodzę i patrzę, co się dzieje na dole, we wsi. Ale niewiele z tego rozumiem, a i mało co się nocą dzieje. Może byś mi waćpanna co niecoś opowiedziała?

– Z przyjemnością – odrzekłam, mile połechtana tą waćpanną, i zaczęłam opowiadać. Prawdę mówiąc, zmieniłam się w polską Szeherezadę, bo opowiedzieć komuś, co się wydarzyło przez marne siedemset lat, nie jest wcale łatwo.

Spotykałam się z Prandotą noc w noc przez całe wakacje. Odmówiłam wcześniejszego powrotu do domu. Babcia gadała, a ja chodziłam całe dnie śpiąca lub zaszywałam się w starej stodole i spałam. A nocą na zameczku, siedząc na kamieniu, dalej snułam swoją opowieść. Pożyczyłam nawet podręczniki do historii, żeby mi się fakty nie myliły. Prandota słuchał i pytał, i był taki piękny, że patrząc w jego oczy, zapominałam o całym świecie.

Było cudownie! Byliśmy tylko my i księżyc, i gwiazdy...

Nie będę się czaić. Powiem wprost: zakochałam się w facecie, który miał siedemset jedenaście – nie, siedemset trzydzieści cztery lata i gładysz był z niego niesłychany. Miły, dobry, wesoły. Nie można było mu się oprzeć.

Ja nie mogłam!

Wakacje się kończyły, musiałam wracać do miasta. Ostatniej nocy Prandota uścisnął mnie, ucałował, tak naprawdę, i przysięgliśmy sobie, że się spotkamy w przyszłe wakacje.

W noc świętojańską.

Tak skończyła się moja niezwykła przygoda z duchem.

Siedzę teraz w mieście, uczę się, za oknem wiosenna plucha, i biję się z myślami. Tęsknię za Prandotą nieprzytomnie, budzę się z myślą o nim, zasypiam, marząc o nim, ale muszę czekać do czerwca. Kocham go, uwielbiam, ale czy ta miłość ma przyszłość?

Kochana redakcjo, jestem waszą wierną czytelniczką. Napiszcie mi, czy ma przyszłość związek z cudownym mężem, nie, mężczyzną lat siedemset je..., nie: siedemset trzydzieści cztery, który ukazuje się tylko po północy?

Serdecznie Was pozdrawiam, proszę o szybki odpis – wierna czytelniczka Marysia

Marek Harny

LIPCOWY DESZCZ

Zobaczyłam go idącego w deszczu.

To mógłby być facet mojego życia, pomyślałam. Nie wiem dlaczego. Nawet go dobrze nie widziałam przez mokrą szybę.

A jednak, zanim zdążyłam zastanowić się, co robię, odruchowo nacisnęłam hamulec. Widocznie ujrzałam coś, czego nie było. To mi się zdarza. Miał na sobie niebieską kurtkę z kapturem i wysoki plecak. I coś w ruchach. To wystarczyło. Wariatko, od razu nakrzyczałam na siebie w myślach, przecież nigdy nie bierzesz autostopowiczów. W dodatku on chyba wcale nie próbował mnie zatrzymać. Ale teraz byłoby już głupio tak po prostu odjechać. I chyba chciałam się przekonać, jak wyglądał z bliska. Opuściłam szybę. Idący w deszczu zajrzał do środka zdziwiony. Woda spływała mu ciurkiem z kaptura.

Tak, to naprawdę mógłby być facet mojego życia, powtórzyłam w myślach. Gdyby nie to, że spóźnił się z urodzeniem co najmniej o dziesięć lat.

– Zgubiła się pani? – spytał.

– Myślałam, że to pan się zgubił.

– Nigdy się nie gubię – powiedział i uśmiechnął się. Najpierw lekko i trochę kpiąco, potem coraz szerzej, jakby chciał olśnić mnie swoimi zębami. Miał wilczy uśmiech, cokolwiek mogłoby to znaczyć.

– Tym lepiej. W takim razie żadne z nas się nie zgubiło. Może i tak pana podrzucić?

– Nie boi się pani?

– Niby czego?

– Na przykład, że panią zgwałcę?

Pokręciłam głową najwolniej, jak umiałam.

– Nie zrobiłby pan tego.

– Skąd pani wie. Nie wyglądam? Czasem można się naciąć.

Sięgnęłam za siebie. Jestem osobą uporządkowaną. Kiedy nie wiozę pasażerów, a mam plecak, wkładam go zawsze między siedzenia. Na oślep wyrwałam z kieszonki młotek do wbijania haków.

– To pan by się naciął – warknęłam.

– O, wspina się pani. Zawodowo?

– Nieważne. Na pewno mam dość wprawy, żeby w razie potrzeby zrobić tym komuś dziurę w głowie.

Idiotka, pomyślałam, co ja wyprawiam? Teraz się zdziwił, ale tylko trochę. Albo tak dobrze potrafił udawać. Jego wilczy uśmiech był coraz bardziej nieszczery.

– Byłaby pani do tego zdolna? Poważnie?

– Bardzo poważnie. Nie radziłabym nikomu próbować.

– Żartuje pani.

– Ani trochę. To co, podrzucić pana?

Jeszcze przez chwilę udawał, że się zastanawia. Potem zdecydował się jeszcze raz olśnić mnie zębami.

– Jasne, czemu nie?

Zsunął plecak z ramion i w następnej chwili siedział już obok mnie. Dopiero teraz miałam czas zdziwić się tym, co zrobiłam.

– Ja chyba jestem w kinie – odezwał się po chwili. – Skąd się pani wzięła?

– Z Krakowa. Bo co?

– Nie sądziłem, że w Krakowie są takie ostre panienki.

– Panienki? Kpi pan ze mnie?

– Przepraszam. Dlaczego pani uważa, że kpię?

– Nazwać panienką kogoś w moim wieku to wątpliwy komplement. Mogłabym być pana matką.

– Nie potrzebuję już matki.

– To dobrze.

– To ma dla pani jakieś znaczenie? Myślałem, że chodzi tylko o autostop, nie? A może ja się mylę?

– Nie myli się pan. – Wkurzał mnie i równocześnie intrygował. – Tylko nie lubię zasmarkanych chłopaczków, którym trzeba obcierać łezki. Nawet na autostopie.

– No, no! Ale przemówienie. Czy pani się przypadkiem nie kręci w polityce? Powinienem panią znać?

Rozśmieszył mnie tym podejrzeniem.

– A w życiu! Nie jestem ani taka głupia, ani taka zepsuta.

– To co pani robi?

– Niech pan zgadnie.

– Biznes?

– No, biznes. A pan? Student?

– Student.

Nie uwierzyłam mu ani trochę. Naprawdę nie byłam taka głupia. Dawno poszłabym z torbami, gdybym nie nauczyła się w lot rozpoznawać, kiedy ludzie kłamią. Za stary był na studenta. Po prostu uznał, że wcielenie się w rolę, którą sama mu podsunęłam, może okazać się korzystne. Wcale mi to nie przeszkadzało. Prawdę mówiąc, zawsze lubiłam cwaniaków. A poza tym, co tu kryć, rzeczywiście nie chodziło o autostop. Nie chciałam się przyznać do tego tak od razu. Ale też nie mogłam oszukiwać się zbyt długo, bo to nie było w moim stylu. Przecież nigdy nie brałam autostopowiczów. Jeśli moja głowa kazała nodze nacisnąć hamulec, to powód musiał być inny.

Teraz nawet już wiedziałam jaki. Feromony. Jak zawsze. Na pozór faceta czuć było po prostu mokrym ubraniem. Normalnie nie znosiłam tego zapachu. Teraz było inaczej. Zapach nieznajomego wcale mi nie przeszkadzał. Co ja gadam. Normalnie mnie podrajcował.

– To co pan właściwie studiuje?

Kątem oka złapałam kolejny błysk zębów.

– Przecież pani się domyśliła, że wcale nie studiuję. Może nie?

– Dlaczego pan tak sądzi?

– Ja też znam się na ludziach. Kiedyś naprawdę studiowałem. Psychologię i różne inne rzeczy. Nawet przez jeden semestr filozofię. Ale zewsząd mnie wylewali – oznajmił, jakby to był powód do wielkiego zadowolenia z siebie. – Nie mieszczę się w żadnych schematach.

– Ach tak? To ciekawe. Więc co pan właściwie robi? Oprócz wędrowania piechotą w deszczu?

– Raz to, raz tamto. Trochę chodzę po górach.

No to pięknie, pomyślałam. Przecież wiedziałaś, że nie należy brać autostopowiczów, kretynko. Teraz już się od niego nie odczepisz.

– Ale głównie to maluję – dodał, jakby z zawstydzeniem.

– Mieszkania? – Trochę odetchnęłam.

– Nie, no skąd. A wyglądam?

Rzeczywiście, nie wyglądał.

– Przepraszam. Pewnie bardzo ambitne obrazy?

– Czasem. Ale szczerze mówiąc, to głównie robię portrety różnym ćwokom na ulicy. Często bywa pani w Zakopanem?

Uśmiechnęłam się w duchu. Czy bywałam? Ja Zakopane, można powiedzieć, miałam w kieszeni.

– Dość często. W moim fachu muszę się regenerować. *My image is my money*.

– No to musiała mnie pani widywać na Krupówkach.

Niemożliwe, pomyślałam. Przecież musiałabym zwrócić na niego uwagę. I natychmiast zrugałam się w myślach: Co się z tobą dzisiaj dzieje? Opanuj się.

– Przykro mi, ale nie przyglądam się ulicznym portrecistom. Jeszcze któryś zechciałby mnie rysować.

– A ma pani coś przeciw temu? – zapuścił ostrożnie sondę. – Bo ja chętnie bym spróbował.

– Tak przy ludziach? To okropne. Gorsze niż striptiz.

– Niekoniecznie trzeba przy ludziach – sondował dalej. – Umawiam się także na prywatne seanse.

Kamień z serca. A już zaczęłam główkować, co zrobię, jeśli po prostu podziękuje i wysiądzie. Przypadkowe spotkanie na deptaku byłoby zbyt idiotyczne.

– To propozycja? – Zaśmiałam się sztucznie.

– Oferta. Ja też mam zarejestrowany biznes. Usługi portretowe.

– Biznes, mówi pan? A na ile pan się ceni?

– Ołówek dziesięć złotych, pastel dwadzieścia, tusz plus akwarela trzydzieści.

– To nie za wysoko – powiedziałam zupełnie szczerze, bez żadnych aluzji.

– Recesja. – Westchnął. – Ruscy psują rynek. Więcej nikt nie da. No, chyba że na specjalne zamówienie. Gdybym się musiał bardziej przyłożyć, trzeba by było coś dorzucić.

– A takie specjalne zamówienie ile by kosztowało?

– Według uznania.

– Może zgodziłby się pan za kolację? Prawdę mówiąc, przede wszystkim jestem głodna.

– Brzmi nieźle. Napoje wliczone?

– W rozsądnych ilościach.

– Nie piję w nierozsądnych ilościach.

– No, to *deal*?

– *Deal*!

Nagle straciłam chęć do gadania. Pomyślałam: w co ja się właściwie pcham. Ale nie w tym sensie, że chciałabym się wycofać. Wcale nie chciałam. Jeśli czegoś się bałam, to tylko tego, że facet może się rozmyślić. On też nagle zamilkł. Widocznie coś zostało już zdecydowane i oboje oswajaliśmy się z niespodzianką. Zresztą mgła gęstniała i musiałam bardziej skupić się na drodze.

Czekałem na Urszulę. Wiedziałem, że przyjedzie w tych dniach do Zakopanego. Nie było w tym nic nadzwyczajnego, miała tu jeden ze swoich hoteli i odwiedzała go przynajmniej raz w miesiącu.

Choć wcale nie musiała, biznes kręcił się doskonale bez niej, a satysfakcjonujące kwoty regularnie wpływały na jej konto. Miała szczęśliwą rękę do menedżerów, a właściwie menedżerek. Nie było potrzeby, żeby doglądała interesu osobiście. I nie po to przyjeżdżała. Myślę, że po prostu chciała przejść się ulicą, popatrzeć na pięknie odnowiony pensjonat i pomyśleć: To moje dzieło.

Miała słuszny powód do dumy.

Kiedy przed trzema laty kupiła zdewastowany budynek dawnego Bellevue, wszyscy hotelarze pukali się w czoło. Ruina była wpisana na listę zabytków, a z kalkulacji wychodziło, że taniej byłoby wysadzić ją dynamitem i zbudować od nowa. Urszula wzięła się za renowację i konkurenci już zacierali ręce, że buduje sobie grób. Nie docenili jej. Teraz zgrzytali zębami ze złości. Musieli przyznać, że miała lepszego nosa do biznesu. Tylko ja jeden wiedziałem, że tym razem nie chodziło o biznes. Znałem jej tajemnicę. W tym pensjonacie przed laty, kiedy przejściowo nazywał się Młoda Gwardia i służył za schronisko młodzieżowe, Urszula straciła cnotę z pewnym Jaśkiem, gwiazdą młodego taternictwa tamtych czasów. Była sentymentalna, po prostu. Mogła sobie udawać, co chciała.

Ale do rzeczy. Wiedziałem, że w lipcu przyjedzie na dłużej, i wkalkulowałem to w moje plany. Sądziłem, że jak co roku, zechce pochodzić ze mną po górach. Podziwiałem upór, z jakim wciąż się wspinała mimo przybywających lat. Mogłaby teraz robić, co tylko by się jej zamarzyło, a jednak co roku przyjeżdżała w te niskie góry, wiązała się liną i łaziła po skałach. Nie wierzyłem, żeby to był tylko sposób na zachowanie kondycji. Urszula próbowała dochować czemuś wierności. Nie potrafiłbym jej odmówić, mimo że musiałem przez to zrezygnować z paru dniówek. W życiu nie wziąłbym od niej pieniędzy. Może i powinienem, ale nie mogłem. Właśnie dlatego, że tyle ich miała. Nieistotne. Tydzień wspinaczki z Urszulą był wart każdych utraconych pieniędzy.

No, ładnie się zaczyna, pomyślałam. To przecież miał być tydzień dla zdrowia i kondycji. Wczesne wstawanie, kilkanaście godzin ostrego wspinania z Piotrem, potem odnowa biologiczna i lulu. No, może tylko trochę delikatnego autoerotyzmu na lepsze spanie. W każdym razie bez alkoholu. A tymczasem zanosiło się raczej na ostre chlanie, nie mówiąc o niezdrowym żarciu i zarwaniu nocki. Piękna rozgrzewka. Mogłam się zastrzegać do woli, że picie ma być w rozsądnych ilościach. Przecież znam siebie. Zawsze z nowym facetem potrzebuję najpierw mocno się znieczulić.

Wyszłam z wanny, nie wycierając się, nałożyłam płaszcz kąpielowy i padłam jak długa na łóżko. Nie chciało mi się robić maseczki. W końcu nie wybierałam się na randkę z Billem Gatesem, tylko z kolesiem, który miał ładne zęby i to wszystko. No dobra, reszta też była niczego, zgoda. Rajcował mnie, ale nie aż tak, żebym od razu zapomniała o całym świecie. A przynajmniej starałam się. Właściwie z natury jestem bardzo obowiązkowa. Musiałam spławić go na godzinę nie tylko po to, żeby wziąć kąpiel i doprowadzić się na wieczór do jakiego takiego stanu.

Miałam jeszcze do załatwienia bez świadków telefon do Patrycji. Choć Bóg jeden wie, jak bardzo mi się nie chciało. Ta obowiązkowa część mojej natury nie dałaby mi spokoju. W końcu Patrycja była moją jedyną córką. Może powinnam dawno machnąć ręką na to, co wyprawiała ze swoim życiem. Ale gdybym nie zadzwoniła, miałabym zepsutą kolację z moim nieznajomym z deszczu.

Wreszcie zmobilizowałam się i sięgnęłam po hotelowy telefon. Nie chciałam dzwonić z mojej komórki. Podejrzewałam, że kiedy wyświetli się jej mój numer, Patrycja nie odbierze. Nie doceniłam jej intuicji.

– To ty, mamusiu? – usłyszałam w słuchawce.

– Skąd wiesz?

– Do cholery, przecież do mnie nikt inny nie dzwoni. Wszystkich wystraszyłaś.

– Ja kogoś wystraszyłam? – Byłam naprawdę zdziwiona. Starałam się być uprzedzająco miła dla wszystkich idiotów, którymi otaczała się moja córka. Tak mi się przynajmniej zdawało.

– A nie? – powiedziała bez złości, tylko jakby zdziwiona moją głupotą.

– W jaki sposób? Byłam za mało uprzejma?

– Ależ skąd. Jesteś aż nadto uprzejma. Do tego stopnia, że każdy czuje się przy tobie durniem. Bo przecież ty jesteś najlepsza, najmądrzejsza, kobieta sukcesu numer jeden na liście tygodnika „Wprost". A cała reszta świata to marni nieudacznicy.

– Jesteś niesprawiedliwa. Staram się, jak mogę.

Naprawdę się starałam. Tych beznadziejnych chłopaczków, którymi tak uwielbiała się otaczać, traktowałam uprzejmie. A cóż ona by chciała? Żebym ich przyjmowała z zachwytem? Żaden z nich w moich oczach nie zasługiwał nawet na tolerancję. Po prostu mniej niż zero, jeden w drugiego. Mimo to starałam się nawet fałszywie uśmiechać. Sądziłam, że to jej przejdzie jak trądzik i w końcu będzie zwracać uwagę przynajmniej na to, żeby nie zadawać się z facetami, którzy się nie myją.

No i przeszło jej, faktycznie. Tylko że nie w tę stronę, co myślałam. Wynalazła sobie żonatego trzydziestolatka. W dodatku poetę! No i wtedy już musiałam wkroczyć ostro. Jaka matka mogłaby coś takiego tolerować? Nie miał niczego oprócz nieatrakcyjnej żony i bachora. Nie miał nawet pięknych zębów i młodego ciała, jak mój nieznajomy z deszczu. Był nawet gorszy od tych poprzednich, bo oni dopiero byli na najlepszej drodze, żeby się zmarnować, a on już to zrobił. Wystarczyło na niego spojrzeć, żeby mieć pewność, że niczego już w życiu nie osiągnie. Wyszła z niego cała energia. I z kimś takim moja córka spędzała teraz czas.

– Nie musisz się wcale starać, mamusiu – usłyszałam w słuchawce. – W tym właśnie problem, że za bardzo się starasz. I każdy widzi, jak cię to strasznie dużo kosztuje.

– Słuchaj, nie kłóćmy się. Dzwonię, żeby cię przeprosić. Naprawdę mi przykro, że nagadałam ci takich rzeczy. Poniosło mnie. Wstyd mi, naprawdę. Przepraszam.

– Widzisz, znowu się starasz. Po co? Uważasz, że zachowałaś się nie tak, jak powinnaś, prawda? Po prostu byłaś autentyczna. Powiedziałaś dokładnie to, co myślałaś. Nie pogniewałam się.

Znałam dobrze moją córkę. To tylko jej się zdawało, że jest dla mnie tajemnicą. Czytałam w niej jak w rocznym bilansie moich firm. Wiedziała, jak wyprowadzić mnie z równowagi: udając anioła. Teraz też nie chodziło jej o nic innego, tylko żeby mnie krew zalała. Żeby spadła ze mnie maska, żebym znów straciła moje słynne opanowanie, tak podziwiane w branży. W innej sytuacji może by się jej to udało. Ale nie widziała mnie, jak leżę na hotelowym łóżku w rozpiętym płaszczu kąpielowym, lewą ręką gładząc się między udami. Za parę minut miałam spotkać się z obcym facetem. Byłoby zbyt głupie, gdybym w takiej chwili zaczęła prawić jej morały. A już zwłaszcza wpadła w złość.

– Wiesz, że po prostu się o ciebie niepokoję – powiedziałam. – Nie możesz mieć mi tego za złe.

– I nie mam. Ale nie musisz się tak bardzo martwić. My się nie walimy.

To słowo zabrzmiało w słuchawce, jakby strzeliła mi prosto w ucho. Cofnęłam dłoń spomiędzy nóg i szybko nakryłam się płaszczem. Poczułam się zdemaskowana. Wzięłam się jednak w garść i spytałam chłodno:

– Chcesz powiedzieć, że nie sypiacie z sobą?

– No i znów starasz się być taka, jak należy. Po co? Przecież nie robisz ze mną żadnego biznesu. To, co cię tak niepokoi, nie ma nic wspólnego z sypianiem. Owszem, czasem sypiamy z sobą, na przykład pod namiotem. Mówiłam, że się nie walimy.

– Miło mi to przynajmniej słyszeć.

– Co?

– Że nie dałaś mu się od razu zaciągnąć do łóżka.

– Mamusiu, gdyby to ode mnie zależało, w ogóle byśmy z łóżka nie wychodzili. To on ma opory.

– Ach tak?

Czułam, że muszę kończyć tę rozmowę. Moje poczucie obowiązku miało granice. Za nic nie chciałam pozwolić, żeby popsuła mi randkę.

– Wyobraź sobie. Są jeszcze tacy faceci. To miłe, kiedy ktoś widzi w tobie coś oprócz dupy. Co? Jak sądzisz?

– A on widzi, tak ci się zdaje?

– Ja to po prostu wiem.

– A, jeśli tak, to rzeczywiście niepotrzebnie się uniosłam. Jeszcze raz cię przepraszam.

Boże, jak ona mnie męczyła. Mój nieznajomy z deszczu miał przyjść lada chwila. Nie chciałam, żeby zastał mnie w negliżu i pomyślał, że jest moją ostatnią deską ratunku. Co ja poradzę, że znałam facetów lepiej niż moja córka.

– Nie ma sprawy, mamusiu. Nie przejmuj się. Przywykłam. Ty po prostu taka jesteś. Zdaje ci się, że jak ty się nadziewasz na wszystko, co ma dyszel z przodu, to wszystkie muszą robić tak samo.

Nie rzuciłam telefonem. Nie jestem rozrzutna, szanuję to, czego się dorobiłam.

Wcale się nie zdziwiłem tego wieczoru, kiedy przypadkiem nakryłem Urszulę w Bellevue w towarzystwie tego chłystka. Co jakiś czas jej odbijało. Dla mnie nie było to tajemnicą. Myślę, że nie ma na świecie drugiego faceta, który by tyle o niej wiedział. Nawet żaden z jej kochanków. A już na pewno nie mąż. Wiedziałem więc, że od czasu do czasu musiała puścić się z góry bez trzymanki. Tak już po prostu miała. Z mężem jej nie wyszło. Musiała jakoś sobie radzić, żeby nie zwariować od tej ciągłej roboty na pełny zegar. Nie miałem jej tego za złe, choć Bóg mi świadkiem, że nie czułem się przyjemnie, kiedy pojawiał się jakiś nowy. Choć niby przez tyle lat powinienem się przyzwyczaić.

No, tak czy siak, chłystek nie spodobał mi się od pierwszego wejrzenia. Niech tylko nikt nie pomyśli, że się zgorszyłem. W moim wypadku wyglądałoby po prostu śmiesznie, gdyby mnie takie rzeczy gorszyły. Nie była to także zwykła zazdrość. Prawa biologii są mi znane od dawna i w zasadzie je akceptuję. I nie mam zwyczaju wymyślać ludziom od chłystków tylko dlatego, że spotkało ich szczęście późniejszego, a nawet o wiele późniejszego urodzenia. Ten po prostu był chłystkiem. Zauważyłem jego spojrzenie, kiedy wchodzili, a ona, idąc przodem, nie mogła widzieć jego oczu. To spojrzenie mówiło: Mam cię! Urszula zawsze była cwaną babą i z wyjątkiem pewnego przypadku dawno temu, jeszcze na studiach, nigdy nie dawała facetom robić ze sobą, co chcieli. To raczej ona brała, co chciała, i wykopywała kolesiów z łóżka. Ale za którymś razem mogła się na tym przejechać. Od dawna jej to prorokowałem.

Nie była zachwycona, kiedy mnie zauważyła. Przede wszystkim musiała się zdziwić, co ja tu jeszcze robię. I miała rację, w życiu nie wybrałbym Bellevue, gdybym musiał płacić własnymi pieniędzmi. Pod nieobecność Urszuli złapałem niezłą fuchę. Wynajęło mnie na tydzień znajome biuro podróży, które w jej hotelu robiło konferencję dla farmaceutów. Za wszystko płacił jakiś międzynarodowy koncern, produkujący odżywki dla starców. Miałem być miejscową atrakcją, dzielnym, choć niemłodym już człowiekiem gór. Za to, że oprowadzałem tych aptekarzy po Tatrach, a przy okazji zachwalałem szwajcarskie preparaty przeciw starości, wieczorami miałem otwarty rachunek w barze. Urszula o tym nie wiedziała, to miała być taka mała niespodzianka. No i wyszło, jak wyszło. Poczuła się przyłapana. Oczywiście, miała za dużo klasy, żeby udać, że mnie nie zauważa. Posadziła swojego chłystka przy stoliku i podeszła do mnie.

– Cześć, wodzu. – Otoczyła mnie ramieniem i cmoknęła w policzek. – Widzę, że masz okropnie surową minę. Nic się przed tobą nie ukryje.

– A co chciałaś przede mną ukryć? – Wzruszyłem ramionami. – Że zatrudniłaś striptizera?

Zaryzykowałem, że się na mnie wkurzy, nie mogłem się powstrzymać. Zaśmiała się sztucznie.

– Zazdrosny? On się nie rozbiera, przynajmniej publicznie. To romantyczny uliczny portrecista. Uwiecznił mnie w akwareli. W ramach rewanżu zaprosiłam go na kolację.

Nie musiałem pytać, czy ze śniadaniem. I bez niego odpowiedź była tak oczywista, że znów zmusiła się do śmiechu.

– No, nie patrz już tak. Jak ty to robisz, że zawsze mnie przyłapiesz, kiedy popełniam głupstwo?

– Dobrze, że o tym wiesz – mruknąłem. – To mnie zwalnia z obowiązku wygłoszenia kazania.

– Ty nigdy nie wygłaszasz kazań, przecież cię znam. Wystarczy, że spojrzysz.

– Mój wzrok nie zabija – powiedziałem.

– Nie bój się, nie dam się zabić. Najwyżej znów będę lizała rany.

– To ci zawsze dobrze robi. Znów kupisz sobie nowy hotel – zdobyłem się na wątpliwej jakości ironię.

– Ty to umiesz podnieść na duchu. Jesteś obrzydliwy, wiesz?

– Co bym miał nie wiedzieć? Wszystkie mi to mówią.

– Ale pójdziesz ze mną w góry, co?

– A czy kiedyś ci tego odmówiłem? Nie możesz powiedzieć, że nie daję ci tego, co mam najlepsze, mam rację?

– Masz. Nie mogę. Jesteś prawdziwym przyjacielem, wodzu.

Nie powiem, żeby mnie to do końca satysfakcjonowało. Ale było za późno, żeby myśleć o czymś innym. Znaliśmy się zbyt długo. Takie rzeczy się nie udają i w końcu zostaje się z pustymi rękami. Kto powiedział, że facet i laska nie mogą się po prostu przyjaźnić? My dwoje byliśmy budującym przykładem, że to się zdarza. I dopóki poprzestawaliśmy na tym, nie liczyło się na przykład to, że Urszula mogłaby mnie dziesięć razy kupić razem z całym moim majątkiem ruchomym i nieruchomym. Co ja mówię, dziesięć. I sto byłoby mało.

– To zadzwoń jutro – powiedziałem. – Jeśli jeszcze będziesz miała czas na góry.

– Tego nie musiałeś mówić – obruszyła się. – Na góry z pewnością będę miała czas. Po to w końcu przyjechałam. Chyba znasz mnie na tyle, żeby wiedzieć, że choćby nie wiem co się działo, trzymam się planu.

Fakt, była zorganizowana po prostu niewiarygodnie. Także we wszystkim, co się wiązało z facetami. Jeśli nie liczyć tego małego wyjątku przed laty.

Trochę był za bardzo bezczelny, ten mój nieznajomy z deszczu. Za dużo zaczął sobie pozwalać jak na zapoznawczą kolację. Ledwo wróciłam od baru, gdzie przysiadłam na chwilę, żeby porozmawiać z Piotrem, on prosto z mostu:

– Nic mi nie mówiłaś, że już wcześniej umówiłaś się z jakimś dziadkiem.

– Z dziadkiem! – Autentycznie się obruszyłam. – Piotr jest tylko dziesięć lat starszy ode mnie. To znaczy, że ty umówiłeś się z babcią?

– Skąd. – Odsłonił swój wilczy uśmiech. – Naprawdę wyglądasz jak jego wnuczka.

– W takim razie ty jesteś chyba oseskiem. A może jeszcze cię w ogóle nie ma?

– Oczywiście, że jestem. Co byś tu robiła? Przecież jesteś kobietą, która dobrze wie, czego chce.

– Tak? A skąd wiesz?

– Bo jesteśmy podobni.

Wkurzał mnie. I to właśnie było niepokojące. Wiedziałam, że lepiej byłoby od razu przerwać tę zabawę. Po prostu wstać, powiedzieć: *Sorry*, to była pomyłka – i wyjść. Przecież znałam siebie. Im bardziej któryś mnie wkurzał, tym bardziej chciałam mu pokazać. A kończyło się, jak się kończyło. Co ja poradzę, że bezczelni faceci wyzwalali we mnie chęć popróbowania kto kogo.

– Nie jesteś trochę zbyt zarozumiały? – spytałam.

– To też nas łączy. – Znów się wyszczerzył.

Cholera, wciągałam się. Nie pierwszy raz, więc powinnam być ostrożniejsza. Tylko że wcale nie chciałam. Żeby go trochę wybić z tej pewności siebie, zamówiłam na dzień dobry butelkę najdroższego chablis, jakie mieliśmy. Wcale go nie zwaliło z nóg. Byłam na siebie zła jak diabli. Na siebie, nie na niego. A on tylko błysnął zębami i pochwalił:

– Widzę, że umiesz wybrać najlepszy towar.

Co za tandeta, pomyślałam. Co ja tu robię? A równocześnie wiedziałam, że wcale nie mam ochoty być teraz gdzie indziej.

– Właśnie że nie zawsze. Często daję się nabrać na opakowanie.

– I co wtedy?

– Nic. Najwyżej mnie mdli.

Zakręcił kieliszkiem, powąchał, spojrzał pod światło, jakby był nie wiadomo jakim znawcą.

– Po tym towarze na pewno cię nie zemdli.

Chwilami zachowywał się naprawdę okropnie, prawie jak te męskie dziwki, polujące na starsze panie, które przyjeżdżają jeszcze raz zaszaleć, nie licząc się z kosztami. Co z tego, że wcale na mnie nie polował? Teraz nie rozumiałam, jak mogłam pomyśleć choć przez chwilę, że on mógłby być facetem mojego życia. Mógł się przydać co najwyżej na parę dni. Nie lubiłam siebie za to, ale coraz bardziej mnie pociągał. Może dlatego, że żyłam w cnocie od pięciu miesięcy.

Tymczasem przynieśli jedzenie, więc był pretekst, żeby przerwać tę głupią rozmowę. Nie skorzystał z niego.

– Ten starszy koleś chyba jest zazdrosny – odezwał się, patrząc przy tym bezczelnie w stronę baru i Piotra. – Gapi się, jakby chciał mnie zabić. Może on naprawdę jest twoim dziadkiem, co? Przyznaj się.

– Nie przeginaj – powiedziałam. – Wcale ci chwały nie przynosi, jeśli nie wiesz kto to.

– Czesław Miłosz?

– Prawie. Słyszałeś o Kaskaderach?

Zdaje się, że zrobiło to na nim wrażenie, choć nie chciał się przyznać.

– Coś słyszałem, że wiele lat temu porywali się na przejścia, które znacznie ich przerastały. Nie sądziłem, że któryś z nich jeszcze żyje.

– Tak mówisz, jakbyś uważał, że jesteś od nich lepszy.
– A może jestem?
– Bo się później urodziłeś?
– Może nie tylko? Wybierz się ze mną w góry, to się przekonasz.
Zdziwił mnie. Naprawdę coś wiedział. Nigdy wcześniej nie spotkałam go w górach, ale to jeszcze nic nie znaczyło. Nie znałam tych wszystkich młodych, którzy Tatry traktowali jak ogródek treningowy. Może od początku się ze mną droczył, udawał kogoś innego? Trzeba było go sprawdzić. To było dobre wyście z sytuacji, w którą się zaplątałam. Nie było mowy, żebym go po prostu wzięła po kolacji do pokoju. Choć Bóg świadkiem, że miałabym ochotę. Mimo wszystko nie jestem aż taka wyzwolona, żeby robić to od razu pierwszego dnia.
– No, to *deal* – powiedziałam. – Zobaczymy, czy jesteś taki dobry naprawdę, czy tylko w gębie.
Jego kpiący uśmiech zdawał się wyrażać powątpiewanie, czy to ja jestem taka dobra.

Chyba ją naprawdę porąbało. Potrafię zrozumieć, że miała ochotę pójść z tym młokosem do łóżka. Takie jest życie. Nie mogła sobie poradzić ze swoim temperamentem, trudno. Ale umawiać się z kimś takim na wspinaczkę? To już nie zabawa, to głupota. Kiedy niewłaściwy partner trafi się w łóżku, zawsze można go wyrzucić. W górach to śmierć. Wiem, co mówię. Boże, naprawdę wiem, co mówię.
Byłem trochę zdziwiony, kiedy zobaczyłem, że zaraz po kolacji jej nowy znajomy zniknął, a ona szybko pojawiła się z powrotem i usiadła obok mnie przy barze. Nie będę krył, że to akurat zdziwienie należało do przyjemnych. Mimo wszystko się szanowała.
– Grzeczna dziewczynka – pochwaliłem.
– Nie muszę być grzeczna – odpaliła. – Co się odwlecze, to nie uciecze.
Jej okrutna szczerość ani mnie gorszyła, ani dziwiła. Założę się, że mało który facet nasłuchał się od kobiety tylu intymnych szczegółów. Tak się złożyło, że przed laty wybrała mnie na swojego spowiednika. I tak już zostało. Bywało to bolesne, ale teraz już chyba źle bym się poczuł, gdyby przestała mi opowiadać o swoich przygodach. Przynajmniej o tyle byłem ważny w jej życiu, że mogła sobie ze mną pogadać o rzeczach, z których nie zwierzyłaby się własnej matce.
– Zresztą, to jeszcze nic pewnego, czy do czegoś dojdzie. Na razie mam zamiar przetestować go w górach.
No i dopiero w tym momencie się zagotowałem. Chyba było to po mnie widać, bo zdołałem wydusić z siebie tylko:

– Co takiego?

A ona, widząc moją minę, roześmiała się, jakby zrobiła mi świetny kawał.

– Opanuj krzyk. Na razie to tylko próba. Nie pamiętasz, jak śpiewał Wysocki? *Jesli s razu nie rozbieriosz, płoch on ili chorosz, parnia w gory bieri...* – zanuciła.

– Wcale mi nie do śmiechu. – Ja nie umiałem potraktować tego lekko. – Nieodpowiedzialność bywa urocza, ale na pewno nie w górach.

– Masz sto procent racji, tato. Mam zamiar być odpowiedzialna.

Nazywała mnie tatą, kiedy chciała dopiec i dać do zrozumienia, że truję. Zazwyczaj mnie tym rozbrajała. Teraz nie.

– Jesteś pewna, że z nim to będzie możliwe? Czy on w ogóle ma o tym pojęcie?

– To właśnie mam zamiar sprawdzić.

Zawsze była uparta jak muł. Nie miałem zamiaru dłużej się ośmieszać.

– Cóż, rób, jak uważasz. Ja i tak mam najbliższe dni zajęte z klientami.

– No właśnie. Przecież nie mogłam odrywać cię od obowiązków. Za parę dni, mam nadzieję, znajdziesz dla mnie czas?

– A jednak dobrze jest mieć starego głupka w rezerwie, prawda?

Nie umiałem się powstrzymać. I tak robiła ze mną, co chciała, więc przynajmniej mogłem głośno powiedzieć, co o tym myślałem. Tym bardziej że zazwyczaj w takich wypadkach gorąco zaprzeczała. Teraz też złapała mnie za rękę swoją niedużą, suchą i ciepłą dłonią.

– Wodzu, nie bredź. Dobrze wiesz, że zawsze będziesz dla mnie największym górskim autorytetem. Ale nie możesz mnie pilnować, jakbym była kursantką. Zaufaj mi trochę.

Jakoś trudno mi było jej zaufać, kiedy chodziło o faceta.

Piotr miał trochę racji, chyba nie powinnam mojego nowego kolesia brać od razu na Szparę. Gdyby się okazał marnym wspinaczem, mogłyby być kłopoty. Zakładałam, że nie będzie aż tak źle. Szpara nie jest zbyt trudna dla dzisiejszych kolesiów, wytrenowanych na siłowniach i sztucznych ściankach. Dawniej nazywano ją Kominem Dregeía, bo na początku zeszłego wieku roztrzaskał się w nim na kawałki pewien nieszczęsny student z Moskwy. Od tamtych czasów jej ponura sława przybladła, czego dowodzi ta nowa nazwa. Dziś nie jest trendy, młodzi ambitni widzą w niej banał, nadający się co najwyżej dla kursantów. Ja jednak wracam tu co rok.

Wyścigi zaczęły się od momentu, kiedy o świcie ruszyliśmy z miasta w góry. Mój nowy koleś pokazał przyspieszenie, o jakie go nie podejrzewałam. Z początku udawał rozmarudzone dziecko, ględził, że kto to widział wstawać o tak nieludzkiej godzinie.

– Wiesz co? – próbowałam się drażnić. – To może wróć, wyśpij się, nie chcę cię mieć na sumieniu.

– Chętnie bym to zrobił, ale przecież nie zostawię cię teraz bez opieki.

To była jedna wielka zmyła. Narzucił tempo, które było chyba obliczone na to, żeby mnie znokautować. Albo przynajmniej poddać próbie. No więc próbowaliśmy się nawzajem. Nie mogę powiedzieć, żeby mi się to nie spodobało. Ściganie się z facetami zawsze mnie rajcowało. Choć chwilami zdawało mi się, że wypluję płuca, to kiedy stanęliśmy już pod ścianą, kryzys minął. Złapałam drugi oddech. Teraz chyba nie pękłabym nawet przed północną Eigeru.

Nałożyłam taśmy asekuracyjne, wpięłam się do liny i od razu weszłam w komin, nawet nie czekając, aż on się zwiąże. Prawdę mówiąc, chwilowo wściekłam się na niego, że próbował mnie wykończyć już na podejściu. To nie było w porządku. Nabrałam głupiej ochoty pokazać mu, że nie był mi do niczego potrzebny. Znałam Szparę na tyle, że mogłabym ją przelecieć solo, bez ubezpieczenia. I przez parę chwil miałam taką ochotę, kiedy poczułam pod palcami granit, jeszcze wilgotny od deszczu, który przestał padać dopiero w nocy. Nie liczyło się nic oprócz tego, co mnie ciągnęło w górę. Dorwać się do skały to był jedyny sposób, żeby choć na krótko zapomnieć o wszystkich moich klęskach, że nie umiałam wychować Patrycji, że miałam talent tylko do robienia forsy, która mnie nie cieszyła, że przez moje życie przewinęło się zbyt wielu facetów, a żaden nie został. I na dodatek pakowałam się w kolejną bezsensowną awanturę. Miałam w sobie tyle adrenaliny, że przy okazji zapomniałam też o odpowiedzialności. Przez pierwszy próg w kominie przeszłam jak burza. Wcale o tym nie myślałam, ale udało mi się pierwszy raz kolesia nastraszyć.

– Wbij hak! – zaczął się wydzierać, kiedy już ruszałam dalej, ku platformie pod wielką przewieszką. – Wbij hak, słyszysz?

Strach w jego głosie był prawdziwy i to mnie otrzeźwiło. Miał rację. Kominem wciąż spływały strużki wody po deszczu, a od czasu do czasu leciały też kamyki. Wystarczyłoby trochę pecha... Pomyślałam o Patrycji, że nie mogę jej tego zrobić i rozkwasić się jak nieświeży pomidor na piargu pod ścianą. Jest taka wrażliwa, na mnie żywą często nie może patrzeć, a co dopiero... Nie wygląda się potem ładnie, coś o tym wiem. Poza tym, jak mogłabym ją zostawić, kiedy jest taka niezaradna? Moje ubezpieczenie na życie nie jest małe, to fakt. I obejmuje wszystkie możliwości, łącznie z wypadkiem w trakcie wspinaczki. Tylko co z tego? Przecież moja córka nie poradziłaby sobie nawet razem z całymi moimi pieniędzmi.

Włożyłam hak w szczelinę i walnęłam młotkiem, wkładając w to całą moją wściekłość.

Później było jeszcze gorzej. To, że nasza pierwsza wspinaczka skończyła się szczęśliwie, to dowód, że Bóg był w dobrym humorze. Oboje po kolei robiliśmy głupstwa, za jakie, kiedy Bóg jest zły, wymierza karę śmierci. Najpierw ja dałam popis nieodpowiedzialności, potem koleś zachował się jak świnia. Męska. Prowadzenie przez przewieszkę wypadało na mnie. Ustaliliśmy na początku, że prowadzimy na zmianę. Ale kiedy po przejściu trudnej ścianki odpoczywałam zadyszana na niewygodnej półeczce, on odwdzięczył mi się takim samym numerem, jaki ja zrobiłam mu na początku. Zanim się spostrzegłam, wpiął mnie do haka asekuracyjnego, a sam ruszył w górę.

Dopiero wtedy poczułam prawdziwy strach. Dużo większy niż w czasie, kiedy sama się wspinam, wtedy widocznie adrenalina zalewa mózg. Uświadomiłam sobie, że jeśli on za moim przykładem nie wbije haka i poleci z przewieszki, nie utrzymam go, wyrwie mnie ze stanowiska i będzie po nas obojgu. Dopiero teraz pomyślałam przytomnie: Co ja tu robię z tym facetem? W tej samej chwili on zdjął hak z pętli i wbił w szczelinę w przewieszonych skałach. Zrobił to całkiem fachowo. Mimo wszystko nie był debilem.

Aha, wreszcie i ty, koleś, złapałeś cykora, pomyślałam mściwie, ale wysoki, czysty dźwięk wbijanego w kamień metalu odbierałam jak najpiękniejszą muzykę. Zrobił, co należało. Potem szybko i bardzo pewnie wszedł w odchylone od pionu skały. Nie mogłam zaprzeczyć, że był dobry. Tylko że nadmierna pewność siebie w górach może zgubić. Przymierzył się do przewieszki w złą stronę.

– Odwróć się! – zawołałam odruchowo, choć może wolałabym, żeby teraz spadł.

Nie posłuchał. Zrobił jakiś niewiarygodny podciąg na jednej ręce, potem prawie szpagat, podrzut i już był nad najtrudniejszym miejscem. Jego nogi znikły mi z widoku. Aż mnie zatelepało ze złości. Cholerny akrobata! Nie dość, że ukradł mi prowadzenie, to jeszcze musiałam oglądać jego popisy. Zmusiłam się do spokoju i na przewieszce wspinałam się podwójnie ostrożnie. Teraz za nic nie mogłam polecieć. Jeszcze by brakowało, żebym zawdzięczała życie ulicznemu portreciście, którego nieopatrznie poderwałam na szosie, bo miałam dołek i padał deszcz.

– Brawo, jesteś naprawdę dobra – pochwalił mnie, kiedy w końcu dotarłam do niego, na bezpieczny stopień nad głównymi trudnościami drogi.

Dopiero teraz nagła krew mnie zalała.

– Pieprzę cię – powiedziałam.

Przestałam nad sobą panować. To mi się czasem zdarza. Zwłaszcza kiedy wiem, że mam ochotę na niewłaściwego faceta. Wypięłam się z liny i poszłam dalej bez żadnego ubezpieczenia. Jeszcze dwie godziny wcześniej umiałam się powstrzymać przed zrobieniem czegoś tak nieodpowiedzialnego. Teraz przestałam zważać na cokolwiek. To prawda, że do końca komina było niedaleko, a wspinaczka już niezbyt trudna. Ale zawsze mogło się coś urwać, zwłaszcza po deszczu. Dotarło to do mnie dopiero na górze. A przede wszystkim myśl, że jego też zostawiłam bez asekuracji. Teraz on mógł polecieć. Nawet najlepsi miewają pechowe dni. Kiedy więc stanął wreszcie obok mnie na końcowej półce, obudziło się we mnie nieznośne poczucie winy.

– Chciałaś się mnie pozbyć? – Uśmiechnął się po swojemu. – To nie takie proste.

– Przepraszam – powiedziałam. – To był błąd. Nie powinniśmy się razem wspinać.

Zwijał niepotrzebną już linę i przyglądał mi się z uśmiechem.

– Nieprawda. Pasujemy do siebie idealnie. Wyzwalasz adrenalinę jak nikt.

Najgorsze było to, że on we mnie też wyzwalał. Choć nie jestem pewna, czy tylko adrenalinę. Nie poruszyłam się, kiedy się do mnie zbliżał. Mogłabym się odwrócić i pójść sobie. Z tego miejsca na przełęcz jest już całkiem łatwo. Wiedziałam, że właśnie to powinnam zrobić. Odejść i unikać tego kolesia do końca życia. I miałam też świadomość, że tego nie zrobię. Nie patrzyłam na niego. Mgła nie oblepiała już całej doliny. Niebo się przecierało, w dziurach między chmurami pokazywały się fragmenty grani, a w dole jezioro. Na łagodnym zboczu nad urwiskami parowała w pierwszych błyskach słońca mokra trawa, w której kwitły właśnie żółte górskie kwiaty. Jak to w lipcu.

Coś mi to przypominało.

Pewnie dlatego byłam taka bezbronna, w tym jedynym momencie nie mogłabym go odepchnąć. Zbliżał się, a ja czekałam. Z dwóch kroków poczułam zapach jego wilgotnego, parującego w słońcu ubrania i niewiele brakło, żebym rozłożyła się przed nim wprost na kamieniach. Może bym to naprawdę zrobiła, gdybym nie wiedziała, jakie to niewygodne. A przede wszystkim śmieszne. Młodzi chłopcy, którzy zaczynają się wspinać, są pod tym względem tacy zabawni. Prawie każdy z nich marzy, żeby przelecieć panienkę na skalnej półce, nad straszliwą przepaścią. Nigdy nie mogłam zrozumieć, co w tym może być podniecającego.

Musiałam zrobić duży wysiłek, żeby się od niego oderwać, bo wszystko naprawdę stałoby się za szybko, niewygodnie i byle jak. Chciałam, żebyśmy to zrobili po prostu w moim łóżku. Chwyciłam go mocno za rękę, zacisnęłam palce i pociągnęłam pod górę, w stronę biegnącej granią ścieżki. Dziwne, ale teraz nawet się nie zadyszałam. Nie miałam żadnego kryzysu, w ogóle nie czułam zmęczenia, jakbym była na psychedrynie czy co.

No więc jednak poszła w góry z tym chłystkiem. Mogę sobie wmawiać, że mnie to nie rusza. Prawda jest taka, że po prostu nie jestem w stanie myśleć rozsądnie, kiedy ona to robi. Za każdym razem. Przez cały czas tak samo, jak na początku.

To było dawno, ponad dwadzieścia lat temu, ale pamiętam dobrze. Aż za dobrze. Lipiec w górach był tak samo deszczowy. Zresztą, to przecież nic wyjątkowego. To się nie zmienia. Zmieniają się tylko ludzie, którzy przyjeżdżają w góry. Wtedy byli jeszcze jacyś inni. Może mniej sprawni, nie tak wytrenowani jak ci dzisiejsi tropiciele adrenaliny. Ale, czy ja wiem? No, po prostu jacyś lepsi. Chodziło im o coś więcej niż tylko wyścigi po skałach.

Prawda, że chłystków i wtedy nie brakowało. Ten jej pierwszy, Jasiek, był właśnie jednym z nich. Tacy się jej widocznie zawsze podobali, co na to poradzić? Choć, czy ja wiem? Długo miałem wyrzuty sumienia, że powinienem wkroczyć bardziej stanowczo. Może po prostu bałem się wygłupić. Dwadzieścia lat temu różnica wieku między nami była jeszcze bardziej widoczna niż dziś. Jasiek był młodym ogierem, jej rówieśnikiem. Nie chciałem wyjść na durnia.

Tamtego lata robiłem za kierownika szkoły alpinistycznej na Hali. Urszula z tą swoją przyjaciółką, Jolką, zamieszkały w schronie właściwie nielegalnie. Były luzem, kurs ukończyły chyba rok wcześniej. Formalnie więc nie miały prawa, wziąłem to na siebie. Dlaczego miałbym kryć, że Ula mi się podobała? Podobała mi się, no i co? Tyle mogłem dla niej zrobić. Nie próbowałem wykorzystać sytuacji. Choć może lepiej by się stało, gdybym spróbował. Nie miało znaczenia, że byłem stary. Legenda Kaskaderów działała wtedy na panienki. Taki Andrzej na przykład korzystał z tego na full. Ze mnie się wyśmiewał.

– A co ty, stary, odstawiasz takiego niezłomnego? Tylko robisz panienkom przykrość. Miałyby się czym chwalić do końca życia, że je przeleciał jeden z Kaskaderów. A tak tylko pomyślą, że zadzierasz nosa.

Jestem pewny, że w tym wypadku Andrzejowi się nie powiodło. Zanim pojawił się Jasiek, Ula z Jolką ostro się nawzajem pilnowały. Tworzyły typową parę przyjaciółek dobranych na zasadzie kontrastu. Urszula była piękną laską, w górach taką urodę rzadko się spotyka, takie jak ona wylegują się na plażach i pokazują ciała na basenach. A przede wszystkim miała w oczach to coś, na co faceci od razu się łapią. Co wcale nie znaczy, że się nie nacinali. Jolka może byłaby nawet bardziej chętna, tylko kto by poleciał na jej mysią urodę, pryszcze i tłuste kosmyki nieokreślonego koloru? Tamtego lata były nierozłączne. Wspinały się tylko razem, nigdy z facetami. Kompletowały pracowicie coraz trudniejsze przejścia, jakby chciały pokazać, że bez niczyjej pomocy potrafią być nie gorsze od mężczyzn.

Oczywiście, im lepiej im szło, tym bardziej plotkowano za ich plecami, że są parą. Dwadzieścia lat temu nie było to takie modne jak dziś. Nie wiem, może dlatego dopuściły do siebie tego Jaśka, żeby zamknąć gęby plotkarzom. Jeśli tak, to źle wybrały. Sytuacja wymknęła się spod kontroli. Urszula straciła głowę. Myślę, że gdyby chodziło tylko o miłosną przygodę z Jaśkiem, sprawy nie poszłyby aż tak źle. Ale poszła się z tym chłopakiem wspinać. Dla Jolki to była zdrada nie do przeżycia. Jak się potem okazało, dosłownie.

To jasne, że Jaśkowi nie zależało na tym, żeby się z Urszulą wspinać. Miał na koncie zaliczone drogi, o jakich ona mogła tylko pomarzyć. Niepotrzebne mu były żadne szkolne wprawki na ścianie Granatów. Jeśli zabrał ją na Szparę, to w całkiem innym celu. Dla niej miało to być najtrudniejsze przejście do tamtej pory. Była już zresztą gotowa do zmierzenia się z drogą o takim stopniu trudności. Myślę, że wtedy już spokojnie mogłyby zrobić żleb Dregeía wspólnie z Jolką. Stało się inaczej.

Nigdy nie lubiłem, kiedy ten komin nazywano Szparą. To właśnie Jasiek nazwał go tak pierwszy, a potem się przyjęło. Rzeczywiście, kiedy patrzeć na ścianę pod pewnym kątem, od jej podnóża rozchodzą się trzy kominy, tworząc jakby przecięty pośrodku trójkąt. Skojarzenia nasuwają się same, zwłaszcza kiedy się jest niewyżytym dwudziestolatkiem. Zaproponowanie wspólnego przejścia Szpary młodej panience zawierało aluzję aż za bardzo czytelną. W każdym razie mogę się założyć, że Ula od razu załapała, o co mu naprawdę chodziło. I wcale nie wyglądało, żeby miała coś przeciw.

Jolka nie była ani ślepa, ani naiwna. Trudno się jej dziwić, że obraziła się śmiertelnie na przyjaciółkę. I postanowiła pokazać, że jest ponad to. Zmontowała mało doświadczoną ekipę, z którą porwała się na jedną z najpoważniejszych wtedy dróg w dolinie Morskiego Oka, budzącą respekt nawet w ludziach, którzy widzieli Eiger i Petit Dru. Rzeź Niewiniątek, jak ją dla zgrywy nazwali pierwsi zdobywcy, miała dopiero ze trzy albo cztery przejścia. Jolka udowodniła, że była naprawdę dobra, lepsza niż sądzili plotkarze. Przed załamaniem pogody zdołała wprowadzić swój zespół w środek ściany. Na nieszczęście. Kiedy lunęło lodowato, jak potrafi w lipcu, znaleźli się w pułapce, z której żadnym cudem nie mogli się wycofać o własnych siłach.

Urszula tymczasem nic nie wiedziała o losie przyjaciółki. Razem ze swoim podrywaczem szybko uporała się ze Szparą. Myślę, że w ścianie zaliczyli też jakieś wstępne pieszczotki, bo wrócili do schronu wczesnym popołudniem, jeszcze przed deszczem, strasznie na siebie napaleni. Tylko mieli pecha, że ja akurat tego dnia nigdzie nie poszedłem. Nagła krew mnie zalała. Władowałem się na chama do pokoiku na poddaszu, gdzie Jaś już dobierał się pod kocem do Urszuli.

– Ty tu nie mieszkasz. – Ledwo się hamowałem. – Spadaj.

– No co ty, stary? – zdziwił się. – Nie wygłupiaj się, nie bądź psem ogrodnika.

Zrobiło mi się ciemno przed oczami. Nie chodziło mu o to, że jestem naprawdę stary, nie chciał mi ubliżyć. To miał być dowód poufałości, szukał we mnie sprzymierzeńca.

– Wypierdalaj! – wydarłem się, aż usłyszeli ludzie przed budynkiem. – Nie będziecie mi tu robić burdelu!

Miałem jeszcze autorytet. Legenda jednego z Kaskaderów działała na młodzież. Jasiek posłuchał. Ula też. Wynieśli się z Hali. Co wcale nie znaczy, że przeszła im ochota na siebie. Zeszli do miasta, Jasiek załatwił jakiś kąt w Młodej Gwardii i tam pozbawił Ulę cnotki. A ja, kiedy zniknęli, zrozumiałem wreszcie, że nie była dla mnie tylko jedną z panienek, które kręciły się wokół taterników. Nie miałem złudzeń, potrafiłem sobie wyobrazić, co robiła z Jaśkiem, jakbym przy tym był. I teraz nie mogłem sobie darować, że puściłem ją z tym chłystkiem. Przepadło.

Może zresztą i lepiej się stało dla nich, że tak się do siebie śpieszyli. W górach przyszło właśnie gwałtowne załamanie pogody, a w łóżku przynajmniej byli bezpieczni. Jolka nie miała nikogo, z kim mogłaby ten zły czas przeczekać w pościeli na pieszczotach. Może właśnie dlatego, kiedy jeszcze był czas, żeby uciec ze ściany, ona upierała się, żeby iść dalej. Wprowadziła w pułapkę siebie i całą swoją grupę. Kiedy to zrozumiała, było za późno. Wołania o pomoc grzęzły w deszczu i mgle. Nie poddała się, próbowała coś robić. Zostawiła pozostałą trójkę w miejscu w miarę bezpiecznym i sama ruszyła w dół, po ratunek. W którymś momencie ciało ją zawiodło. Osunęła się, potłukła i zwichnęła nogę.

Wiadomość, że w Morskim Oku ktoś słyszał krzyki, dotarła do nas późno, już wieczorem. Akcja była mordercza, szukanie zagubionych na rozległej ścianie trwało długo, w strugach marznącego deszczu, który nie słabł przez całą noc, a w wyższych partiach przed świtem zamienił się w śnieg. Tych troje, którzy zostali na górze, udało się bezpiecznie sprowadzić. Jolkę znaleźliśmy na końcu, już rano, przysypaną śniegiem. Nie doczekała ratunku, niedługo przed naszym przybyciem zmarła z potłuczeń, zimna i wyczerpania.

Urszula w tym czasie spała słodko w ramionach swego pierwszego kochanka i o niczym nie wiedziała aż do następnego popołudnia. To była właśnie ta zadra, którą nosiła w sobie. Przynajmniej ta, o której wiedziałem.

Stało się i koniec, nie ma co się biczować. Od pewnego momentu prędzej czy później musiało się to skończyć w łóżku, więc lepiej, że się skończyło prędzej. Nawet chyba był zdziwiony, że poszło tak łatwo. Nie wiedział, co o tym przesądziło. Gdyby tam, na ścianie Granatów, okazał się mniej zdecydowany, gdyby się zawahał, może nie dostałby drugiej szansy. To był ten jedyny moment, kiedy byłam bezbronna, nie mogłabym go odepchnąć. Reszta była tylko konsekwencją tej chwili na skalnej półce, gdzie kwitły żółte lipcowe kwiaty.

Zależało mi na tym, żeby to się stało właśnie w Bellevue. Niczego się nie wstydzę, nie mam zamiaru kryć się z moim życiem po kątach. Przed Piotrem trochę mi głupio, ale niech wie, że wciąż stać mnie na faceta. Przyjechaliśmy więc z Kuźnic taksówką prosto pod pensjonat. W moim apartamencie wciągnęłam go od razu do sypialni. Śpieszyłam się, jakby coś mnie poganiało. On chyba miałby ochotę najpierw się wykąpać, odświeżyć i w ogóle perfekcyjnie przygotować. Nie dałam mu na to szansy, pierwsza rozebrałam się i padłam na łóżko. Od jakiegoś czasu zaczęłam zauważać, że moje piersi lepiej wyglądają, kiedy leżę.

Trochę udało mi się go zaskoczyć. Zawahał się, ale tylko przez moment. Potem uśmiechnął się ironicznie i sięgnął do paska od spodni. Cóż, nie miał się czego wstydzić, Pan Bóg mu nie pożałował. Choć, jak na mój gust, niepotrzebnie starał się Stwórcę jeszcze poprawić. Chyba za bardzo przejmował się swoim ciałem. To wszystko było zbyt wypracowane; i jego forma w górach, i mięśnie, po których było widać te wszystkie godziny zmarnotrawione na siłowniach. Ale zajął się mną fachowo, jak w książkach piszą. Było to bardzo przyjemne, odprężało. Mogłam na chwilę zapomnieć, gdzie jestem, i pogrążyć się we własnych myślach. Spojrzałam w okno, a ono znów było mokre.

Kiedy przed laty traciłam cnotę z Jaśkiem, też padało. Ciekawe, czy do Piotra kiedykolwiek dotarło, że to wszystko stało się przez niego? Nie, nie mówię, że to była jego wina. On był wtedy jednym z wielkich Kaskaderów, poruszających się gdzieś na nieosiągalnych dla zwykłych ludzi wyżynach. To normalne, że nie zwracał większej uwagi na dwie srajdy, które dopiero marzyły, żeby zaistnieć. Kiedy powiedział: „cześć", to już był powód do szczęścia, a kiedy się uśmiechnął przez zwykłą uprzejmość, nie spałam pół nocy.

Gdyby posunął się krok dalej, choćby zrobił jakąś aluzję, żaden Jasiek nie miałby tamtego lata u mnie szans. Szczerze mówiąc, to Jolka bardziej miała ochotę na Jaśka. Ona pierwsza zaczęła go podrywać. Tylko że on wolał mnie, a ja z głupoty dałam się wciągnąć w sytuację, która zaprowadziła prosto w kanał. Nie znaczy to, że nie zakochałam się w Jaśku. Boże, jeszcze jak! Pod wieloma względami już wtedy przypominał Piotra, tyle że znacznie młodszego. I pewnie właśnie to nas zgubiło. Buzował w nim testosteron, ale jeszcze nie był gotów, żeby ponosić odpowiedzialność. Najpierw musiał zostać Kaskaderem nowego pokolenia.

Lepiej by zrobił, gdyby wziął się za Jolkę. Tylko udawała, że jej pomysłem na życie było wspinanie się w kobiecych zespołach. Wśród bab z młodszych roczników nie miała sobie równych. Żadna oprócz niej nie miała takiej motywacji i pałeru. Ja ją tylko ciągnęłam w dół. Prawdę mówiąc, wcale nie chciałam się z nią wspinać. Czasem mnie przerażała. Wymagała ode mnie zbyt wiele. Nie brała pod uwagę, że nie wszystkie są takie jak ona. Pod innymi względami była trochę dziwna. Czasem ogarniało mnie wrażenie, że miałaby ochotę się do mnie dobrać, innym razem aż piszczała do chłopów. Jakby nie umiała się zdecydować.

Faceci to kretyni. Najważniejsze są dla nich pozory. Jolka zniechęcała ich na wejściu swoim wyglądem. Nie wiem, czy ładnie tak myśleć o koleżance od dawna nieżyjącej, ale faktycznie była trochę niewyjściowa. Nie darmo zarobiła na przezwisko Kawka. Tylko że oni nie mieli pojęcia, ile tracą, nie próbując jej rozebrać. Ciało miała dużo lepsze. To właśnie ją Jasiek powinien zabrać tamtego dnia na Szparę. We dwójkę na pewno poprowadziliby nowy skrajnie trudny wariant. Jak znam Jaśka, dałby temu przejściu jakąś jajcarską nazwę – Szpara Rozdziewiczona na Wprost albo inną tak samo dowcipną. Potem miałby z Jolką wiele uciechy. Nie chcę być za skromna, ale chyba więcej niż ze mną. A w górach dokonaliby razem wielkich rzeczy. Słowo daję, nie powinien tak bardzo przejmować się jej wyglądem. Przecież nie szukał żony.

Pozwalałam moim myślom wędrować za mokrymi szybami. Tylko ciałem byłam razem z moim najnowszym kochankiem. Robił, co mógł, żeby zasłużyć na miano mistrza gry wstępnej. Widać miał w naturze perfekcjonizm. Jasiek był inny. Przekraczał granice, chodził na skróty. Sprawiał ból, a mimo to chciało się, żeby jeszcze trochę bolało. Myślę, że Piotr był taki sam. Przynajmniej kiedyś. Pomyliłam się co do tego nowego kolesia. On na pewno nie mógłby być facetem mojego życia. Zmylił mnie, wędrując pustą szosą w deszczu. Może po prostu chciałam być zmylona, ale już mi przeszło. Nie ufam perfekcjonistom. Co najwyżej mogą być przydatni. On był. Moje ciało go słuchało, myśli nie chciały.

Choć wybrałam stanowczo zły moment, żeby myśleć o Jolce. To wyglądało tak, jakbym ją znów po raz któryś zdradzała. Nie powinnam jej wspominać, leżąc nago z rozłożonymi nogami i głową obcego mężczyzny pomiędzy nimi. Ale co mogłam zrobić, te myśli przyszły i już. Po szybie spływały strumyczki deszczu, zamazując obraz targanych wiatrem gałęzi jesionów za oknem. Kiedy byłam tu z Jaśkiem, prawie dwadzieścia lat temu, też patrzyłam w okno. Ze strachu, że coś się nie uda. Nie miałam pojęcia, że Jolka właśnie wtedy zaczęła swoją walkę o życie. Boże, naprawdę, nawet przez myśl mi to nie przeszło.

Próbowałam wrócić do teraźniejszości. Mechanicznie wsunęłam nieznajomemu kochankowi palce we włosy, gładząc tył jego głowy. Niech też ma. On nie był niczemu winien. To nie on chciał, żebym go podwiozła.

Stało się, jak się stało. Szkoda Jolki. Naprawdę długo nie mogłam się potem pozbierać. Wprawdzie zwierzała mi się parę razy, że gdyby miała wybrać sobie rodzaj śmierci, to chciałaby zginąć w górach. Ale nie musiała tego robić tak szybko. Jakby specjalnie chciała zemścić się na mnie za to, że Jasiek wolał mnie. Wiedziała, że potem nie będzie mógł na mnie patrzeć. Guzik wiedziała. To był dla niego tylko wygodny pretekst. I tak by mnie zostawił. Jeśli nawet nie tego dnia, to niewiele później. Na pewno jeszcze przed końcem wakacji, żeby uniknąć późniejszych komplikacji. Wypadek w Morskim Oku dał mu powód, żeby wykrzyczeć mi w oczy:

– Kawka zginęła przez nas! Nie mógłbym teraz. Po prostu nie mógłbym!

Przyjęłam to spokojnie, jakbym była z drewna. Ja czułam się zupełnie na odwrót. Właśnie wtedy był mi tym bardziej potrzebny; jego obecność, jego słowa. No i jego ciało też. Ale jak nie, to nie. Nie czepiałam się Jaśka nogawek. Nie żebrałam o łaskę, choć do końca wakacji byłam jak nieżywa. Potem zaczął się nowy rok akademicki i Marian, którego wytrwałość przypominała manię prześladowczą, rozpoczął od nowa starania o moje względy. No więc już się przed nim nie broniłam, nie zależało mi. Marian był przyzwoitym facetem, zresztą jest nim nadal. Wychodząc za niego, zrobiłam mu świństwo.

Starałam się, naprawdę. Ale jakoś nie udało mi się zrobić z Mariana mężczyzny mojego życia. Próbowałam na różne sposoby. Nie wyszło. Nie umiałam uznać w nim partnera. Tak, chyba o to chodziło. Nie mówię o górach, bo on się wcale nie wspinał. Nawet jestem mu trochę wdzięczna, że robił wszystko, abym nie zaraziła Patrycji górami. I dobrze. Widziałam w życiu kilkoro smarkaczy, którzy spadli, zdarzało mi się też spotykać ich rodziców. I nie chciałabym znaleźć się na ich miejscu. Nie miałam więc nic przeciw temu, że Marian wolał spokojniejsze życie.

Był pracowity. Zanim po upadku komuny rzuciłam się w biznesy, to on zarabiał na dom. Miał instynkt opiekuńczy. Myślał chyba, że mi te góry przejdą po dziecku, jak bolesne miesiączki. Kiedy zrozumiał, że się pomylił, wszystko zaczęło się sypać. Nie nagle. Powoli, lecz nieuchronnie. Właściwie nie powinno mnie to dziwić. Miałam parę wspinających się koleżanek, które wyszły za normalnych facetów. I żadnej z nich nie udało się utrzymać związku. Z wyjątkiem tych, które zrezygnowały z gór, żeby utrzymać faceta. Widocznie taka jest cena. Dla mnie była za wysoka.

Mój kochanek wciąż starał się, jak potrafił. Widocznie nie dawałam wystarczająco czytelnych sygnałów, że mógłby już przestać. Skąd miał biedak wiedzieć, że ja nigdy nie wybucham, wszystko gotuje mi się w środku? Wcale nie byłam na niego nieczuła, nie. Mój organizm, po kilku miesiącach ostrego postu, reagował prawidłowo.

– Chodź już – wyszeptałam.

Ja też się starałam, żeby zabrzmiało to naprawdę namiętnie. Posłuchał natychmiast. Wszedł we mnie tak sprawnie i fachowo, jakbym była kolejną przewieszką w Szparze. Nieładnie, wiem. Przecież sama przed sobą nie będę udawała. Nigdy tego nie robiłam. Wcale tego nie pomyślałam, żeby go w głębi duszy poniżyć. Naprawdę chciał dobrze. Nie był samolubny, starał się. Przynajmniej zyskałam parę godzin zdrowego snu. Niestety, na więcej nie było mnie stać.

Obudziłam się pierwsza i potem już nie było mi fajnie. To wcale nie jest przyjemne, ocknąć się z myślą: Co właściwie robi w moim łóżku ten obcy koleś? Pół biedy, kiedy można wszystko zwalić na pijaństwo. Ale ja byłam trzeźwa, kiedy wpuszczałam go między nogi. Wykorzystałam go, mówiąc krótko. A teraz wiedziałam, że wykorzystam go jeszcze raz. Był przydatny, tego na pewno nie mogłam mu odmówić.

Tego się mimo wszystko po niej nie spodziewałem. Jest dorosła, może się wspinać, z kim chce, ale są granice. Życie jej obrzydło? Szpara, proszę bardzo, nadaje się w sam raz na erotyczne wspinaczki. Z niepewnym partnerem na nic trudniejszego nie powinna się porywać. Ja, głupek, nawet bym o niczym nie wiedział. Przecież wspinanie, według mnie, było dla nich tylko dodatkiem do reszty, więc sądziłem, że znów wybrali się na jakąś krótką drogę ze szkolnego repertuaru. Byłem tego pewny, kiedy rano zadzwoniła Patrycja.

– Przepraszam, że ci zawracam głowę, wujku, ale…

– Nie przepraszaj, wiesz, że możesz do mnie dzwonić o każdej porze dnia i nocy.

Nawet kiedy była już dorosła, wciąż nazywała mnie wujkiem, jak w dzieciństwie. Nie miałem nic przeciw temu, to było miłe. Tym bardziej że Patrycji nigdy nie brałem pod uwagę jako obiektu moich ewentualnych zainteresowań. Kobiety zbyt młode w ogóle mnie nie kręciły.

– Wiem, ale sprawa nie jest… jak by to powiedzieć… delikatna?

– To znaczy?

– Nie mogę się dodzwonić do matki. Wiem, że wybierała się z tobą w góry, więc…

Boże, więc Patrycja myślała, że my, jej matka i ja… Dużo bym za to dał, ale… Mała miała rację, sytuacja była delikatna jak cholera.

– Dzisiaj poszła z kim innym – powiedziałem oględnie.

Jeszcze zanim się odezwała, w ciszy, jaka zapadła w słuchawce, usłyszałem zaskoczenie, gniew i oburzenie. To chyba po prostu ja miałem je cały czas w sobie.

– Jak to, pozwoliłeś jej pójść z kim innym?

Trochę mnie zdenerwowała, tym bardziej że wyraziła słowami moje własne pretensje do samego siebie.

– Słuchaj, mała, nie jestem ojcem twojej matki…

– Rzeczywiście? A mnie się zdawało, że jesteś dla niej kimś więcej niż ojcem.

W jej głosie drżał ton wyrzutu. Wkurzała mnie coraz bardziej. Tym bardziej że tak ją lubiłem.

– Nie kłóćmy się – powiedziałem. – Masz do niej jakąś sprawę? W górach pewnie nie odbiera telefonu. Spotkamy się wieczorem. Powiem jej, żeby do ciebie zadzwoniła.

Kłamałem. Nie miałem pojęcia, dokąd poszła z tym młokosem, domyślałem się tylko, że wrócą wcześnie, jak poprzednim razem. Bardzo się myliłem.

– Tak, mam do niej taką sprawę, żeby nie spadła, nie zabiła się i żeby to potem nie było na mnie!! – wykrzyczała Patrycja.

– Co ty gadasz, mała? Oczywiście, że twoja matka nie spadnie. I dlaczego coś miało być na ciebie?

– Bo zdaje się, że ona mnie już tak nienawidzi, że gotowa spaść tylko po to, żeby mi udowodnić, że bez niej zginę.

– Co ty wygadujesz? Uspokój się, oczywiście, że ona tak nie myśli.

– Oczywiście, że tak myśli. I nie tylko myśli, ale też ma, jak zwykle, rację. Sam powiedz, czy ja się nadaję do prowadzenia tych jej głupich hoteli? Oczywiście, że się nie nadaję. Jak chce się zabić, to niech je przynajmniej wcześniej sprzeda.

– Pokłóciłyście się?

– Czy się pokłóciłyśmy? – wybuchła. – Ona się ze mną kłóci od mojego urodzenia.

– No to czemu akurat teraz ogarnął cię niepokój?

Chwilę pomilczała.

– Masz rację – wydukała wreszcie. – Zdaje się, że udało mi się ją wkurzyć bardziej niż zwykle. Zrób coś, znajdź ją, dobra?

– Nie bój się, nie zostawię jej.

Złożyłem tę obietnicę dla świętego spokoju. To, o co prosiła Patrycja, było prawie niewykonalne. Niełatwo znaleźć w Tatrach kogoś, kto sam się o to nie stara. Niektórzy znajdują się dopiero po paru miesiącach. Pomógł mi ślepy traf. Albo po prostu tak miało być. Akurat tego dnia zawiozłem moich farmaceutów do Morskiego Oka. Chmury trochę się podniosły, więc pokazywałem im przez lunetę okalające dolinę szczyty, coś tam ględząc o straszliwej grozie opadających ku stawom ścian. W końcu sam spojrzałem w okular i wysoko na szczytowych obrywach Mięguszowieckiego wypatrzyłem czerwony skafander. Coś mnie tknęło. Znałem to miejsce aż za dobrze. Pogoda była zbyt niepewna, żeby się tam pchać. Ci ludzie, tam w górze, wykazali się dużą lekkomyślnością. Spojrzałem na Andrzeja, który kręcił się bez celu po werandzie, znudzony na dyżurze.

– Ty, nie wiesz, kto poszedł dzisiaj na Rzeź Niewiniątek?

– Pewnie, że wiem. Piękna Ula ze swoim nowym kochasiem, wicemistrzem Polski na sztucznej ścianie.

Myślę, że to, co poczułem, było podobne do pierwszych objawów zawału.

– W taką pogodę? Czy ona zwariowała?

– Dlaczego? – Andrzej ze spokojem popatrzył w lunetę. – Mają bardzo dobry czas. Ten chłopak jest naprawdę ostry.

– Dużo im to pomoże, jak zacznie prać śniegiem.

Andrzej popatrzył z powątpiewaniem w niebo.

– Mam nadzieję, że się mylisz – powiedział. – Wolałbym sobie wieczorem poczytać.

Zgrywał się tylko po to, żeby mnie drażnić. Wiedział, że mam rację. On też dobrze pamiętał, że właśnie w takich okolicznościach, dwadzieścia lat wcześniej, zginęła Jolka. To klasyka. Letnie śnieżyce co roku oznaczają kłopoty dla ratowników. A śniegu tylko patrzeć. Uznałem, że farmaceutom nic się nie stanie, jeśli zjedzą obiad w schronisku, a potem sami wrócą do miasta.

– Pójdę rozejrzeć się pod ścianę – powiedziałem do Andrzeja. – W razie czego będę bliżej.

Facet, którego uważałem za mojego jedynego żyjącego przyjaciela, uśmiechnął się złośliwie.

– Nie przesadzasz? Najwyższy czas przyjąć do wiadomości, że nasz czas minął. Teraz inni są Kaskaderami. Rzezie Niewiniątek już nie dla nas.

– Mów za siebie – warknąłem. – Ja się nie czuję byłym Kaskaderem.

– Tak? A jak tam twoje kolano? – spytał niewinnie.

– Moje kolano jest w porządku.

– Ale przyznasz, że po remoncie to już nie to, co nowe? Nie mówię, że nie jesteś dobry, ale już chyba nie taki szybki, co? A jak sam mówiłeś, pogoda nie jest pewna.

– Nie płacą mi, żebym tego słuchał – powiedziałem. – Jakby co, to wiesz, gdzie mnie szukać.

I zostawiłem go. Wkurzył mnie jak cholera. Przede wszystkim tym, że miał rację. Naprawdę musiałem uważać na kolano, wciąż nie było w pełni sprawne. Elastyczna opaska przypominała mi o tym przy każdym kroku pod górę. Tak samo musiała pomyśleć Urszula. Że nie nadaję się już na takie wyczyny jak Rzeź Niewiniątek. Zmyliła mnie, od dawna byłem przekonany, że dała sobie spokój. A ona tylko się przede mną kryła. Odchowała córkę i dawny przymus powrócił. Myliłem się, myliłem się we wszystkim. Dopiero teraz do mnie dotarło, po co naprawdę był jej ten młokos. Sądziłem, głupi, że wspinaczka miała być tylko dodatkiem do seksu. Tymczasem było dokładnie na odwrót. Łóżkowe talenty posłużyły Uli tylko do nakłonienia kochanka, żeby pomógł jej załatwić stare porachunki z górą, która kiedyś zabrała Jolkę. Tak musiała zacząć kombinować od chwili, kiedy przypadkowy znajomy okazał się mistrzem wspinaczek na plastikowych atrapach. Tylko że to były prawdziwe góry, do cholery.

Nie twierdzę, że jej nie rozumiałem. Kto nie chodził po górach, nigdy się nie dowie, jak potrafią męczyć takie niezałatwione sprawy. Tym bardziej należało się niepokoić. Chociaż, po co się oszukiwać? Uczucie, które mnie ogarniało coraz mocniej, to nie był niepokój. Wałęsałem się już ze dwie godziny po trawach i piargach kotła pod szczytowymi ścianami, nasłuchując, kiedy z góry rozlegnie się wołanie o pomoc. Wtedy ja będę najbliżej.

Im więcej czasu mijało, tym bardziej byłem przekonany, że tak się właśnie stanie. Zwłaszcza że koło piątej zaczęły się potwierdzać moje przewidywania co do pogody. Najpierw chmury opadły niżej, szorując brzuchami po graniach. Pod nimi widoczność była jeszcze w miarę dobra, ale zanim wydostałem się na przełęcz, skąd miałbym widok na całą ścianę, wszystko utonęło we mgle. Pół godziny później zaczął padać śnieg. Sprawdzało się, tak właśnie miało być. Dokładnie jak przed dwudziestu laty. Tylko że tym razem byłem w pobliżu.

Ruszyłem w stronę wierzchołka, trzymając się poniżej grani, przez którą przewalały się chmury, gnane wiatrem od zachodu. Śnieg gęstniał, wciskając się pod kaptur i do oczu. Byłem przekonany, że Ula i jej partner ugrzęźli. Nie wiedzieli, jak wydostać się z pułapki, jaką są górne partie Rzezi Niewiniątek. To wiedziałem ja. Miałem jeszcze dwie godziny gasnącego dziennego światła, żeby ich znaleźć na ścianie i wyprowadzić w bezpieczny teren.

Wiatr sprawił, że nie usłyszałem ich do ostatniej chwili, choć musieli rozmawiać bardzo głośno. Nagle wyrośli przede mną w śnieżycy, jak widma.

– Piotr? A ty co tu robisz?! – wrzasnęła Urszula.

A więc jednak poradzili sobie. Skończyli Rzeź Niewiniątek o własnych siłach i już wracali. Trudno mi było w to uwierzyć. Mieli naprawdę niewiarygodne tempo. Wstyd się przyznawać, ale nie poczułem wcale ulgi, tylko zawód.

– Rozglądam się, czy ktoś nie został na ścianach i nie potrzebuje pomocy – odpowiedziałem.

– Masz dyżur? Myślałam, że Andrzej – zdziwiła się. – Wracaj z nami, nikogo nie widzieliśmy.

Chłystek przyglądał mi się kpiąco, a ja nie mogłem odpowiedzieć mu tym samym, bo miałem wiatr w oczy.

– Właśnie, niech pan lepiej wraca, robi się niebezpiecznie – odezwał się. – Przecież pan szukał tylko Uli, nie? Myślał pan, że ze mną spotka ją krzywda. No, to pan widzi, Ula zrobiła Rzeź Niewiniątek i żyje. Nie ma pan tu więcej nic do roboty. Są już inni Kaskaderzy. Niech pan schodzi, bo jeszcze pana będą musieli ściągać.

Odsunąłem go i poszedłem dalej po zasypanych już śniegiem głazach. Miałem ochotę pobyć jeszcze trochę sam na sam z górami.

Mam to za sobą. Nareszcie. Nie sądziłam, że to będzie aż takie ważne. Przez tyle lat wydawałam się trzeźwą kobietą interesu, nawet samej sobie. Widocznie tylko udawałam. Teraz już Rzeź Niewiniątek nie będzie mnie dręczyć. W końcu ją zaliczyłam. I to w jakim tempie. Ula, jesteś wielka. W twoim wieku!

Głupio mi tylko przed Piotrem. Ale nie dało się inaczej. Musiałam przed nim udawać, że odpuściłam sobie tę drogę. W przeciwnym razie chciałby koniecznie pójść ze mną. Z jego nogą nie mogłam go na to narażać. Wiedziałam, że będzie na mnie zły. Nie szkodzi, w końcu mi wybaczy. Nie wiem, czy jest taka rzecz, której by mi nie wybaczył. Na wszelki wypadek nie mówię mu wszystkiego.

Tego wieczoru musiałam przede wszystkim załatwić elegancko sprawę z moim kolesiem. Naprawdę doceniałam to, co dla mnie zrobił. Więc on też musiał coś zrozumieć. Miałam zamiar zaprosić go na wspaniałą kolację i wszystko szczerze wyjaśnić. Zrobiłam tylko ten błąd, że wcześniej wpuściłam go do swojego apartamentu. To było chyba naturalne? Chodziło mi tylko o to, żeby zostawić sprzęt, trochę się odświeżyć i przebrać. On wszystko zrozumiał inaczej. Myślał, że już zawsze będzie tak, jak za pierwszym razem. To znaczy dotąd, aż jemu się znudzi.

Drugi błąd popełniłam, kiedy przy nim zaczęłam wydzwaniać i szukać Piotra. Niepokoiłam się od chwili, kiedy tak bez słowa rozstał się z nami pod przełęczą. Znał Tatry jak swoją sypialnię i nie był w gorącej wodzie kąpany, ale... Jego telefon nie odpowiadał, dodzwoniłam się do Andrzeja w schronisku, on też nic nie wiedział. Wreszcie w desperacji zadzwoniłam do mojego własnego baru i dowiedziałam się od barmanki, że pan Piotr właśnie przyszedł i właśnie zaczął konsumować drinka. Powiedziałam jej, żeby na mnie zaczekał. Chyba zbyt wyraźnie się ucieszyłam, bo mój koleś postanowił natychmiast udowodnić, czyją jestem własnością.

– Daj spokój – wywinęłam się. – Wszystko mnie boli, jestem skonana...

– Wyleczę cię, od razu przejdą ci wszystkie bóle.

– ...i głodna – dokończyłam.

– Najpierw ja cię nakarmię.

Wściekłam się. Co on sobie myśli? A naprawdę chciałam, żeby było sympatycznie. Jeszcze próbowałam się opanować.

– Bądź miły – powiedziałam. – Zjedzmy kolację, porozmawiajmy jak przyjaciele.

– Pieprzę twoją kolację. Co ty sobie, kurwa, myślisz? Że mnie zadowoli kolacja z szefową, jak twoich wzorowych pracowników? Nie jestem chłopcem do wynajęcia. Nie takie, jak ty... – Aż mu zabrakło słów. – Ale ty może wolisz grzać jakiegoś śniegowego dziadka, co?

Nie chciał mnie uderzyć. Myślę, że nie chciał. Tak to jakoś wyszło, w szamotaninie. To ja pierwsza walnęłam go obiema pięściami w pierś, żeby przytrzymać go na dystans, bo znów wyciągał łapy. No i się odwinął, zarobiłam w uśmiech, aż się znalazłam pod szafą, trochę zamroczona. Nie na tyle, żeby nie zobaczyć tuż przy mojej głowie plecaka, z którego wystawał młotek do wbijania haków.

W następnej chwili znów stałam mocno na nogach, ściskając go w ręce, aż bolało.

– Wypierdalaj, gnoju! – wydarłam się. – Zejdź mi z oczu, nie zbliżaj się, bo ci łeb podziurawię.

I gdyby się nawinął pod rękę, chybabym to naprawdę zrobiła. On jeszcze nie wiedział, że wtedy, w samochodzie, kiedy zabrałam go z szosy, wcale nie żartowałam.

Cały czas sobie powtarzałem, że nie będę więcej łazić do Bellevue, zwłaszcza teraz. Choć Ula przede mną próbowała udawać, że ta nowa znajomość nic nie znaczy. Nawet pokazała mi portret, który jej zrobił ten chłystek. Cholera, namalował ją gołą. A ona się tym jeszcze chwaliła. Jasne, to tylko obrazek, mimo to...

– No co ty? – udawała zdziwioną. – To z wyobraźni. Chyba nie sądzisz, że naprawdę ciągle tak wyglądam? Może kiedyś...

Kłamała, to jasne. Nie chciała mi robić przykrości. Albo zależało jej, żebym zachował o niej dobre zdanie. A jeśli tak... Wszystko jedno, przyłażąc do Bellevue po tym, jak spotkałem ich w górach, robiłem z siebie głupka. Ale co ja poradzę, coś mnie samo pchało. Nie mogłem nawet mieć do niej pretensji. To, że mi się spodobała, kiedy miała dwadzieścia lat, do niczego mnie nie upoważniało. Nawet się trochę dziwiłem, że się na mnie nie obraziła na amen, kiedy ją wtedy na Hali wygoniłem z łóżka razem z tym jej całym Jasiem. Powinienem być zadowolony, że wciąż, przez tyle lat, uważała mnie za starszego kumpla. Chyba przez to, że się przekonała na własnej skórze, jaki Jasiek był naprawdę. Miałem rację, dlatego mnie nie znienawidziła. I to musiało wystarczyć, nie mogłem dawać powodów do podejrzeń, że wyobrażam sobie coś więcej.

No więc tego wieczoru wypiłem tylko drinka na koszt firmy farmaceutycznej i zaraz chciałem się wycofać. Prawdę mówiąc, po raz pierwszy poczułem z tego powodu coś w rodzaju wstydu. Powstrzymała mnie bufetowa:

– Już pan idzie, panie Piotrusiu? Szefowa o pana pytała. Prosiła, żeby pan na nią poczekał, jeśli pan będzie mógł.

Nie powinienem zostać. I nie mogłem tego nie zrobić. Popatrzyłem na zegarek.

– No, jeszcze z pół godzinki mogę – powiedziałem.

Barmanka tylko się uśmiechnęła. Kilka chwil później zadzwonił telefon. Kiedy zobaczyłem, że to Patrycja, nie miałem sumienia nie odebrać.

– No co, wujek, znalazłeś matkę?

– Nie martw się, sama się znalazła. Była na małej wspinaczce, ale wróciła cała i zdrowa. Mówiłem ci, że nie muszę jej pilnować.

– To nie szukałeś jej?! – Mała naprawdę się oburzyła.

– Powiedzmy, że czuwałem nad nią z daleka.

– I uważasz, że to wystarczy? Była z facetem? – spytała podejrzliwie.

– No, z jakimś znajomym.

– I co, wujek, to cię nie rusza?

– Słuchaj, mała, nie jestem mężem twojej matki.

– Jej mąż od dawna nie ma nic do gadania – zdenerwowała się – ale ty?

– Co ja? Jesteśmy tylko dobrymi przyjaciółmi.

– Wiesz co? Nie jestem małą dziewczynką. Nie musicie się przede mną ukrywać.

– Nie ma czego ukrywać. Słowo ci daję. Słyszysz? Jesteś tam?

– Mówisz poważnie? – Teraz była wyraźnie zła, zawiedziona, jakbym ją do tej pory oszukiwał. – To ja już nie wiem, kto tu jest głupi? Ja? Czy ty?

– Słuchaj, twoja matka jest wspaniałą kobietą, ale...

– Ale co? Przynajmniej byś, wujek, nie pierdolił. Masz inną dupę? Czy nie jesteś facetem?

Klęła, żeby ukryć zawód, takie odniosłem wrażenie. I przyznam, że to mnie mocno zdziwiło. Nie sądziłem do tej pory, że Patrycja byłaby zdolna mnie zaakceptować, gdyby co. W końcu jej rodzice nawet oficjalnie nie mieli rozwodu. Obcy mężczyzna kręcący się w takiej sytuacji koło matki budzi przeważnie nienawiść dzieci. Tak mi się przynajmniej do tej pory zdawało, moja wiedza na ten temat nie była wcale tylko teoretyczna.

– Wstydziłabyś się, Patrycja... – odezwałem się mentorskim tonem wujka.

– To ty byś się wstydził, wujek. Co matka ci zrobiła? Masz jej za złe tych paru facetów? A czego się spodziewałeś? Chciałbyś, żeby żyła w celibacie tyle lat, kiedy ty udajesz, że ona dla ciebie nie istnieje? Miałam o tobie lepsze zdanie, wiesz? Myślałam, że nie jesteś taki nieczuły, jak inni faceci. Zdawało mi się, żeście się w końcu dogadali. A teraz się dowiaduję, że wcale nie. Mścisz się na niej czy co?

– Patrycja, zlituj się. Twoja matka jest mężatką od dwudziestu lat.

– Jaja sobie robisz?

Zawstydzała mnie, gówniara, słowo daję. Byłem skołowany. Nie wiedziałem do końca, czy mówi poważnie, czy mnie podpuszcza w sobie tylko wiadomym celu. Coś mi mówiło w środku, że ona naprawdę uwierzyła, że jestem cichym kochankiem jej matki. A kiedy wyprowadziłem ją z błędu, rozgniewała się. Trudno było mi się w tym wszystkim pokapować, ale może trzeba było w takim razie coś sobie w końcu wyjaśnić. Tym bardziej że w trakcie rozmowy z Patrycją byłem już po dwóch następnych drinkach. Poziom mojej szczerości bardzo się więc podniósł.

– Dobra, mała, będę szczery – palnąłem nagle. – Sama tego chciałaś. Twoja matka jest teraz pieprzoną kapitalistką. A ja mam kawalerkę z ciemną kuchnią, nieregularne dochody i nie płacę składki emerytalnej. Wystarczy?

Teraz ją zatkało, sądząc po dzwoniącej ciszy, jaka zaległa w słuchawce. Wreszcie odezwała się podwójnie napastliwie, jakby się przez ten czas zebrała do ataku:

– Widzisz tu jakiś problem?

– Owszem. – Poczułem, że odzyskuję strategiczną przewagę. – A ty nie?

– Jesteś zeszłowieczny, wiesz?

– Oczywiście. Czy ja to ukrywam?

Pół godziny minęło już dawno, a ja nie odchodziłem od bufetu. Barmanka uśmiechała się do mnie ciepło, robiła nowe drinki, a ja zabawiałem ją opowieściami o aptekarzach i namawiałem na szwajcarskie pigułki przeciw starości. Co jakiś czas patrzyłem na zegarek i powtarzałem, że powinienem już iść, a ona odpowiadała:

– A po co pan będzie szedł, panie Piotrusiu, kiedy na dworze tak leje?

– Jak to w lipcu...

– No, no, jak to w lipcu. Co pan będzie szedł, aptekarze się bez pana obejdą. A szefowa naprawdę będzie lada moment.

Ten moment trochę się przedłużył i kiedy wreszcie przyszła, byłem już nieźle nawalony.

– Jestem, wodzu – powiedziała, siadając na sąsiednim stołku. – Pomyślałam, że powinnam ci wytłumaczyć...

– Niczego nie musisz mi tłumaczyć. Jesteś już duża. A ja cię nie pilnuję.

– Czyżby? – Zaśmiała się dziwnie. – W każdym razie już jestem. Mam nadzieję, że jeszcze pójdziesz ze mną w góry, kiedy przestanie padać?

– Ja do...trzymuję obietnic... – Coraz trudniej było mi obracać językiem.

– Ja też, wodzu. Ja też.

Odwróciła się do mnie i dopiero teraz zobaczyłem, że ma rozbite wargi, krew ledwo zakrzepła. Na moment wytrzeźwiałem.

– Co on ci zrobił, ten łajdak? – odezwałem się całkiem, jak mi się zdawało, przytomnie. – Zabiję...

Zsunąłem się z barowego stołka, ale z samodzielnym utrzymaniem równowagi nie szło mi najlepiej. Przytrzymała mnie Urszula.

– Daj spokój, nic się nie stało. Pośliznęłam się w zejściu i obiłam sobie twarz – skłamała. – A jego już nie ma.

– Dlaczego?

– Bo ty jesteś jedynym facetem, który mnie rozumie.

Musiałem się choćby przez sekundę skupić, żeby się upewnić, czy się ze mnie nie natrząsa. Nic na to nie wskazywało. Jej głos, jej oczy... Przeżyłem tych parę lat i nie chwaląc się, znam to spojrzenie. Choć gdybym tyle nie wypił, w życiu bym nie uwierzył.

– Wiesz co, wodzu, chodźmy stąd – powiedziała. – Odprowadzę cię do domu.

Urszula widocznie uznała, że powinienem trochę oprzytomnieć. Chodziliśmy w deszczu długo, jakimiś okropnie okrężnymi drogami. Nie pamiętam wszystkiego, wiem tylko na pewno, że staliśmy pośrodku pustej uliczki i całowaliśmy się. To znaczy, prawie na pewno. Inicjatywa była chyba moja, choć nie mógłbym przysiąc. Wiem tylko, że to mnie wszystko tak skołowało, że nagle ni stąd, ni zowąd zebrało mi się na szczerość:

– A wiesz, że dwadzieścia lat temu to ja się w tobie kochałem?

Znów musiałem na chwilę wytrzeźwieć, kiedy dotarło do mnie, co powiedziałem. Tylko dlatego zrozumiałem, o co Urszula pyta:

– To dlaczego ja się o tym dowiaduję dopiero teraz?

– Bo dopiero teraz jestem wystarczająco pijany – odpowiedziałem szczerze.

– Brawo! – Chyba naprawdę poczuła się urażona. – Powalające wyznanie. Dziś już nikt nie potrafi tak bajerować kobiet, wiesz?

Nie mogłam uwierzyć, że to się naprawdę stało. Wydawało mi się, że po tylu latach nie będziemy umieli. A wszystko okazało się takie proste. Może dlatego, że Piotr był taki zalany, że w ogóle się niczym nie przejmował. Rozbierał się na środku swojej kawalerki, rzucając slipy i skarpetki na podłogę, jakbyśmy byli z sobą od lat. Podejrzewam, że w ogóle nie bardzo wiedział, co się dzieje. No i dobrze. Inaczej pewnie by się nie odważył.

Faceci są beznadziejni. Muszą stawać na wysokości zadania. A ja to pieprzę. Piotr zwalił się na mnie jak wieśniak, skończył wszystko w trzy minuty i zasnął. Nie mogę powiedzieć, żeby było to wstrząsające doznanie. I co z tego? Ważne, że wreszcie leżał ze mną w jednym łóżku, a wcześniej przeszło mu przez gardło, że dwadzieścia lat temu był we mnie zakochany. Przez chwilę miałam ochotę go zabić, kiedy bezwstydnie się przyznał, że tylko dlatego się na to zdobył, że się uwalił. Tacy właśnie oni są, trudno...

Dobrze, że to się stało w jego kawalerce. Tutaj czuje się panem, a zdaje się, że to dla niego nie jest bez znaczenia. Szczerze mówiąc, niezły tu burdel. Tylko że mnie to jakoś zupełnie nie przeszkadzało, choć na ogół jestem porządnicka. Chętnie zostałabym tu do końca urlopu, jeśli on się zgodzi. Moglibyśmy wstawać razem wcześnie i wyruszać w góry przed świtem. Hotele zaczynają mnie coraz bardziej męczyć. Może w końcu uda mi się namówić tę moją niepozbieraną córkę, żeby zaczęła mnie choć trochę odciążać. Tyle było spraw do rozwiązania, ale na razie nie chciałam o nich myśleć.

Piotr spał przy mnie, a ja po raz pierwszy od nie wiem jak dawna nie pytałam sama siebie, co ten facet tu robi. Nawet mi nie przeszkadzało, że cuchnął jak gorzelnia. Nie sądziłam wcześniej, że feromony mogą mieć też taki zapach. Przygniatał mi głową ramię, aż zdrętwiało. Mimo to nie ruszałam się, bo nie chciałam go budzić. Za oknem robiło się już szaro. Wieczorem zaciągnęłam zasłonę i teraz nie mogłam zobaczyć, czy deszcz ciągle pada. Nie wiedziałam, czy się nam ułoży. Chciałabym. A gdyby nawet nie, to przynajmniej mieliśmy tych parę godzin...

Małgorzata Domagalik

EWENEMENT SZCZĘŚCIA

– Nadal uważa pan, że warto tracić wieczór na tę historię? Zaczynam się wahać. – Ewa wzięła głębszy oddech. – Po co ja to panu w ogóle opowiadam. To niemądre z mojej strony. W porównaniu z bohaterkami innych pańskich tekstów nie jestem chyba warta tych godzin, które chce pan ze mną spędzić. Poza tym wszystko minęło. Ja w jakimś sensie też. Ale się rozpadało... Lubię deszcz, ale pan ma przed sobą jeszcze daleką drogę.

Ewa zaczęła powoli podnosić się z miejsca.

– Wydawało mi się, że ustaliliśmy reguły. Ja przyjeżdżam, a pani opowiada – powiedział redaktor. – Niech się pani nie droczy, to tak do pani nie pasuje. W końcu może da się jeszcze coś zrobić.

– Ze mną czy z moimi snami?

– Żartuje pani? – Redaktor najwyraźniej nie potrafił, a może już nie chciał, ukryć zniecierpliwienia. Z drugiej strony z przyjemnością patrzył na tę siedzącą naprzeciw kobietę. Podobały mu się jej szczupłe dłonie, którymi poprawiała włosy, wąskie stopy, którymi od czasu do czasu poruszała, podobał się sposób, w jaki odchylała się na krześle. Była bardzo pociągająca. Chociaż nie w jego typie. Zresztą, jakie to ma znaczenie. Jutro przecież wraca.

– Żartuje pani – powtórzył. – Przecież nie po to się spotkaliśmy, żeby się teraz przekonywać.

– Nie, tyle że nagle uświadomiłam sobie, że nie ma nic interesującego w życiu kobiety, która jeszcze do niedawna zapełniała kolejne zeszyty recepturami na marynowane grzyby, prawda?

– Przecież nie o grzyby tu chodzi... Niech się pani nie wygłupia.

– Nie? A więc rzeczywiście jest pan ciekaw flanelowych koszul Maćka i tego, że zawsze układałam je według wielkości kratki, ciekaw pan jest tych prześcieradeł zbyt mocno wykrochmalonych, przełożonych woreczkami z suszoną lawendą? Nie, tego nie jest pan ciekaw, prawda?

– Dlaczego nie? To chyba jasne, że chcę się dowiedzieć jak najwięcej o pani. No i o jego matce – nie ustępował redaktor. Starał się przy tym nie wiercić na krześle, które przy każdym poruszeniu wydawało krępujące postękiwania. Chyba się nie rozpadnie – pomyślał.

– Nie rozpadnie się, niech się pan nie boi – odezwała się, jakby czytając w jego myślach, Ewa.

– To niech pani się nie obawia, ja naprawdę chcę panią zrozumieć... – nalegał redaktor.

– Zrozumieć czy rozgrzeszyć?

– Chociaż nie jestem księdzem, wierzę, że i to, i to jest możliwe. Poza tym taką mam metodę pracy. Jak najwięcej szczegółów. Wątek do wątku i... bingo.

– Nie znudzi się pan opowieścią kobiety, która od lat nie może się zdecydować na nowe tapety w saloniku, a jej córki nie mają jeszcze spraw, które chciałyby przed nią ukrywać?

– To chyba nie katastrofa – ironicznie, ale tak jakoś wbrew sobie burknął pod nosem redaktor. – Pani Ewo, to pani nalegała na spotkanie. Dojechać tutaj nie było łatwo. Nie żebym się skarżył, ale zaczyna lać jak z cebra. Niech pani tylko popatrzy.

– Nalegałam, bo w jakimś sensie jestem morderczynią. Niełatwo z tym żyć. A przecież nie to odmieniło mnie i moje życie, ale dzień, w którym zamieszkała z nami matka Maćka.

– To wtedy przestała być pani dla niego najważniejsza? – udał zaciekawienie redaktor. Mam ją, pomyślał, najwyraźniej z siebie zadowolony.

– Odpowiem tak: wkrótce po tym dniu, kiedy tylko dziewczynki wychodziły do szkoły, zaczęłam wyjmować z komody schowane pod ręcznikami jedwabne pończochy i paradować w nich po domu. Nawet gdy nosiłam je pod kretonowym fartuchem, czułam się jak ktoś, kto gra główną rolę we własnej historii. Zna pan to uczucie? Wie pan, jak to jest, być bohaterem filmu, w którym gra się główną rolę? Pewnie sądzi pan, że to takie nieznośnie kobiece. Egzaltowane.

– Pomijając jedwabne pończochy, zdarzało mi się brać życie we własne ręce – obruszył się redaktor. – Nie za często, ale się zdarzało.

Krzesło znów wydało z siebie krępujący dźwięk.

– Widzi pan, jest w tym głębszy sens. – Ewa nerwowo odgarnęła włosy z twarzy. Starannie wygładziła leżącą na stole serwetkę. Chciała za wszelką cenę zachować spokój. – Te pończochy dostałam od matki Maćka. Nie przypuszczałam, że mogą być tak delikatne w dotyku. Wie pan, jak pięknie i zmysłowo opinają kolana... Tak, w tym naprawdę jest głębszy sens.

...było

Od paru dni nie czułam się najlepiej. Coś nieznośnie dusiło mnie w piersiach, a gdy tylko zrobiłam parę szybszych kroków, oblewała mnie fala ciepła. „Za wcześnie na przekwit, a już po miesiączce", powtarzałam sobie powiedzonko jednej z ciotek. Na niewiele to pomagało, bo przecież na niewiele mogło pomóc. Ani jedno, ani drugie nie było jeszcze prawdą. Męczące objawy jednak nie mijały, a mimo to z dnia na dzień przesuwałam wizytę u miejscowego lekarza. Zresztą mniej niepokoiło mnie blade, pozbawione przyjemnego dla oka wyrazu oblicze, a bardziej to, że od jakiegoś czasu w ogóle uważniej zaczęłam przyglądać się własnej twarzy. Czego szukałam, rzucając wyzwanie każdej szybie w domu? Zwłaszcza wtedy, gdy po kolejnym ataku kaszlu robiłam się purpurowa z wysiłku, a w oczach pojawiały się łzy. Nie szukałam potwierdzenia choroby, ale faktu, że się starzeję. To krótkie słowo starość powodowało, że w jednej sekundzie się uspokajałam. Zamiast martwić się kolejną zmarszczką, cieszyłam się tym tak namacalnym spostrzeżeniem, że oto czas nieodwołalnie zaczyna spychać mnie z drogi młodości. To dobrze, to bardzo dobrze. Bo ja już nie bałam się dojrzałości, ale ciągle jeszcze bałam się młodości. Nie chciałam poplątanych, niespokojnych myśli w głowie i tego nieznośnego poczucia, że to może jeszcze nie wszystko, na co w życiu liczyłam. Po co mi te trujące wątpliwości, po co lęki, pytania, dlaczego tego nie dostałam? W takich chwilach, zwłaszcza rankami, zrywałam się na równe nogi, wyskakiwałam z łóżka jak oparzona, żeby tylko nie dać się atakującym mnie pytaniom. Kim jesteś, z kim jesteś? Nie wiem. Nie chcę wiedzieć. Dajcie mi wszyscy święty spokój. Tak, mam córki, które bardzo kocham, ale gdy ja boję się samej siebie, one – w tym samym czasie – rozwiązują słupki w szkole. Kiedyś i ich nie będę miała. Pójdą w świat. W takich chwilach uciekałam do łazienki i szorowałam zęby do pierwszej krwi.

– Kiedy kolejny raz odwołałam wizytę w ośrodku, zaprzyjaźniony z nami i mieszkający po sąsiedzku doktor sam postanowił do mnie zajrzeć. Wypiliśmy po kubku letniej i słodkiej jak ulepek herbaty, pogadaliśmy o niczym i kiedy zegar wybił szóstą po południu, doktor zapytał:

– Czy aby nie jest pani w ciąży, pani Ewo?

– Ja w ciąży, skąd w ogóle taki pomysł?! – wrzasnęłam. Nie miałam przed sobą lustra, ale byłam pewna, że przypominam piwonię.

– Przecież z powodzeniem mogłaby być pani jeszcze matką. Maciek też by się ucieszył.

– Nie, to jakiś absurd, ale tak czy inaczej, panie doktorze, z pewnością nie jestem w ciąży.

– W porządku, pani Ewo, niech się pani uspokoi.

Tak też zrobiłam, niezadowolona, że swoją reakcją wzbudziłam w nim podejrzenie, że może wcale nie jestem zrównoważoną żoną i matką, a za taką przecież chciałam uchodzić.

– Nie, doktorze, na pewno nie jestem w ciąży – powtórzyłam najspokojniej, jak tylko potrafiłam.

Doktor, najwyraźniej zaskoczony moim zachowaniem, już na stojąco dopił herbatę, dokończył anegdotę o swojej papudze i z tego wszystkiego zapomniał zbadać mi ciśnienie. Na odchodnym poinformował mnie jeszcze, że skoro nie jestem w ciąży, to najpewniej mamy do czynienia z późnowiosennym osłabieniem. Chyba żebym jednak była w ciąży.

– No i znowu nakrzyczała pani na niego? – zapytał redaktor, zadowolony, że Ewa się rozluźniła.

– Wie pan, do takiego wniosku to może dojść tylko mężczyzna. Przeciwnie, uznałam, że to jedyna słuszna diagnoza, i przyrzekłam, że będę wlewała w siebie homeopatyczne mikstury dla poprawienia późnowiosennej kondycji.

Po odjeździe poczciwego, ale nudnego doktora bez specjalnych wyrzutów sumienia – w końcu byłam osłabiona – zafundowałam sobie drzemkę w fotelu. W pokoju obok dziewczynki odrabiały lekcje, Maćka nie było. Pojechał do wsi na cotygodniowe zebranie plantatorów truskawek.

Przed zmrokiem zadzwonił telefon. Wyrwana ze snu, zaczęłam gorączkowo szukać słuchawki i gdy wreszcie trzymałam ją w dłoni, dzwonek umilkł. Przeszedł mnie dreszcz. Coś miało się wydarzyć. Czekałam więc, pewna, że dzwonek odezwie się znowu. Po kilkunastu sekundach rzeczywiście rozległ się świdrujący dźwięk.

– Mamo, odbierz! – zawołała Agata z drugiego pokoju i nieco ciszej mruknęła do siostry: – Ta nasza mama to nawet telefonu na czas nie potrafi odebrać. – Obie zachichotały.

– Tak, słucham, Strachecka. Kiedy? Niestety, nie ma go w domu, oczywiście przekażę. Tak, jeszcze dziś. Najszybciej, jak to będzie możliwe.

– Mamo, kto dzwonił? – chciała dowiedzieć się Agata.

– Kto dzwonił? – powtórzyła za starszą siostrą, jak to miała w zwyczaju, Hania.

– Mama waszego ojca, a właściwie jej koleżanka ze szkoły. Babcia nie czuje się najlepiej. Poza tym, moje panny, jak słyszałyście, potrafię jeszcze odebrać telefon.

Z pokoju dziewczynek doszedł radosny śmiech – lubiły droczyć się z matką.

Po krótkim namyśle postanowiłam zadzwonić do gminy. W końcu to jego matka.

– Dobry wieczór, mówi Strachecka, czy mogę rozmawiać z mężem? Nie ma go? Tak, rozumiem. Gdyby się jednak pojawił, to proszę mu przekazać, żeby jak najszybciej zadzwonił do domu. Chyba bardzo. Do widzenia.

Prawdę mówiąc, nie byłam zaskoczona, że Maćka nie było tam, gdzie miał być.

Nie to, żebym go sprawdzała, ale ostatnio coraz częściej dowiadywałam się od innych, że spotykano go tam, gdzie nie można go było w zasadzie spotkać. Mimo to odrzucałam wszelkie podszepty, które mogłyby zaburzyć nasze wzajemne relacje. Męża i żony. Śmiać mi się chce. Jest, jak jest, i sama myśl o tym, że układ istniejący między nami mógłby ulec zachwianiu, powodowała, że wpadałam w panikę. A niczego tak nie potrzebowałam jak równowagi. Tak mi się przynajmniej wydawało. Świętego spokoju. Biała sypialnia, białe małżeństwo i wszystko pozostałe bez koloru dookoła. Tak chciałam, tak miało zostać. Nic mnie nie obchodziły jego ewentualne kochanki.

Ponownie usadowiłam się w fotelu, stopy założyłam na kanapę i zaczęłam bezmyślnie kartkować Hani podręcznik od polskiego. W jej wieku byłam znacznie sprytniejsza. Dość długo udawało mi się oszukiwać własną matkę. Nie chciało mi się uważać na lekcjach i tracić czasu na naukę czytania, więc przyswoiłam sobie połowę elementarza na pamięć. Dopiero gdy któregoś wieczoru mama otworzyła elementarz na chybił trafił i poprosiła, żebym przeczytała fragment, wszystko się wydało. Czy kiedykolwiek wyciągnęłam z tego zdarzenia wnioski... Czy nie takimi właśnie znaczonymi kartami chciałam grać...

Zadawałam sobie te pytania wielokrotnie, przekonana, że na niekonsekwencjach innym ludziom trudno będzie mnie przyłapać. Może poza mamą, kiedy jeszcze żyła, i najbliższymi przyjaciółkami, które z dobrodziejstwem inwentarza do dziś akceptują mnie taką, jaką się im sprzedaję. Zresztą nie zdziwiłabym się, gdyby się okazało, że tylko czekają na moment, aż sama opowiem, dlaczego jestem kimś zupełnie innym. Na razie wybierałam drogę, która powodowała, że trudno mi było zapamiętać i łatwo zapomnieć o sprawach i rzeczach niewygodnych. Tak było znacznie prościej, co wcale nie znaczy, że łatwiej.

Prawda, panie redaktorze, że to całkiem zgrabna forma ucieczki i zafałszowania samej siebie?

A tak à propos, to zanim tu weszłam, słyszałam, jak opowiadał pan komuś przez telefon: „Ta kobieta jest taka zorganizowana. Kochający mąż, fantastyczne córki. A tu proszę, tak, masz rację: co chatka to zagadka...".

– Podsłuchiwała pani? – zdziwił się redaktor. – Rozmawiałem o pani ze swoją dziewczyną.

– O wszystkim jej pan mówi?

Redaktor skinął głową.

– Jeszcze o wszystkim... Ale to już pańska sprawa. Nic mi do tego. Całkiem niedawno polubiłam wieczory, zwłaszcza te, które upływały w świetle słabej żarówki. Kiedyś, gdy spoglądałam w okna domów, w których ledwie tliło się światło, odwracałam z niechęcią wzrok, przekonana, że czai się w nich starość i lichy los. Nieoczekiwanie te rozmyte przez odchodzący dzień kontury przedmiotów i brak ich ostentacyjnej namacalności zaczęły przynosić mi ukojenie. Czasami wydawało mi się, że w tym bezpiecznym zawieszeniu, w tej bylejakości mogłabym trwać godzinami. Oczywiście gdyby nie dziewczynki, które prędzej czy później zawsze miały ochotę na coś do zjedzenia, i ich ojciec, który po przekroczeniu progu domu natychmiast włączał na cały regulator telewizor. Bardzo głośno. Że banalne? Rzeczywiście, było w tym coś prostackiego, coś, co nie pasowało do wykształconego chłopaka z dobrego domu, jakim przecież był.

Tym bardziej mnie to irytowało. Tak jak ta jego od lat spadająca na czoło grzywka, która od pewnego czasu kontrastowała z widocznymi już na twarzy bruzdami i śladami odchodzącej w siną dal tak zwanej dużej urody. Wiem, że Maciek nadal podoba się kobietom... Trudno mi to zrozumieć, bo moim zdaniem on tak nieładnie się starzeje. Zwłaszcza w świetle bijącym z ekranu telewizora jego rysy stawały się tak nieznośnie miękkie.

„Żyjemy na odludziu, to trzeba wiedzieć, co się dzieje na świecie" – przekrzykiwał spikera, jakby usprawiedliwiając się przed samym sobą. „Najgorsze, co może się człowiekowi przydarzyć, to niedoinformowanie".

Oglądaj sobie, oglądaj – myślałam z pogardą.

Czasami, gdy byłam w lepszym nastroju, żartowałam, że kiedy któregoś dnia nie zareaguję na jego powrót i nie ukręcę dziewczynkom żółtek z cukrem przed dobranocką, to będzie znaczyło, że już naprawdę jestem stara. Wtedy, żeby nie być gołosłowną, na oczach bliskich rozsypię się w proch.

Nie będzie problemu z pochówkiem.

Wystarczy mały słoiczek po dżemie, kącik na okiennym parapecie.

Maciek odezwał się równocześnie z muzyczną czołówką wiadomości.

– Ewa, słyszałem, że mnie szukałaś. Pojawiłem się na zebraniu parę minut po twoim telefonie.

– Przecież nie pytam, gdzie byłeś, dzwonili ze szkoły. Z twoją matką nie jest najlepiej. Miała kolejny wylew. Nie może dłużej mieszkać sama.

Maciek bez słowa wykręcił numer telefonu sąsiadów matki.

– Dobry wieczór, Strachecki. Jakie rokowania? Jutro do niej przyjadę. Tak, tak. Oczywiście. Do widzenia. – Odłożył słuchawkę. – Co my teraz zrobimy? – zapytał z wyraźnie wyczuwalną w głosie paniką.

– My czy ty, jej syn?

Zapanowało niezręczne milczenie. Nic nie robiło na mnie tak fatalnego wrażenia, jak widok mężczyzny przestraszonego ewentualną odpowiedzialnością. Za cokolwiek i za kogokolwiek. Do tego mężczyzny, który był ojcem moich dzieci. Mój mąż bał się i nie potrafił tego ukryć. Mimo że bardzo się starał. Ale to nie litość spowodowała, że usłyszałam własne słowa:

– Jedź i przywieź ją do siebie.

– Chyba do nas. – Maciek podchwycił propozycję jak koło ratunkowe.

– Jakie to ma znaczenie – odpowiedziałam z kuchni wystarczająco głośno, aby nie miał wątpliwości, że te słowa zostały wypowiedziane. – Jedź i przywieź ją. – Na więcej nie było mnie stać.

– Mamo, co z naszym moglem? – zawołała z pokoju Hania.

– Gotowy, a to znak, że z waszą mamą nie jest jeszcze tak źle.

Znowu zachichotały, co nie przeszkodziło im natychmiast się pokłócić. Fajne są te moje dziewczynki. Nie zdążyłam ukryć twarzy w dłoniach, bo właśnie pojawiły się na progu kuchni.

jest

– Nigdy nie zapomnę dnia jej przyjazdu. Weszła do domu, opierając się na kuli. Nie powiedziała dzień dobry ani pocałujcie mnie w nos. Usiadła na sofie przy oknie. Czyli wszystko po staremu. W milczeniu przyglądałam się naszej nowej lokatorce. Nadal bardzo szczupła, prawie żylasta. Zapięty pod szyję sweter, prosta spódnica. Mimo upływających lat wciąż miała zgrabne nogi, a rysy jej twarzy nie straciły nic ze swej aroganckiej elegancji. Musiała być kiedyś bardzo piękną kobietą. Maciek biegał do samochodu po kolejne bagaże i robił to z zaangażowaniem, które miało usprawiedliwiać jego chwilowy brak zainteresowania matką i jej synową.

Akurat stawiał w przedpokoju pudło z książkami, gdy moja teściowa postanowiła się odezwać.

– Wiem, że nigdy nie będzie mi tu dobrze. Zresztą nie ma już takiego miejsca. W każdym razie ja go nie znam. Szkoda gadać. Nie mam złudzeń, wy też mnie tu nie chcecie, a zwłaszcza ty, Ewo. Zgadzając się na mój przyjazd, robisz na złość mojemu synowi. Tak bardzo go nie znosisz.

Nie zareagowałam na zaczepkę; już wiedziałam, że moje życie nigdy nie będzie takie, jak było. Mimo to najgrzeczniej jak tylko potrafiłam zapytałam, czy usiądzie z nami do kolacji.

– Dlaczego miałabym nie usiąść? – zdziwiła się zaczepnie.

– Może mama jest zmęczona podróżą i chce się położyć? Kanapki mogę przynieść na górę.

– Nie przyjechałam tu po to, aby od razu wyciągnąć nogi.

– Mamo, co też ty opowiadasz – próbował ratować sytuację Maciek.

Poszłam do kuchni przygotować kolację; byłam zaskoczona tym, że ani się specjalnie nie zdenerwowałam, ani nie czułam się urażona. Jest tak, jak miało być. Nic takiego się nie wydarzyło, tak przecież całymi latami zachowywała się matka mojego męża.

W rodzinie uchodziła za wiecznie niezadowoloną megierę. Wszyscy się jej bali, unikali i gdy tylko mogli, schodzili z drogi. Czuli przed nią respekt. A przecież nie miała ani pieniędzy, ani dyplomów w szufladzie, ani kogoś, kto by za nią stał i jej bronił. Była najbardziej hardą osobą, jaką kiedykolwiek spotkałam. Nie chciała z nikim z nas spędzać świąt, wakacji. Odmawiała udziału w rodzinnych uroczystościach. Zgorzkniała i wiecznie podenerwowana – najbardziej tym, że nie jest już tak sprawna, jak dawniej. Wdowieństwo położyło na niej wyraźne piętno i nawet widok świergoczących wnuczek rzadko wywoływał na jej twarzy uśmiech. Kiedy zdarzało się, że bywała w lepszej formie, robiła wszystko, żebyśmy nie zauważyli, że mimo wszystko trzęsie się jej głowa i drżą ręce, gdy nalewa herbatę. Dyskretnie odwracaliśmy wzrok. A może nie trzeba było. Czemu mieliśmy jej współczuć? W sumie miała szczęście i zawsze mogła liczyć na naszą delikatność. No i dobre wychowanie.

Do niedawna podczas incydentalnych odwiedzin większość czasu spędzała w swoim pokoju. Najczęściej naprzeciwko okna, z którego widać było rozpadające się drzwi starej szopy. Gdy się ściemniało, wołała Maćka i trącała go palcem albo poszturchiwała laską, a on posłusznie odwracał jej fotel tyłem do okna. Nie chciała już patrzeć na rozpadającą się szopę. I tak zastygała w fotelu na kolejną godzinę, tym razem wpatrzona w któryś z kątów pokoju. Zachęcana, by może zeszła na dół i obejrzała z nami coś w telewizji, jakiś dobry film czy wiadomości, niezmiennie odpowiadała: „To pewnie znowu o życiu, czyli o niczym. Nie schodzę. Dajcie mi spokój".

Nie była na naszym ślubie, nie odpowiadała na świąteczne kartki i nie pamiętała o urodzinach wnuczek. Fizycznie nie istniała w naszej codzienności, a jednak była w niej stale obecna. Świadomość, że jest ktoś, kto nas aż tak nie akceptuje mimo więzów krwi, robiła swoje. W sypialni też. Biała namiętność, czyli związek bez namiętności. Wymodlony święty spokój.

Od kiedy ją znałam, miała cerę cienką jak pergamin – z czasem coraz widoczniej pokrytą drobniusieńkimi zmarszczkami – krótko obcięte paznokcie i wiecznie zaciśnięte pięści. Do Maćka zwracała się bezosobowo, bardzo rzadko po imieniu. W stosunku do siebie nie życzyła sobie jakichkolwiek zdrobnień. Gdy czasami wyrwało mu się zakazane słówko „mamusiu", bladł, jakby przyłapała go na przewinieniu nie do wybaczenia. Nie ułatwiała mu wówczas sprawy, bezlitośnie drwiąc: „Jestem twoją matką, a nie mamusią. Tylko matką. Nie zapominaj o tym".

Pamiętam, że w pierwszych latach naszego małżeństwa trudno mi się było z tym pogodzić. Starałam się go uspokajać i tłumaczyć, że przecież matka kocha go równie mocno jak inni rodzice swoje dzieci. Tylko że nie potrafi okazać mu uczuć. W końcu rzecz w czynach, a nie w słowach. Chociaż o czynach w jej wypadku też nie mogło być mowy. Nawet jeśli zawdzięczał jej magisterium na Akademii Rolniczej.

Reagował zniecierpliwieniem i przekonywał, że nie jest już małym chłopcem i że nic go ani ona, ani jej zachowanie nie obchodzi. Był wówczas bardzo do niej podobny, mimo że za skarby świata by się do tego nie przyznał. „Mów, co chcesz, ale to wszystko jest chore" – rzucał w moim kierunku i wychodził, trzaskając drzwiami. Trzeba przyznać, że robił to delikatnie. W naszej miłości gromy i pioruny powoli zamieniały się w ledwie ciepłą zupkę, której nikomu z nas najwyraźniej nie chciało się już podgrzewać. „Nie chcę tego słuchać" – kończył większość naszych sporów. Tak, masz rację, mówiłam, ale zazwyczaj już mnie nie słyszał. Co gorsza, wcale mnie to nie obchodziło. Tylko czemu tak szybko?

– Ewa, czy ty nigdy nie zapamiętasz, że nie znoszę szklarniowych pomidorów? – Powiedziała to takim tonem, że wszystkim przy stole zrobiło się nieswojo na widok czerwonych plasterków przygwożdżonych jej widelcem. – Nie znoszę ich.

– Mają działanie antyrakowe, dużo witamin i mało kalorii – burknął Maciek.

– Gówno mnie to obchodzi.

– Babciu, jak ty mówisz – wyrwało się Agacie.

– Milczeć! – wysyczała.

Dziewczynki rozpłakały się. Nie zrobiło to na niej wrażenia. Kroiła grube plastry świeżego ogórka i w ogóle na nas nie patrząc, kontynuowała:

– Wcale się tu nie pchałam. Jeszcze pożałujecie, że mnie tu przywieźliście.

Wieczorem, tuż przed zaśnięciem, Maciek zaczął mnie przekonywać, żeby jak najszybciej odesłać matkę z powrotem.

– Jak możesz coś takiego proponować? – zdziwiłam się. – Przecież to twoja matka.

– To wariatka, nic dziwnego, że nikt z nią nie mógł wytrzymać. Ani mój ojciec, ani nikt inny.

– Ale ty chyba masz wobec niej dług do spłacenia?

– Nie wygłupiaj się, to chora osoba. Moje córki się jej boją.

– Tak, to prawda, twoje dzieci się jej boją. Tak jak ich ojciec.

– Ewa, czemu jeszcze utrudniasz całą sytuację, czemu nie chcesz nam pomóc?

– Nam, to znaczy komu? Tobie, jej synowi, który wychodzi bladym świtem i wraca na dziennik? Czy dziewczynkom, które dotąd nie miały okazji poznać złożonej osobowości ukochanej babci?

– A sobie nie chcesz rozwiązać rąk? – nie dawał za wygraną Maciek.

Tak idiotycznie wyglądał w tej piżamie. Pasek przy pasku i te granatowe guziczki.

– Sobie? Jeszcze do ciebie nie dotarło, że jedyną osobą w tym domu, która będzie z nią od rana do nocy, jestem właśnie ja? Masz rację, wychodzi na to, że nie chcę sobie pomóc. Twoja matka zostaje.

...

Tego ranka wstałam nieco później. Marek zawiózł dziewczynki do szkoły, a teściowa miała kontrolne badania. W domu panowała cisza.

Opatulona szlafrokiem, popijałam herbatę z najbardziej w całym kredensie poobijanej filiżanki i patrzyłam na resztki lodowych sopli zwisające z rynny. Są jak zamrożone uczucia skazane na unicestwienie przy najmniejszej próbie ich ocieplenia – pomyślałam. Pierwsze słońce i po nich. Pająk spacerował po parapecie, na którym leżała obwoluta kasety z filmem o Fridzie Kahlo. Oglądałyśmy go poprzedniego wieczoru. Właściwie ja sama, bo teściowa jak zwykle patrzyła gdzieś przed siebie. Czuła się jednak na tyle dobrze, że została na dole dłużej. Sprawiała wrażenie w miarę zadowolonej.

Film jak film, ale było w nim kilka scen, które wywołały we mnie poczucie straszliwego żalu i tęsknoty. Zwłaszcza ta, w której kochanek malarki zakłada na jej szyję korale. Poczułam ssanie w żołądku. Boże, przecież ja nie znam takiego dotyku męskich dłoni. Nikt w ten sposób nie gładził mojej szyi. To, że nie jestem Salmą Hayek, nie wydawało mi się żadnym wytłumaczeniem. Przepełniła mnie zazdrość o te wszystkie kobiety, których mężczyźni doskonale znali ich ciała. Namiętność, pożądanie. Jak to smakuje? Po moich policzkach popłynęły ciurkiem łzy. Dyskretnie, tak jak to było możliwe w takiej sytuacji.

Nagle usłyszałam jej głos:

– Dlaczego wyszłaś za mojego syna? Jeśli z rozsądku, to ci współczuję. Wydawałaś mi się bystrzejsza.

Zaskoczona, zbierałam myśli; nie miałam pojęcia, co mogłabym jej powiedzieć. Prawdę? Ale jaką prawdę? Mimo wszystko było w jej pytaniu coś, co powodowało, że nie chciałam jej dotknąć. Sprawić przykrości. Ja chyba rzeczywiście jestem idiotką. Czy dlatego nie mogłam jej powiedzieć: Tak, masz rację, mamo, chyba nigdy nie kochałam twego syna i być może dlatego i on mnie nigdy nie pokochał?

Nie powiedziałam nic. Taki ze mnie tchórz.

Nie czekała na odpowiedź. Zostałam w pokoju sama. Jak zwykle.

Nic nie zapowiadało, że to popołudnie będzie inne od pozostałych. Czekałam na jej powrót z ośrodka, gotowa, żeby zapytać, co będzie jadła na obiad. Skazana na porażkę każdej propozycji. Czekałam, patrząc od czasu do czasu na zegarek. Wreszcie przyjechali. Maciek podprowadził ją do drzwi i natychmiast odjechał. Pewnie na kolejne spotkanie miejscowych plantatorów truskawek. Poczułam ulgę.

– Jak tam badania, co powiedział doktor? – zapytałam.

– Nic takiego, tylko tyle, że niedługo umrę.

Wyprzedzając sprzeciw z mojej strony, położyła mi dłoń na ustach.

– Ewa, tylko ty wiesz, że to koniec, i proszę, traktuj to jako swego rodzaju wyróżnienie z mojej strony. Nie mam w tobie synowej, w Maćku syna, więc postanowiłam, że będziesz moją córką. Niewiele zostało nam czasu.

– Ale ja już miałam mamę – wyrwało mi się cholernie niepotrzebnie. Zrobiło mi się wstyd.

Pominęła to milczeniem.

– Co będziemy jadły, bo nie ukrywam, że jestem bardzo głodna? – zawołała tonem, jakiego dotąd u niej nie znałam.

– Przepraszam, mówisz poważnie?

– A jest coś niepoważnego w głodnej staruszce?

Roześmiałyśmy się, chociaż już po chwili ja zaczęłam płakać.

– Widzę, że bardzo ucieszyła cię wiadomość o nowej mamusi. Ewa, nie wygłupiaj się, ja nie mam czasu na nastroje. Muszę się pospieszyć, a ty musisz mi w tym pomóc.

– W czym?

– W odejściu. W rozgrzeszeniu. Nie potrafię przebaczyć.

Jadłyśmy w milczeniu. Było cicho i tak spokojnie.

– Ale szklarniowych pomidorów to do końca życia nie będę jadła! – Pogroziła mi żartobliwie palcem. Znowu wybuchnęłyśmy śmiechem. Poszłam zrobić herbatę.

Mieszałyśmy ją, głośno postukując łyżeczkami o dno szklanek. Rozmawiałyśmy o wielu istotnych i zupełnie nieważnych sprawach. Nie chciała słuchać o wnuczkach i ich szczepieniach. O Maćku też nie było mowy. Nie znosiłam jej, dlaczego więc właśnie teraz zaczynała dla mnie tyle znaczyć? Matki zastępczej też nie potrzebowałam, bo swoją kochałam jak mało kogo na świecie. W pewnej chwili przesunęła w moim kierunku kawałek złożonego papieru, który dotąd leżał obok talerzyka z resztkami chleba.

– Nie czytaj teraz... a tak w ogóle, to mów mi po imieniu, Ewo.

– Dobrze, Zosiu – usłyszałam swój mimo wszystko nienaturalnie brzmiący głos. Mam mówić do niej po imieniu?

Zamknęłam się w przykuchennej spiżarce i między puszkami z suszonymi i słoikami z marynowanymi grzybami, powoli, z bijącym sercem odczytywałam drobne, pochylone litery.

Na tej stronie pisze wyłącznie jeniec wojenny! Pisać ołówkiem wyraźnie i nad liniami! – głosił nadruk na zszarzałym arkuszu papieru.

26.2.41

Drodzy Państwo! Ani na chwilę przypuszczam, ale moja prośba z jaką się zwracam była specjalną niespodzianką lub zaskoczeniem Państwa w wydaniu odpowiedniej decyzji. Przyznaję, że sposób podejścia, jak w czasie tak i w załatwieniu przeze mnie jest dość oryginalny, co proszę mi wybaczyć i złożyć na kark mojej sytuacji. Otóż mam wszelkie prawa i miły obowiązek zakomunikowania Państwu, że ko-

cham Zofię, że my się kochamy i mamy szczery zamiar pobrania się choćby zaraz o ile uzyskamy zrozumiałą zgodę i aprobatę Państwa. Ze swej strony nadmienić pragnę, że Zofia jest dla mnie zespoleniem wszelkich najlepszych i świętych intencji na dziś i przyszłość, która mocno w to wierzę będzie dla nas łaskawszą i szczęśliwszą. Zofia to jedno z wielkich ewenementów szczęścia o jakich wolno mi marzyć i do Nich z utęsknieniem wzdychać, to jedyna moja Radość, jakiej mi oszczędzono w chwilach szeregu ciężkich i smutnych przeżyć i jakiej nikt mi nie potrafi wydrzeć! Również i dla niej pragnę być wszystkim, cieszyć się Jej radością, podzielać smutki; chcę aby mi zaufała i wierzyła, aby nigdy nie zawiodła ani żałowała, pragnę Jej szczęścia jak swego!!!

Chciałbym sobie również zaskarbić zaufanie Państwa jak najdalej idące i stać się godnym członkiem Rodziny. Wszelkie zrozumiałe względy różnych natur nie odgrywają różnej roli, lub trzeciorzędną: dziś poza ochotą do pracy i chwilą uporządkowania się stosunków, nie posiadam nic, a najlepsze myśli i intencje wraz z tem, co czuję należą do Zofii. Za szczery sąd i takąż odpowiedź z góry dziękuję i proszę przyjąć wyrazy głębokiego szacunku i poważania

szczerze oddany Tadeusz

Rany boskie, dlaczego nikt nigdy nie używał wobec mnie takich słów? Kim jest Tadeusz, jeśli nie jest ojcem Maćka?

Przez parę następnych dni w ogóle nie rozmawiałyśmy o tym, co zapisane zostało na tej kartce papieru. Zżerała mnie ciekawość, ale wiedziałam, że to ja muszę czekać na inicjatywę Zofii. Na razie nic nie wskazywało na to, żeby nieodgadnione miało się szybko wyjaśnić. Zwłaszcza że teściowa całe godziny spędzała w sypialni. Czuła się źle.

– Zosiu, może przynieść ci coś do pokoju? – wołałam z dołu, upewniwszy się wcześniej, że Maćka i dziewczynek nie ma już w domu. Obiecałam, że nigdy się nie dowiedzą, że byłyśmy po imieniu.

Wreszcie się doczekałam.

– Chodź na górę, chcę ci powiedzieć, że tego mężczyznę prawdziwie kochałam – usłyszałam jej wołanie. Wbiegłam po schodach.

– Tadeusza? – zapytałam.

– Tadeusz ponownie pojawił się w moim życiu, gdy ojciec Maćka nie widział już we mnie kobiety, a przecież byłam jeszcze taka młoda. Atrakcyjna. Miałam wąskie biodra, nosiłam opięte spódnice i pragnęłam czuć na sobie ręce mężczyzny. Pierwszy raz spotkałam go tuż przed wojną, a potem długo po niej. Zobaczyłam po latach na zjeździe esperantystów w Belgradzie. Gdy na mnie popatrzył, poczułam jego dłonie na szyi i wówczas to ja byłam Fridą Kahlo. Jak się okazuje, nawet o tym nie wiedząc. Rozmawialiśmy całymi godzinami o tym, jak to się stało, że przez tyle lat nie udało się nam odnaleźć. Dlaczego mnie nie szukał? Czemu nie odpowiedział z obozu na zgodę moich rodziców na nasz ślub? Przecież się zgodzili. Odpowiedział, szukał; tuż po wojnie trafił pod moje drzwi. Nie byłam już jednak sama. Minęły cztery lata, byłam z ojcem Maćka. Dlaczego na mnie nie czekałaś? – powtarzał co jakiś czas Tadeusz.

Nie dawałeś znaku życia, byłam przekonana, że nie żyjesz i że byłbyś nieszczęśliwy, gdybym nie ułożyła sobie życia. Kiedy rodził się mój syn, wydawało mi się, że przychodzi na świat dla ciebie. I że nawet jeśli nie żyjesz, to ty jesteś jego ojcem. Ale teraz wszystko już będzie inaczej. Moje małżeństwo jest farsą. Maciek jest prawie dorosły, zrozumie. Rozwiodę się. Będziemy szczęśliwi...

Zaklinałam przyszłość.

Maciek jednak nic nie zrozumiał. Chciał mieć ojca i matkę. Przecież twój ojciec już mnie nie kocha – błagałam.

Nic mnie to nie obchodzi, to ty masz go kochać, mamusiu – powtarzał beznamiętnie. – Moja matka nie będzie dziwką, moja matka ma pilnować domowego ogniska. Jeśli odejdziesz do innego, stracisz syna.

Nie uwierzysz, Ewo, ale dałam za wygraną. Nie odeszłam.

Za to wkrótce ojciec Maćka odszedł do innej kobiety. Nie tłumaczył się. Po prostu nie chciał ze mną być.

– A Tadeusz? – zapytałam.

– Nigdy nie wybaczył mi, że opuściłam go po raz drugi. Jak mógłby...

– A Maciek?

– Zrozumiałam, ale nie wybaczyłam. Przestał być dla mnie moim ukochanym synem, choć jak pewnie zauważyłaś, dziś trudno mu się z tym pogodzić.

– Mamo, muszę ci coś powiedzieć – zaczęłam. – Nie chcę być z Maćkiem.

Nie mogłam uwierzyć, że nareszcie wypowiedziałam te słowa. Odczarowałam zaczarowane.

– Cicho, dziecko, nie bój się, nie będę zła. Doskonale cię rozumiem.

– Rozumiesz?

– Tak. Nie wiem, co stanie się z twoim i dziewczynek życiem, ale nie akceptuj tego, które dziś masz. Zamiast cieszyć się, że jesteś taka, jaka jesteś, zamiast marzyć, ty ciągle robisz te swoje marynaty z grzybów. To takie beznadziejne.

– Ale wiesz, mamo, kiedy je robię, a potem kładę przed nim na talerzu, to wydaje mi się, że truję własnego męża. Twego syna.

– Właśnie tego wielokrotnego morderstwa bez konsekwencji nie mogę sobie darować. To dla mnie znacznie łatwiejsze niż podjęcie decyzji o odejściu.

Tuż po śmierci Zosi wysłałam do pana list. Nie wiem, czy pan pamięta, ale zaczynał się mniej więcej tak: Szanowny panie redaktorze, kilka razy w miesiącu morduję męża. On nadal żyje, a ja jestem morderczynią bez krwi na rękach. Na razie na tyle tylko mnie stać. Prawdę mówiąc, nie muszę się rozwodzić, bo w jakimś sensie weszłam w skórę jego matki. Wystarczy, że kiedy jestem sama, zakładam jedwabne pończochy i czuję się kobietą. Moja teściowa zamówiła je dla mnie w jakimś katalogu tuż przed swoją śmiercią. Przyszły dwa kartony. Zastanawiam się tylko, czy jeszcze kiedyś czyjeś ręce dotkną mojej szyi. Koniec opowieści, panie redaktorze.

– W ostatniej linijce, którą do pana napisałam, zapytałam, czy dostanę rozgrzeszenie. Dziś pytam o to samo.

Redaktor odjechał. Kiedy pocałował ją na pożegnanie w rękę, końcem języka dotknął wewnętrznej strony jej dłoni. Obrzydliwe.

...będzie

Po paru tygodniach Maciek przyniósł do domu ulubiony miesięcznik Ewy. Spis treści. Strona dziewięćdziesiąta czwarta. Jest. „Ewenement szczęścia, czyli o morderstwie, którego nie było". Ewa poszła na górę, do pokoju matki Maćka. Usiadła na starannie pościelonym łóżku Zofii, oparła głowę o poduszki, popatrzyła z przyjemnością na swoje nogi w jedwabnych pończochach i zaczęła marzyć. Dla siebie i dla Zofii.

Grażyna Bąkiewicz

TUNEL

Było nieco po dziesiątej, jak zadzwonił Szymon. Nie powinienem w ogóle podnosić słuchawki, bo moja obecność w domu w piątkowy wieczór mogłaby mu zasugerować, że z moim życiem towarzyskim, więc pośrednio i ze mną, jest coś nie tak. O tej porze powinienem być na jakiejś imprezie, pić piwo i rozglądać się za ładną panienką, z którą mógłbym spędzić resztę czasu do rana.

Tak naprawdę czekałem na telefon od jednej takiej, ale to czekanie trwało już tydzień i było raczej wątpliwe, by zadzwoniła akurat dzisiaj.

Po siódmym sygnale odbieram. Skoro jest taki uparty, może brakuje mu czwartego do brydża albo ma jakąś inną porywającą propozycję na dzisiejszą noc. A jeśli nie, to chociaż może chce pogadać. Nie widzieliśmy się jakiś czas, a zdarzyło się sporo różności, jakkolwiek nic szczególnie ważnego.

– Masz chwilę? – jęknął w słuchawkę.

– Mam cały wieczór.

– Nie zapytam dlaczego, bo jest mi to na rękę. Mam dla ciebie robotę na tydzień albo dwa. – Słyszę nie tylko jego głos, ale i jakieś chichy w tle. – Załatwiłem parę zleceń, ale nie mogę ich zrealizować, bo muszę wyjechać. Podziękujesz mi, jak wrócę.

I tyle.

Podał jeszcze adres, gdzie mam się jutro zgłosić. Redakcja jakiejś gazety. Więcej nie powiedział, bo ktoś odebrał mu słuchawkę, powiedział: „No to cześć" i się rozłączył. Czekałem jeszcze chwilę na informacje uzupełniające, ale nic takiego nie nastąpiło.

– Dobra, może być – mówię do siebie. – Grosz się przyda.

Chodzi pewnie o rozdawanie ulotek, rozwożenie gazet albo coś w tym stylu. Szymon dorywczo pracuje w gazecie. Nie takiej przez G, ale zwykłej reklamówce. Z tego co kiedyś mówił, wynikało, że jest tam paru chłopaków – jeden do przyjmowania reklam, drugi do szukania tematów, jakie można by zamieścić między reklamami, trzeci zbiera wszystko do kupy i robi gazetkę, którą trzeba wydrukować i roznieść po mieście, to znaczy wetknąć do rąk przechodniom, kierowcom na skrzyżowaniach, pasażerom autobusów zatrzymujących się na przystankach. Dystrybucja w naszych czasach to istota rzeczy. Trudno nazwać to wymarzoną pracą, ale w desperacji trzeba się chwytać wszystkiego, co się nawinie. Opierając się na założeniu, że cień nadciągającej fortuny lepszy jest od pustki w kieszeni, uznaję, że w sumie to uśmiech losu.

Jestem kompletnie pozbawiony grosza, a tu środek wakacji. Myślałem, że wycyganię trochę od matki, ale się nie udało. Ostatnio zrobiła się dla mnie jakaś nieczuła. Płaci czynsz i daje na chleb, ale bez przerwy marudzi, że jestem już dużym chłopcem i na resztę mogę sam zarobić, bo nie mam na uczelni aż tak wielu zajęć, żebym czuł się przemęczony. A już w wakacje czasu jest ponad miarę... I dalej w tym samym stylu.

Ma rację.

Ale prawdą jest też, że gdybym miał wybór, to wziąłbym się za coś bardziej konkretnego, coś co dałoby mi szansę zaczepienia się na dłużej, a nie tylko w zastępstwie na tydzień. Cóż, propozycje jakoś się nie sypią. Bez forsy jestem dla panienek prawie niewidzialny, a już Jolka nie zauważa mnie zupełnie. Chciałbym zarobić chociaż tyle, żeby dostać się nad morze i zobaczyć, jak spędza czas z tym dupkiem, jak się ze sobą prowadzają, jak całują, w czym, poza forsą, jest lepszy ode mnie.

Można powiedzieć, że Szymek zjawił się ze swoją propozycją w krytycznej dla mnie chwili. Z dychą w kieszeni i tak nigdzie się nie wybieram.

Sobota. Redakcja. Strażnik na dole. Kabura przy pasku. Fajna fucha, sam bym tak chciał.

Do kogo, pyta.

Wyciągam kartkę z kieszeni i sylabizuję. On telefon do łapy i dzwoni, a potem każe przejść przez bramkę i zgłosić się w pokoju 102. Dobra. Jak na razie normalnie, tak jak wszędzie. Potem z reguły też jest według schematu. Gdy dotrę do wskazanego pokoju, powiedzą, że się spóźniłem, że żadnej roboty nie ma, że trzeba było wcześniej wstać, krótko mówiąc, sp...

– No, jesteś. – Jakiś rudy z dredami kiwnął mi głową. Na ekranie komputera widzę Kolumbusa. Znam tę grę. Przeszedłem przez wszystkie poziomy.

– Jestem – mówię, no bo taka jest prawda. Jestem.

– Znasz się trochę na tym? – pyta, a ja kiwam głową, bo myślę, że chodzi o grę. Zauważył moje spojrzenie i odwrócił ekran.

– A masz czym jeździć?

– Mam motor.

– No to bierz adres i jedź. Popatrz, co się tam będzie działo. Potem napisz z dziesięć zdań, więcej nie trzeba. Dasz radę?

No, nie wiem.

Przez kilka sekund milczę i on znów jest zmuszony oderwać oczy od gry.

– Jesteś od Szymona, tak? – upewnia się.

– Tak, ale odniosłem wrażenie, że chodzi o inną robotę, bardziej fizyczną, ale czemu nie, mogę spróbować – mówię pospiesznie, a widząc, że nie radzi sobie z trzecim poziomem, dodaję już pewniejszym głosem: – Trzeba zrobić podkop pod wzgórzem.

Zabrał się do tego od razu, a ja udzieliłem mu jeszcze kilku wskazówek, żeby wiedział, jak to zrobić. Po chwili zaskoczył.

– Dzięki. To nic trudnego. Pisałeś w szkole wypracowania? Pisałeś. Zrobisz mniej więcej to samo, tyle że twoja pisanina tym razem pójdzie drukiem i ktoś to przeczyta, zanim zabierze się do reklam. Podobno robisz fajne zdjęcia, więc trzy czwarte strony zajmie obrazek. I nie marudź, bo nie mam czasu szukać kogoś innego. Normalnie robi to Szymon, ale go przypiliło i przez tydzień, dwa, póki nie wróci, będziesz reporterem. Masz tu listę miejsc, gdzie trzeba pojechać, zobaczyć, co tam mają, pstryknąć zdjęcie, napisać kilka zdań. Za każdą notkę, którą zaakceptuję, dostaniesz stówę. Jak się ukaże drukiem, dostaniesz drugą. Gra?

Wizja pojawiających się znikąd stówek rozwiała moje wątpliwości.

– Pewnie.

– Szymon na dzisiaj miał umówione spotkanie z hodowcami świń. Pojedziesz na wieś na wystawę. Za jakieś cztery godziny chcę mieć dziesięć zdań i trzy dobre zdjęcia. Na wszelki wypadek zrób więcej, żeby było z czego wybrać. Nie nawal.

– Spoko.

Pomyślałem o matce. Jak jej powiem, że jestem dziennikarzem, pęknie z dumy. Pochwali się wszystkim sąsiadkom. Może i Jolce zaimponuje taka fucha. Któregoś dnia wezmę ją na motor i pojedziemy na wywiad. Ale czad!

Ciągle oszołomiony, bo nie wiem, czy sobie poradzę, jadę na wieś. Żwir pryska spod kół, ciepło, słońce, lekki wiatr, pogoda w sam raz na wycieczkę. Liście jeszcze nie zmatowiałe od spalin lśnią jak pomalowane intensywnie zieloną farbą.

Jakiś czas droga prowadziła wzdłuż linii kolejowej, ale potem tory skręciły w lewo, a teren zaczął się wznosić. Przez kilka kilometrów ciągnął się wysoki nasyp, ale i on zniknął w lesie, a potem na wprost mnie wyrosło wzgórze. Okrążam je łagodnym łukiem. Po prawej mam las, na horyzoncie srebrzy się jezioro. Wiatr wieje w twarz. Cieszę się, że tu jestem.

Las, wzgórze, jezioro, nasyp... Jest w tym coś znajomego. Wyszukiwarka pamięci podsuwa kolejne znaki... tunel, szyb wentylacyjny... Wciąż jadąc łukiem wokół wzgórza, mimowolnie cofam się myślami do drewnianego domu z widokiem na jezioro, do lata zagubionego gdzieś między komunią a końcem podstawówki.

Po wyjściu z zakrętu wypatrzyłem podwójny, zrośnięty jesion, i już wiem. Wakacje sprzed kilkunastu lat. Byłem wtedy jeszcze gnojkiem. Czasy, gdy lato spędzało się z rodzicami.

Gdzieś tutaj był tunel... długi na kilka kilometrów... przebity przez wzgórze, podobno jeszcze przed wojną. Pewnie jest i teraz. Chyba że się zawalił.

Przyhamowałem.

Napięcie związane z pierwszym reporterskim zadaniem ulotniło się. Mam jeszcze trochę czasu. Postanawiam chwilę odpocząć, a przy okazji rozejrzeć się i sprawdzić, czy pamięć nie spłatała mi figla. Czy to rzeczywiście tutaj.

Skręcam w leśny dukt i jadę tak daleko, jak się tylko da, potem zostawiam motor w krzakach i dalej idę pieszo. To nie może być daleko, w każdym razie nie ma możliwości, że zabłądzę. Dobrze pamiętam te miejsca. Zagłębiam się w las. Zarośla są tu wysokie do piersi. Tam na zewnątrz słońce grzało już dość mocno, ale tutaj przygruntowa mgła, podobna do smug dymu, nadal jest widoczna. Biorę głęboki oddech. Ziemia, trawa, sosny, żywica. Zapachy są tym, co najbardziej przypomina mi tamto lato.

Po kilku minutach marszu trafiam na wlot do tunelu. Gdybym nie wiedział, że tu jest, nigdy bym się nie domyślił. Chwasty rozrosły się naprawdę bujnie, zachęcone towarzystwem stert śmieci i zardzewiałych garnków, puszek po konserwach, połamanych krzeseł, popękanych kafli i tym podobnych rzeczy. Już wtedy, kilkanaście lat temu, wejście było zamurowane i zasypane gruzem. Teraz krzaki zarosły je całkowicie. Nikt tu nie zaglądał od lat.

Tunel biegnie podobno na wylot przez wzgórze. W planach miała tędy iść linia kolejowa, ale coś tam podczas budowy zawiodło i ostatecznie go nie skończono. W czasie wojny Niemcy przejęli go na własne potrzeby. Wjeżdżały tam całe pociągi. Te ostatnie ponoć nigdy nie wyjechały. Opowiadali nam o tym gospodarze, u których wynajmowaliśmy pokój. Wtedy po szynach nie było już śladu, ale gdzieniegdzie pod grubą warstwą ściółki można było dokopać się do przegniłych podkładów.

Nasyp zarośnięty przez krzaki i drzewa ciągnie się do samego wzgórza. Chwytając się gałęzi, gramolę się na górę. Uff, marniutko z moją kondycją. Dysząc, przypominam sobie o ciągłym zmęczeniu, które towarzyszyło mi tamtego lata. Zapomniałem o nim, a teraz wróciło ze zdwojoną siłą. Czuję się, niemal w dosłownym znaczeniu tych wyrazów, jak wypluty.

Zerkam na zegarek, czasu jest jeszcze sporo. Ruszam wzdłuż nasypu. Skoro już tu jestem...

Dawniej co kilkaset metrów znajdowały się szyby wentylacyjne. Każdy o średnicy więcej niż metra, z kamiennymi ścianami ciągnącymi się w głąb, aż do tunelu. Służyły do odprowadzania dymu z przejeżdżających pociągów. W pierwotnej wersji zabezpieczone były kratami. Potem nakryto je betonowymi płytami i zasypano ziemią. Roślinność szybko ukryła je przed wzrokiem niewtajemniczonych. Ale tamtego lata jeden z szybów był odsłonięty. Pęknięta płyta pokruszyła się, jej fragmenty spadły w głąb i odsłoniły spory fragment dziury. Niżej była jeszcze krata, wystarczająco solidna, by można było na niej stanąć albo, w chwili wyjątkowej odwagi, nawet usiąść na prętach i spuścić nogi w dół. Ryzyko było spore, ale i przyjemność proporcjonalna.

Siadaliśmy tam, udając przed sobą, że na myśl nam nie przyszło, iż przerdzewiałe żelastwo może się zerwać. Paliliśmy papierosy, a niedopałki wrzucaliśmy do dziury, obserwując z paraliżującym uczuciem trwogi, jak spadają i spadają.

Pamiętam, że najbliższy szyb znajdował się na wprost zrośniętych ze sobą jesionów. Jest. To tutaj. W chwili gdy go umiejscowiłem, doznałem nagle bardzo dziwnego uczucia silnego napięcia, pochodzącego jakby spod ziemi. Czaszkę wypełnia mi całkowita próżnia, aż gwiżdże w uszach, a potem słyszę jeszcze coś. Mógłbym przysiąc, że to krzyk odbijający się od ściany lasu. Ciekawe, czy fale dźwiękowe zanikają po jakimś czasie, czy ciągle odbijają się od drzew i będą się tak odbijać przez całą wieczność.

Ocknąłem się. Co ja tu robię?

Przez parę sekund zupełnie nie wiem, jak się tu znalazłem i co mam do zrobienia. Muszę się mocno skupić, żeby uzmysłowić sobie, ile czasu minęło. Jestem kilkanaście lat starszy i przyjechałem tu w roli reportera na wystawę trzody chlewnej. Będę robił świniom zdjęcia i pisał o nich wypracowanie. I tego powinienem się trzymać.

Schodzę na dół i wciągam głęboko powietrze. Nawet nie zdawałem sobie sprawy, że tam na górze cały czas podświadomie wstrzymywałem oddech. Spoglądam na zegarek i biegiem ruszam w stronę pozostawionego w krzakach motoru. Tamtego lata zdarzyło się coś, o czym nigdy później nie myślałem. Przyspieszam kroku, by jak najszybciej opuścić to miejsce. Wypycham motor na drogę i gnam na wystawę świń. Serce wali mi jak oszalałe przez całą drogę. Mijam wieś i jezioro. Z prawej strony rozorana ziemia wskazuje na teren budowy. Nic mnie to nie obchodzi. Chcę stąd zwiać.

Właściciel hodowli już na mnie czekał. Oprowadził po oborach. Maszerowałem wśród obezwładniających zapachów, oglądając zagrody z wystawionymi na pokaz wieprzami. Wszędzie pełno było ludzi, a wszyscy przyglądali mi się z wyraźnym zainteresowaniem. Czułem się ważny. Byłem gwiazdą. Miałem fajną pracę. Gawędziliśmy z wystawcami przez bitą godzinę. Ja pytałem, oni odpowiadali, ja pstrykałem fotki, oni wskazywali obiekty godne utrwalenia.

Robię to wszystko, ale zamiast skupić się na przyjemnościach wynikających z roli, jaką tu odgrywam, cały czas myślę o tamtym lecie. Mózg działa dwutorowo. Tu pytanie i notatka, a tam słońce, woda, gałęzie, odciski na dłoniach. Sądząc po wysiłku, który pamiętam, musieliśmy coś budować. Nie pamiętam co, ale pracowaliśmy z dziką zajadłością, jakby od efektu naszych działań zależała reszta życia. Dni i noce mieszały się ze sobą tak, że nie mogłem przypomnieć sobie z absolutną pewnością, jak długo to trwało. Wiedziałem jedynie, że przez pewien nieokreślony czas nieustannie bolały mnie ręce i niemal stale byłem głodny. Gdy wracałem do domu, zjadałem tyle, że mama przyglądała mi się z niepokojem. Głód, ból ramion i odciski na dłoniach należą do najwyraźniejszych wspomnień z tamtego życia, a także ziąb, przenikający z głębi tunelu, i osobliwe, fizyczne uczucie otępienia, zrodzone z determinacji, a może jedynie z ciągłego przebywania na powietrzu.

Kiedy skończyły mi się pytania, a każda świnia miała portret, stało się jasne, że moja rola dobiegła końca. Musiałem wracać.

Zdumiewające, jak szybko mija czas, gdy ma się coś konkretnego do zrobienia. Fajna sprawa mieć cel w życiu. Zatrzymałem się w jakimś zajeździe i popijając colę, sklęciłem ze swoich notatek coś, co w miarę trzymało się kupy. Pojechałem z tym do redakcji. Rudemu dredziarzowi się spodobało. Poprawił trochę styl, dodał jakieś zdanie w środku, żeby było zabawniej, i dobra.

– Masz talent, chłopie – powiedział i dał stówę. Byłem taki zadowolony, że pokazałem mu jeszcze jedno przejście, którym można ominąć całą armię przeciwnika. W rewanżu wręczył mi listę z adresami i terminami na następny tydzień.

Czułem się bogaty. Miałem kupę forsy. Mogłem wstąpić do pubu.

Zaraz przy wejściu dziewczyny w markowych ciuchach obrzuciły mnie taksującymi spojrzeniami. Mina milionera nie na wiele się zdała. Żadna z tych lal nie potrzebowała więcej niż kilka sekund, by odczytać kody kreskowe na moich majtkach. Stówa nie mogła im zaimponować. Nie przyszły tu dla zabawy, ale po to, żeby dobrze się sprzedać. Nie byłem dobrym kupcem.

W głębi sali zauważyłem paru kumpli. Ku mojej uldze nie było Jolki i jej amanta. Była za to Magda z Michałem. Od miesiąca wisiałem Magdzie parę złotych. Równą stówę. Sama mi pożyczyła. Nawet specjalnie wtedy nie nalegałem. Zrobiłem tylko zbolałą minę, a ona otworzyła torebkę i nie przerywając rozmowy z kim tam wtedy rozmawiała, wcisnęła mi banknot. Pewnie nawet nie pamięta, że mi ją dała, ale moje sumienie reaguje nerwowym tikiem za każdym razem, kiedy ją widzę. Teraz mógłbym oddać dług, ale gdy to zrobię, znowu przez kilka dni będę bez grosza przy duszy.

Zauważyli mnie. Magda macha do mnie ręką i coś woła, ale słowa toną w powodzi huczących wokół głosów. Odpowiadam skinieniem dłoni.

– Cześć, mam dla ciebie forsę – mówię to, czego jeszcze sekundę wcześniej nie zamierzałem powiedzieć.

I nie wiem czemu, ale czuję się lekko. Przyjmuję od nich piwo. Wypijam i zamawiam następne. Kończy się na tym, że znowu się u niej zapożyczam. Tym razem biorę moją własną stówę. Ale jest fajnie. Siedzimy i gadamy, nie chce się wracać do domu. Noc jest taka gorąca.

Zupełnie jak wtedy.

Rodzice pozwolili nam spać w namiocie. Było duszno, więc rozbieraliśmy się do golasa, a potem i tak wyłaziliśmy na zewnątrz i leżeliśmy w wysokiej trawie na skraju kartofliska. O świcie kąpaliśmy się w jeziorze, zjadaliśmy śniadanie i ruszaliśmy w świat. Każdego dnia przechodziliśmy wiele kilometrów. Włóczyliśmy się po wioskach o niesamowitych nazwach, gubiliśmy się na drogach prowadzących donikąd i zwalaliśmy się wyczerpani w suchych rowach pachnących dzikim koprem. Kradliśmy kartofle, a potem wracaliśmy do naszej bazy i piekliśmy je w ognisku.

Jak raz przyczepiły się do mnie tamte wspomnienia, nie chciały odpuścić. Byle nie zacząć myśleć o tym, co się wtedy stało...

A co niby się stało? Nic nie pamiętam.

Słyszę dziwny, świszczący dźwięk.

Przez moment dręczy mnie paskudne przeczucie, że nie wiem co to. Powoli dociera do mnie, że po drugiej stronie łóżka śpi Michał. Ten świst wydobywa się z jego ust. O mało mnie szlag nie trafił. Przypomniałem sobie, że byłem wczoraj w pubie, a gdy uznałem, że nie czuję się na sile wrócić sam do domu, poprosiłem, żeby mnie odwieźli. Musiałem być trochę zmęczony, skoro poszedłem od razu spać. Tylko co Michał robi w moim łóżku?

Budzę go.

– Co tu, do diabła, robisz?

– Kazałeś się odwieźć, powiedziałeś, że jestem jedynym facetem, który cię rozumie, i chciałeś, żebym cię przytulił.

– Nie.

– Tak. Nie kłóć się, mam świadka. Magda śpi na kanapie, ale wszystko słyszała. Ledwo cię wtargaliśmy na górę. Ważysz ze sto kilo.

Przywieźli mnie i zostali na noc.

Magda wybrała kanapę. Michała chyba nie chciała, skoro wepchnęła go do mnie.

Mimo zamroczenia pamiętam, że znowu wiszę jej stówę.

Kolejne dni spędzam, jeżdżąc w różne dziwne miejsca, rozmawiając z ludźmi, z którymi nigdy bym nie rozmawiał, gdyby nie lista dredziarza. Byłem na zajęciach dogoterapii, gdzie psy malamuty, wytresowane przez starszą panią, dawały się tarmosić upośledzonym dzieciom. Poznałem faceta, który organizuje wyścigi psich zaprzęgów. Jeden z ostatnich lutników opowiedział mi, jak się reperuje skrzypce i że najlepsze struny robi się z baranich jelit. A dziewczyny z gabinetu odnowy pokazały, jak można się opalić metodą natryskową, z pistoletu. Nie wolno się tylko potem myć.

Na początku zdumiewało mnie, że ludzie, pytani o coś, odpowiadają, co więcej, czekają na kolejne pytanie, by móc powiedzieć jeszcze więcej. Wystarczy tylko zadać właściwe pytanie, a materiał jest gotowy.

W świecie, w jaki zostałem przypadkowo wciągnięty, niemożliwa jest bezczynność trwająca choćby pięć minut. Dni mijają w nieustannym pośpiechu. Bardzo mi to odpowiada, ciągle dzieje się coś nowego. Nie ma czasu na nudę i myślenie o rzeczach, o których nie chce się myśleć.

I nigdy jeszcze nie zarabiałem pieniędzy w tak prosty sposób.

A rudego doprowadziłem aż do piątego poziomu.

Wieczorem telefon, mama pyta, jak sobie radzę, czy jestem zdrowy, czemu nie dzwonię, czy znalazłem już pracę. Słyszałem to już setki razy. Do diabła, przecież marzę o stałej pracy i wiem, że zawaliłem mnóstwo rzeczy, i mnie samego przeraża cynizm, z jakim od pewnego czasu spoglądam na świat. Ale nie podejmuję kolejnej dyskusji, bo tym razem, na szczęście, mam dobrą wiadomość. Czekam tylko na przerwę, bym mógł powiedzieć, że pracuję w redakcji. Staram się, aby zabrzmiało to na tyle przekonująco, by nie przyszło jej do głowy spytać, na jak długo mnie zatrudnili. Nie pyta. Daje się złapać na moją ekscytację.

– Och, naprawdę się cieszę, że nareszcie wychodzisz na jakąś prostą.

Proponuje, żebym przyjechał na parę dni, ale nie przyjmuję zaproszenia, tłumacząc, że mam masę roboty. Nie upiera się, jest chyba dumna, że wreszcie staję się dużym chłopcem.

Zaraz potem zadzwonił Michał z wiadomością, że jest impreza. Odkąd mam forsę, moje życie towarzyskie uległo zdecydowanej poprawie. Nie bardzo chce mi się iść, ale powiedział, że będzie ekstrazabawa i choćby dlatego powinienem zrezygnować na parę godzin ze swego samotnego życia. W końcu pozwoliłem, żeby udzielił mi się jego entuzjazm. Przeważyło to, że miałem kilka stówek i okazję, by ostatecznie uregulować dług u Magdy. Tylko dlatego dałem się namówić.

Biorąc banknot, Magda dotyka mojej dłoni. Chyba przypadkiem. Nie jest to uścisk, zaledwie muśnięcie, lekkie przesunięcie koniuszkami palców po powierzchni mojej dłoni. Wyczuwam jednak napięcie i jakby elektryczny wstrząs.

– Jak tam twoja praca? – pyta.

Skoro mam okazję, przedstawiam swoją sytuację w korzystnym dla mnie świetle:

– Cóż, w zasadzie chyba nieźle mi to idzie.

Daję się wciągnąć i opowiadam jej o świniach, o facecie, który naprawia skrzypce, i o takich opalonych, którzy muszą unikać wody. Chociaż staram się nie dać po sobie niczego poznać, przyznaję, że delektuję się każdym słowem.

Podoba jej się to, co mówię. Mnie też się podoba jej szczere zainteresowanie mną.

Michał gdzieś zniknął, więc dotrzymujemy sobie towarzystwa. I tak nie ma tu nikogo innego, z kim dałoby się pogadać. Tańczymy, przekomarzamy się jak starzy kumple, opowiadamy sobie o znajomych, rodzinie i jest tak normalnie, całkiem fajnie. Usta nam się nie zamykają. Michała długo nie było, a gdy się pojawił, był z inną panną. Magdy to nie wzruszyło. Na moje pytające spojrzenie wyjaśniła, że są kuzynami, ale trzymają się razem, bo tak wygodniej. Przyznam, że mi ulżyło. Nie chciałbym stracić kumpla. Ale jeśli tak, to doskonale. Tańczymy więc dalej, jeszcze bardziej przytuleni, a przed świtem docieramy do momentu, gdy powinno stać się to, to czego zmierzaliśmy przez cały wieczór. A przynajmniej ja zmierzałem od chwili, gdy zorientowałem się, jak to z nimi jest.

– No to co... – zawieszam głos, wiedząc, że i ona wie, jak brzmi dalszy ciąg: co zrobimy z resztą wieczoru? Spędzimy go u mnie czy u ciebie? Do mnie jest bliżej.

Już ją w myślach rozbieram.

– No to cześć – słyszę. – Czas na mnie.

O kurczę. Liczyłem na ciąg dalszy, a ona co? Tak po prostu odchodzi?

Niech to szlag.

To tyle, jeśli chodzi o mój fart. Widać pisane jest mi samotne życie.

Chcę, żeby przynajmniej było jej przykro, że taka miła noc nie będzie miała dalszego ciągu, ale ona ziewa i wyraźnie myśli już tylko o spaniu. Nienawidzę jej za to. Powinna być pobudzona i pragnąć tego samego co ja. Nie wiem, co powiedzieć. Gapię się tylko na jej biust jak sroka w gnat, aż w końcu ona lituje się nade mną i sama kończy tę scenę. Całuje mnie przelotnie. Ciśnienie mi skacze, ale wystarcza jedno spojrzenie, żeby się przekonać, że nie ma w tym pocałunku za grosz podtekstu. Tak się cmoka babcię na dobranoc.

– To do zobaczenia.

Niby kiedy? Przy jakiejś następnej okazji?

Jestem wściekły na siebie, że nie udało mi się jej zbajerować do końca. Do ciężkiej cholery, ależ ze mnie palant.

Zamierzam wyruszyć na miasto. Spiję się na umór albo jeszcze bardziej. Jestem do niczego.

– Zaczekaj, odwiozę cię – mówię w ostatniej chwili, gdy już odchodzi. A po drodze, nie mając już nic do stracenia, proponuję wspólny wypad za miasto.

– Nie miałabyś ochoty wybrać się któregoś dnia ze mną w jedno takie ciekawe miejsce za miastem? Mam tam do zrobienia wywiad...

Staram się, żeby zabrzmiało to lekko, broń Boże błagalnie. Nie mam już na liście żadnego ciekawego wywiadu, ale jestem zdesperowany.

Magda mruży oczy i chwilę na mnie patrzy. Czyżby sprawdzała, jak bardzo mi zależy?

– Czemu nie. Jak mówisz, że za miasto...

Gapię się na nią z otwartą gębą, aż wreszcie do mnie dociera, że się zgodziła.

– Zadzwonię – mówię z ulgą.

Ach, jakiż jestem z siebie dumny, że nie zmarnowałem okazji, że tak sprytnie stworzyłem grunt do dalszego ciągu.

Na przystanku przed domem znalazłem porzuconą gazetę reklamową. Tę z moim artykułem o świniach. Przeczytałem tekst, który wydał mi się żałośnie niezdarny, ale skupiłem się na nazwisku autora. Moim własnym. Rety. Poczułem powiew sławy i nieśmiertelności.

Wyprostowałem papier i zabrałem do domu. Na pamiątkę. Zawiozę mamie.

Zegar wybił czwartą, a ja nadal nie śpię. Myślę o Magdzie, ale nie jest to coś, od czego bym wariował. Może dlatego myśli powoli dryfują w kierunku tamtych wakacji sprzed kilkunastu lat. Od wspomnień o nich czuję ból we wszystkich kościach. Za oknem robi się już jasno i mam wrażenie, że w tym bladym świetle znika czas. Zaczynam się bać, że przeszłość mnie wessie i wrócę tam. W pustym domu rozlega się dzwonienie, słyszalne tylko dla mnie. I w tej ciszy słyszę głos tamtego chłopaka: „Goń mnie".

Ciągle go ganiałem, ale był szybszy i zawsze mi uciekał. Gdy traciłem go z oczu, wpadałem w panikę, bo bałem się, że sam nie trafię do domu. Nie miałem dobrej orientacji w terenie, to on odnajdował ścieżki, on znał się na stronach świata, wiedział, z której strony przyszliśmy i jak powinniśmy się kierować, żeby wrócić tam, skąd wyruszyliśmy. Uczył mnie tego, co sam potrafił.

Co o nim wiedziałem? Że miał jakoś na imię, że mieszkał w jakimś małym mieście na południu Polski, miał starszą siostrę, a tata wyjechał za granicę. Fakty te zbierałem po okruszku, bo nie lubił mówić o sobie. Za to dużo opowiadał o Indianach, o budowaniu fortec, o azymucie, o odkrywcach i lotnikach, o tym, jak działa dźwignia.

Tamtego dnia też go szukałem. Wrzeszczałem, byłem wściekły, bo znowu mnie zostawił. Omal się nie popłakałem. Odeszliśmy spory kawał od domu, kluczyliśmy miedzami, minęliśmy wieś, przechodziliśmy przez las. Potem mi zwiał. Chciał, żebym sam znalazł drogę powrotną. Nie miałem najmniejszego zamiaru. Wiedziałem, że gdy przestanę się wściekać i usiądę przy drodze, sam wróci. Z pewnością obserwował mnie z jakiegoś ukrycia.

Ale to ja go znalazłem.

Leżał w trawie, na skraju lasu, spod spuszczonych spodenek wystawały blade pośladki. Coś z nim było nie tak. Płakał, wycierał smarki, drugą ręką niezdarnie podciągał spodnie. Kolana i ręce miał podrapane. Znad brwi lała się ciurkiem krew. Spływała strumieniem po policzku i skapywała na trawę, była wszędzie. Widziałem już wcześniej krew, ale nie pamiętałem, że jest taka ciemna i gęsta.

– To trzeba opatrzyć – powiedziałem.

Nie chciał się ruszyć. Jego twarz była rozpalona, jakby miał gorączkę. Potrząsnąłem nim, a wtedy zwilżył językiem usta i wydał z siebie bełkotliwy pomruk. Powiedział, że jakiś facet uderzył go w głowę i przewrócił i zrobił jeszcze coś, ale nie zrozumiałem co. Nie wypytywałem o szczegóły. Rzecz w tym, że wiedziałem i równocześnie nie wiedziałem, co się wydarzyło. To znaczy domyślałem się, ale wolałem na tym poprzestać. Skoro nie miał ochoty wyjaśniać dokładniej, lepiej, żeby tak zostało. Dzięki temu nasze wakacje mogły trwać dalej, bo lato to przecież czas swobody, życia bez problemów, bez komplikacji. Gdyby rodzice się dowiedzieli, zabroniliby nam oddalać się od domu.

Taki wtedy miałem do tego stosunek.

Kazał mi obiecać, że nikomu nie powiem.

Oczywiście, że obiecałam.

Siadam, całkiem rozbudzony. Na zegarze jest piąta rano. Ze wszystkich stron otacza mnie czerwonawa mgła. Staram się uspokoić oddech. Ciągle widzę kroplę krwi zbierającą się powoli w grubą lśniącą kulkę i spływającą w dół po ścieżce wyznaczonej przez poprzednią. Właściwie to wręcz niepojęte, że z takimi szczegółami przypomniałem sobie to wszystko. Przyznam, że przeraziły mnie wspomnienia. Wolałbym na tym poprzestać, ale umysł pracował dalej, mechanicznie odtwarzając wydarzenia sprzed dwunastu lat.

Boję się dalszego ciągu. Tego, w czym później sam uczestniczyłem.

Jednocześnie zdaję sobie sprawę, że się nie uspokoję, póki nie opowiem sobie tej historii do końca.

Od tamtej pory wszystko się zmieniło. Zniknęła senna apatia letnich tygodni. Mój kumpel nie był już tą samą osobą, uległ jakiejś przedziwnej metamorfozie. Jakby to byli dwaj różni chłopcy – sprzed i po. Coś się w nim chyba zacięło.

Zmianie uległo też wszystko wokół niego. I ja się zmieniłem. Było tak, jakby pękła otaczająca nas bańka powietrza, uwalniając myśli, uczucia, o których istnieniu nie mieliśmy wcześniej pojęcia, i pozwalając na przekraczanie granic, które dotąd wydawały się ustalone raz na zawsze.

Spytał, czy mu pomogę w budowie twierdzy. Nie pamiętam, żeby cokolwiek wyjaśniał albo do czegoś namawiał. Może gdybym wiedział wtedy, jaki jest jego plan... Chociaż właściwie wiedziałem, ale gdybym miał czas na przemyślenie sytuacji, może postąpiłbym inaczej, nie wiem. Tak czy owak byłem po jego stronie. Bo to mogło przecież przytrafić się mnie i wtedy ja potrzebowałbym jego pomocy.

Zaakceptowałam pomysł. Zgodziłem się w przekonaniu, że czeka mnie dobra zabawa. I w pewnym sensie rzeczywiście tak było.

Podobało mi się też to, że obdarzył mnie zaufaniem. Miałem jednak świadomość, że wszystkie słowa o przyjaźni były zwyczajną blagą. Chodziło tylko o współdziałanie. Potrzebny byłem w zaplanowaniu i zorganizowaniu zemsty.

Nie rozmawialiśmy o celu naszej pracy, bo sprawa wydawała się oczywista, nie wymagała słów, tylko działania. I nie widziałem potrzeby, żeby uświadamiać mu, jakie to niebezpieczne, bo wiedział o tym lepiej niż ja.

Reszta lata upłynęła na budowaniu pułapki.

To, co robiliśmy, było rodzajem wojny. Ruszyliśmy na bój, a w naszej zajadłości tkwiło coś groźnego, pierwotnego. Tego chłopaka można się było naprawdę bać. Owładnęło nim dzikie pragnienie urzeczywistnienia tego, co ja, mimo wszystko, traktowałem jako zabawę.

Ale poddałem się tej atmosferze. Żyłem w takim szczególnym stanie uśpienia, gdy człowiek zgadza się na wszystko, nie pytając o nic. Mnie nic nie zagrażało. I szczerze mówiąc, nie trapiłem się niczyim losem. Ktoś, przeciwko komu działaliśmy, zasłużył sobie na to.

Początek pracy był męczący. Palce, zbyt delikatne i sztywne, krwawiły z pękających pęcherzy. Ale potem ranki się goiły, skóra w tych miejscach twardniała, ból ustępował. Z każdym dniem praca nabierała tempa. Po kilku dniach byliśmy jak w transie, z zaciekłą ochotą, która rosła i rosła, w miarę jak krata stawała się coraz mniej stabilna, a budowla nabierała kształtu. Byle uciąć kolejną gałąź, wydłubać z ziemi kolejny podkład kolejowy, wtargać na górę, ustawić we właściwym miejscu i solidnie przymocować. Wieczorem ledwie stałem na nogach. Mimo to czułem się szczęśliwy niepojętym wręcz szczęściem. Pochłaniała mnie praca – głupia, mechaniczna, wyczerpująca i z każdym dniem sprawiająca rękom i ramionom coraz dokuczliwszy ból, a mimo to nigdy nie miałem jej dość, pragnąłem tak budować i budować bez końca. Dawało mi to fizyczną radość, wypełniało wnętrze ciepłym, kojącym uczuciem.

Nikt nie zwracał na nas uwagi poza jednym facetem ze wsi. Miał gospodarstwo nad jeziorem i w sobotnie wieczory zapraszał sąsiadów i letników na ogniska. Nasi rodzice też tam chodzili. Siadali kręgiem i śpiewali długo w noc, opowiadali anegdoty i piekli kiełbaski. W tygodniu, w przerwach między koszeniem zboża, facet siadał i obserwował, co robimy. Nie rozmawiał z nami, o nic nie pytał. Siadał tylko i patrzył. Nie widziałem w tym nic niepokojącego, póki nie zwróciłem uwagi na skurczoną twarz mojego kumpla. Nie musiałem o nic pytać.

A potem, gdy nasza praca weszła w ostatnią fazę, wyjechałem. Dostałem ataku ślepej kiszki i musieliśmy wracać do domu.

Nie powiedziałem nikomu, co robiliśmy. Lubiłem mieć tajemnice i wiedzieć to, czego nie wiedzieli inni. Ale ten sekret ukryłem nawet przed sobą, w dodatku tak głęboko, że o wszystkim zapomniałem. A i dzisiaj, prawdę mówiąc, swój udział w tej sprawie najchętniej bym zakopał.

Na początku czasami się zastanawiałem, czy zemsta ostatecznie się dokonała, ale w końcu kazałem sobie przestać. Wytrwałem w tym postanowieniu kilkanaście lat. A teraz pytanie, czy to się stało, nie dawało mi spokoju. Przelatywało raz po raz przez głowę. Dręczyło. Wracało z męczącą natarczywością. A już najbardziej drażniła nieostrość końcowych zdarzeń, niepewność, rozciągnięcie finału na wszystkie lata, które nastąpiły potem.

Wstaję, strząsam z siebie przeszłość i zaczynam normalny dzień.

Nie mam czasu, by gruntownie przemyśleć swój udział w tamtej sprawie i wziąć się za bary z przebudzonym po latach poczuciem winy. Mam mnóstwo pracy. Czeka mnie kilka umówionych spotkań i sterta materiałów do opracowania. Pożyczyłem od kumpla dyktafon, żeby nagrywać rozmowy. Fajne jest to, co robię. Dzwonię, umawiam się na rozmowy, dużo jeżdżę. Nowe życie podoba mi się tak bardzo, że kiedy we wtorek dzwoni Szymon, czuję się niemile zaskoczony. Mam wrażenie, że oto z zamierzchłej przeszłości pojawiła się kolejna mara.

– Wracam jutro, dzięki za zastępstwo. Podobno dobrze sobie radziłeś.

Nie wiem, co na to odpowiedzieć.

Nie pamiętam już życia, które prowadziłem uprzednio. To, co robiłem przez ostatnie tygodnie, zacząłem już traktować jako coś oczywistego. Rozpierał mnie entuzjazm, a moim jedynym celem były rozmowy ze zwykłymi ludźmi, którzy przy bliższym poznaniu okazywali się wcale nie tacy zwykli. Miałem pomysły na nowe artykuły. Chciałem...

– A ty jakie masz plany? – słyszę i mam ochotę przyznać, że jedyne, o czym marzę, to wygryźć go z posady i zająć jego miejsce.

Jego głos brzmi jednak przyjaźnie i w porę przypominam sobie, że to mój kumpel i że potrzebuję go, i pewnie nieraz będę potrzebował w przyszłości.

– Nie wiem, chyba trochę pojeżdżę – mówię i mam nadzieję, że brzmi to w miarę szczerze.

A potem leżę na kanapie i wpatruję się w sufit. Zastanawiam się, co dalej.

Ta praca miała być jedynie przerywnikiem, przysługą dla kolegi, a stała się nieodłącznym elementem mojego życia. Nie mogę nawet poudawać, że jej utrata nic mnie nie obchodzi, że mam to wszystko gdzieś. Jestem po prostu zdruzgotany. Nie mam pojęcia, co powinienem teraz zrobić. Pozostaje tylko nadzieja, że wydarzy się jakiś cud.

Dociera też do mnie, że mam znacznie poważniejszy problem niż tylko utrata pracy. Jest nim całe moje życie. Nie potrafię nawet wyobrazić sobie, że powrócę do nudy i tych zwykłych zajęć, które poprzednio wypełniały moje dni.

Potrzebuję aktywności. Uzależniłem się od adrenaliny.

Z tego wszystkiego przypomniałem sobie o Magdzie. O tym, że mi się podobała i że niedawno miałem ochotę zaciągnąć ją do łóżka. Przez moment się zastanawiam, czy nadal mam na to ochotę. Analizuję stan swojego umysłu i stwierdzam, że uczuciem dominującym jest pragnienie, żeby mnie ktoś przytulił. Tym kimś może być Magda. Chętnie spędziłbym z nią wieczór.

Dobrą chwilę poświęcam na wyobrażanie sobie rozmowy z nią. Sprawdzam w teorii kilka wersji nakłonienia jej do poświęcenia mi paru godzin. Wreszcie podnoszę słuchawkę i wystukuję numer. Odebrała od razu, po pierwszym sygnale, tak niespodziewanie, że zapomniałem, o co mi chodziło. Gadam więc coś bez sensu o swojej pracy.

– Chcesz się ze mną umówić? – słyszę po tamtej stronie.

– Tak jakby.

– Okej. Ale nie dzisiaj, bo jestem zajęta. Może być jutro?

Przez chwilę zastanawiam się, czy aby na pewno o to mi chodziło. Ale dochodzę do wniosku, że jeśli do jutra przejdzie mi ochota na randkę z nią, zawsze mogę się wyłgać bólem zęba albo czymś takim.

– Pewnie.

– To gdzie pojedziemy? – pyta, a ja dopiero po sekundzie się orientuję, że przecież obiecałem jej przejażdżkę za miasto.

Moment paniki, bo takiej wersji nie przećwiczyłem.

I wtedy jakiś mały podły demon szepnął mi do ucha: „Tunel". Uznałem, że to niezła myśl. Za jednym zamachem załatwię i randkę, i zmory przeszłości. A może uda mi się zebrać jakiś materiał, za który zainkasuję ostatnią stówę. Pamiętam, jak dużo miejscowi wiedzieli o tunelu. Popytam. Może uda mi się też zlokalizować gospodarstwo tamtego faceta znad jeziora.

Będę przynajmniej wiedział...

Magdzie podoba się pomysł. Pyta tylko, czy to daleko. I cieszy się, gdy mówię, że pojedziemy motorem. Odnoszę wrażenie, że głównym powodem, dla którego się zgodziła, jest mój motor. Dobre i to.

Jedziemy. Jej piersi na moich plecach, ręce na brzuchu, trzyma się mnie, ale nie kurczowo, i nie piszczy. Na zakrętach pochyla się łagodnie razem ze mną. Można powiedzieć, stanowimy jedno ciało. Na miejscu jest jeszcze lepiej. Kąpielisko, plaża, molo, słońce odbija się od wody, wszędzie kręcą się ludzie w kostiumach kąpielowych, w powietrzu unosi się zapach lata wymieszany z aromatem gofrów i smażonych na grillu kiełbasek. Kąpiemy się, potem leżymy na kocu i schniemy. Patrzę na krople wody na jej brzuchu. Leży przy mnie, mokra po kąpieli, jest tak blisko, że czuję jej zapach. Pachnie migdałami. Ładnie. Dostrzegam delikatne włoski na jej przedramieniu. Na łokciu ma bliznę. Dotykam jej. Ma ciepłą skórę. Gapię się na jej piersi.

– Chyba nie myślisz o...

– Jeszcze jak!

Śmiejemy się z tego, gadamy o głupstwach, fajnie jest. Jej obecność coraz bardziej mi odpowiada. Snuję w głowie plany na wieczór. Chciałbym jej o nich powiedzieć, ale waham się. Może ona wcale tak tego nie widzi? Powiem, że jestem zainteresowany, że chcę więcej, a ona się przestraszy albo mnie wyśmieje? Bardzo możliwe, że to ja za kilka godzin dojdę do wniosku, że tak naprawdę wcale tego nie chcę.

Muszę zanurzyć się w zimnej wodzie, zanim na cokolwiek się zdecyduję.

Magda zostaje na brzegu, a ja wypływam daleko. Macham zawzięcie ramionami, żeby rozładować emocje, i gdy wynurzam się, zupełnie przypadkowo lokalizuję dom tamtego faceta. Jest taki sam jak wtedy. Nawet stosy drewna ułożone przy ścianie stodoły wydają się nietknięte przez czas. Myśli o pułapce wyskakują jak diabeł z pudełka. Usunięta krata z szybu wentylacyjnego, tunel, z którego nie ma wyjścia...

Wracam do brzegu.

Kładę się na kocu, ale po chwili mam dość leżenia. Denerwuje mnie, że nic się nie dzieje. Chciałbym tam pójść i sprawdzić, ale się boję.

Dobry nastrój pryska jak bańka mydlana. Z każdą chwilą jestem coraz bardziej roztrzęsiony. Nie mogę myśleć o niczym innym poza facetem, na którego przygotowaliśmy zasadzkę.

Magda spogląda na mnie ze zdziwieniem. Denerwuje mnie nawet to, że tak szybko wyczuła zmianę mojego nastroju. Czuję się rozbity i jednocześnie winny tej sytuacji. Powinienem przyjechać tu sam i zamiast tracić czas na bezsensowne opalanie, sprawdzić to, co zamierzyłem.

Ona w końcu nie wytrzymuje.

– O co chodzi? – pyta.

Mam straszną, ale to straszną chęć opowiedzieć jej o tym wszystkim, co od kilku dni mnie dręczy, i usłyszeć, że to kompletna bzdura takie rozgrzebywanie starych dziejów. Czemu nie zostawić w spokoju czasu przeszłego? Minęło tyle lat. I gotów jestem zaakceptować sugestię, jeśli tylko padnie. Pragnę tego całą duszą.

Zamiast tego mówię:

– To nie ma nic wspólnego z tobą.

Chyba myślę, że tym głupim oświadczeniem cokolwiek załagodzę. Jakże się mylę.

– Skoro tu jestem, a ty masz taką minę, to tak czy owak ma to coś wspólnego ze mną.

Wcale tak nie uważam, ale jest mi głupio, że zrobiłem jej przykrość, i dla załagodzenia sytuacji opowiadam o tym, co gnębi mnie od wczoraj; że miałem fajną pracę, ale już jej nie mam i pewnie już nigdy nie będę takiej miał.

Magda pocieszająco dotyka mojego ramienia. Prąd przebiegający przez skórę odbieram jako sygnał, że nieprzyjemny zgrzyt sprzed kilku chwil został mi darowany. Czuję się rozgrzeszony. I nagle słyszę:

– Ty to strasznie dużo czasu tracisz na myślenie o tym, czego nie możesz.

Ten zarzut dotknął mnie do żywego.

Czy ona mnie w ogóle słuchała?

Po co w ogóle otwierałem tę swoją głupią gębę i coś mówiłem.

– Nic nie rozumiesz – syczę. – Nie masz pojęcia, jak się czuję.

Ona jednak nie ustępuje.

– Powiedz szczerze, wkurza cię ta sytuacja? – pyta.

– Nie.

Zbyt długo jednak się wahałem.

– Ani odrobinę? – naciska.

– No dobra – poddaję się. – Może trochę. Ale co ja niby mogę?

– Na twoim miejscu robiłabym dalej to samo i jeśli nie w tej, to poszukała szczęścia w innej gazecie.

– Niestety, nie jesteś na moim miejscu.

A szkoda, bo wygląda na to, że ona ma więcej ode mnie odwagi. I to mnie dopiero wkurza. Czuję się jak kompletny idiota. Zaraz chyba pójdę i utopię się w jeziorze.

– Wystarczająco mnie krępuje, że tak się przed tobą otwieram, a ty zamiast mi współczuć, jeszcze na mnie najeżdżasz.

Nasze dłonie dzieli piętnaście centymetrów przestrzeni. Chciałbym się przemóc, pokonać tę odległość i zażegnać nikomu niepotrzebną kłótnię. Niestety. Widzę, że moje ręce, należące jakby do kogoś obcego, odsuwają się i zwiększają dystans. Zbyt dobrze zdaję sobie sprawę, że w tej sytuacji jakakolwiek nadzieja na intymność jest coraz mniej realna. Jeszcze przed godziną istniała spora szansa, że nasza wycieczka skończy się u mnie w mieszkaniu. Ale teraz... Wyobrażam sobie, co ona sobie myśli. Nie widzi we mnie mężczyzny, ale rozhisteryzowanego szczeniaka. Na jej miejscu dałbym sobie spokój z takim palantem.

– Idę popływać – mówi i czeka chwilę. Pewnie ma nadzieję, że do niej dołączę. Ale nie ruszam się. Wolę zostać sam.

Patrzę, jak płynie równym kraulem. Oddala się i po chwili widzę tylko jej głowę.

Postanawiam wykorzystać ten czas i przejść się wokół jeziora.

Nagle zaczynam myśleć, że ona ma rację. W sprawie pracy. Fakt, że Szymon wrócił, wcale nie znaczy, że muszę rezygnować z czegoś, co tak mi się spodobało. Zrobię następne reportaże, może rudy dredziarz potrzebuje dwóch reporterów, a jeśli nie, to z tym, co napiszę, mogę iść gdzie indziej. Ważne, że wiem, czego chcę.

I jak ręką odjął znika gdzieś przygnębienie. Zaczyna przepełniać mnie prawdziwa ulga i chęć działania. Czasami trudno się samemu z czymś uporać i potrzebny jest ktoś, kto spojrzy na problem z boku. Z zewnątrz wszystko wygląda całkiem inaczej, jakoś prościej. Jestem Magdzie naprawdę wdzięczny za kopa, którym mnie poczęstowała. Patrzę w ślad za nią. Widzę, że zawraca, więc i ja ruszam z powrotem. Idę na skróty, przez wieś, by dotrzeć na nasz koc wcześniej. Powiem o swojej decyzji i o tym, że w jej obecności czuję się jak podłączony do źródła prądu.

Ale nie jest tak, jak powinno być. Pamięć zawiodła albo stare ścieżki przestały istnieć.

Starego skrótu nie ma. Natykam się na płot i muszę wrócić. Pytam ludzi o jakieś inne przejście nad jezioro. Przy okazji wypytuję o tunel. Niewiele o nim wiedzą, jeszcze mniej pamiętają. Są tacy, co nie mają pojęcia o jego istnieniu. I to utwierdza mnie w przekonaniu, że oto znalazłem temat, który mogę potraktować jako początek nowej drogi zawodowej. Dotrę do źródeł, zbiorę informacje i przypomnę ludziom fragment historii, która działa się tutaj, obok nich. Z Szymonem nie ma to nic wspólnego.

Trasa, którą podświadomie wybieram, prowadzi wprost na gospodarstwo tamtego faceta. Muszę przejść przez jego podwórze, żeby przedostać się nad jezioro. Stamtąd do kąpieliska są już dwa kroki.

Wchodzę z duszą na ramieniu. Kogokolwiek tam spotkam, spytam o to samo co innych. A potem... konkretnie o niego.

Stoję na środku podwórza i czekam, aż ktoś się pojawi.

Drzwi się otwierają i staje w nich starszy gość. Od razu go rozpoznałem. A więc facet żyje. Co za ulga. Nic się wtedy nie stało. Nie jestem niczemu winien. Jak to dobrze. Niepotrzebnie tak to wszystko przeżywałem. Wszystko, czego się bałem, było sprawką wyobraźni. Nic się wtedy nie stało. Nic się nie stało. Nic się nie stało.

– O co się rozchodzi? – pyta.

Mówię, że jestem z gazety. Chodzi mi o tunel.

Zawahał się.

Wziął głęboki oddech i zastygł w bezruchu. Zapadła martwa cisza, jakby ktoś odessał powietrze.

– Nic nie wiem – burknął wreszcie i wskazał głową furtkę, że mam się wynosić. Jego głos, choć lekki i zdawkowy, zabrzmiał nieprzekonująco.

Chcę zadać jeszcze jakieś pytanie, ale facet ma twarz z kamienia. Żaden mięsień nawet nie drgnie. Oczy tkwiące głęboko w oczodołach połyskują szkliście. Zaczynam czuć się nieswojo.

Kiwam głową i wychodzę na miękkich nogach. Ale numer. Czyżby mnie poznał? Wątpliwe. Najwyraźniej zdenerwowała go wzmianka o tunelu. Ciekawe dlaczego? Wszystkim, których o to pytałem, sprawa była najzupełniej obojętna. Czemu jego tak przestraszyła?

Idę i zastanawiam się, czy aby nie przywiązuję zbyt dużej wagi do paniki, która na moment ogarnęła gościa. Może to kolejne moje urojenie? Pobudzona wyobraźnia szuka nowych podniet?

Mimo to jestem pewien, że coś tu nie gra. Chociaż może i niekoniecznie. Może to ze mną jest coś nie w porządku.

Siadam na moment i pogrążam się w zadumie.

Postanawiam opowiedzieć Magdzie swoją letnią przygodę sprzed lat. Odczuwam ogromną potrzebę podzielenia się z nią wspomnieniami, które mnie dręczą i przyprawiają o ból głowy. A na dodatek psują tak pięknie rozpoczęty dzień. Jestem Magdzie winien szczere wyjaśnienie. Tyle jeszcze godzin przed nami. Wszystko, co spaprałem, da się jeszcze naprawić.

Wreszcie odnajduję nasze legowisko i oniemiały wpatruję się w pusty koc. Pierwsza myśl, jaka przychodzi mi do głowy: Magda się utopiła. Ale po chwili widzę, że nie ma jej ubrań i torby. Może ukradli? Tyle że moje rzeczy są.

Sąsiedzi z koca obok mówią, że dziewczynie znudziło się na mnie czekać i zabrała się do miasta z kimś znajomym. Ich poprosiła o dopilnowanie tego, co moje.

Zerkam na zegarek i przekonuję się, że zostawiłem ją samą na ponad trzy godziny. Nie sądziłem, że tyle czasu zajęła mi wędrówka przez wieś.

Tamci patrzą na mnie jak na padalca i mają rację.

– Niech to szlag.

Tylko tyle udaje mi się wykrztusić, bo poza tym mowę odjęło mi kompletnie. Wyobrażam sobie, jaka musiała być rozżalona, a potem wkurzona. Gdybym był nią, znienawidziłbym siebie raz na zawsze. Dałem plamę. Czuję się jak śmieć. Zachowałem się jak krowa, której wyżarło mózg. Na samą myśl, że sprawiłem jej przykrość, robi mi się ciemno przed oczami. Z przytłaczającym poczuciem winy dzwonię, ale telefon nie odpowiada.

Siedzę jeszcze trochę, w nadziei, że może jednak wróci.

W końcu uznaję, że nic z tego nie będzie.

Wracam i czuję się taki samotny, jak nigdy dotąd. Po drodze zajeżdżam pod jej dom, ale nikogo nie ma. Pewnie jest, tylko nie ma ochoty ze mną gadać. Trąbię na znak, że jestem osioł. Dzwonię z domu kilka razy, ale odzywa się tylko sygnał. Pozostaje mi jedynie cierpliwe czekanie.

Za karę ścielę sobie na podłodze. Ręce kładę grzecznie na kołdrze, wzrok wbijam w sufit i oczyma wyobraźni oglądam ten nieudany dzień jak film na kasecie, klatka po klatce. Na każdej wyglądam jak wzorcowy dupek. Zanim jej nie udobrucham na tyle, by zechciała mnie wysłuchać, mogę zrobić tylko jedno. To, do czego mnie przekonała.

Następny dzień spędzam na szperaniu.

Już się zorientowałem, że najlepszym źródłem informacji na temat kolei są właśnie koleje, toteż dzwonię do dyrekcji miejscowych przewoźników i wypytuję o stare tunele. Przeważnie odsyłają mnie do kogoś innego, ale po nitce do kłębka trafiam wreszcie na właściwego człowieka, kogoś szczerze zainteresowanego historią kolejnictwa. Dziadek cieszy się, że istnieje drugi taki jak on świr. Ma stare mapy z zaznaczonymi tunelami i najróżniejsze historie ich dotyczące. Najlepszą informację zachował na koniec; że niedługo ten właśnie tunel, o który pytam, zostanie częściowo otwarty, dosłownie rozryty na pół, bo w poprzek niego przebiegać będzie nowa droga.

Zebrany materiał pasuje jak ulał do naszej reklamówki i wiem, że rudy przyjąłby go z pocałowaniem ręki, ale nie o to mi przecież chodzi. Muszę zrobić z tego ciekawą rzecz, którą zainteresuje się każda gazeta. Nie mogę poprzestać na mapach i opowieściach emeryta. Muszę być przy otwarciu. Chcę tam być, gdy rozbiją fragment nasypu i ścianę tunelu. Chcę sam tam wejść. Prowadzę więc kolejne rozmowy, tym razem z budowlańcami i ich szefami. Już po trzecim telefonie mam tego, o kogo mi chodzi.

– Co mógłbym dla pana zrobić? – pyta uprzejmie człowiek, od którego zależy moja przyszłość.

– Chciałbym zwiedzić tunel... Wiem, że w związku z budową drogi będzie otwarty, a spisuję historię takich budowli i nie chcę zmarnować okazji.

– Tak, rozumiem – mówi i zaraz potem chrząka, by zyskać na czasie.

Czekam na jego decyzję. Innych dziennikarzy przy tym nie będzie. Nikogo poza mną nie interesuje stary tunel. Po kilku chrząknięciach okazuje się, że nie ma nic przeciwko temu, by reporter udokumentował to, co on wkrótce rozwali. Ma tylko jedno pytanie:

– Będzie cała ekipa czy tylko pan?

– Będę sam.

Dostałem pozwolenie i na wejście, i na robienie zdjęć. Chcę powiedzieć o tym Magdzie, ale jakoś jeszcze nie mam odwagi. Chociaż trudno mi to przyznać, kusi mnie ogromnie, by rozłożyć się z namiotem pod jej domem i mieszkać tam, dopóki nie zechce ze mną porozmawiać. Postanawiam, że zrobię to po powrocie. Jestem do tego zdolny. Teraz już tak.

Jadę.

Jest wcześnie rano. Nieprzyzwoicie rano. Jestem podniecony tym, co mnie czeka. Mam wrażenie, jakbym był na prochach. Kłęby mgły snują się nad polami, w rowach, między drzewami. Czasami przecinają drogę. Wjeżdżam w nie, a one otulają motor i odpływają dalej. Jak zjawy z zaświatów.

Przebiega mnie dreszcz.

Kątem oka widzę stracha na wróble, któremu wiatr rozwiewa poły kapoty. Musi być daleko, bo mimo że jadę ze stałą prędkością, mam go cały czas w polu widzenia. Wygląda, jakby biegł. Zupełnie jak tamten chłopak. Kopiąc wychudłymi nogami i poruszając rytmicznie ramionami, zmierza do jakiejś niewidocznej mety.

Ledwo za nim nadążam. Obaj chyba zmierzamy w tym samym kierunku.

Podskakuję na wyboju i wizja się rozpływa, ale nie opuszcza mnie poczucie irrealizmu. Ni stąd, ni zowąd pojawiają się myśli, odległe, płynne, mało konkretne, o telefonach odbieranych przez rodziców, o przyciszonych rozmowach, przerywanych w mojej obecności, o kimś, kto uciekł, zniknął, ślad po nim zaginął, o mojej niechęci wyjawienia komukolwiek tego, co tam się naprawdę wydarzyło. Nie wiem, z jakich zakamarków pamięci te myśli wyłażą, ale jestem na nie przygotowany od chwili, gdy jadąc na wystawę świń, przypomniałem sobie o tunelu i szybie wentylacyjnym.

Sam przed sobą niechętnie przyznaję, że się boję.

Pełen złych przeczuć jadę dalej przez ciemność. Oglądam się, ale nikt już nie biegnie za mną, nie dzieje się absolutnie nic. Pokonuję kolejne kilometry i już nie wiem, czy aby na pewno chcę tam być.

A potem zatrzymuję się i dzwonię do mamy. Odbiera zaspana, ledwo kojarząca, z kim rozmawia tak wczesnym rankiem.

– Mamo, jak się nazywał tamten chłopak, z którym bawiłem się tamtego lata dwanaście lat temu?

Namyśla się albo odpędza sen.

– Ach, tamten. Też ci się przypomniało po tylu latach. Nie pamiętam. Jego matka dzwoniła, szukała go. Podobno kilka dni po naszym wyjeździe uciekł czy coś takiego... Dobrze, że wcześniej wyjechaliśmy i nie namówił cię na żadną głupotę.

Chowam telefon do kieszeni i czuję, że serce bije mi szybciej niż zwykle. Jadąc dalej, próbuję uporządkować wszystko, o czym wiem, ale mam problemy z zaakceptowaniem tego, co sobie powoli uświadamiam.

Wreszcie widzę teren budowy, rozorany nasyp. Jestem na miejscu. Lekki szok, w jakim jest mój umysł, sprawia, że wyczuwam silne napięcie pochodzące spod ziemi.

Jadę wolniej.

Zostawiam motor. Witam się z kierownikiem. Jest młodszy, niż mi się wydawało przez telefon. Powiedziałbym, że jest całkiem młody. Dostaję od niego żółty kask. Ekipa przystępuje do pracy. Robotnicy ruszają się jak muchy, są zaspani, ale chodzi o to, by jak najwcześniej dokonać penetracji tunelu, zanim zlecą się ciekawscy.

Buldożery rozorują nasyp. Głuche tąpnięcie. Fragment muru zapada się. Robię zdjęcia. Po obu stronach wyrwy ciemnieje wnętrze tunelu. Kolejne zdjęcia. Kierownika budowy staram się mieć blisko siebie. Nie muszę się o to nawet specjalnie starać, bo on stale jest obok. Pewnie wziął na siebie rolę mojego opiekuna, a może tylko zależy mu na fotce w gazecie? Wszystko mi jedno. Czuję, jak pot ścieka mi po kręgosłupie. Jestem przerażony.

Ekipa poszerza wyrwę. Jak okiem sięgnąć tunel jest pusty. Żadnych pociągów, tylko zardzewiałe szyny.

Wchodzimy do środka. Szef budowy tuż przy mnie, a z drugiej strony dwóch robotników z porządnym reflektorem. Inni zostają na zewnątrz, mają masę roboty z rozebraniem zburzonej części tunelu i zabezpieczeniem uszkodzonych ścian. Jeszcze tego samego dnia muszą zamurować otwory.

My, którzy wchodzimy w ciemność, automatycznie zwalniamy tempo, spowalniamy ruchy, zastanawiamy się nad każdym kolejnym krokiem. Czuć smród, woń zgnilizny, a wilgotny odór zdaje się wydobywać ze ścian. W środku jest chłodno i ciemno. Reflektor rzuca snop światła. W jego blasku można dostrzec nasze chwiejne cienie.

Żołądek podchodzi mi do gardła. Obawiam się tego, co wkrótce znajdziemy. Mam nadzieję, że robotnicy nie zrezygnują po paru metrach, ale zwiedzą ze mną całość, a przynajmniej pierwszy kilometr. Nie chciałbym zostać tu sam.

Czuję się dziwnie wyczerpany, potłuczony, bliski omdlenia, a jednocześnie silniejszy niż kiedykolwiek wcześniej. Wiem, że nie zrezygnuję. Jestem mu to winien. Nie z własnej winy, ale zawiodłem go.

Mijają minuty, podczas których zaklinam i błagam Boga, targuję się z diabłem, modlę w duchu, żeby nic tu nie było.

Inżynier każe oświetlać wszystkie zakamarki. Pewnie ma obowiązek sprawdzić tunel przed ponownym zamknięciem. Wykonuje swoją robotę naprawdę solidnie. Dzięki jego obecności nie czuję się tak okropnie, jak powinienem.

Robi się coraz duszniej, prąd powietrza z zewnątrz słabnie. Nie ma czym oddychać. Miejsca, gdzie znajdowały się dawne otwory wentylacyjne, rozpoznajemy po stertach gałęzi i kamieni usypanych pod ścianami. Minęliśmy dwa. Kierownik zatrzymuje się przy każdym kopczyku i rozgarnia nagromadzone przez lata śmieci, jakby czegoś szukał.

Wreszcie docieramy tam, gdzie chciałem się znaleźć. Trzeci otwór. To tu. Powietrza nie ma już prawie wcale. Ci z reflektorem głośno protestują, chcą wracać. Tylko my dwaj jesteśmy twardzi. A właściwie twardy jest dowódca. Wątpię, czy sam dotarłbym aż tutaj.

Reflektor oświetla stertę gałęzi. Wokół widać rozsiane niedopałki papierosów. Jakiś but, szmata. Słyszę głośne westchnienie obok swojego ucha i szelest rozgarnianych śmieci. Przez dłuższą chwilę nie słyszę ani jego, ani swojego oddechu.

Nic. Pusto.

Podwójne westchnienie ulgi.

Jeszcze parę kroków. Jeszcze światło reflektorów w głąb tunelu. Nic.

– Wracamy – słyszę.

– Czego pan szukał? – pytam już na zewnątrz.

Wzrusza ramionami. Jest szary na twarzy. Nad łukiem brwiowym ma niewielką szramę. Nie wierzę w to, co widzę, ale to te same oczy. Znam go. Wiem, skąd go znam. On nie patrzy na mnie. Nadal trwa w oszołomieniu, ze wzrokiem skierowanym na plac budowy, jakby pochłonęło go całkowicie tamto widowisko. Mam ochotę go uściskać i powiedzieć, kim jestem. Ale czekam. Gdy tylko spojrzy, też mnie pozna. Jeszcze nic nie mówię. Daję mu czas, by ochłonął.

To niesamowite, że spotkaliśmy się właśnie tutaj.

Czego on szukał?

I w jednej chwili czuję, jak w głowie mi się przejaśnia, a ołowiane odrętwienie biegnące w górę pleców powoli ustępuje. Wystarczyła chwila, bym zrozumiał, co się wtedy naprawdę stało. Przygotował zemstę i zwiał. Nie wytrzymał napięcia. Mimo wszystko zabrakło mu odwagi, by być przy tym, jak pułapka zadziała.

Zdjął kask i przetarł oczy takim samym gestem jak dawniej. Podążam za jego myślami. Wiem, że właśnie zaczyna mieć nadzieję, że pułapka była jednak wadliwa i nie zadziałała. Że jakiś szczęśliwy traf uchronił go przed grzechem.

Za sekundę spojrzy i pozna mnie. Cieszę się każdym słowem, które wkrótce padnie. Spoglądam w niebo. Słońce już wzeszło. To będzie piękny dzień. Myślę o namiocie, który rozbiję między blokami. O redakcji, którą jeszcze dzisiaj odwiedzę. O pracy, którą będę lubił. I o reszcie życia bez wyrzutów sumienia.

SPIS TREŚCI

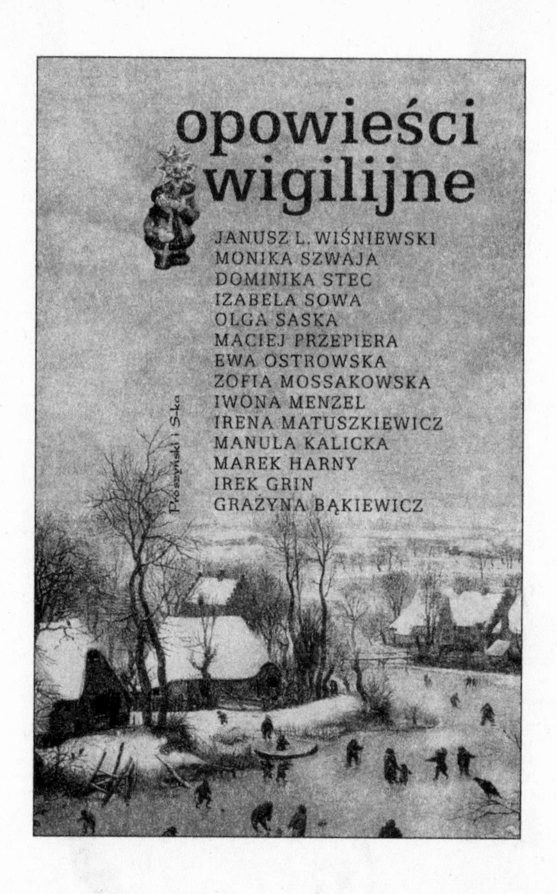

To książka szczególna – jak szczególna jest sama Wigilia i to wszystko, co się z nią wiąże. Opłatek, choinka, bliscy przy stole, prezenty... Specjalny prezent dla swoich czytelników przygotowało czternastu z najbardziej lubianych i najchętniej czytanych polskich autorów wydawnictwa Prószyński i S-ka. Każdy z nich napisał opowiadanie tematycznie związane z Wigilią. A że każdy też pozostał wierny swojej problematyce i stylowi, powstała książka lśniąca wszystkimi barwami prozy, rozjarzona, migotliwa i piękna jak bożonarodzeniowa choinka.